創作怪異怪物事典

朝里樹 著

笠間書院

はじめに

foreword

人間の歴史が始まってから、どれほどの怪異・怪物が創作されてきたのでしょう。人の想像力には限りがありません。そして口承で伝えられたような神話の時代から、映画やゲームなど最新技術が使われる作品の中まで、人ならざる彼らは生まれ、語られ、様々な役割を担ってきました。

本書は、そんな怪物・怪異の中でも、近代以降の小説・映画に登場するものたちを中心に集めた事典ですが、全てを網羅できたわけではありません。人間が想像し、創造してきた異形のものたちは限りがないといえるほど数が多いのです。

そのため、本書では後続の作品に大きな影響を与えた、著名な作品に登場する怪異・怪物を中心としつつ、あまり知られていないようなものも収録しています。

また本という媒体の都合上、どうしても収録できる項目数が限られるため、海外の有名作品のうち既に特定のジャンルで事典が存在しているもの（クトゥルフ神話、『指輪物語』、『ハリー・ポッター』シリーズなど）については収録を見送っています。

国産作品については、「ゴジラ」シリーズ及び「ガメラ」シリーズに登場する怪獣などをなるべく収録しました。

また、本書では各怪異・怪物の属性により章を分けて、彼らを紹介しています。

第1章「野生生物・古代生物」は地球上で生まれたもので、なんらかの科学的、超自然的な干渉による変異・誕生がなく、元来そういう生物とされるものたちを。

第2章「科学的変異・人造生物」は薬品や放射能などによる突然変異、人の手による生命創造、生物兵器の開発、化学実験による変異など、なんらかの科学的な要因により誕生、もしくは特殊な性質を持つようになった生物を。

第3章「怪異・オカルト・ファンタジー」は神話・童話的な世界観に登場するもの、超自然的な存在や超自然的な要因により変化したものたちを。

第4章「地球外生命体」は地球外、すなわち宇宙空間や異星、異次元などを出生地とするものたちを。

第5章「マシン・ロボット・アンドロイド」は人為的に製造された機械類、すなわちマシン、ロボット、人工知能、アンドロイドなどを。

第6章「幽霊・アンデッド」は死体が変化する場合、魂が変化する場合の両方を含む、人間が死後変化したものたちを。

この分け方は、ひとつの項目につき属性が複数重なる場合がありますが、その場合は後ろの章に優先して収録しております。

さて、本書に収録した怪異・怪物たちは世界で生み出されたものの中でもほんの一部ですが、それでもバリエーション豊かで、魅力的で不思議なものたちが集まったと自負しております。

ぜひページをめくって、先人たちが生み出してきた怪異・怪物たちと時を超えた出会いをしてみませんか。

目次

contents

chapter 6

凡例

usage guide

一、この事典は主に近代以降の小説及び映画等に登場する、既存の人間や生物とは異なった特徴、能力等を持った存在や現象を怪異・怪物として位置付けて収集し、その出生ごとに「野生生物・古代生物」「科学的変異・人造生物」「怪異・オカルト・ファンタジー」「地球外生命体」「マシン・ロボット・アンドロイド」「幽霊・アンデッド」の六章に分け、章ごとに五十音順に並べたものである。基本的に創作者が明確になっているものを収集対象としている。また、出典となった資料において名前が存在しないものについては筆者が命名したものもある。収集対象の定義の詳細については「はじめに」を参照。

一、項目名については①「出典作品中で使用される名前」、②「作品タイトルで使用される名前（邦題で独自に使われている名前を含む）」、③「公式設定ではないが、一般に広まっている名前」の優先順位で設定している。なお、このどれにも当てはまらない場合は、たとえば人を喰う生物であれば「人喰い〇〇」、突然変異などなんらかの原因で巨大化したものは「巨大〇〇」など、分かりやすい項目名とした。加えて、同一項目名で出典作品が異なる場合は、項目の下に出典作品名を記すなどして区別できるようにしている。

一、出典作品、参考資料は項目ごとに記している。書籍、映画の名称は『　』を、WEBサイトの名称は「　」を用いて記載している。掲載の順番については特に意味を持たせていない。また、出典作品については、映画の場合は監督名、公開年を、小説の場合は作者名（訳者名）、発表年、国内のものは発行元、短編の場合は収録されている書籍の作品名を併記している。なお、同じ章内で同一の作品を記載する場合は最初の表記時のみこの規則を適用している。

一、項目名に太字を用いている他、文中に登場する怪異・怪物名について当事典内に別に独立した項目が存在する場合も太字を用いている。

一、項目中の「怪獣」「ロボット」「アンドロイド」「悪魔」「妖怪」「妖精」「クリーチャー」といった一般名詞は出典となる作品中で使用されている言葉を使用している。また、劇中でそういった言葉が使われない場合は、存在であれば「怪物」、現象であれば「怪異」「怪現象」という言葉で表現している。

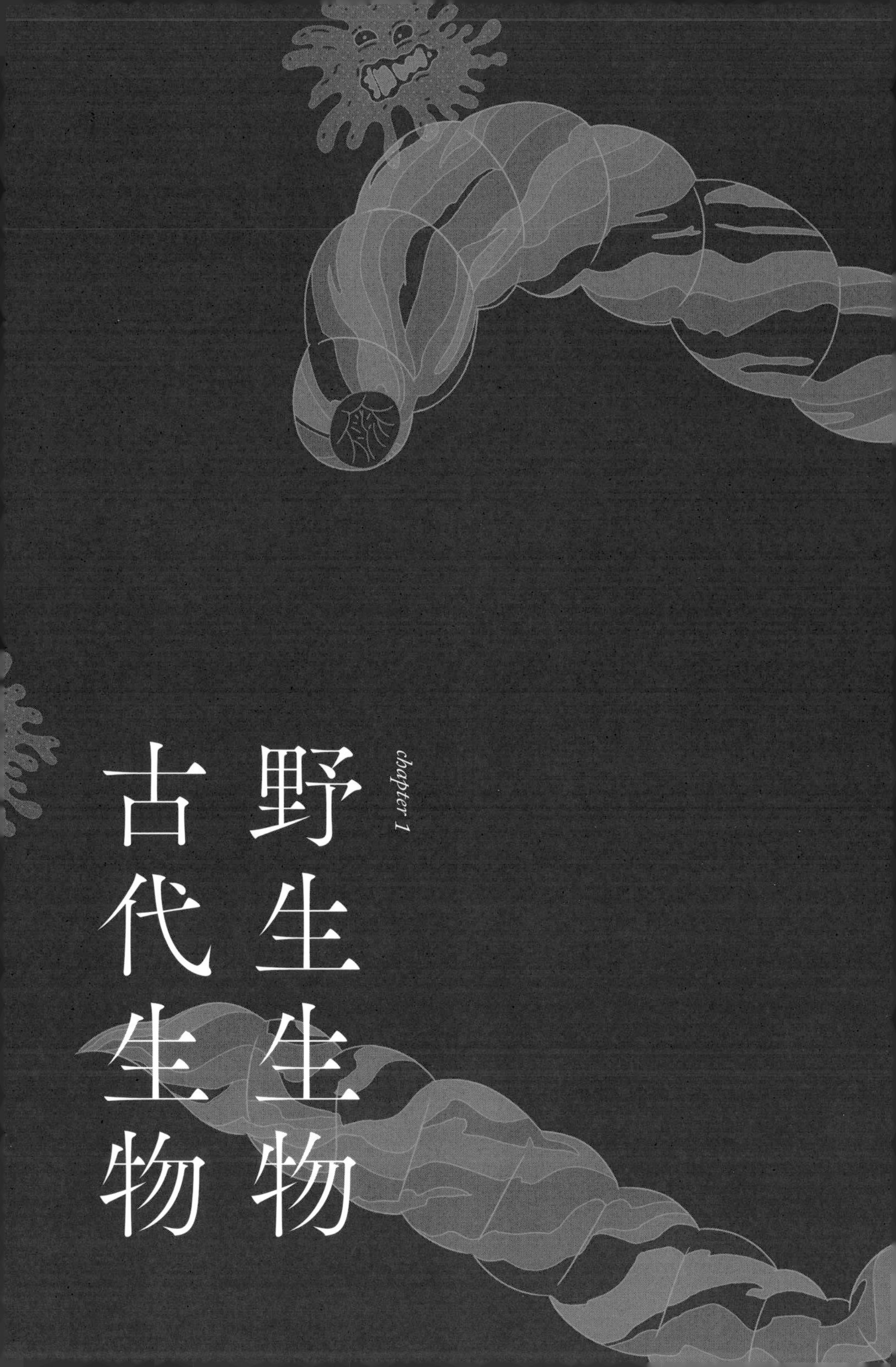

chapter 1

野生生物
古代生物

あ

アヴェス・ボールテリー

［あゔぇす・ぼーるてりー］

キース・ロバーツの小説『ボールターのカナリア』（一九六五年、中村融編、創元SF文庫『影が行く ホラーSFホラー傑作選』（二〇〇〇年）収録』）に登場する不定形生物。

フレイ僧院という廃墟でポルターガイスト現象を引き起こしてきた存在で、肉眼では視認できないが、偏光フィルターを被せたカメラで写すことで姿を捉えられる。

決まった形を持たず、体を変形させながら空中を飛ぶ生物で、音波を発するものに対して怒り狂う性質があり、敵と認めた相手に対して周囲の物を持ち上げぶつける。また、二万サイクルまでの周波数を発することもできるという。普通はその姿が見えないため、勝手に物が浮かび上がったり、何もないところから音が聞こえているかのように思え、それがポルターガイスト現象であると見做《みな》されてきた。

名前はラテン語で「ボールターのカナリア」を意味する言葉で、小説の主人公のひとり、アレック・ボールターがこの生物を発見し、飛び回る様子をカナリアに例えたことに由来する。

青の洞窟の怪物

［あおのどうくつのかいぶつ］

コナン・ドイルの小説『青の洞窟の恐怖』（一九一〇年、北原尚彦・西崎憲訳、創元推理文庫『北極星号の船長 ドイル傑作選2』（二〇〇四年）収録）に登場する怪物。

イングランドのダービーシャー州北西部にある「青の洞窟」と呼ばれる洞窟に棲み付いていたという巨大生物。青の洞窟はかつてローマ人によって青蛍石という珍しい鉱石を採取するために掘られた鉱坑である。

怪物は、新月の夜や月が雲に覆われた夜になると洞窟から出て近くの農場の羊を捕らえ、喰らうので、人々に恐れられていた。

その姿は地上の熊の一〇倍はあろうかという巨体で、全身が灰色の体毛に覆われ、目は退化しているようで真っ白に変色している。地下に棲むため光に弱く、ランタンの光でも浴びると逃げ出してしまう。

その正体は太古にこの洞窟に入り込んだ生物が独自の生態系を形成し、進化したもので、この怪物はドウクツグマ（ホラアナグマ）が進化したものではないかと推測されている。

アンギラス

［あんぎらす］

小田基義監督・円谷英二特技監督の映画『ゴジラの逆襲』（一九五五年）をはじめ、ゴジラシリーズに登場する怪獣。別称は暴竜。四足歩行の恐竜型の怪獣で、背中に無数の棘《とげ》が生えた剣山のような甲羅を背負い、後頭部や鼻先にも角が生える。

　核実験で蘇ったアンキロサウルスという設定だが、実際のアンキロサウルスよりも遥かに巨大で、体長六〇メートル、体重三万トンもある。またアンキロサウルスが草食動物であるのに対し、アンギラスは完全な肉食とされる。

　脳が胸部や下腹部など体中に分散しており、俊敏な動きを可能としている。

　劇中に初めて登場するのは、岩戸島での**ゴジラ（二代目）**との戦闘シーンにおいてである。その後、大坂の大阪城付近でゴジラと死闘を繰り広げるも、喉を噛み切られて死亡。白熱光を浴びて焼き尽くされる。

　原作の小説『ゴジラの逆襲』（一九五五年、香山滋著『ゴジラ』（ちくま文庫）収録）ではゴジラと同じく白熱光を吐く描写がある。

　その後、本多猪四郎監督・有川貞昌特技監督の『怪獣総進撃』（一九六八年）にて復活。こちらは二代目アンギラスとされ、黒目が大きくなった愛嬌のある顔になっている。

　二代目アンギラスは初代と違いゴジラの味方として活躍する。『怪獣総進撃』では他の怪獣たちとともに**キングギドラ**に立ち向かった。

　『地球攻撃命令　ゴジラ対ガイガン』（福田純監督・中野昭慶特技監督、一九七二年）ではゴジラの相棒として登場。棲《す》み処《か》である怪獣ランドでは吹き出しによりゴジラと会話する姿が見られる。この作品ではゴジラの命令で**M宇宙ハンター星雲人**の動向を探り、さらに襲来した**ガイガン**と**キングギドラ**を相手にゴジラとタッグを組み、戦った。この戦闘では背中の甲羅を使った体当たりをしたり、ゴジラと見事な連携技を披露するなど、目覚ましい活躍を見せた。

　福田純監督・中野昭慶特技監督の映画『ゴジラ対メカゴジラ』（一九七四年）では、**メカゴジラ**が化けたニセのゴジラと戦うために地中から登場。立ち向かうも、圧倒的な力で叩きのめされ、顎《あご》を裂かれて撤退した。しかし体当たりによりその皮膚の一部を剝《は》がし、金属部分を露出させている他、このアンギラスの登場が本物のゴジラを呼び寄せることに繋《つな》がった。今作が昭和ゴジラシリーズ最後の登場となった。

　北村龍平監督・浅田英一特技監督の映画『ゴジラ　FINAL WARS』（二〇〇四年）では三〇年ぶりに登場。今作では**X星人**に操られる怪獣のうちの一体で、体長一六〇メートル、体重六万トンと初代、二代目よりも巨大化している。上海を襲撃し、体を丸めて棘の生えた球体の姿になり、回転しながら体当たりする「暴龍怪球列弾（アンギラスボール）」という新技を披露する。

　富士山麓にて**ラドン**や**キングシーサー**とともにゴジラと対決。連携して挑むも暴龍怪球列弾を蹴《け》り返され、戦闘不能になった。

　ゴジラと初めて戦った怪獣であり、東宝怪獣映画の中でもゴジラに次ぐ古参怪獣であるが、平成以降はあまり出番に恵まれなかった。講談社編『ゴジラ　東宝特撮映画全史』（講談社、二〇一四年）によれば『ゴジラ・モスラ・キングギドラ 大怪獣総攻撃』（二〇〇一年）では、監督の金子修介の希望で**バラン**、**バラゴン**とともにゴジラと戦う予定であったが、上層部の判断でバラン、アンギラスはモスラとキングギドラに変更されたという。

ウェタ・レックス ［うぇた・れっくす］

ピーター・ジャクソンの映画『キング・コング』（二〇〇五年）に登場する巨大昆虫。

体長数十センチから一メートルほどもあるカマドウマで、肉食。髑髏島《どくろとう》の谷底に棲息しており、集団で獲物に襲いかかって自分よりも大きな獲物でさえも喰い殺す。

オリジナルの『キング・コング』（メリアン・C・クーパー及びアーネスト・B・シュードサック監督、一九三三年）にはいない、リメイク版独自のキャラクター。見た目は巨大化したカマドウマそのものであり、一斉に人間に飛びかかる姿はかなり怖い。

ヴェナトサウルス ［ゔぇなとさうるす］

映画『キング・コング』（二〇〇五年）に登場する肉食恐竜。地図にも載っていない孤島、髑髏島《どくろとう》に棲息する体長五から七メートルある大型のラプトル。ドロマエオサウルス類が進化したものとされる。

身体能力が高く、高速で走ることできる他、跳躍力にも優れる。集団で狩りを行い、劇中では**ブロントサウルス**の群れに襲いかかった。

オリジナルの『キング・コング』（一九三三年）にはいない、リメイク版独自のキャラクターである。

海の吸血鬼 ［うみのきゅうけつき］

ドン・E・ファンルロイ監督のテレビ映画『ベーリング海の怪物』（二〇一三年）に登場する吸血生物。ウナギのような頭、エイのような体を持つ怪物で、普段は海中に潜《ひそ》んでいるが、夜になると海から現れ、人間を襲って血を吸い取る。

あるダイバーがベーリング海の海底の金を採掘している途中、偶然砂の中に眠っていた吸血生物を目覚めさせてしまったことでダイバーを襲い、人間の血の味を覚える。

そのマントのような形をした体で空中を滑空することができ、地上でも問題なく活動できる。また尾の先には鋭い針があり、これを突き刺して攻撃する他、幼体を産み付けることもできる。

人間の体に産み付けられた幼体は、生まれた直後から高い運動能力を持ち、宿主の肉を喰い破って体外に出る。

体は弾力があるものの非常に硬く、物理的な攻撃ではなかなか破壊できない。しかし光に弱いという弱点があり、強い光を浴びると体が赤く焼け付き、爆発してしまう。ただ日光は平気なのか、昼間に出現するシーンがある。

吸血生物は出現する場面がほとんど夜のため、姿をじっくりと見られないのが残念だが、ウナギにエイをくっつけて真っ黒に塗ったようなデザインは個性的で良い。

ウラン［うらん］

レスリー・ノーマン監督の映画『怪獣ウラン』（一九五六年）に登場する怪物。泥の塊のような姿をしており、体中から強い放射能と高熱を放つ。

放射能を餌《えさ》とし、コバルトなどの放射性物質（コバルトは放射性物質ではないが、劇中ではそのように扱われる）を求めてさまよっていた。これに襲われるとエネルギーを吸い取られ、放射能が失われる。他の生物を喰うことはないが、放射能や高熱の影響で人間は近付いただけでどろどろに溶かされる。

不定形で伸縮自在であるため、わずかな隙間や網目を通り、屋内に侵入することが可能。また出現するとガイガーカウンター（放射線測定器）が放射能に反応した際のようなカリカリとした音を発する。

数十億年前、液体状のエネルギーの塊だった地球の地表が冷え、地殻が固まったことでそのエネルギーは地下深くに閉じ込められた。そして地殻が厚みを増すにつれて内部のエネルギーが圧縮され、長い時を経て知能を持つ怪物となったものがその正体と推測される。

この怪物は、地震によってスコットランドの地表に生じた亀裂を通って地上に現れる。夜になると亀裂から這《は》い出し、エネルギー源としている放射能を求め、原子力研究所などを襲った後、地中に帰っていくという行動を繰り返していた。

しかし、原子力研究所のアダム・ロイストン博士が開発した核爆発を起こさずに原子構造を変える装置によって、環境に害を及ぼすことなく、爆発されて倒された。

この『怪獣ウラン』は邦題として付けられたものであり、劇中ではこの不定形生物は「怪物」「X」「怪物X」などと呼ばれる。原題も「X the Unknown」であり、劇中に登場する放射性物質とされるものは専《もっぱ》らコバルトで、ウランは登場しない。

ちなみにこの作品は実は『原子人間』（ウィル・ゲスト監督、一九五五年）（**原子人間**の項目参照）の続編として企画されたが、映画化が実現しなかったため独立した作品になったという経緯がある。

『怪獣ウラン』は『原子人間』とともに不定形モンスターを扱った初期の映像作品であり、終盤まで怪物は姿を現さないが、不定形モンスターファンは一見の価値がある作品である。

大ウミヘビ［おおうみへび］

本多猪四郎監督・円谷英二特技監督の映画『キングコングの逆襲』（一九六七年）に登場する怪獣。体長八五メートル、体重四〇〇〇トン。

南ジャワ海のモンド島周辺の海に棲息している巨大なウミヘビ。モンド島に調査に訪れ、キングコングと交流していたスーザンらが乗るホバークラフトに近付いたため、キングコングに岩を投げられる。

さらに海に入ってきたキングコングと交戦。キングコングに巻き付き絞め付けるも、その怪力にねじ伏せられ、絶命した。

この大ウミヘビは初代『キング・コング』（一九三三年）に登場する大蛇へのオマージュである。**大蛇（『キングコング』シリーズ）**の項目も参照。

大コンドル
［おおこんどる］

福田純監督・円谷英二特技監督の映画『ゴジラ・エビラ・モスラ 南海の大決闘』（一九六六年）に登場する怪獣。

南太平洋の孤島、レッチ島に棲息する巨大なコンドル。全長一五メートル、体重二万一〇〇〇トン。

上空から突如出現した後、レッチ島で居眠りしていた**ゴジラ（二代目）**を襲撃し、その鋭い爪で引っかいたり、嘴《くちばし》を突き刺したり嚙み付いたりした。しかしゴジラの放射能火炎を浴びて海に墜落。その後どうなったのかは不明。

劇中で登場するのはごく短時間で、突然現れてすぐに撃墜される。『ゴジラ 東宝特撮映画全史』によれば、大コンドルの造形は『三大怪獣 地球最大の決戦』（本多猪四郎監督・円谷英二特技監督、一九六四年）で使用された**ラドン**のミニチュアが改造されたものが使われていたという。

大空の怪物
［おおぞらのかいぶつ］

コナン・ドイルの小説『大空の恐怖』（一九一三年、北原尚彦・西崎憲訳、創元推理文庫『北極星号の船長 ドイル傑作集2』（二〇〇四年）等収録）に登場する怪物。

イングランド南西部の上空に出現した謎の生物たちで、釣り鐘の形の巨大なクラゲのような生物や蛇のような生物、体長数十メートルに及ぶ謎の怪物などが描写されている。

特に最後の怪物は狂暴で、人間を積極的に襲う。その体は伸縮自在で常に形を変える。また円形の眼球と嘴《くちばし》のような器官を持ち、体の上部には三つの突起があって中に非常に軽い気体を溜め、それによって空中を浮遊している。

体色は半透明で、暗い紫と微《かす》かな藤色の間を絶えず変化し続ける。また粘着性の吹き流しのようなものを前に放り投げ、それを支点にして体をその方向にくねらせることで空中を移動する。その速度は単葉機と同じほどであるという。

触手を伸ばすこともでき、それによって獲物を捕らえるようで、小説内では単葉機でこの空域にやってきた主人公を追いかけ、触手により襲っている。

大ダコ
［おおだこ］

本田猪四郎監督・円谷英二特技監督の映画『キングコング対ゴジラ』（一九六二年）をはじめ、東宝特撮映画に登場する怪獣。

初登場となる『キングコング対ゴジラ』では、南太平洋メラネシアに位置するソロモン諸島のひとつ、ファロ島の近海に住む体長三〇メートル、体重二万トンの大ダコが描かれた。大ダコは夜になってファロ島に上陸し、島の住人を襲おうとしたところ、島に棲む怪獣**キングコング**と戦うことになる。

八本の触手でキングコングを絞め付けるなどして苦しめたが、岩に叩きつけられ、退散した。

生きたタコが使われ、撮影後にスタッフに食べられたことで知られるこの大ダコだが、『ゴジラ 東宝特撮映画全史』によれば撮影にはラテックス製の作り物も使われ、吸盤は本物のタコの足の吸盤を型取りして制作されたという。

その後、『フランケンシュタイン対地底怪獣』（本田猪四郎監督・円谷英二特技監督、一九六五年）にも同様に体長三〇メートルの大ダコが登場。こちらはなぜか山中に出現し、地底怪獣**バラゴン**との戦いを終えた直後の人造人間フランケンシュタインと戦い、彼を湖に引きずり込んだ。

大きさは初代と同じだが、フランケンシュタインが身長二〇メートルとキングコング（四五メートル）よりも小さいため、大ダコはフランケンシュタインと比べ巨体の怪獣として描かれている。

この大ダコの登場シーンはもともと海外公開向けに作られたものだが、映画放映時は使われず、テレビ放映で初めて公開された。現在はＤＶＤ等に収録されているため、気軽に見ることができる。

続編の『フランケンシュタインの怪獣 サンダ対ガイラ』（本田猪四郎監督・円谷英二特技監督、一九六六年）にも登場。こちらは三浦半島三崎沖に出現。海の怪獣である**ガイラ**と戦い、倒されてしまう。

『ゴジラ 東宝特撮映画全史』によれば円谷英二はゴジラの企画が始まる前、インド洋に現れた大ダコと捕鯨船が戦うという企画を作り、東宝の企画部にプロットを提出していたという。その企画は実現しなかったが、大ダコはこのような形で様々な東宝特撮映画に登場した。

オクタルス ［おくたるす］

スティーブン・ソマーズ監督の映画『ザ・グリード』（一九九八年）に登場する怪物。巨大な海洋生物で、南シナ海を航海中の豪華客船アルゴノーティカ号を襲撃し、三〇〇〇人いた乗客を残らず喰い殺した。

その姿は、先端に六方向に開く器官があり、中から巨大な口と牙が現れる大ミミズといったもので、人間に巻き付く、噛み付くなどして捕らえ、頭から捕食する。捕食された人間はその異様に長い体を通過する間に次第に溶かされ、残った骨だけが吐き出される。また視覚を持たず、音に反応して付近の生物に襲いかかる。

その外見から劇中ではカンブリア紀の海に生息していたワームが異常発達したのではないかと推測されているが、終盤でミミズのような怪物であると思っていたものが、実はさらに巨大な怪物から無数に生えている触手のひとつでしかなかったことが明かされる。その怪物は巨大なタコのような姿をしているが、獣のように縦に開く口と牙があり、二つの青い目を持つ。

体長数十メートルはあるが、劇中では眼球をショットガンで破壊され、最後は魚雷を積んだ船の自爆攻撃を受け、アルゴノーティカ号ごと爆破された。

モンスター映画の傑作のひとつで、かつてはよくテレビで放映されていたが、現在は国内版DVDは廃盤、ブルーレイは未発売となっており、視聴が困難となってしまっている。

オルカ ［おるか］

マイケル・アンダーソン監督の映画『オルカ』（一九七七年）に登場する巨大シャチ。

カナダのニューファーランド島の沖合に棲息していた雄のシャチで、つがいの雌がおり、その胎内には子どもも宿っていた。

しかしある時、シャチを水族館に売ろうと企むアイルランド人のノーランにより雌を殺され、伴侶と子を同時に失うことになる。復讐を誓ったオルカはノーランを狙い、港の船や施設を破壊し、宣戦布告を行う。

これにノーランも戦うことを決意し、オルカは彼の乗った船を北極海に導く。そこを最後の戦いの地として、オルカはノーランを流氷の上に誘い出す。そして流氷を傾けてノーランを海に落した後、彼を投げ飛ばして氷山に叩きつけ、ついに復讐を遂げる。そしてオルカは氷の海をどこかへと泳ぎ去って行った。

スティーヴン・スピルバーグ監督の『ジョーズ』（一九七五年）の大ヒットを受けて作られた動物パニック映画のひとつだが、今作はただ動物側を恐怖の対象として描くのではなく、人間によって大切なものを奪われた被害者として描いている。

執念深く自身の仇《かたき》を狙うオルカの姿は恐ろしいとともに悲しく、感情移入してしまう。最後、人間ではなくオルカの側が勝利して終わるのもこの手の映画では珍しいが、納得できる物語になっている。

怪物カブト虫 ［かいぶつかぶとむし］

福島正実の小説『地底怪生物マントラ』（朝日ソノラマ、一九六九年）に登場する怪物。

地底深く、マントル層とコアの中間辺りに棲息するカブトムシのような姿をした生物で、体長二、三メートルあり、体は黒い油に覆われている。この油は怪物の体を圧力の変化から守る役割を持つ他、人間がこれに触れると突然変異を起こし、猿のように全身に毛が生え、味方を攻撃するようになる。

同じく地底に棲息する植物**マントラ**と共生関係にあり、マントラが地上に進出すると群れで出現し、外敵を襲う。角から目に見えない熱線を放つ能力があり、戦車でも短時間で爆発させてしまう威力がある。

一方、原爆さえも効果がないマントラに比べると耐久力は低く、砲弾で倒すことが可能とされる。

影［かげ］ （『獲物を求めて』）

R・チェットウィンド＝ヘイズの小説『獲物を求めて』（一九六九年、中村融編、創元推理文庫『千の脚を持つ男』（二〇〇七年）収録）に登場する怪物。「影」と呼ばれるその姿は真っ黒で、ミミズのような形をしている。細い触手を伸ばすことができ、そこから生命体の血液や肉を吸収する。はじめは細い筋のような姿をしていたこの吸血生物は、食物を吸収して巨大化していったのか、終盤には人間よりも大きく成長していた。また吸収した生物の特徴を取り込むことができるのか、人間の女性の血肉を喰い尽くした際には、体の表面が人間の肌のように変質し、体の先端にはその女性のものと同じ顔が現れた。

弱点は光で、日光はもちろんのこと、人工的な明かりにも弱く、最後は部屋の電灯に晒《さら》され、悲鳴を上げてのたうち回った末に粉々に砕けた。

ガッパ［がっぱ］

野口晴康監督の映画『大巨獣ガッパ』（一九六七年）に登場する怪獣。南太平洋のキャサリン諸島オベリスク島にて数万年の眠りについていたが、卵から孵化《ふか》した子どものガッパが日本に連れ去られたことで、二体の親ガッパが目覚めた。

雄は体長六〇メートル、体重六〇〇〇トン。雌は体長五五メートル、体重五〇〇〇トン。全身が緑色の鱗で覆われ、二本の腕と脚があり、背中には翼を持つ。この翼を使い、マッハ三のスピードで空を飛ぶことが可能。また頭部には後ろ向きに角が生えるが、雄の方が大きい。口には歯の生えた嘴《くちばし》があり、青白い光線を放つことができる。

耐久力も高く、火器も毒も効かず、電流にも耐える。ただし音に敏感という弱点もある。

仔ガッパは遠く離れた親に呼びかけ、自分の居場所を伝える能力がある。また当初は一メートルほどの大きさだったが、短期間で三〇メートルほどまで成長した。

親ガッパは仔ガッパを取り戻すため日本に襲来。積極的な破壊活動は行わず、仔ガッパを探し回った。破壊活動を行うのは進行方向に建物がある場合や、自分が攻撃を受けた場合であり、あくまで仔ガッパの奪還が目的であった。そのため、人間が仔ガッパを返した際には再会を喜び、それ以上は暴れることなく家族で故郷のオベリスク島に帰って行った。

イギリスの怪獣映画『怪獣ゴルゴ』（ユージン・ルーリー監督、一九六一年）を下敷きにして、子どもを連れ去られた親怪獣が子を取り返しに来る物語が描かれている。『モスラ』（本多猪四郎監督・円谷英二特技監督、一九六一年）と同じく、当時の怪獣映画としては珍しい人間側が悪役の怪獣映画でもある。

ガメラ［がめら］（昭和シリーズ）

湯浅憲明監督の映画『大怪獣ガメラ』（一九六五年）をはじめとするガメラシリーズに登場する怪獣。本項目では『大怪獣ガメラ』から『宇宙怪獣ガメラ』（湯浅憲明監督、一九八〇年）までの昭和期に公開されたガメラを扱う。

その姿は巨大な亀のようで、下顎《したあご》から長い牙の生えた頭部に、長い爪の生えた手足を持つ。そして背中に巨大な甲羅を背負い、そこから手足と尻尾、そして頭が突き出ている。甲羅は鱗が重なり合ったような形状で、腹側は十字模様が並ぶ。

この甲羅は敵の攻撃を防ぐ役割を果たす他、手足を引っ込めることでそこから炎を噴射し、空を飛ぶことを可能にする。首や尾も引っ込めて甲羅だけの状態になり、回転しながら飛ぶ場合や、足だけを引っ込め真っ直ぐに飛ぶ場合など、複数の飛行パターンがある。

また口からは火炎放射することができ、ガメラ最大の武器となっている。他にも怪力や噛み付きなどによる攻撃を行う。

地上、空中はもちろんのこと、水中では海水でも淡水でも自由に泳ぐことが可能という、陸空海を制する怪獣。さらに宇宙空間でも問題なく行動できる。

古代アトランティスに棲息していたとされる巨大な亀で、体長六〇メートル、体重八〇トン。熱エネルギーを餌《えさ》としており、石炭や石油、ウランなどの物質の他、炎そのものを喰らい、それらのものがある場所に引き寄せられる性質がある。

第一作目では北極海に眠っていたところ、国籍不明の核を搭載していた飛行機が落ちたことで核爆発が起き、それによって目覚めたことで、氷山から出現した。一作目のガメラは狂暴で、日本に襲来すると破壊の限りを尽くす。しかし子どもにだけは親愛の情を見せ、灯台から落ちそうになった少年を助けている。

通常の攻撃では倒せないガメラに、亀の性質を利用してひっくり返し、餓死させる作戦が取られるが、それもジェット噴射により空を飛ぶガメラには無意味であった。東京に侵攻し、被害を増やしていくガメラに対しZプランという作戦が決行される。これはロケットの先端部分のカプセルにガメラを閉じ込め、宇宙に放逐するというもので、熱エネルギーに惹かれるガメラの性質を利用し、作戦は無事成功。ガメラは火星に送られる。

しかしこのロケットが火星に向かう途中で隕石《いんせき》に衝突。ガメラは本能のまま地球に戻り、再び日本を襲う。その頃、日本でももう一体の怪獣、**バルゴン**が出現。動物的敵対本能から二大怪獣が激突する。バルゴンはガメラを冷凍液で凍らせるなど善戦するが、最後は水を弱点とするバルゴンを琵琶湖に引きずり込み、ガメラが勝利する（田中重雄監督・湯浅憲明特技監督『大怪獣決闘ガメラ対バルゴン』一九六六年）。

以降、シリーズはガメラと新怪獣が戦う路線が定着し、ガメラもまた人類の味方、特に子どもの味方としての立場を確立していく。

第三作目『大怪獣空中戦 ガメラ対ギャオス』（湯浅憲明監督、一九六七年）では平成シリーズで因縁の宿敵となる**ギャオス（昭和）**と初対決。この作品ではガメラはギャオスに襲われる子どもを明確に守っており、人間にも積極的に攻撃しなくなる。

第四作目『ガメラ対宇宙怪獣バイラス』（湯浅憲明監督、一九六八年）では宇宙からの侵略者**バイラス**と戦い、地球を守る。第五作目『ガメラ対大悪獣ギロン』（湯浅憲明監督、一九六九年）では宇宙人に連れ去られた子どもを追って宇宙に飛び立ち、惑星テラという異星で異星人の用心棒怪獣**ギロン**と対決し、見事勝利して子どもたちを地球に連れ帰る。

第六作目『ガメラ対大魔獣ジャイガー』（湯浅憲明監督、一九七〇年）ではアトランティスのガメラに対し、ムー大陸に封印されていた古代の怪獣**ジャイガー**と対決。第七作目『ガメラ対深海獣ジグラ』（湯浅憲明監督、一九七一年）ではバイラスに続き侵略者として出現した地球外生命体**ジグラ**と戦い、地球を守った。

しかしこの作品を最後に制作会社である大映が倒産。徳間書店の子会社となった後は新怪獣が登場せず、戦闘シーンは過去作からの流用となった『宇宙怪獣ガメラ』（一九八〇年）が公開されたが、この作品が昭和ガメラ最終作となった。

そしてそれから一五年後の一九九五年、ガメラは世界観を一新して再びスクリーンに帰って来る。詳細は**ガメラ（平成三部作）**を参照。

カルティキ

［かるてぃき］

リカルド・フレーダ監督の映画『カルティキ 悪魔の人喰い生物』（一九五九年）に登場する、メキシコシティの南約五〇〇キロにあるティカルの古代遺跡のピラミッドで、二〇〇〇万年を生きていた不死の怪物。

巨大な単細胞生物で、捕食した生物の細胞を変質させ、自分の一部にする能力があり、他の生物と合体することで巨大化する。また放射能を浴びると活性化する性質があり、かつて地球に近付いた彗星《すいせい》の放射能により暴れ出し、マヤ文明を滅ぼしたことが語られている。そのマヤの碑文では「唯一神カルティキ、不死の神が空に現れ世界を破壊する」と記されていた。

劇中では遺跡を調査しに来た人間に襲いかかり、そのうちのひとりがこのカルティキに腕を喰いつかれたため、腕に付着した状態でその一部を持ち帰られることになる。腕から分離されたカルティキは実験の対象となるが、折しもかつてマヤ文明を滅ぼした際と同じく彗星が地球に近付いていたため、大気中の放射能濃度が上がってカルティキが活性化。瞬く間に巨大化と分離を繰り返し、人々を襲った。しかし最後は軍隊が出動し、戦車による火炎放射を受け、倒された。

『原子人間』（一九五五年、**原子人間**の項目参照）や『怪獣ウラン』（一九五六年、**ウラン**の項目参照）、『マックイーン絶対の危機』（アービン・S・イヤワース・ジュニア監督、一九五八年、**ブロブ**の項目参照）に続く映画に登場した不定形モンスターの古典。これらの作品の影響を受けていることが窺えるものの、触れた人間を一瞬で溶かして殺してしまうカルティキの狂暴性はなかなかのもの。終盤で巨大化していくカルティキの姿はこれぞ決まった形を持たない不定形生物という迫力を見せてくれる。

キコ［きこ］

アーネスト・B・シュードサック監督の映画『コングの復讐』（一九三三年）に登場する巨大な類人猿。前作『キング・コング』でアメリカに連れ去られ、死んでしまった**キングコング**の息子で、親と違い白い毛に覆われている。体長は三メートルほど。

親コングを連れて行った興行師のデンハムが再び髑髏《どくろ》島《とう》を訪れた際に遭遇。底なし沼に嵌《はま》っていたところを助けられたキコは彼に懐《な》つき、デンハムらを襲う巨大な熊や四本足のドラゴンのような恐竜（ノトサウルス）と戦う。

しかし最後は突如発生した大地震により沈みゆく髑髏島とともに海へと消えて行った。

親コングと比べると表情が愛らしく、動きにも愛嬌があるのが特徴。また器用な戦い方をしていた父親と違い戦闘の際はとにかく殴りつける戦い方をすることが多い。

邦題は『コングの復讐』だが、キコは終始人間に好意的である。原題も『Son of Kong』であり、「復讐」などの文字はないため、キコは人間が親コングに行った仕打ちは知らないのだと思われる。その上、最後は自分の身を犠牲にして人間を救う。

キコという名前は製作中につけられた愛称であり、本編には登場せず、「リトルコング」などと呼ばれる。キコの動きは前作と同じくストップモーション・アニメーションで表現された。

前作の大ヒットを受け、急遽作られた続編で、予算も製作期間も満足に取れなかったこともあり、前作に比べると粗が目立つ。それでもキコの愛らしい動きの表現や随所に挿入されるキコと他の巨大生物との戦いは、シュードサック監督やストップモーション・アニメーションを担当したウィリス・オブライエンのサービス精神を感じさせる。

ギャオス ［ぎゃおす］ （昭和）

映画『大怪獣空中戦 ガメラ対ギャオス』（一九六七年）に登場する怪獣。体長六五メートル、体重二五トン。

五角形で平べったい頭を持つ巨大なコウモリのような姿をした怪獣で、日本のフォッサマグナ（地溝帯）に眠っていた。

夜行性で肉食、積極的に人を襲い、喰らう性質がある。マッハ五の速さで空を飛ぶことができ、垂直に立つ尾羽が飛行中の姿勢を制御する役割を担う。

背骨が喉で二股に分かれており、音叉の役割を果たす。これにより鳴き声を増幅させて超音波メスとして発射し、対象を切り裂くことができるという特殊能力を持つ。

一方、紫外線に弱く、日中は行動できないという弱点がある。また火を嫌い、体に着火した際には胸から消火液を発する。

強い再生能力があり、体が欠損しても暗い場所であれば再生が可能とされる。

劇中では人間の味方となったガメラと対決。初戦では空中戦を繰り広げるが、太陽が昇ったことで退散し、痛み分けに終わる。二戦目では富士の裾野を舞台に激闘が繰り広げられるが、最後はガメラに首を噛み付かれ、そのまま富士の火口に引きずり込まれて倒された。

『ガメラ対大悪獣ギロン』（一九六九年）には、太陽系第10惑星テラにて全身が銀色の宇宙ギャオスが登場する。新怪獣**ギロン**と戦うが、その包丁のような頭部で輪切りにされ、倒された。

ガメラと二番目に戦った怪獣であり、ガメラの宿敵として知られる怪獣でもある。昭和シリーズでは、総集編である『宇宙怪獣ガメラ』（一九八〇年）を除くと上記の二作品のみの登場で、ガメラと戦うのも一度のみだが、平成以降はほぼ毎作に登場し、ガメラと因縁の対決を繰り広げる。

平成以降のギャオスについては**ギャオス（平成）**の項目を参照。

吸血原子蜘蛛 ［きゅうけつげんしぐも］

バード・I・ゴードン監督の映画『吸血原子蜘蛛』（一九五八年）に登場する巨大タランチュラ。

アメリカのある小さな町の近くにある洞窟に潜《ひそ》んでいた怪物で、洞窟に巨大なクモの巣を作っていた。体長は一〇メートル以上あり、人間さえも獲物としてミイラ化するまで体液を吸い尽くしてしまう。そのため、棲《す》み処《か》である洞窟にはいくつもの白骨死体が転がっていた。

劇中では、行方不明になった父親を探して洞窟に入った女性キャロルとその恋人マイクによりその存在が発覚する。キャロルが町に戻り、洞窟に連れてきた保安官や理科教師キングマンらによって吸血原子蜘蛛は神経ガスを用いて倒され、町の学校の博物館に運ばれる。しかし、そこでバンド部の学生たちが練習を始めたことで覚醒。町の人々を犠牲にしながら、棲み処である洞窟へと戻る。このため洞窟の入口を爆破し、塞《ふさ》ぐ作戦が決行される。

これにより吸血原子蜘蛛は洞窟に閉じ込められたが、作戦決行前に落とした父親からのプレゼントを探しにキャロルらが洞窟に入っていた。このため、上から縦に穴を空けて二人を救出する作戦が行われる。

この時、吸血原子蜘蛛はキャロルとマイクに襲いかかるが、彼らを救出しにやって来たキングマンの作戦で体に電流を流され、洞窟の底に落下。そこで石筍《せきじゅん》に突き刺さってついに絶命した。

邦題には「吸血原子蜘蛛」とあるが、何かしら原子エネルギーが作用して巨大化したなどの説明はなく、巨大化した理由は不明。吸血は一応している。

おとなしく洞窟に棲み、侵入してきた獲物だけを餌《えさ》にしていたのにもかかわらず、勝手に町に運ばれ、棲み処に帰っても追ってきた人間によって殺される、という少しかわいそうな境遇にあるクモである。

吸血原子蜘蛛の映像は基本的には本物のタランチュラの映像をもうひとつの映像に重ね合わせる形で制作されており、獲物を襲う際には足のみのフルスケールモデルが使われている。

建物と同じぐらいの大きさのタランチュラが町中を歩き回ったり、建物を覗き込んだりする場面はなかなかの迫力がある。また吸血原子蜘蛛の鳴き声が設定されており、多くの場面でその甲高い声を響かせてくれるのも怪獣好きにとっては嬉しいポイントだ。

吸血蘭 ［きゅうけつらん］

H・G・ウェルズの小説『めずらしい蘭の花が咲く』（一八九四年、阿部知二訳、創元SF文庫『世界最終戦争の夢』（一九七〇年）等収録）に登場するマングローブ林で見つかった新種の蘭。白い花を咲かせ、花弁には金オレンジ色の筋がある。重たげな唇弁は渦巻いて複雑な突起になり、青紫色と金色が混じっている。またひどく甘い匂いを発する。

動物が近付くとその皮膚に気根を伸ばし、取り付かせて血を吸い取る。その際、花から発する匂いで対象を気絶させるという生態を持つ。そのため、発見が遅れると人間であっても全身の血が吸い取られてしまう。

ウェルズの描く植物モンスター。物語では固有の名前が設定されていないため、その特性から筆者が項目名を設定した。

巨大アナコンダ ［きょだいあなこんだ］

ルイス・ロッサ監督の映画『アナコンダ』（一九九七年）をはじめとする『アナコンダシリーズ』に登場する怪物。シリーズ各作品にはすべてアナコンダが登場するが、その設定は作品ごとに異なる。

第一作目『アナコンダ』ではアマゾンの奥地に潜《ひそ》む二匹のアナコンダが登場。体長一四メートルと通常のアナコンダの倍ほどの大きさがあり、常に腹を空かせている。

通常のアナコンダと違い、消化速度が異常に早く、人間を丸呑みしても数時間で消化して次の獲物を狙い始める。

また動きが早く、木々や人工物を利用し、三次元的な動きで獲物に襲いかかる。

一作目ではアナコンダが巨大化した要因は語られないが、二作目『アナコンダ2』(ドワイト・リトル監督、二〇〇四年)ではその部分に焦点が当てられている。この映画では動物の寿命を延ばす効果を持つ「ブラッド・オーキッド」という七年に一度だけ咲く蘭があり、これを食べたことで寿命が急激に延び、無限に成長し続けるため、巨大化したのだと語られる。ただし『アナコンダ2』の舞台はボルネオ島であり、ブラッド・オーキッドが咲くのもこの島であるため、アマゾンに現れた一作目のアナコンダが同様の方法で巨大化したのかは不明。『アナコンダ2』のアナコンダは島に自生するブラッド・オーキッドを食べたという設定であるため、複数存在し、終盤では群れで現れる。また、やはり通常のアナコンダよりも素早く、人間を丸呑みにする大きさを持つ。出生地から「ボルネオアナコンダ」と呼ばれる場合もある。なお、実際のボルネオ島にはアナコンダは棲息していない。

今作では、ブラッド・オーキッドを採取するためにアメリカの製薬会社のウェクセル・ホール社から派遣された人々にアナコンダたちが襲いかかる。

ドン・E・ファンルロイ監督の『アナコンダ3』(二〇〇八年)は二作目から設定を継承した作品で、テレビ映画として制作された。登場するのは雄雌二匹のアナコンダで、アマゾンで捕獲され、ボルネオ島のブラッド・オーキッドから採られたエキスにより遺伝子操作され、一八メートルまで巨大化した、という一作目と二作目のハイブリッドのような設定を持つ。また遺伝子操作の影響で尾の先が剣のような形になっており、これを武器として敵対する者を殺害する。銃弾をものともせず、丸呑みにするのではなく首を喰いちぎるなど、攻撃のバリエーションが豊富である。

これらの実験を行っていたのは二作目にも登場したウェクセル・ホール社で、蛇以外には有毒なブラッド・オーキッドから人間向けの万能薬を開発するため、副作用の原因を探ろうとブラッド・オーキッドを無毒化するアナコンダを使って実験を行っている、という設定になっている。

研究を行っているのはアマンダという女性研究者だが、資金提供を行っているウェクセル・ホール社のピーター・JD・マードックがアナコンダにライトを向けて強い刺激を与えたことで、雄のアナコンダが防護ガラスを突き破り、逃亡。雌も逃げて、二匹で暴れ回ったが、雄のアナコンダは手《しゅ》榴弾《りゅうだん》により、雌のアナコンダは爆弾によりそれぞれ倒された。

しかし雌のアナコンダは雄の子を妊娠しており、生き残った子蛇が次作『アナコンダ4』で暴れることになる。

三作目と同じくドン・E・ファンルロイが監督した『アナコンダ4』(二〇〇九年)

では前作の二体のアナコンダの子どもが捕獲され、マードックの指示により実験に使用されていた。このアナコンダにブラッド・オーキッドをもとに作られた新種の蘭のエキスを注入すると、通常の五倍ほどの大きさにまで成長。案の定、研究施設を破壊し、逃げ出して大惨事を引き起こす。

今回のアナコンダは投与されたエキスにより強力な再生能力を得ており、体をバラバラにされても再生できるなど、通常の生物からかけ離れた存在と化している。

続く第五作『アナコンダvs殺人クロコダイル』（A・B・ストーン監督、二〇一五年）ではワニが大暴れする『U.M.A.レイクプラシッド』シリーズとクロスオーバーを果たし、アナコンダとクロコダイルの直接対決が見られる。設定は一応踏襲されており、第三、四作目で悪役を務めたマードックの娘が暗躍し、レイクプラシッドシリーズの悪役と共演するなど、世界観の繋《つな》がりが見えて楽しい。

巨大グリズリー ［きょだいぐりずりー］

ウィリアム・ガードラー監督の映画『グリズリー』（一九七六年）に登場する人喰い熊。既に絶滅したはずのグリズリーの一種とされ、通常のグリズリー（ハイイログマ）よりはるかに大きく、体長六メートル、体重一トンの巨体を誇る。

アメリカ合衆国ジョージア州の国立公園に出現し、キャンプに来ていた客を喰ったことで人の肉の味を覚え、次々と人間を襲うようになり、多数の犠牲者を出す。また知恵も回り、仕掛けられた罠《わな》を見抜いて回避するなどしている。しかし最後はバズーカを正面から受けて体を粉砕され、息絶えた。

『ジョーズ』（一九七五年）に便乗して作られたことで知られる作品で、サメを熊に、海を山に変えただけでほとんど同じストーリーが展開される。

その一方、『ジョーズ』よりもグロテスクな描写が多かったり、前半の熊視点の映像では、視点の動きだけでなく、熊の息遣いを挿入して臨場感を高めたり、後半に姿を現すグリズリーは作り物ではなく本物のグリズリーを使ったり、地上に出現することを利用して建造物を破壊するシーンを多く入れたりと、『ジョーズ』との差別化を意識した部分も多く見られる。その結果によるものか、映画は大ヒットを記録した。ただし本物のグリズリーを使ったために設定では五メートル以上あるはずの熊が明らかに小さい、といった問題も発生している。

巨大生物一号 ［きょだいせいぶついちごう］

中川和博監督の短編映画『怪獣の日』（二〇一四年）に登場する怪獣。小笠原沖に出現した後、自衛隊の攻撃により倒され、浜江町の海辺に漂着した。

全長三〇メートル、体重六〇トン程度。全長の三分の一に達する水かきのある前腕を持ち、後ろ足もある。口はクジラのように大きく胴体に向かって裂けている。

この怪獣の死体を巡り、自治体や政府、学者などが様々な意見を交わし、思惑が交錯するが……。

怪獣の死体を巡る人間模様を描いた作品。怪獣の死体と思われていたものの取り扱いを誤ったことで惨事を引き起こす作品は『吸血原子蜘蛛』（一九五八年、**吸血原子蜘蛛**の項目参照）がある。

巨大タコ ［きょだいたこ］ （『水爆と深海の怪物』）

ロバート・ゴードン監督の映画『水爆と深海の怪物』（一九五五年）に登場する怪物。

水爆実験の影響で生態系が破壊されたことにより、生息している海域の餌《えさ》が取れなくなり、潜水艦や船舶を襲い始めた巨大なタコ。水爆の影響で放射能に汚染されてはいるものの、タコ自体は放射能の影響で巨大化したのではなく、もともと巨大だったものが深海から現れたとされる。

餌を求めて移動する巨大タコはやがて太平洋に浮上し、サンフランシスコ近海に現れるが、人間の仕掛けた機雷をものともせず、ゴールデン・ゲート・ブリッジを破壊。その後、港でアメリカの陸海軍と激突する。

地上まで触手を伸ばし、次々と米軍を打ち倒す大ダコだったが、最後は潜水艦により爆弾を直撃され、爆破された。

巨大タコの動きはストップモーション・アニメーションで描かれ、撮影はモンスター映画の巨匠、レイ・ハリーハウゼンが担当した。また予算の問題でこのタコには足が六本しかないが、見せ方がうまく、意識しないで見ると足りないことはほとんど分からない。ぬるぬると動く巨大なタコの触手の描写は今見ても迫力がある。

巨大タコ ［きょだいたこ］ （『テンタクルズ』）

オリヴァー・ヘルマン監督の映画『テンタクルズ』（一九七七年）に登場する巨大なタコ。

トロージャン・トンネル社という会社がカリフォルニア州の海に海底トンネルを建設した際に使っていた電気振動装置によって目覚めた巨大タコで、海を訪れた人々を次々と海中に引きずり込み、殺害していた。

その大きさは、触手一本で人間を持ち上げられるだけでなく、船をも破壊・転覆させてしまうほどであった。

ウィルという海洋学者が依頼を受けてこのタコの調査に乗り出すも、夜間、彼の妻が行方不明になった妹を探しに行ったことで妻を巨大タコに殺害される。また翌日、巨大タコがボートレースの会場に現れたことで多数の被害者を出し、死者も発生する。

ウィルは飼育していたシャチ二頭に助けを願い、海に放す。そしてウィルは助手とともに巨大タコに立ち向かうも、歯が立たない。しかしその時、主人のピンチに駆け付けたシャチ二頭の猛攻によって巨大タコは倒されたのだった。

スピルバーグの『ジョーズ』（**ブルース**の項目参照）が大ヒットしたことで作られた海洋巨大生物パニック映画のひとつ。巨大タコは本物のタコを使って撮影されたシーンと模型などの作り物によって撮影されたシーンがある。そのためかタコが全貌を現すシーンはほぼなく、夜か海中といった見辛い場面がほとんどだが、シャチ二頭対巨大タコの戦いはなかなか迫力がある。

キラー［きらー］

カール・エドワード・ワグナー及びデイヴィッド・A・ドレイクの小説『キラー』（一九七四年、マイケル・パリー編、宇佐川晶子訳、ハヤカワ文庫『キング・コングのライヴァルたち』（一九八〇年）収録）に登場する怪物。

顔は猫に似て額が平べったく、顎《あご》はないに等しいほど短い。頭には耳がなく、目は肉食獣のように前についており、瞳孔は糸のように細い。体には毛がなく、青い鱗に覆われ、爬虫類《はちゅうるい》特有の強い匂いを放つが、身のこなしは猫に似ており、直立すれば人間ほどの大きさがある。

その最大の武器は前足に伸びる爪で、五センチもの長さがある。この爪は人間や動物の体をたやすく切り裂き、息の根を止める。

ヨーロッパのある山が噴火した際に見つかった動物で、人間に捕らえられ、売り物にされていた。しかしキラーが捕まっていたのはわざとだったようで、たやすく檻《おり》を開けて逃げ出し、イタリアのローマで虐殺を開始した。

キラーは追ってきた猟犬たちをも全滅させ、人間のハンターでも捕らえることができなかった。しかし最後の手段として檻にいる時からキラーを異常に敵視していた虎が放たれると、これと互角の戦いを繰り広げた。

最後にはこの虎をも殺害したが、与えられた傷は深く、ついに倒れたという。

ギルマン［ぎるまん］

ジャック・アーノルド監督の映画『大アマゾンの半魚人』（一九五四年）をはじめ、『半魚人の逆襲』（ジャック・アーノルド監督、一九五五年）、『半魚人我らの中を往く』（ジョン・シャーウッド監督、一九五六年）に登場する半魚人。

水中・陸上のどちらでも活動できる両生類とされ、ヒューマノイド型の生物だが、全身は緑色の鱗状の皮膚に覆われ、手足の指の間には水かきがある。頭部は魚に似ているが、『半魚人我らの中を往く』にてエラ呼吸と肺呼吸のどちらも可能であることが判明している。さらに淡水・海水のどちらでも生き延びることができる。

人間を遥かに超える怪力を持ち、銃弾を食らっても硬い皮膚と治癒能力によりなかなか致命傷にならない。弱点は光や熱で、強い光や火を見ると逃げ出す。

また人間の女性に興味を抱く様子が見られ、誘拐しようとする傾向がある。

『大アマゾンの半魚人』ではブラジルのアマゾン川上流にある人類未踏の「ブラックラグーン」と呼ばれるラグーンに棲息して

いたが、生け捕りにするためにラグーンに毒を流され、仮死状態になる。息を吹き返したギルマンは怒りに駆られ人間を惨殺し、好意を抱いた女性研究者のケイ・ローレンスを連れ去ろうとするものの、ケイの恋人であるデヴィッド・リードにより銃弾を撃ち込まれ、ラグーンの水の中に沈んだ。

第二作『半魚人の逆襲』ではギルマンが生きていたことが判明する。ギルマンは人間に捕らえられ、アメリカのフロリダ州にあるオーシャン・ハーバー水族館に連れ去られる。

そこで水槽に入れられ、飼育されるが、ギルマンは自身を繋《つな》ぐ鎖を引きちぎり、水槽から脱走する。そして好意を抱いたヘレン・ドブソンという女性科学者を追いかけ、彼女を誘拐して海へと連れて行く。しかしやがて発見され、またも銃弾を撃ち込まれて海中へと沈んだ。

第三作『半魚人我らの中を往く』ではフロリダの湿地帯エバーグレーズに逃げ込んでいたギルマンであったが、やはり人間に捕まってしまう。この際、ギルマンは全身に火傷を負い、治療されるが、そこで鱗の下にある皮膚が人間に似ていることや、人間に似た肺を持つことが判明する。

このため、ギルマンを人間に近付けようとする実験が行われ、気管切開手術により一命をとりとめたギルマンは服を着せられ、檻《おり》の中に入れられる。そこで人間の生活に慣れさせようとされるが、ギルマンはいつも海の方を見つめていた。

しかし自分の殺人の罪をギルマンになすりつけようとする人間が現れ、それを察知して怒ったギルマンは暴れ回り、罪をなすりつけようとした男を殺した後、海へと帰って行った。

ギルマンの姿は着ぐるみによって表現されているが、その造形は七〇年近く経った今見ても見事。特に水中を自在に泳ぐシーンは素晴らしく、人間との水中戦までこなしている。

ギルマンのデザインは後の作品に大きな影響を与え、多くの半魚人キャラクターのもとになった。またギルマン自身も様々な作品にカメオ出演している。

二〇一七年に公開されたギレルモ・デル・トロ監督の映画『シェイプ・オブ・ウォーター』もギルレモ自身が幼少時に『大アマゾンの半魚人』を見たことがきっかけとなって作られた映画だと語られている。この映画では人間の女性とは悲恋に終わったギルマンと違い、半魚人が人間の女性と結ばれている。

キングコング ［きんぐこんぐ］

映画『キング・コング』（一九三三年）をはじめ、同作のリメイク作品に登場する怪物。

日本の映画製作会社、東宝の映画『キングコング対ゴジラ』及び『キングコングの逆襲』に登場するキングコングについては**キングコング（東宝版）**の項目を、アメリカの映画制作会社レジェンダリー・エンターテイメントが制作したリブート映画『キン

グコング　髑髏島《どくろとう》の巨神』及び続編の『コングvsゴジラ』に登場するコングについては**コング（モンスター・ヴァース）**の項目を参照。

オリジナル版『キング・コング』に登場するキングコングは体長五・四メートルから七・二メートルとされるが、場面によっては一八メートル以上の大きさになる。これはシーンによってコングがよりよく見えるよう見せ方を変えているため。

南洋にある地図にも載っていない未知の島、髑髏島（スカルアイランド）に棲息しているゴリラに似た巨大な類人猿で、四足もしくは二足歩行で活動する。島の原住民に神として崇められ、生贄《いけにえ》が捧げられていた。

恐竜や翼竜などの古代生物や、特殊な進化を遂げ、巨大化した爬虫類《はちゅうるい》や節足動物が多数生息する髑髏島の中でも頂点に立つ強さを誇り、巨体でありながら垂直の壁を登る身軽さや、人間を傷つけずに運ぶ器用さなども併せ持つ。

ある時、映画の撮影のため、アメリカ人が島を訪れるが、女優のアン・ダロウが原住民に捕らえられ、キングコングへの生贄に捧げられる。しかしキングコングはアンを気に入り、喰うのではなく保護し、自分のもとに携えて行動するようになる。ただしアン以外の人間は保護対象ではないらしく、撮影クルーや原住民を幾人か殺害している。

この時、アンを狙ってティラノサウルス、大蛇、プテラノドンが出現するが、キングコングはことごとく返り討ちにしている（詳細は**ティラノサウルス（『キング・コング』）**、**大蛇（『キングコング』シリーズ）**、**プテラノドン（『キングコング』）**の項目を参照）。しかしプテラノドンとの戦闘の最中に撮影クルーを乗せてきた船の船員、ジャックがアンを救い出す。キングコングは原住民の村を破壊しながらこれを追うが、ガス弾によって捕らえられ、興行のためにニューヨークに連れていかれる。

興行初日、記者たちの前に披露されたキングコングはカメラのフラッシュに興奮し、金属の鎖を引きちぎって暴れ始めると、発見したアンを捕まえてエンパイア・ステート・ビルに登り、頂上に到達する。

キングコングを攻撃するため飛行機が出動し、キングコングはそのうちの一機を破壊するも、その銃弾を受け続け、ついにビルから転落し、力尽きた。

一九七六年には最初のリメイク版として『キングコング』（ジョン・ギラーミン監督）が公開。今回のコングは着ぐるみによって表現され、着ぐるみの作成も担当したリック・ベイカーがコングを演じた。

体長一七メートル弱のゴリラに似た類人猿だが、基本的に直立二足歩行で歩き、より人間に近い怪物となっている。オリジナル版と同じく孤島で原住民に神として崇められ、生贄に捧げられた女優ドワンに惹かれるが、島の名前は髑髏島とは語られておらず、また島にはキングコング以外は大蛇しか巨大生物が出現しない。

大蛇との戦闘中にドワンを他の人間に奪還されたため、取り戻そうとして落とし穴にはまり、人間に捕らえられてニューヨークに運ばれる。

　ここでキングコングは見世物にされるが、マスコミに囲まれたドワンが危険に晒《さら》されていると考え、鎖を引きちぎってドワンを連れ、世界貿易センタービルに登る。そこでヘリコプターと戦闘になるが、機銃により大きな傷を負い、最後の力でドワンを下ろしてから地面に落下した。

　これによりキングコングは死亡したかと思われたが、続編『キングコング2』（ジョン・ギラーミン監督、一九八六年）では昏睡状態でかろうじて生きていたことが判明する。前作から一〇年後、キングコングは人工心臓を移植されることになり、ボルネオ島で発見された雌のコング、レディコングの輸血を受けたことで息を吹き返す。

　それから鎮静剤を打たれ、眠っていたコングであったが、同族であるレディコングの悲鳴を聞いて覚醒。檻を破壊し、レディコングを救ってジョージア山脈へと逃げ込む。

　その後、レディコングとつがいになったキングコングであったが、アメリカ軍の毒ガス攻撃を受け、谷底に落下。レディコングも捕らえられてしまう。しかしキングコングはまだ生きており、軍の施設に出現してレディコングを助け出し、逃走する。

　軍はコングたちを殺害するために動き出すが、レディコングはその間に赤ん坊を生む。妻と子を守るため、キングコングは軍隊に戦いを挑み、自らの命と引き換えに二匹を守りきる。

　そして生き残ったレディコングとベビーコングは、ボルネオで平和に暮らすのであった。

　オリジナル版と違い、リメイク版『キングコング』は一九七〇年代が舞台になっており、また終始キングコングを恐れていたアンと違い、ドワンはキングコングと心を通わせる様子を見せる。これは後のキングコング像に大きな影響を与えた。

　二〇〇五年にはピーター・ジャクソン監督による再リメイク版『キング・コング』が公開。これに登場するキングコングはよりゴリラに近く、基本的に四足で移動する他、崖から崖へ飛び移るなど、身軽さも随一。体長七・五メートル、体重三・六トンの巨体であるが、草食動物として描かれる。

　髑髏島に棲息していた同種の最後の生き残りとされるが、様々な古代生物や特殊な進化を遂げた生物たちの中でも無類の強さを誇る。

　オリジナル版と同じく一九三〇年代が舞台になるものの、髑髏島に棲む生物たちの描写が増えており、島の中で独自に進化した恐竜や節足動物たちが無数に登場する。またキングコングの描写はCGによって描かれており、今まで以上に表情豊かになった他、より動物らしい動きをする。

　生贄に捧げられたアンと心を通わせ、彼女を狙う三頭の**バスタトサウルス・レックス**と戦い、すべて返り討ちにする。しかしやはり人間によって捕らえられ、ニューヨークに連れ去られる。ブロードウェイ劇場で見世物とされるコングであったが、カメラのフラッシュで興奮し、暴れだす。

劇場を出たコングはアンを探し街で暴れるが、アンと再開した直後にアメリカ軍の攻撃が始まり、アンを守るためエンパイア・ステート・ビルに登る。

やがて飛行機との戦いが始まり、三機を撃墜するキングコングであったが、ついにその機銃の攻撃に倒れ、朝日が昇る中、アンに看取られながら地面に落下した。

基本的にオリジナル版のストーリーや舞台を踏襲しているが、キングコングと心を通わせるアンの描写などは一九七六年版の『キングコング』に近い。

キングコング［きんぐこんぐ］（東宝版）

映画『キングコング対ゴジラ』（一九六二年）及び『キングコングの逆襲』（一九六七年）に登場する怪獣。

『キングコング対ゴジラ』に登場する個体は身長四五メートル、体重二五〇〇〇トン。

ソロモン諸島のファロ島という島で住人達に「巨大なる魔神」と恐れられていた巨大な類人猿。毛むくじゃらの巨大な猿といった様相で、二足歩行で行動する。またゴリラのように胸を叩いて相手を威嚇《いかく》する。ゴジラを一本背負いするほどの怪力を生かした攻撃や投げ飛ばしなど肉弾戦を得意とする他、岩を投げつけて遠距離攻撃も行う。

ファロ島に大ダコが出現し、島民を襲い始めた際に出現。この大ダコを追い払った後、島民たちが用意した赤い汁を飲んで眠りに着く。

しかし日本の製薬会社、パシフィック製薬が自社の宣伝のためキングコングを利用しようと考えたことで生け捕りにされ、日本に連れて行かれることになる。

しかしキングコングは輸送中の洋上で覚醒。自ら海を渡り、日本へと向かう。ちょうどその頃、北極の氷河で目覚めた**ゴジラ（二代目）**が日本へと進撃していた。

二体の怪獣は本能に導かれるように栃木県の那須高原で遭遇、激突する。しかし初戦はキングコングが放射能火炎という遠距離攻撃を持つゴジラに敗退。

その後、ゴジラを撃退するために設置された一〇〇万ボルトの高圧線を突破する際、感電して帯電体質を手に入れる。

キングコングはそのまま東京で暴れ回るが、ファロ島の赤い実で作った麻酔で眠らされる。そしてキングコングとゴジラの共倒れを狙った人間たちにより富士の裾野へと輸送され、ゴジラと再び相まみえる。

キングコングは再び劣勢になるものの、雷が落ちたことでその身に電気を宿す。パワーアップしたキングコングはゴジラと互角の戦いを繰り広げた末、海へと没する。

しかし海中から立ち上がったキングコングは、故郷のファロ島へと帰って行った。

『キングコングの逆襲』では別個体のキングコングが登場する。

こちらは体長二五メートル、体重一万トンと初代よりも小さい。南ジャワ海のモンド島に棲み、同じ島に棲む**ゴロザウルス**や近海の**大ウミヘビ**を倒すなど、島の中では無類の強さを誇る。

ドクター・フーという科学者に操られ、

北極のエネルギー鉱石を採掘するために攫《さら》われるが、催眠が解けたことで逃亡。東京でキングコングを模して造られたロボット、**メカニコング**と対決し、この戦いに打ち勝ち、故郷へと帰って行った。

『キングコング対ゴジラ』はアメリカ生まれの偉大な怪物、**キングコング**を日本の映画製作会社である東宝が、当時コングの権利を持っていたＲＫＯと交渉し、五年間のキャラクター使用権を獲得して制作された。ゴジラと対決するにあたりその身長は四五メートルまで巨大化され、顔もニホンザル風にデザインされている。日米の大スターたちが大乱闘を繰り広げるこの映画は大ヒットを記録し、ゴジラシリーズにおいて現在でも歴代一位の観客数一二五五万人を記録している。

『キングコングの逆襲』ではデザインが変更され、ゴリラに近い顔、体型となった他、体格も半分ほどまで小さくされている。この映画ではオリジナル版のキングコング対ティラノサウルスをオマージュしたキングコング対ゴロザウルスの対決が描かれ、また怪獣映画史上では初の自分を模して作られたロボット怪獣との戦いも描写された。

鯨神 ［くじらがみ］

宇能鴻一郎の小説『鯨神』（一九六一年）に登場する通常の倍の体長を持つ巨大なセミクジラ。

明治初期の平戸島の近海に出現し、鯨取りで生計を立てる村の者たちを返り討ちにして殺害していた。

この鯨は定期的に沖合に出現し、その度に村の銛師《もりし》たちがこれを倒そうとして失敗する。そしてある年、この鯨神に祖父、父、兄を殺された青年シャキが討伐《とうばつ》に名乗りを上げ、死闘の末についに鯨神は仕留められたという。

宇能鴻一郎の芥川賞受賞作品であり、ハーマン・メルヴィルの『白鯨』（一八五一年）の影響下にある小説でもある。発表の翌年一九六二年には映画『鯨神』（田中徳三監督）が公開された。

クモンガ ［くもんが］

福田純監督・有川貞昌特技監督の映画『怪獣島の決戦 ゴジラの息子』（一九六七年）をはじめ、ゴジラシリーズに登場する怪獣。

巨大なクモのような姿をしており、体長四五メートル、体重八〇〇〇トンに及ぶ。体色は黒に黄色の縞《しま》模様が付いている。口から粘着性かつ強靭《きょうじん》な糸を吐く能力を有し、これを使って他の怪獣や人間を捕らえる。また口に毒針があり、ゴジラの目を潰《つぶ》し、カマキリが巨大化した怪獣である**カマキラス**を一撃で倒すなど、強力な攻撃手段となっている。

『怪獣島の決戦 ゴジラの息子』では南太平洋のゾルゲル島という島にある「クモンガの谷」と呼ばれる場所に棲息している個体が登場。ゾルゲル島に棲む他の怪獣や人間を襲った。ゴジラの子どもである**ミニラ**を追い詰めるが、親子の放つ放射能火炎により倒された。

『怪獣総進撃』（一九六八年）にも別個体が登場。こちらはゴジラや他の怪獣たちと**キングギドラ**との戦いに参戦し、モスラとともに糸を放ってキングギドラを翻弄《ほんろう》した。

平成以降は長らく出番がなかったが、五〇周年記念の映画『ゴジラ FINAL WARS』（二〇〇四年）に登場。体長六〇メートル、体重三万トンに巨大化している。**X星人**に操られ、アリゾナを襲撃した後、ニューギニアでゴジラと対戦。身軽に飛び回ったり、口から放った糸をクモの巣状に拡散させ、上から相手に覆いかぶせるといった能力を得たが、口から吐いた糸をゴジラにキャッチされ、そのままジャイアントスイングの要領で振り回された挙句、空の彼方へと投げ飛ばされた。

昭和シリーズのクモンガの動きは操演によって行われているが、そのリアルなクモのような動きは今見ても見事。

平成では操演に加えてCGでも描かれており、より身軽で素早いクモンガの姿を見ることができる。

クラーケン ［くらーけん］ （『海底二万里』）

ジュール・ヴェルヌの小説『海底二万里』（一八七〇年）に登場する頭足類。

体長八メートルもある巨大なタコで、群れで出現し、潜水艦ノーチラス号を餌《えさ》と認識して襲った。ノーチラス号はこれに対し海面に浮上し、船長のネモをはじめとして乗組員たちが白兵戦を挑んだ。

一五分にわたる戦いの結果、ノーチラス号の乗組員ひとりが犠牲になったものの、触手をずたずたに切断されたクラーケンたちは海に逃げて行ったという。

ここでは「タコ」としているが、小説本文では「タコ」と「イカ」が混同されており、同じものを指して「タコ」と「イカ」の両方の名前が使われる。ただし本文中で「足が八本である」という説明があるため、本項目ではタコと判断した。

『海底二万里』は幾度か映画化されており、ウォルト・ディズニー製作の『海底2万マイル』（リチャード・フライシャー監督、一九五四年）が有名。この作品ではクラーケンは巨大なイカとして登場する。出現するのは一匹だけだが、海上での白兵戦も映像化されている。

サイレント映画時代の『海底六万哩《マイル》』（スチュアート・ペイトン監督、一九一六年）では海底にいる巨大なタコとして登場し、ノーチラス号の乗員を襲った

グラボイズ ［ぐらぼいず］

ロン・アンダーウッド監督の映画『トレマーズ』（一九九〇年）をはじめとする『トレマーズ』シリーズに登場する怪物。「グラボイズ」は複数形であり、単数形では「グラボイド」と呼ばれる。地中を自在に移動する体長一〇メートル近くに及ぶ巨大生物。地上に生物がいなかったはずの先カン

ブリア時代の地層から化石が発見されており、その時代から変わらぬ姿をしていたとされる。第一作目ではアメリカのネバタ州の砂漠にある架空の町パーフェクションに出現した。

蛇のように脚がなく、頭部と胴体のみの体をしているが、口内から三本の触手を伸ばし、何かを摑んだり、獲物を捕らえるなど器用な動きができる。

地中に棲息しているため視力はなく、振動を察知して地上の獲物に襲いかかる。頭部は嘴《くちばし》のように硬い外殻で覆われており、下顎が三方向に分かれて開く。

力も強く、木材やコンクリートを破壊して地中から出現することが可能。ただし巨大な岩などは破壊することができず、グラボイズに襲われないためには岩や頑丈な建物などの上にいる必要がある。しかしグラボイズは執念深く、他の獲物が現れるまで常にその獲物を狙い続けるため、無事に解放されるためには他者を犠牲にするか、グラボイズを倒さなければならない。

地中を凄《すさ》まじいスピードで進む強靭《きょうじん》な体を持つが、無敵の生物ではなく、ライフルやショットガンなどの強力な銃器による攻撃の連発や爆発物で倒すことが可能。特に爆発物を獲物と誤認させて呑み込ませ、体内から体を破壊する方法が効果的である。

しかし殺されないまま長期間生き延び、一定の食物を摂取したグラボイズはシュリーカーと呼ばれる存在に変異する。

S・S・ウィルソン監督の『トレマーズ2』（一九九六年）に初登場したシュリーカーはグラボイズが成長した姿で、体を突き破るようにして、グラボイズ一体から三体が生まれる。シュリーカーはグラボイズと違い、地上での活動に適しており、その姿は頭部はグラボイズと似ているものの、体は羽のない鶏のようで、二足歩行で移動する。グラボイズと同じく視力はないが、頭頂部に熱を感知するセンサーがあり、これを使って獲物を感知すると、襲いかかって来て喰らいつく。

さらに一定以上の食物を摂取したシュリーカーは口からシュリーカーの幼体を吐き出し、無性生殖を行う。そのため、凄まじい勢いで数を増やす。

さらにこのシュリーカーが脱皮し、変態したアスブラスターが続編『トレマーズ3』（ブレント・マドック監督、二〇〇一年）に登場。魚のヒレのようなものが体の側面と尾部に生え、さらに臀部《でんぶ》から発火物質を噴射し、空を飛ぶことができるようになった。この時点で卵を産む能力を会得しており、この卵からグラボイズの幼体が孵《かえ》るため、グラボイズの成長の最終段階にあると考えられる。

満腹になると眠る習性があり、その隙をついて捕獲されてもいた。

また同作にはグラボイズの突然変異体で、体色が白い「エル・ブランコ」と呼ばれるものも登場する。これは振動ではなく電波を感知して襲いかかる。劇中では主人公のバート・ガンマーと奇妙な共闘関係となり、シュリーカーに変異しない個体だったこともあり、シリーズでは珍しく殺害されることなく保護された。

第四作『トレマーズ4』（S・S・ウィルソン監督、二〇〇四年）ではアスブラスターの卵から孵ったばかりと思しき個体が登場している。外見はグラボイズに近いが、サイズは小さい。

第五作目『トレマーズ ブラッドライン』（ドン・マイケル・ポール監督、二〇一五年）では南アフリカ共和国に棲息する新種のグラボイズが登場。アメリカのグラボイズに比べると運動能力が高くなっており、地中から空中に飛び上がり、獲物に襲いかかる。また、口から酸を吐き硬い岩盤を溶かして進む、口内の触手を分離させ、独立した動きで獲物を捕らえることができるなど、アメリカ種にはない能力を多数持つ。

第六作目『トレマーズ コールド・ヘル』（ドン・マイケル・ポール監督、二〇一八年）では北極圏に棲息するグラボイズ及びアスブラスターが登場。これはアメリカとアフリカに棲息するグラボイズの中間のような姿をしている。

最新作『トレマーズ 地獄島』（ドン・マイケル・ポール監督、二〇二〇年）では人間に遺伝子操作されたグラボイズが登場した。狩りの標的としてある島に放たれるが、案の定制御不能となり、人間たちに襲いかかる姿が描かれた。

本作はシリーズを支え続けたバート・ガンナーと、グラボイズたちとの決着編ともなっている。

グワンジ ［ぐわんじ］

ジェームズ・オコノリー監督の映画『恐竜グワンジ』（一九六九年）に登場する恐竜。メキシコにあり、太古の生物たちが棲息する「禁断の谷」と呼ばれる谷にいた大型の獣脚類とされる。

グワンジの名はジプシーたちによって伝えられており、呪いをもたらす存在として恐れられていた。この恐竜に目を付けたメキシコのサーカス団の人間たちがグワンジを見世物にするため捕らえて、サーカス団に連れて行かれることになる。

しかし闘牛場で人々に披露された際に、檻《おり》を破って暴走。犠牲者を出しながら町へと繰り出し、逃げる人間たちを追って教会に侵入する。しかし教会に火をつけられたことで火事に巻き込まれ、崩れ落ちる教会とともに命を落とした。

グワンジの動きはストップモーション・アニメーションによって描かれ、この分野ではトップの実績を持つレイ・ハリーハウゼンが務めた。

劇中にはグワンジだけでなくプテラノドンやスティラコサウルスなどが登場し、グワンジとの戦いが描かれる。また同じくハリーハウゼンが特撮を務めた『地球へ2千万マイル』（ネイサン・ジュラン監督、一九五七年）の**金星竜イーマ**のように象との戦いも描かれており、その見事な動きは今見ても色あせない。

また、メキシコの禁断の地に恐竜がいる設定や、カウボーイとグワンジの戦いなど『原始怪獣ドラゴドン』（エドワード・ナッソー及びイスマエル・ロドリゲス監督、一九五六年、**ドラゴドン**の項目参照）と類似した場面が見られるが、これはドラゴドンの原案となったウィリス・オブライエンの企画『Gwangi』が、グワンジの原作となっているため。ドラゴドンの方は大きな改変が加えられているが、グワンジはオブライエンの企画の内容に基づいて映画化されている。

ハリーハウゼンはオブライエンの弟子としてストップモーション・アニメーションを学んだ。グワンジは師が実現できなかった映画化が時を経て弟子により実現されたものと考えると、感慨深い恐竜なのだ。

ゴジラ［ごじら］ （初代）

本多猪四郎監督・円谷英二特技監督の映画『ゴジラ』（一九五四年）及び、その原作を担当した香山茂の小説『ゴジラ』（岩谷書店、一九五四年）に登場する怪獣。日本における巨大怪獣の元祖であり、作品自体も怪獣映画の元祖である。

ゴジラシリーズは、この初代ゴジラ以降七〇年近くにわたり継続しており、登場するゴジラという名前の怪獣も多岐にわたる。このため、当項目ではシリーズ第一作である『ゴジラ』に登場する怪獣ゴジラを中心に、各作品で一九五四年に現れたとされるゴジラを扱う。他のゴジラについては**ゴジラ（二代目）**、**ゴジラ（平成VSシリーズ）**、**ゴジラ（ミレニアムシリーズ）**、**ゴジラ（『シン・ゴジラ』）**、**ゴジラ（『GODZILLA』）**、**ゴジラ（モンスター・ヴァース）**の項目を参照。

本作におけるゴジラは体長五〇メートル、体重二万トンとされる。小さな隆起が無数にある黒い皮膚に覆われ、背中の中心には巨大な背びれが列に並び、その両側に小さな背びれが並ぶ。

頭部は肉食の爬虫類《はちゅうるい》を思わせる容貌をしており、口には鋭い牙が並ぶ。直立二足歩行で動き、長い尾を持つ。

ジュラ紀に生息していた海生爬虫類と陸上獣類の中間生物であるとされ、ビキニ環礁の水爆実験によって棲《す》み処《か》の環境を破壊されたことで出現したと語られる。そのため放射能によって変異した怪獣ではないが、口からは白い霧状の放射性物質を吐く。「放射能火炎」「白熱光」などと呼ばれるこれは、鉄塔や戦車を溶解させるほどの高熱を帯び、ゴジラの最大の武器である。

また体に放射能を帯びており、ゴジラが通った先には放射線が検出される。

名前の由来は小笠原諸島に位置する大戸島に伝わっていた伝説の怪物「呉爾羅《ごじら》」によると劇中で説明される。なお、「呉爾羅」はこの映画に登場する架空の怪物であり、実際の大戸島にはそのような伝説は残されていない。

ゴジラはこの大戸島を襲い、人々や家畜を犠牲にした後、東京の品川に上陸する。街を破壊し、甚大《じんだい》な被害をもたらす。これに対し防衛隊が攻撃を行うが、通常兵器では歯が立たず、有刺鉄条網に強力な電流を流す作戦に出るも、それさえ突破される。

やがてゴジラは海に帰っていくが、ゴジ

ラの進撃により東京は焦土と化し、放射能がさらなる被害を生む。

　このように通常の武器や兵器では傷をつけることも困難なゴジラであるが、この怪獣を止めたのは芹沢大助というひとりの科学者であった。

　芹沢はゴジラによってもたらされた惨状を見て、かつて偶然開発し、封印していた「オキシジェン・デストロイヤー」という兵器の使用を決意する。それは水中で使用すると周囲の酸素を破壊するという効果を持ち、周囲にいる生物まで死滅させ、その肉体を液化するという作用があった。

　芹沢はこの兵器が軍事利用されることを恐れていたが、その秘密を葬るため、資料をすべて廃棄し、ただひとつ、実物をゴジラを倒すために残した。そして自らゴジラの眠る海に飛び込み、オキシジェン・デストロイヤーを起動し、自分の命もろともゴジラを葬った。

　こうしてゴジラは白骨化の後、完全に消滅した。長きにわたり作品が作られているゴジラシリーズだが、ゴジラを完全に葬り去った兵器はこのオキシジェン・デストロイヤーのみである。

　一方、初代ゴジラの設定が変更されている作品もある。『ゴジラ×メガギラス　G消滅作戦』（手塚昌明監督・鈴木健二特技監督、二〇〇〇年）では、一九五四年に出現したゴジラがオキシジェン・デストロイヤーによって倒されず、数十年の時を経て現れたという設定になっている。また、『ゴジラ×メカゴジラ』（手塚昌明監督・鈴木健二特技監督、二〇〇二年）及び続編『ゴジラ・モスラ・メカゴジラ　東京ＳＯＳ』（手塚昌明監督・鈴木健二特技監督、二〇〇三年）に登場する「機龍」は、一九五四年に出現したゴジラをオキシジェン・デストロイヤーで倒した際、骨格が残ったことでその骨をメインフレームとして利用して作り出した兵器であると設定されている。『ゴジラ』では一瞬白骨化した後、骨も液化しているため、設定が異なっている。

　世界中で知られる怪獣王の元祖で、国内外問わず様々な作品に大きな影響を与えた。

　ただし『ゴジラ　東宝特撮映画全史』によれば、ゴジラ自身も先行するモンスター映画の影響を受けている。例えば、本作の特技監督を務めた円谷英二は『キング・コング』（一九三三年）（**キングコング**の項目も参照）の大ファンであり、そのフィルムを手に入れ、一コマずつ研究していたほどであったという。

　円谷は『キング・コング』のような特殊技術をふんだんに使った映画を製作したいという思いを抱き、かねてから海から現れた巨大なクジラが東京を襲う物語や、インド洋に出現した巨大タコと捕鯨船船団が戦う物語を構想していた。

　一方、ゴジラの直接のもとになった企画は、プロデューサーの田中友幸が立てたものであった。ビキニ環礁での核実験と第五福竜丸、第十三光栄丸の被爆事件に取材した「ビキニ環礁海底に眠る恐竜が水爆実験で目覚め、日本を襲う」というこの企画は、『海底二万里から来た大怪獣』と名付けられ、後に『G作品』として秘密裏に制作が進められた。この原作の執筆を依頼されたのが香山滋で、一週間ほどで原作が完成。これをもとに検討用台本が作られ、円谷英二も正式に参加することとなった。

円谷英二は当初自分の構想にあったように恐竜を大ダコにするよう主張したが、認められず、最終的に登場する怪獣は太古の恐竜で落ち着いた。その後、田中は東宝演劇部の「ゴリラ」のような容貌をした網倉志郎が「クジラ」が好きで「グジラ」と呼ばれていたのにヒントを得て、「ゴリラ」と「クジラ」を組み合わせて「ゴジラ」の名前を考え出す。

そして脚本が完成し、撮影が開始された。撮影は難航したものの、本多猪四郎監督のドラマ性と円谷英二の特撮、それにゴジラのスーツに入った中島春雄の演技により、公開された映画は大ヒット。現在に続く映画シリーズとなった。

ゴジラ［ごじら］（二代目）

映画『ゴジラの逆襲』（一九五五年）をはじめ、ゴジラシリーズに登場する怪獣。体長五〇メートル、体重二万トン。

本項目では『ゴジラの逆襲』から『メカゴジラの逆襲』（本多猪四郎監督・中野昭慶特技監督、一九七五年）にかけて登場するゴジラについて記述する。

『ゴジラ』（一九五四年）にて出現した**ゴジラ（初代）**の同族であり、二頭目のゴジラ。こちらも何らかの形で放射線を浴びているのか、口から白熱光、放射能火炎、放射能熱線などと呼ばれる白もしくは青白い火炎、熱線を放つ。

初代に比べ、身軽な動きが目立ち、また他の怪獣と戦うことが多かったこともあり、様々な戦い方を見せた。腕や脚による肉弾戦や尾による攻撃、岩の投擲《とうてき》や嚙み付き、仲間の怪獣とのタッグ攻撃など、その戦法の臨機応変さは歴代随一。

また当初は人間を敵視しており、何度も人間たちと激突した。しかし数多《あまた》の怪獣との戦いや地球を狙う異星人、宇宙怪獣の出現、そして人間との共闘を経てやがて人間の味方となり、地球を守るために戦うヒーローへと変化していく。

歴代の他のゴジラに比べてもコミカルな面が目立つゴジラでもあり、『怪獣大戦争』（本多猪四郎監督・円谷英二特技監督、一九六五年）では**キングギドラ**との戦いに勝利した後、飛び上がって赤塚不二夫の漫画作品『おそ松くん』中のギャグ「シェー」のポーズをしたり、『地球攻撃命令 ゴジラ対ガイガン』（一九七二年）では吹き出しを使って相棒の怪獣**アンギラス**と会話をするなどしている。

また最も多く他の怪獣と共演したゴジラは敵となる怪獣が多数だったが、味方として共闘した怪獣もあった。前述のアンギラスはゴジラと初めて戦った怪獣だが、二代目のアンギラスは『怪獣総進撃』（一九六八年）で共演して以降、ゴジラの相棒としてともに活躍した。

『モスラ対ゴジラ』（本多猪四郎監督・円谷英二特技監督、一九六四年）で戦った**モスラ（昭和）**とは宇宙超怪獣キングギドラとの戦いにおいて共闘して地球を救った。

『三大怪獣地球最大の決戦』（一九六四年）では先のモスラとともに空の大怪獣**ラドン**と共演。はじめは互いに敵意をむき出しにして戦っていたが、キングギドラの襲来と、ひとりキングギドラに立ち向かうモスラの幼虫の姿を見て気を変え、ラドンとともにキングギドラに立ち向かい、見事に追い返した。

続く『怪獣大戦争』ではラドンとともにX星なる惑星に連れて行かれ、キングギドラと戦うも、洗脳される。そして地球侵略の手先として使われるも、洗脳が解かれた後にはラドンと共闘し、地球に現れたキングギドラを再び撃退した。

この他にも『怪獣総進撃』（一九六五年）ではアンギラス、モスラ、ラドンの他にかつて戦った**クモンガ**とも共闘。また**バラン**、**バラゴン**、**マンダ**といった怪獣たちとも初共演し、地球怪獣たちの共闘でキングギドラにとどめを刺した。

この『怪獣総進撃』にも登場した**ミニラ**はゴジラの息子とされ、初登場となった『怪獣島の決戦 ゴジラの息子』（一九六七年）以降、何度か親子として共演し、親怪獣としてミニラと遊んだり、教育したり、守るなどしていた。

この他にも『ゴジラ対メガロ』（福田純監督・中野昭慶特技監督、一九七三年）では正義のロボット、**ジェットジャガー**とともに**メガロ**、**ガイガン**の二大怪獣と戦い、『ゴジラ対メカゴジラ』（福田純監督・中野昭慶特技監督、一九七四年）では沖縄の守護神である**キングシーサー**とともに異星人の侵略兵器**メカゴジラ**と戦った。

また『ゴジラ対ヘドラ』（坂野義光監督・中野昭慶特技監督、一九七一年）では自衛隊と協力して宇宙生物が地球の公害物質により怪獣化した**ヘドラ**を倒すが、ヘドラ誕生のきっかけとなった公害物質を垂れ流し続ける人間たちを睨《にら》みつける一幕もあった。この作品では放射能火炎を放射し、その勢いで空を飛ぶ特殊な能力も見せている。

最終作となる『メカゴジラの逆襲』（一九七五年）ではメカゴジラと**チタノザウルス**という二体の怪獣を相手に一体で立ち向かい、これらを打ち倒すと、海に帰って行った。その後の行方は描かれていない。

『ゴジラの逆襲』（一九五五年）で凶暴な怪獣としてデビューし、アンギラスと戦った後、『キングコング対ゴジラ』（一九六二年）にてアメリカの元祖怪獣スターであり、ゴジラ誕生にも大きな影響を及ぼした**キングコング（東宝版）**と戦い、次作では制作会社の東宝で単独タイトルを持っていたモスラと戦うなど、ゴジラが主役となってゲストとなる他の怪獣と戦う、というゴジラシリーズの基礎を作り上げた二代目。

同一個体のゴジラが主役になった作品としてはシリーズ中最多を誇り、二〇年にわたり一四作品に登場している。またその間にデザインの変遷《へんせん》が何度もあり、同じ個体ではあるが作品ごとに見た目は異なる。

また長年シリーズの主役を務めながら、**ゴジラ（初代）**や**ゴジラ（平成VSシリーズ）**とは違って明確な死が描かれていないゴジラでもある。

きっと今でも海のどこかにいて、地球に危機が訪れた時には、再び現れてくれるのだろう。

ゴジラ［ごじら］（ミレニアムシリーズ）

日本の怪獣映画『ゴジラ』シリーズに登場する怪獣。本項目では『ゴジラ2000 ミレニアム』（大河原孝夫監督・鈴木健二特技監督、一九九九年）から『ゴジラ FINAL WARS』（二〇〇四年）の「ミレニアムシリーズ」と呼ばれる作品群に登場するゴジラについて記述する。

ミレニアムシリーズ第一作『ゴジラ2000 ミレニアム』に登場するゴジラは今までのゴジラよりも口が大きく裂け、より細長い頭部を持っている。また背ビレが大きく発達し、薄い紫色に染まっている。身長は五五メートル、体重二万五〇〇〇トン。口からはオレンジ色の放射熱線を放ち、その際には背ビレが同色に発光する。

一九五四年に**ゴジラ（初代）**が出現して以来、たびたび日本に出現していたとされるゴジラで、人間が作り出すエネルギーを憎んでいるかのように発電所などを襲撃する。

また体からは強い放射線を放っており、オルガナイザーG1と呼ばれる細胞によって驚異的な治癒力を持つ。そのため、人間の力ではなかなか倒すことができない。

劇中では北海道根室の発電所を襲撃し、その後、茨城県の東海村で東海発電所を襲うが、突如出現したUFOの光線によって戦闘不能にされ、海に消える。

その後、東京に出現したUFOを追って東京に上陸。このUFOに乗っていた異星人**ミレニアン**によってオルガナイザーG1を吸収されるが、ミレニアンはオルガナイザーG1を制御できずに怪獣**オルガ**に変貌する。

熱線によりUFOを破壊したゴジラはオルガと激突。巨大な口を開き、オルガがゴジラを呑み込もうとするが、ゴジラは全身からエネルギーを放射する体内放射を放ち、オルガを粉砕する。そして東京を火の海に変えていった。

今作ではゴジラの出自は語られておらず、詳細は不明。『ゴジラ2000（ミレニアム）超全集』（小学館、二〇一四年）では初代ゴジラを含む複数のゴジラの中の一頭と考えるのが妥当ではないかと推測している。

次作『ゴジラ×メガギラス G消滅作戦』（二〇〇〇年）では設定が一新され、登場するゴジラは一九五四年に東京を襲ったゴジラそのものだとされる。オキシジェン・デストロイヤーによるゴジラの消滅がなかった世界観であり、劇中では『ゴジラ』（一九五四年）をリメイクした場面も登場する。

デザインは全体的に『ゴジラ2000 ミレニアム』と同じだが、体色が幾分明るくなり緑色に近くなっている。また口から放つ熱線も前作と同じくオレンジ色である。

劇中では幾度か日本に上陸したことが語られており、二〇〇一年に活動を再開。対ゴジラ兵器でマイクロブラックホールを発生させる「ディメンション・タイド」による攻撃を計画する人類や、古代のトンボ、**メガニューラ**との戦いが行われる。

またメガニューラはゴジラのエネルギーを吸収したことで巨大なメガニューラ、**メガギラス**を誕生させ、メガギラスはゴジラを襲撃する。

しかしゴジラはお台場でメガギラスを返り討ちにし、人類と対峙《たいじ》。ディメンション・タイドによって消滅したかと思われたが、その生存が示唆され、物語は終わる。

次作『ゴジラ・モスラ・キングギドラ 大怪獣総攻撃』（金子修介監督・神谷誠特技監督、二〇〇一年）ではデザインががらりと変わり、発達した下半身と瞳のない目を持つ狂暴な姿のゴジラとなった。また放射能熱線も従来の青白いものに戻っている。身長六〇メートル、体重三万トン。

一九五四年に出現したゴジラの同類とされるが、その正体は太平洋戦争で命を落とした人間たちの魂、怨念の集合体であり、日本に対する無念を晴らそうとしているのではないかと推測されている。それを証明するかのように本作のゴジラは明らかに人間の存在を認識しており、積極的に人間を攻撃する。

このゴジラから日本を守るために復活した護国三聖獣、「地の神・婆羅護吽」（**バラゴン**の項目参照）「海の神・最珠羅」（**モスラ（平成）**の項目参照）「天の神・魏怒羅」（**キングギドラ**の項目参照）を圧倒的な力でねじ伏せる。しかし倒した護国三聖獣のエネルギー体によって海に沈められ、さらに防衛軍の花泰三准将が搭乗する特殊潜航艇「さつま」がゴジラの口から体内に潜り込む。そして魏怒羅によって受けた体内の傷に、さつまから魚雷を打ち込まれて肩に穴が空き、これにより放射能熱線のエネルギーが放出され、自らのエネルギーに耐え切れずに爆発した。しかし、残った心臓が未だ鼓動を続けている様子が描写されている。

次作『ゴジラ×メカゴジラ』（手塚昌明監督・菊池雄一特技監督、二〇〇二年）及び続編『ゴジラ・モスラ・メカゴジラ 東京SOS』（手塚昌明監督・菊池雄一特技監督、二〇〇三年）ではまた設定が一新されており、一九五四年に倒されたゴジラの同族であるとされる。身長五五メートル、体重二万五〇〇〇トン。

デザインは『ゴジラ2000 ミレニアム』や『ゴジラ×メガギラス G消滅作戦』に近いが、頭部や背ビレが小さくなっている。また背ビレは銀色で、体色も黒い。放射能熱線の色は青色。

この世界では初代ゴジラはオキシジェン・デストロイヤーによって倒されるものの、骨は溶解せずに残ったとされ、この骨格を使って対怪獣兵器として巨大ロボット**3式機龍**が作られる。この世界ではゴジラ以外の怪獣も複数現れていたが、二代目のゴジラが出現したのは初代ゴジラの骨が回収された一九五五年であり、以降も初代ゴジラの骨を目的に日本に出現している様子が見られた。

『ゴジラ×メカゴジラ』では3式機龍と交戦し、機龍の最終兵器アブソリュート・ゼロを浴びせられて氷結するも、氷を砕いて自力で復活。機龍とは痛み分けとなった。

『ゴジラ・モスラ・メカゴジラ 東京SOS』では機龍との再戦に加え、モスラとも戦う。この戦いで成虫モスラを倒すも、直後に生まれたモスラの双子の幼虫に糸で体を絡めとられ、最後は機龍によって海に運ばれ、ともに日本海溝に沈んだ。

次の『ゴジラ FINAL WARS』ではデザインが一新され、全体的に細身になり、顔つきも精悍《せいかん》になっている。歴代ゴジラの中でも強さ、スピードともに上位に入るゴジラであり、身長一〇〇メートル、体重五万五〇〇〇トンとミレニアムシリーズの中でも随一の巨体を持つ。

劇中では幾度も世界を滅亡の危機に陥れた最強の怪獣とされ、南極で氷の中に閉じ込められていた。しかし異星人である**X星人**が怪獣たちを操り、地球侵略を開始したことで地球最強の兵器として目覚めさせられる。

目覚めた後は**ガイガン**、**ジラ**、**カマキラス**、**クモンガ**、**エビラ**、**ヘドラ**、**アンギラス**、**ラドン**、**キングシーサー**を次々と破り、さらに地上から放射能熱線を発射し、宇宙から落ちてくる妖星ゴラスを破壊する。

その後、X星人が呼び寄せた怪獣**モンスターX**と改造ガイガンと戦闘。改造ガイガンはモスラによって倒されるが、モンスターXは**カイザーギドラ**へと変貌し、ゴジラを追い詰める。しかし人間によりエネルギーを与えられ、復活後はカイザーギドラを圧倒し、赤い熱線「バーニングGスパーク熱線」を放ち、カイザーギドラを粉砕した。

その後は人間と戦おうとするが、**ミニラ**に説得され、海へと帰って行った。

この『ゴジラ FINAL WARS』を最後に、ゴジラシリーズは休眠に入る。そして一〇年後の二〇一四年、ゴジラはハリウッドで復活する。詳細は**ゴジラ（モンスター・ヴァース）**の項目を参照。

ゴジラ ［ごじら］ （モンスター・ヴァース）

ギャレス・エドワーズ監督の映画『ゴジラ GODZILLA』（二〇一四年）をはじめとして、映画製作会社のワーナーブラザーズとレジェンダリー・ピクチャーズが展開するモンスター・ヴァースと称される世界観に登場するゴジラ。『ゴジラ GODZILLA』では身長一〇八メートル、体重五万トンであったが、第二作『ゴジラ キング・オブ・モンスターズ』（マイケル・ドハティ監督、二〇一九年）及び第三作『ゴジラvsコング』（アダム・ウィンガード監督、二〇二一年）では身長一二〇メートル、体重一〇万トン近くまで増大している。

約二億七〇〇〇万年前の古代ペルム紀に棲息していたという巨大生物で、生態系の頂点に君臨していた種族の末裔《まつえい》。放射能をエネルギーとして摂取することができ、大気中の放射能が濃かったこの時代は地上に棲息していたが、それが薄れるにつれて他の巨大生物たちとともに地球の地下空洞にある世界へと居住地を移していった。

しかし地上で核が兵器などに使用されるようになり、大気中の放射線濃度が増したことで再び地上に出現。第二次世界大戦以降の太平洋にたびたび出没していた。

黒い皮膚に覆われた二足歩行の大型爬虫《はちゅう》類《るい》のようであり、後頭部から背中、そして尾にかけて白い背びれが並ぶ。また頭部が小さく、非常に筋肉質な体を持つ。首の部分にはエラがあり、水中と陸上どちらでも活動できる。

その皮膚は頑丈で、人間の兵器程度では傷つけることができない。また核兵器にも耐える上、その放射能をエネルギーとして吸収することが可能。

種族としては大気中に放射線が満ち溢れていた時代に生きていた生物であり、放射線を餌《えさ》とするほか、体内に原子炉のような器官を持ち、莫大な熱エネルギーを生成する。これにより口から青白い放射能熱線を放つことができ、放射の際には目と背びれが青白く発光する。この熱線の威力は作品を追うごとに上がっており、『ゴジラ　GODZILLA』ではまだ熱線は細く、敵対する怪獣**ムートー**に直撃してもダメージを与える程度で、体力消費も大きかった。第二作『ゴジラ　キング・オブ・モンスターズ』においては従来のゴジラと同じぐらい熱線が太くなり、ムートーより強力な怪獣、**ギドラ（モンスター・ヴァース）**に大きなダメージを与えるほどになった。さらに第三作『ゴジラvsコング』では地球の核エネルギーを利用している様子が描写され、連発できる上、一撃で地殻をぶち抜き、地下空洞世界まで大穴を空ける熱線を放った。

『ゴジラ　キング・オブ・モンスターズ』にて宿敵であったギドラを打ち破って以降は他の怪獣（設定ではタイタンと呼ばれる）たちを裁定したり、助けたりしながら、地球の環境を維持するために行動している。この様子は同作と『ゴジラvsコング』の間におけるゴジラの様子を描いたコミック『ゴジラ　ドミニオン』で詳しく描写されており、ゴジラが人間以上に高等な思考能力を持ち、地球全体規模で考え、行動していることが語られている。

人間に対しては通常は積極的な敵意を向けることがない一方、特別守護することもない。ほとんど眼中にないといい状態だが、『ゴジラvsコング』では後述の理由から人間に対し激しい敵意を抱き、攻撃を加えている。

劇中での行動としては第一作『ゴジラGODZILLA』では一九五四年での出現を最後に沈黙していたが、六〇年後の二〇一四年に天敵、ムートーの復活とともに活動を再開。ハワイのオアフ島にてムートーと戦った後、逃げたムートーを追い、海中に潜る。

その後、繭《まゆ》から羽化した雌のムートーが出現し、ゴジラと戦った雄のムートーとアメリカのサンフランシスコで合流する。ゴジラはこの二体を狙ってサンフランシスコに上陸し、苦戦しながらもムートーを撃破し、海へと帰還する。

第二作『ゴジラ キング・オブ・モンスターズ』はムートーとの戦いから五年後の二〇一九年が舞台になる。環境テロリストによって南極に眠っていた宇宙からの外来種、ギドラが目覚めさせられたことにより、これを倒すべく行動。南極での戦いではギドラに敗れるが、その後、メキシコ付近に出現したギドラに海中から襲いかかり、海に引きずり込んでその首を一本噛みちぎるなど善戦する。しかし米軍が二体の怪獣の殲滅《せんめつ》を狙って新兵器オキシジェン・デストロイヤーを放ったため、ギドラを取り逃す。オキシジェン・デストロイヤーは周囲の酸素を破壊する兵器であり、もともと宇宙怪獣であるギドラには効果が薄く、地球怪獣であるゴジラには大きなダメージを与えてしまう。

ゴジラはこれによって負った傷を癒すため、かつてゴジラを神として崇めていた古代文明の遺跡が残る海底で地底から漏れる放射線を吸収していたが、そこに怪獣の研究調査機関であるモナークの科学者、芹沢猪四郎が現れる。

彼はゴジラを救うべく自らの命と引き換えに核弾頭を起爆させ、この放射線を受けてゴジラは復活する。

そしてボストンに上陸したギドラを追い、モナーク及び米軍とともにギドラの前に立ちはだかる。さらに**モスラ（モンスター・ヴァース）**がゴジラの加勢に現れ、ギドラが呼び寄せた**ラドン（モンスター・ヴァース）**も含めて乱闘に発展するが、モスラがラドンを破る。しかしゴジラは先の核弾頭によりエネルギーを過剰に吸収しており、短時間で核爆発が起きる状態になっていた。このためギドラに苦戦を強いられるが、モスラが身を挺してゴジラをかばい、爆散した際にその粒子を吸収したことでエネルギーの制御に成功する。

これにより全身が真っ赤に染まる「ゴジラ・ヒート・ウォーク」という状態になったゴジラは全身から赤いエネルギーを放射し、ギドラを打ち破った。

この作品ではゴジラとモスラが共生関係にあったことが示唆されており、後日譚《ごじつたん》となる『ゴジラ ドミニオン』ではゴジラが自身が守る世界を「彼女（モスラ）がくれた世界」と考えている様子が見られる。またゴジラが体内放射をする場面ではエネルギーの形がモスラの羽の模様を模し、モスラの鳴き声が響き渡るという演出がなされた。

そして第三作『ゴジラvsコング』では『キングコング対ゴジラ』（一九六二年、本多猪四郎監督・円谷英二特技監督）以来五九年ぶりに**キングコング**との戦いが実現。

モンスター・ヴァースではコングもまた太古から生きる種族のひとつであり、ゴジラとは種族間で争った過去があったと設定されている（**コング（モンスター・ヴァース）**の項目も参照）。そのためゴジラはコングを敵対視しており、縄張りである髑髏島《どくろとう》を出たコングを発見すると攻撃を仕掛ける。

劇中では二度にわたりコングとの戦闘が行われており、一戦目は海での戦いでコングを圧倒し、敗北に追い込んだものの、命までは奪わなかった。二戦目は地下空洞世界でコングが地球の核エネルギーを操作したことを察知し、香港から地殻をぶち抜くほどの放射熱線を放つ。これによりコングが地上まで登ってきたため、第二戦目が開始される。

この時点のコングはかつて自身の同族がゴジラの同族の背びれから作った斧《おの》を所持しており、それによりゴジラの放射熱線を防ぐことが可能になっていた。

これにより一時的にコングに攻撃を防がれるが、すぐに肉弾戦に攻撃方法を変え、コングを圧倒して心肺停止まで追い詰めた。

また、今作のゴジラは積極的に人間を襲う様子が見られるが、その理由は前作でゴジラが倒したギドラの首を利用し、巨大なロボットの怪獣、**メカゴジラ（モンスター・ヴァース）**を製作していることを察知し、これを阻止するためであった。このメカゴジラがコングとの戦いの直後に出現。コングとの戦いで消耗していたゴジラは苦戦を強いられるが、復活したコングがゴジラに加勢する。二大怪獣はメカゴジラを追い詰め、最後はゴジラの放射熱線を受けてパワーアップしたコングの斧がメカゴジラを切り裂いた。

戦いを終えた後、ゴジラはコングが斧を手放したのを見ると、彼を認めたように背を向け、海中へと帰って行った。

ハリウッド産としては**ゴジラ（『GODZILLA』）**に続き、二体目となるゴジラ。今回は日本のゴジラに近い容貌をしているが、その身長は最終的に一一九メートルと歴代でも随一の大きさとなった。

古代生物の生き残りであり、人間が作り出した核の影響で再び現れた、という設定はゴジラ（初代）やゴジラ（二代目）などと共通するが、核の落とし子というよりも人間を超越した神のごとき存在として描かれる。

また、歴代ゴジラを連想させる様々な設定を持つ数々の怪獣の頂点に立つ怪獣王である、という点は二代目ゴジラを連想させる。ギドラ戦で見せた体内放射は**ゴジラ（平成VSシリーズ）**の得意技であり、死したモスラのエネルギーを受け取って復活する様子はラドンの最後のエネルギーによって復活した『ゴジラvsメカゴジラ』における戦いを思い起こさせる。

また全身が真っ赤に発光し、高熱を発する状態は平成VSシリーズ最終作、『ゴジラvsデストロイア』におけるバーニングゴジラと共通する。

そしてゴジラ（初代）と同様に一九五四年に出現しており、オキシジェン・デストロイヤーによる攻撃を受けたゴジラである。

現時点では『ゴジラvsコング』が登場作品として最終作となっているが、また新たな作品でその勇姿を拝むことができることを願いたい。

ゴジラザウルス ［ごじらざうるす］

大森一樹監督・川北紘一特技監督の映画『ゴジラvsキングギドラ』（一九九一年）に登場する恐竜。身長一二メートル、体重六〇トン。

二足歩行の肉食恐竜の姿をしており、ティラノサウルスよりも頭部が一回り小さい。一九四四年の太平洋のラゴス島で確認された。元来おとなしい恐竜で、太平洋戦争時、日本軍守備隊がこの島を訪れた際には攻撃することなく共存していた。

しかしアメリカ軍が島に上陸し、日本軍と戦闘になった際には日本軍に加勢するかのように出現。米軍を攻撃し、甚大な被害を与えた。強靭《きょうじん》な体を持ち、銃弾を浴びてもまったく怯《ひる》まず、洋上からの艦砲射撃を浴びた際にも一度は倒れるも立ち上がり、陸上米軍を全滅させる。

その後、ゴジラザウルスは森へ引き返して行ったが、一九五四年のビキニ環礁での核実験により放射線を浴び、巨大化。ゴジラとなった。（**ゴジラ（平成VSシリーズ）**の項目参照）。

『ゴジラvsキングギドラ』ではこの経緯に未来人が干渉し、ゴジラザウルスをベーリング海に転送する。しかし一九八九年に起きた原子力潜水艦の事故によって核エネルギーを浴び、より強大なゴジラとなって蘇った。

『ゴジラvsメカゴジラ』（大河原孝夫監督、川北紘一特技監督、一九九三年）には「ベビーゴジラ」と呼ばれるゴジラザウルスの幼体が登場。ベーリング海のアドノア島でプテラノドンの卵とともに見つかったゴジラザウルスの卵から生まれる。同族を求めるゴジラと、刷り込みによりベビーゴジラを兄弟のように思う**ラドン**との間で争いが起きた。

その後、対ゴジラ兵器として**メカゴジラ**を開発した人間によって、ゴジラをおびき寄せるための囮《おとり》として使われる。メカゴジラはゴジラを追い詰めるが、兄弟を守るべく現れたラドンからパワーをもらってゴジラは復活する。メカゴジラを打倒し、ベビーゴジラはゴジラとともに海へ帰って行った。

その後、ベビーゴジラは**リトルゴジラ**として成長した姿を見せる。詳細は当該項目参照。

ゴルゴ ［ごるご］

ユージン・ルーリー監督の映画『怪獣ゴルゴ』（一九六一年）に登場する怪獣。劇中では体長六〇メートルの親怪獣と、二〇メートルの子怪獣の二体が登場する。正体は海底火山の爆発によって目覚めた太古の動物。

深緑の皮膚に覆われた直立二足歩行の怪獣で、頭部は大型の肉食恐竜を思わせるが、耳に当たる部分にヒレのような器官がある。

腕は太く、三本の指の先には鋭い爪があり、容易にビルなどを破壊できる怪力を持つ。水陸両生で、海中でも地上でも活動可能。

アイルランド沖合の離島、ナラ島に海の精霊として伝わっていた存在で、ナラ島に住む人々には「オグラ」「オグナ」と呼ばれていた。これは「人喰い鬼」という意味であるという。

しかし子怪獣が人間に捕えられてイギリスに連れ去られたことで親怪獣が怒り狂い、ナラ島を蹂躙《じゅうりん》。その後、海を渡り、テムズ川からイギリスに上陸。ロンドンで見世物にされている子どもを取り返すため、ミサイルや砲撃による攻撃にも怯《ひる》むことなくロンドンの町を破壊しながら一直線に進撃した。

ロンドンにおいては積極的な破壊行動を行う様子は見られず、劇中で破壊した建造物はあくまで子どものもとに最短距離で向かうための障害となるものと考えられる。また子どもを取り返した後は人間にさらなる危害を加えるといったことはなく、子を連れて海に帰っていった。

なお「ゴルゴ」の名前は子怪獣が見世物として公開される際にギリシャ神話に伝わる怪物「ゴルゴン」にちなんでつけられたもの。

イギリスのモンスター映画としては珍しく、ゴルゴは着ぐるみを使って表現され、ミニチュアセットの中で暴れ回る。その迫力はかなりのもの。

珍しい動物として怪獣が都会に連れてこられ、見世物とされる、という展開は『キング・コング』の影響を受けていると思われる。

一方、人間に攫《さら》われた子怪獣を親怪獣が取り返しに来るというストーリーは日本の怪獣映画『大巨獣ガッパ』（一九六七年、**ガッパ**の項目参照）や『ゴジラvsメカゴジラ』（**ゴジラ（平成VSシリーズ）**、**スーパーメカゴジラ**の項目参照）、アメリカのテレビ映画『ガジュラ』（一九九八年、**ガジュラ**の項目参照）などに影響を与えている。

ゴロザウルス ［ごろざうるす］

映画『キングコングの逆襲』（一九六七年）等に登場する怪獣。体長三五メートル、体重八〇〇〇トン。

南ジャワ海にあるモンド島に棲息していた恐竜の生き残りで、アロサウルスの一種とされる。肉食であり、凶暴な性格。太い尾を使ってのジャンプを得意とし、その勢いでキックを放つ。他に、鋭い牙により噛み付きも行う。

『キングコングの逆襲』では国連調査団のスーザンの前に現れ、彼女を襲おうとするが、その悲鳴を聞きつけた**キングコング**と戦いになる。飛び蹴りや噛み付きで戦うも、コングの怪力には敵わず、最後は顎《あご》を裂かれて泡を吹き、絶命した。

キングコングとゴロザウルスの戦いは、オリジナル版『キングコング』（一九三三年）のティラノサウルスとの戦いへのオマージュとなっており、顎を裂く決着のつけ方も同じである。

その後、『怪獣総進撃』（一九六八年）に登場。ここではゴジラとも共演した。

小笠原諸島の怪獣ランドという島で平和に暮らしていたが、**キラアク星人**という異星人にコントロールされ、地中からパリの凱旋門《がいせんもん》を襲撃するなど、人間の街を破壊した。そのコントロールが解けた後は、他の怪獣たちとともに富士の裾野で**キングギド**

ラと対戦する。背後からの飛び蹴りでキングギドラを転倒させるなど、大活躍する。

『ゴジラ 東宝特撮映画全史』によれば、『怪獣総進撃』の検討用台本である『怪獣総進撃命令』の時点ではゴロザウルスの登場の予定はなく、**エビラ**と**マグマ**が登場する予定であったという。また『オール東宝怪獣大図鑑』（洋泉社）によれば、もともとパリの凱旋門を破壊する役割は**バラゴン**が担うはずであったが、ゴロザウルスに変更されたという。このため、地底怪獣という設定がなかったゴロザウルスが地中から進撃するという場面が生まれた。

アニメ映画『GODZILLA』（二〇一七〜二〇一八年）の前日譚《ぜんじつたん》を描いた小説『GODZILLA 怪獣黙示録』（大樹連司、二〇一七年）ではパリに出現したり、『GODZILLA プロジェクト・メカゴジラ』（大樹連司、二〇一八年、角川文庫）では本来の生息域は地中であるとされている。

しかし『怪獣総進撃』以降、映画での活躍はまだないため、いつか復活してほしい怪獣のひとつである。

コング［こんぐ］ （モンスター・ヴァース）

ジョーダン・ヴォート＝ロバーツ監督の映画『キングコング 髑髏島《どくろとう》の巨神』（二〇一七年）及び続編『ゴジラvsコング』（アダム・ウィンガード監督、二〇二一年）に登場する怪獣。

『キングコング 髑髏島の巨神』の舞台である一九七三年時点では体長三一・六メートル、体重一五八トン。

南太平洋の孤島、髑髏島の頂点に立つゴリラに似た巨大な類人猿。基本的に二足歩行で行動し、高速で走ろうとする時には四本の足を使う。もともとは島で繁栄した種族であったが、種としては天敵である**スカルクローラー**との生存競争に敗れ、既にコング一体しか生き残っていない。

巨体だが身軽で、身長以上の高さまで飛び上がったり、崖から崖へと飛び移るなどする。

怪力が主な武器であり、拳で殴りつけたり、相手を掴んで投げたりする他、道具を持って武器とする器用さもある。

雑食で他の巨大生物を殺して食べたり、魚を喰ったりしている。

温厚な性格で、島の原住民であるイーウィス族には神として崇められている。一方で、島の平和を乱す者に対しては容赦がなく、特務研究機関モナークとアメリカ軍が地質調査のために爆弾を投下したことで激怒し、ヘリコプター部隊を襲撃。全滅させた。

その後、先の爆弾により地下に棲みついている宿敵のスカルクローラーたちが活性化したため、その対処に当たるなどしていたが、コングを敵視する軍人のプレストン・パッカード大佐により一度は倒れ込むまで追い詰められる。しかし傭兵のジェームズ・コンラッドとカメラマンのメイソン・ウィーバーがコングを助けようとしてパッカードと対立。さらにそこに大型のスカルクローラー、スカルデビルが出現する。

コングはなおも自分を殺そうとするパッカードを逆に叩きのめし、自身の両親を殺した仇《かたき》でもあるスカルデビルと対決。死闘の末、ウィーバーたち人間の助けもあり、ついにスカルデビルを仕留めることに成功する。

その後、髑髏島の王として君臨し続けた。続編『ゴジラvsコング』では半世紀の時を経て前作よりも成長し、体長一〇三メートルとなっている。

髑髏島の巨大生物たちと長年戦ってきたため体中に傷跡があり、戦闘経験を積んだためより強力になっている。

一方、髑髏島は二〇二一年、ギドラ（**ギドラ（モンスター・ヴァース）**の項目を参照）によって呼び覚まされた怪獣カマソッソにより襲撃され、ギドラが発生させた嵐をカマソッソが髑髏島に呼び寄せたことが『ゴジラvsコング』の前日譚《ぜんじつたん》に当たるアメリカン・コミックス『Kingdom Kong』にて語られている。

コングはカマソッソを倒したが、嵐によりイーウィス族はジアという少女を残して全滅。コングもまたモナークが建設した基地に収容され、保護されていた。これは怪獣たちの王となったゴジラがコングの宿敵であるため、ゴジラから守ることも兼ねていたが、コングは自分を閉じ込める人間たちに不信感を抱いていた。

そんな折、コングの帰巣本能を利用し、本来怪獣たちの棲息地である地球の地下空洞世界にコングを移送するという計画が持ち上がる。

地下空洞世界の入口は南極に存在するため、コングは鎮静剤を打たれてゴジラの生息域を避け、海上を輸送されるが、ゴジラがこれを感知し、コングに襲いかかる。コングもこれに応戦するが、海を生息域とするゴジラに対し、陸生のコングは苦戦を強いられ、追い詰められ、敗北する。

なんとか命までは取られず、南極まで運ばれたコングは帰巣本能に従い、地下空洞世界に移動。そこで**ワーバット**という巨大生物との戦いなどを制し、やがて先祖が人間とともに作り上げた宮殿に辿《たど》り着く。

そこにはゴジラと同種の生物の背ビレを使って作った斧《おの》（コング・アックス）と玉座があり、コングはこの斧を手に入れる。

コング・アックスはゴジラの種族のみが使うことができる地球の核エネルギーを、ゴジラの背ビレを利用することでコングの手で使うことができるようにした武器だった。

コングが斧を手に取ったことで地球の核エネルギーが反応し、ゴジラがコングの行動を察知。台湾の地上から地下空洞世界に届くほどの熱線を放ち、コングはそれで生じた穴を通って台湾に出現。ゴジラと再び対峙《たいじ》する。

コング・アックスはゴジラの熱線を吸収し、威力を高める性質があるため、コングはこれを使ってゴジラの熱線を防ぎつつ、高層ビルを利用して三次元的な戦いを展開するが、自力で勝るゴジラに敵わず、ついには心臓の鼓動が止まるまでのダメージを負う。

その後、コングは人間によって強力な電気を流され、息を吹き返すが、彼の目の前ではゴジラが**メカゴジラ（モンスター・ヴァース）**に圧倒されている光景が繰り広げられていた。

ここでジアがコングを説得し、コングはゴジラに力を貸してメカゴジラと戦うことを決意。二大怪獣の猛攻がメカゴジラを圧倒し、ゴジラの吐いた熱線を受け、パワーアップしたコング・アックスによりメカゴジラをずたずたに切り裂いた。

この戦いの後、コングはゴジラに敬意を払って斧を落とし、ゴジラもそれを受けてコングとこれ以上戦うことを止め、海へと帰った。そしてコングもまた新たな故郷である地下空洞世界に赴くのだった。

二〇二二年現在最新のコングにして、最も巨大なコング。映画製作会社レジェンダリー・エンターテインメントが、モンスター・ヴァースというゴジラとコングをはじめとする怪獣たちが同一世界に棲息しているシェアード・ユニバースを展開しているため、『キングコング対ゴジラ』（一九六二年）以来五九年ぶりにコングとゴジラが共演し、対決した他、初めてコングがゴジラと共闘した。

第一作目は邦題で「キングコング」とつけられているが、本編では一度も「キングコング」とは呼ばれておらず、コングと呼称される。これは怪獣たちの王としてゴジラが君臨しているためで、同様に同一世界観にいるキングギドラもギドラとしか呼ばれない。

ピーター・ジャクソン監督の『キング・コング』（二〇〇五年）と同じくコングは全編CGで描かれており、表情の変化や身軽かつ凄《すさ》まじいスピードの動き、そして三〇メートルから一〇〇メートルを超える巨体が存分に描かれている。

歴代コングに比べて知能も高く、手話で人間と会話したり、身近にあるものを武器や防具として巧みに利用する。また、珍しく人間の女性に対する執着を見せなかったり、人間に倒されることがなかったコングでもある。

とにかく今まで以上に巨大怪獣として描かれるコングや、半世紀以上の時を経てモンスター界の一線で活躍し続けた日米のスター怪獣の対決と共闘など、怪獣好きにとっては見どころ満載であるため、是非新たなコングの活躍をご覧いただきたい。

サイコ・バルチャー ［さいこ・ばるちゃー］

映画『キングコング　髑髏島《どくろとう》の巨神』（二〇一七年）に登場する怪物。小型の翼竜で、翼長二から三メートル。別名「スカイ・キラー」。ノコギリのように前に突き出て刃のついた吻部《ふんぶ》を持つ。

髑髏島固有種のフグを常食としており、その毒により攻撃性が増している。集団で狩りを行い、獲物を見つけると上空から襲いかかって鋭い爪の生えた足で摑み、空に連れ去る。その際、獲物を奪い合うため、人間程度の動物であれば体を引き裂かれる結果となる。

劇中では無数の個体が出現し、人間に襲いかかる様子が見られる。

サラマンダー ［さらまんだー］ （『サラマンダー』）

ロブ・ボウマン監督の映画『サラマンダー』（二〇〇二年）に登場する怪物。

太古からの冬眠より目覚めた、伝説に残るドラゴンのような姿の怪物。翼を持ち、空を飛ぶことができ、口から炎を放つ。また恐るべき勢いで繁殖し、かつてサラマンダーが地上を焼き尽くした結果、その炎と灰が恐竜の絶滅と氷河期を引き起こしたとされる。

口の中に二つの腺があり、ここから種類の異なる液体を発射し、化学反応を起こして引火させるというメカニズムにより火炎を放射する。目につく生き物をすべて喰い尽くし、獲物がいなくなると冬眠して地上に獲物が満ちるのを待つ、というライフサイクルを持つと考えられ、冬眠期間は数万年に及ぶ。

劇中では冬眠から目覚めた後、地上のほとんどの人間を焼き殺し、喰い尽くしたとされる。そのため人間たちは洞窟などに隠れ住むしかなく、サラマンダーに支配されている状態にある。

雄は一匹のみとされ、劇中に登場するほとんどの個体は雌。そのためこの一体を倒せばサラマンダーを全滅させることができる。この雄は雌よりもかなり大きく、劇中では最後の敵として主人公たちの前に立ちはだかる。

核兵器にも耐えたという説明があるが、劇中には爆弾を矢に付けたクロスボウなどの武器で倒されるシーンがある。数が多すぎて核兵器では殲滅《せんめつ》しきれず、種として耐えた、ということなのかもしれない。

邦題は『サラマンダー』だが、原題は『Reign of Fire（炎の治世）』であり、劇中でもサラマンダーという名前では呼ばれず、単に「ドラゴン」と呼称される。そのため、この映画に出てくるモンスターを「サラマンダー」と呼ぶのは日本独自だろうと思われる。

サンドモンスター
［さんどもんすたー］

アイザック・ガバエフ監督の映画『ザ・サンド』（二〇一五年）に登場する怪物。海岸にあった巨大な卵から生まれたなんらかの生物。無数の細い触手のような生物で、砂浜の中に潜《ひそ》んでおり、砂に触れた動物を捕らえ、貪《むさぼ》り喰らう。その際に砂の中に引きずり込みながら肉を喰らうため、まるで砂に喰われているように見える。

この触手は人体を簡単に貫き、切り裂くほど強く、さらに毒のようなものを持っているのか、これに刺されると体が一時的に麻痺《まひ》する。また一度刺されるとその部分が水ぶくれのようになり、短時間で膿《う》んで破裂する。

ある程度知能があるようで、人間が砂の上に物を置いて移動しようとするとその物体を動かして移動を封じたり、自動車のタイヤをパンクさせるなどしていた。

終盤では青色に発光する巨大な触手として姿を現し、ラストでその全体像が巨大なクラゲのようなものだったことが明かされる。

映画はほぼ全編にわたって砂浜を舞台に展開され、登場人物も多くないが、砂に触れれば触手が体に突き刺さって動けなくなり、短時間で喰い殺すこのモンスターの存在により常に緊張感が保たれていて楽しい。同じように砂浜に潜んで人間を喰い殺す怪物に『ブラッド・ビーチ 血に飢えた白い砂浜』（ジェフリー・ブルーム監督、一九八一年）の**ブラッド・ビーチ・モンスター**がいる。見比べてみるのも楽しいかもしれない。

死の大カマキリ
［しのおおかまきり］

ネイサン・ジュラン監督の映画『極地からの怪物 大カマキリの脅威』（一九五七年）に登場する怪物。文字通り巨大なカマキリの姿をしており、その大きさは体長六〇メートルを越え、自分よりも小さな生命体である人間を餌《えさ》と認識し、積極的に喰う。

鎌の一撃で建物を破壊し、路線バスを転覆させる怪力と、銃撃も火炎放射器ももともしない強靭《きょうじん》な外骨格を持つ。また空を飛ぶこともできるため神出鬼没である。

もともと数百年前の地上で活動していた巨大昆虫であったが、北極の氷に閉じ込められ、長い年月を仮死状態で生きていた。しかし南海で火山が噴火したことで氷山が崩れ、復活する。

寒冷下の環境でも活動可能で、カナダ北部のイヌイットの生活圏や北極のアメリカ軍基地などを襲撃するなどした。そこでアメリカ空軍と激闘を繰り広げていた最中に戦闘機と激突して、マンハッタントンネルに逃げ込んだ。ここでガスを用いた化学兵器による攻撃を受けたことで弱り、それでも暴れ続けるが、最後は数発の爆弾を受けて倒された。

「死の大カマキリ」は原題『The Deadly Mantis』を直訳した名前。劇中でもこの名前で呼ばれる他、日本では劇場公開されず、ビデオ化もされていないため、DVDとしてソフト化される以前はよく作品自体も『死の大カマキリ』の題で紹介されていた。

　撮影の際には実際に体長約六一メートルのモデルが作られ、使用された。

ジャイガー ［じゃいがー］

映画『ガメラ対大魔獣ジャイガー』（一九七〇年）に登場する怪獣。南太平洋の赤道直下にあるウエスター島にて、「悪魔の笛」と呼ばれる巨大な石像に封印されていた。体長八〇メートル、体重二〇〇トン。

　黄土色の外皮を持つ四足歩行の恐竜のような姿をした怪獣。頭頂部に大きな角が生え、口元と鼻の上あたりにも二本ずつ小さな角が伸びる。背中には背びれのようなものがあり、尻尾の先に生えた針は産卵管の機能を持つ。

　主な武器は、頭頂部の角から発射するマグネチューム光線と、鼻の近くにある角から発射する固形唾液《だえき》ミサイル。前者は超高周波光線とされ、曲線を描く形で放射し、当たったものを何であれ焼き尽くす。人間がこれに当たると一瞬で白骨化してしまう。後者は唾液を固めて針の形にしたものとされ、角の先からまっすぐに発射される。その威力はガメラの皮膚を容易に貫くほどである。

　さらに足の裏にはマグネチック吸盤があり、離れたものを手に引き寄せることができる。

　弱点は低周波音波で、悪魔の笛はその内部で低周波音波を発生させる構造になっていたため、ジャイガーを封じることができていた。なお、悪魔の笛は本来はジャイガーに生贄《いけにえ》をささげるための道具で、血を容易に注ぐことができるような構造をしており、本来の目的用途とは異なる部分で偶然ジャイガーの弱点をついていたことになる。

　尻尾の産卵管は生物を相手に卵を産み付けることができ、幼体を寄生させて吸血させる戦法が可能。この幼体は体長二メートルほどで、頭の一本角が小さい以外は姿は成体と変わらず、鼻の付近にある角から粘着力の高い液体を発射する。弱点は親と同じ低周波の音波である。

　また海ではエラから水をジェット噴射し、海上を滑るようにして高速で泳ぐことが可能。また地上でもこれをブースターのように使って五〇〇メートルのジャンプをすることができる。「ジャイガー」という名はかつてムー大陸の一部であったとされるウエスター島に伝わるもの。古代アトランティスに棲息していたとされるガメラもジャイガーのことを知っていたらしく、悪魔の笛を引き抜こうとする人間を妨害した。

　結局、悪魔の笛が引き抜かれ、ジャイガーは復活。ウエスター島を舞台にガメラと戦い、ガメラの四肢を固形唾液ミサイルで突き刺し、甲羅の中に手を引っ込められない状態にしてから海へ入り、日本へと向かった。

　大阪に上陸したジャイガーは町を破壊

し、遅れて現れたガメラに対しても尾の針から卵を産み付け、肺に幼体を寄生させて仮死状態にする。その後、自身の弱点である悪魔の笛が運ばれた大阪万博会場を襲うが、人間たちにより寄生した幼体を倒され、復活したガメラが出現。三度目の戦いとなるが、高周波光線であるマグネチューム光線は電柱で耳栓をしたガメラに無効化され、尻尾の産卵管も叩き折られる。最後はガメラに投げつけられた悪魔の笛が額に突き刺さり、死亡した。

昭和の四足歩行の怪獣にしては珍しく、着ぐるみの構造で後ろ足が膝をつかず、足の裏をつくようになっている。別冊宝島『ガメラ最強読本』（宝島社）によれば、別称の「大魔獣」とは「悪魔のように恐ろしい怪獣」の意味であるという。

映像作品では映像が流用された『宇宙怪獣ガメラ』（一九八〇年）を除き、再登場には至っていない。

深海の巨人 ［しんかいのきょじん］

P・スカイラー・ミラーの短編小説『アウター砂州に打ち上げられたもの』（一九四七年、中村融編、創元推理文庫『千の脚を持つ男』（二〇〇七年）収録）に登場する巨人。深海に住む巨大な人型の怪物で、頭部には黒い眼と顔半分を占めるほど大きな口があり、杭のような歯が並んでいるが、舌はない。鼻に当たる部分には白い肉の塊があり、口の下から首元にかけてエラがある。灰色っぽい皮膚に覆われ、その下には分厚い脂肪の層がある。手足には水かきがあり、海中を自在に泳ぐことができる。

小説の中には雄の死体とこの死体を取り返しにやってきた雌の個体が登場する。雄の死体は体長一八メートル、肩幅四メートルと描写されているため、雌もこれに近い体格を持つと考えられる。

同書では、この巨人は、遠い昔に人間の祖先が陸に上がった時、海に残った者たちが深海で生き続け、水圧や冷気に耐えられるよう大きく、強くなったものである、という可能性が考察されている。

またこの物語には、巨人の宿敵としてクラーケン（巨大イカ）が登場する。これらの怪物たちは互いに捕食し合う関係なのだという。

スカルクローラー ［すかるくろーらー］

映画『キングコング 髑髏《どくろ》島《とう》の巨神』（二〇一七年）等に登場する怪獣。二本の脚が生えた巨大な蛇のような姿、もしくは後ろ足のない巨大なトカゲのような姿をしており、その頭は頭蓋骨がむき出しになっているように白い石灰質の外殻に覆われる。

体長数メートルのものから数十メートルのものまでおり、年を経て巨大に成長したものは「スカルデビル」の異名で呼ばれる。

髑髏島の原住民からは非常に恐れられ、また同じく島の頂点に立つコングとは、過去にコングの一族を皆殺しにした因縁もあり、宿敵同士として常に争っていた。

脚が二本しかないにもかかわらず高速で動くことができ、獲物を見つけると直接噛みつくか、口から伸びる長い舌を使って絡めとり、捕食する。また長い尾も武器となる。

劇中では小型の個体が人間を襲った他、三〇メートルほどまで巨大化した個体がコングと交戦。一進一退の攻防を繰り広げたが、道具を武器として使うコングやコングに味方する人間たちによって次第に劣勢に追い詰められ、難破船のスクリューを武器としたコングによって喉を掻き切られて一度は意識を失う。

しかし短時間で目覚め、河に落ちた女性カメラマンのメイソンを助けようとしたコングの腕ごと舌で絡めとり、飲み込もうとするが、逆にコングに内臓ごと舌を引き抜かれ、絶命した。

続編の『ゴジラvsコング』（アダム・ウィンガード監督、二〇二一年）にも登場する。対ゴジラ兵器「**メカゴジラ**」を制作している企業が、体長六〇メートルほどある、これまでで最も巨大なスカルクローラーを飼育していたが、メカゴジラのデモンストレーションのため、メカゴジラの放つ熱線によって縦方向に真っ二つにされて殺された。

元ネタになったのは、一九三三年版『キング・コング』に短時間だけ登場した二本足の大トカゲ。崖から伸びるツタを上り、主人公のジャックに迫っていたところをツタを切られてあっさり落下する。その姿は首の後ろに複数の角が生え、背中に背ビレのある二本足のトカゲといったところであった。

スケル・バッファロー
［すける・ばっふぁろー］

映画『キングコング 髑髏島《どくろとう》の巨神』（二〇一七年）に登場する巨大生物。南太平洋の孤島、髑髏島に棲息する、体長一三メートル、体重二二トンの水牛に似た哺乳類で、おとなしい性格をしている。人間に遭遇しても襲いかからず、三股に分かれた角や背中に生えた植物で周囲の景色に擬態して過ごしている。

劇中では基本的に他の動物とは敵対しているコングがスケル・バッファローを助ける場面が見られた。

スポア・マンティス
［すぽあ・まんてぃす］

映画『キングコング 髑髏島《どくろとう》の巨神』（二〇一七年）に登場する巨大昆虫。全長一五メートルに及ぶナナフシのような生物で、普段は倒木に擬態している。基本的に相手に攻撃することがない臆病な昆虫だが、頭部には強靭《きょうじん》な顎《あご》を持つ寄生虫が潜んでおり、これが攻撃してくる場合がある。

名前はマンティスだがカマキリに似た特徴はあまりなく、ナナフシとして紹介されている場合もあり、どちらに近い昆虫なのかよく分からない。「ウォーキング・ウッド」という名前で呼ばれる場合もある。

スライム

［すらいむ］

ジョゼフ・ペイン・ブレナンの小説『沼の怪』（一九五三年）に登場する不定形生物。

地球に海が生じたのと同じぐらいの太古から生きている古代の生物。海底で他の生物を吸収しながら生きる濃灰色の頭巾状の生物であったが、海底火山の噴火によって地上に出現した。

無限ともいえる食欲に突き動かされる生物で、何も喰わずとも数ヶ月は生きられるにもかかわらず、常に飢えており、触れる動物はその不定形の体で取り込み、吸収してしまう。また物理的な攻撃に耐性があり、体が裂けても簡単に修復され、切り離されても分離した部分を再度吸収すればもとに戻る。

一方、光や熱の届かない海底で生きていた生物であったため、太陽の光を苦手とし、炎は唯一この怪物を殺す手段となる。

物語では地上に進出した後、その不定形の体ゆえに圧力の変化に耐えきり、夜にのみ活動しながら人間や家畜を次々と喰い殺していった。銃弾さえも無効化したが、最後は火炎放射器で天敵である炎を浴びせかけられ、ついに力尽きた。

『沼の怪』以前にも人を喰い殺す不定形のモンスターが登場する作品はいくつかあり、アンソニー・M・ラッドの小説『人喰い沼』（一九二三年）に登場する**人喰いアメーバ**、ドナルド・ワンドレイの小説『現れた触手』（一九三三年）に登場する**船の不定形生物**、P・スカイラー・ミラーの小説『卵』（一九三九年）に登場する**海のもの**などがいるが、『沼の怪』は恐らくこの手の怪物にスライムという名前をつけた初めての例である。

以降、スライムはテレビゲームやTRPGにおいて代表的なモンスターの一種として扱われることになるが、ゲームなどでは雑魚敵として登場するものも多い。その一方、文学や映画の世界ではこのスライムのように物理的な攻撃が通じず、無限に巨大化する恐ろしい怪物として描かれることが多い。

スライム人間

［すらいむにんげん］

ロバート・ハットン監督の映画『ヘドロ人間』（一九六三年）に登場する地底人。地上人が地下において核実験を行ったために棲《す》み処《か》を追われ、アメリカのロサンゼルスに出現して人々を襲った。

地下世界に棲息していた爬虫類《はちゅうるい》型の人間とされ、皮膚をスライム状の粘液に覆われていることからスライム人間と呼ばれる。粘液の下の皮膚は鱗に覆われ、後頭部から背中にかけて甲羅のようなものを背負う。脚には長い毛のようなものが生えている。

二足歩行で移動するが、動きはあまり速くない。しかし銃弾をものともしない強靭《きょうじん》な体を持ち、槍《やり》のような武器を使って人々を殺害する。

石のように固形化する化学物質を霧状に放出する機械を所有しており、それによって発生させた霧で固形化したドームを作り出し、ロサンゼルスを覆い隠した。ドームのおかげで日光が届かなくなり、街の気温も低下していく。おそらく、地下に棲んでいたスライム人間たちの生活環境と近いものに地上を変化させるためだったのではないかと考えられる。ただしこの霧は塩化ナトリウムに弱く、塩化ナトリウムと反応すると固形化できないという性質がある。

終盤ではこの霧を発生させる機械が破壊されたことでドームが消失する。気温の上昇によるものか、それとも霧を含まない新鮮な空気に触れたためか、スライム人間たちは次々と息絶えた。

ロサンゼルスを霧が覆うという設定のため、劇中では外に出るシーンの大部分にわたりスモークが焚かれており、かなり画面が見づらい。またせっかく塩化ナトリウム、すなわち塩が霧の弱点だとされているのに、あまりその設定が生かされない。

しかし、低予算ながら粘液に覆われたスライム人間の造形は迫力がある。

た

大蛇［だいじゃ］

（『キングコング』シリーズ）

映画『キング・コング』（一九三三年）に登場する怪物。ヒロインのアンを襲おうとしたところでコングと戦いになる。コングの体や首を絞め付け、善戦するが、最後は力任せに地面に叩きつけられ、絶命した（**キングコング**の項目も参照）。

大蛇とはいうが一応小さな四本の足が確認できる。

リメイク版『キングコング』（一九七六年）ではコングの宿敵として復活。やはりヒロインのドワンを襲おうとしたところをコングと交戦になり、その体に巻き付いてあと一歩のところまで追いつめる。しかし最後は顎《あご》を裂かれて絶命した。

このリメイク版ではオリジナル版と違い、コングの住む島に登場する恐竜や怪物がいなくなっており、この大蛇が唯一コングと戦う怪物となっている。顎を引き裂いて殺す、という方法はオリジナル版でコングが**ティラノサウルス**に対して行った攻撃のオマージュである。

チタノザウルス［ちたのざうるす］

映画『メカゴジラの逆襲』（一九七五年）に登場する怪獣。体長六〇メートル、体重三万トン。

現代まで生き残っていた恐竜の一種で、水陸両棲。首が長く、頭部から背にかけて背ビレがある。また尾の先が扇子状に広がり、これを使って海中を泳ぐ他、地上では風速三二〇メートルの突風を起こすことができる。

皮膚は赤や黄色の派手な色で覆われ、その上に黒色のイボが無数に生えている。光線を吐くなどの能力はないが、身体能力は高い。

もともとは温厚でおとなしい性格であったが、真船信三という研究者が学会から追放された復讐としてチタノザウルスの頭部にコントロール装置を取り付け、操ったことで暴れ回った。

真船が**メカゴジラ**を制作した**ブラックホール第三惑星人**と共謀していたため、以前破壊されたメカゴジラを改良したメカゴジラ2とともにゴジラを追い詰める。

しかしコントロール装置を破壊されたことで戦意を喪失。逃げようとするが、ゴジラに追いかけられて叩きのめされ、最後は放射能火炎を浴びせられて海に墜落、爆発した。

おとなしく暮らしていたのに人間に操られて破壊活動をさせられ、ゴジラと戦わされた挙句に殺されるという悲惨な境遇を持つ怪獣である。

またメカゴジラ2とともに**ゴジラ（二代目）**と最後に戦った怪獣でもある。放射能火炎によるとどめも昭和シリーズでは意外と珍しい。

ティラノサウルス［てぃらのさうるす］（『キング・コング』）

『キング・コング』（一九三三年）に登場する恐竜。地図にない島、髑髏島《どくろとう》に棲息していた古代生物の一種。

撮影のために島を訪れ、原住民に**キングコング**の生贄《いけにえ》に捧げられた女優、アン・ダロウに襲いかかるが、アンに惹かれていたコングが妨害に出現する。

以降はキングコングとの一騎打ちとなり、互角の戦いを繰り広げるが、最後は背中に乗られた上に顎《あご》を上下に引き裂かれ、上顎を潰《つぶ》されて死亡した。

これ以降、様々な巨大生物と戦うことになるキングコングの記念すべき初めての対戦相手である。

ウィリス・オブライエンによるストップモーション・アニメーションで描かれる両者の激闘が見事で、獣脚類の恐竜と巨大な類人猿の異種格闘技戦を惜しげなく見せてくれる。

リメイク版『キング・コング』（二〇〇五年）ではティラノサウルスから進化した恐竜**バスタトサウルス・レックス**が登場し、コングと戦っている。また、日本で制作された『キングコングの逆襲』（一九六七年）では、ティラノサウルスをオマージュした**ゴロザウルス**という怪獣が登場する。

ティングラー［てぃんぐらー］

ウィリアム・キャッスル監督の映画『ティングラー／背すじに潜《ひそ》む恐怖』（一九五九年）に登場する寄生生物。名前は「ゾクゾクさせるもの」という意味。

生物が感じる恐怖をエネルギー源とする生物で、どんな人間の体にも寄生しているとされる。

普段は体内に顕微鏡でしか確認できないような小さな状態で潜んでいるが、宿主が恐怖を感じると肥大化する。この時、脊椎《せきつい》骨《こつ》の間に広まった部分が硬化し、脊椎骨折を引き起こす。

しかし人間の悲鳴や叫び声を弱点とする、という特徴があるため、多くの場合、死の恐怖により宿主の上げた悲鳴や叫びによってティングラーは弱り、極小サイズに戻る。そして宿主の死とともに死亡して消失するため、死体を解剖しても検出されない。

ただし声帯がない人間など、叫び声を上げることができない人間の場合、大きな恐怖に直面した直後に死ぬと、その恐怖により肥大化したティングラーを生きたまま摘出することができる。

その姿は体長数十センチはある巨大な多足類のようで、ムカデに似ているが、ムカデに比べると体に占める胴体の割合が短く、太い。また形としてはヘビトンボの幼虫にも似ている。頭部に大顎《おおあご》のような器官があり、非常に強い力を持つ。

この肥大化した状態で体外に出てきたティングラーは殺すことができず、悲鳴や叫び声で弱らせるのがせいぜいである。殺すためには宿主であった人間の死体の体内に戻し、一緒に死亡させるしかない。

トト ［とと］

田﨑竜太監督の映画『小さき勇者たち〜ガメラ〜』（二〇〇六年）に登場する怪獣。

この映画におけるガメラだが、はじめは卵から生まれた体長五センチほどの幼体として登場した。その姿はケヅメリクガメの幼体に類似していたが、空中を浮遊したり、口から火を吹くなど、特殊な能力を持っていた。

卵は三重県志摩にある架空の島、緋島にて赤い石とともに見つかり、発見者である相沢透少年により「トト」と名付けられる。

トトはすぐに体長一メートルほどの大きさまで成長し、一度透の前から姿を消した後、誕生から一週間ほどで体長八メートルまで成長した姿で出現。緋島を襲う怪獣**ジーダス**と交戦し、口から吐く火球によりジーダスを撃退したものの、力尽きて人間に捕らえられ、愛知県名古屋市の研究所に運ばれる。この時、トトは体高三〇メートル、体長五〇メートル、体重九〇〇トンまで成長していた。その姿は巨大な亀のようだが、顔は幼さを残し、腹部には漢字の「炎」に似た模様がある。

そこに再びジーダスが出現し、目覚めたトトと戦闘になる。トトは進化していたジーダスに次第に劣勢になり、追い詰められる。しかしトトの卵とともに埋まっていた赤い石が透ら子どもたちによって届けられたことでその石を取り込み、覚醒。完全体となってジーダスを圧倒した。この状態では手足と頭を甲羅に引っ込め、炎を噴射して回転しながら飛ぶガメラ特有の回転ジェット飛行が可能になっている。

この飛行によりジーダスに体当たりしたトトは、今までで最大の火球「トトインパクト」を発射し、ジーダスを粉砕した。

七年ぶりに復活したガメラであり、前シリーズの**ガメラ（平成三部作）**とは世界観を異にしているため、別個体となる。

『小さき勇者たち～ガメラ～』では一九七三年にガメラが出現しているとされ、「アヴァンガメラ」と呼ばれる。アヴァンガメラは複数回出現した**ギャオス（昭和）**（オリジナル・ギャオスと呼ばれる）と戦っており、これを全滅させるために自爆している。この自爆を行ったのが緋島であり、またアヴァンガメラの腹部にもトトと同じ「炎」に似た模様があることから、トトの誕生となんらかの関わりがあるものと考えられるが、劇中では明らかにされていない。

アヴァンガメラの自爆の後に緋島では大量の赤い結晶体が見つかっており、緋島ではこれを緋島真珠として発売していた他、名古屋の研究所ではトトに緋島真珠のエネルギーを注入し、成長を促していた。トトを完全体に覚醒させた赤い石も緋島真珠と何かしらの関連があると考えられる。

また今までのガメラは成体しか登場していないため、初めて登場するガメラの幼体でもある。

ドラゴドン ［どらごどん］

エドワード・ナッソー及びイスマエル・ロドリゲス監督の映画『原始怪獣ドラゴドン』（一九五六年）に登場する肉食恐竜。メキシコにある呪われた山の沼地に現代まで生き残っていた。体長は一〇メートル。

沼地に近付いた人間を殺して喰ったり、付近の牧場を襲い、牛を喰らうなどしており、地元の人々に恐れられていた。

銃弾をものともしない強靭《きょうじん》な体や、馬を追いかけることができる脚力を持つ。また顎《あご》の力も強力で、生きた牛をくわえて持ち上げ、そのまま移動することが可能である。

劇中ではメキシコに牧場を構えたジミーというアメリカ人と対決。ジミーを追いかけ、喰い殺そうとするが、逆にジミーに沼に誘導され、そのまま沼の底に沈んで行った。

ドラゴドンは邦題で勝手につけられた名前であり、劇中では野獣や恐竜と呼ばれるのみである。

また、恐竜の種類も資料によってアロサウルスだったりティラノサウルスだったりしており、一定しない。

ドラゴドンの動きは基本的にストップモーション・アニメーションで表現される。カクカクしているが、馬に乗ったジミーを全力疾走で追いかけたり、カウボーイとして投げ縄を使うジミーとの対決が見られたりと飽きさせない。また、足下がズームアップされるシーンでは着ぐるみが使われている。

原案は『キングコング』や『ロスト・ワールド』でストップモーション・アニメーションを担当したウィリィス・オブライエンだが、今作の制作には関与していない。

な

肉食性ウイルス
［にくしょくせいういるす］

イーライ・ロス監督の映画『キャビン・フィーバー』（二〇〇二年）をはじめ、『キャビン・フィーバー』シリーズに登場する架空のウイルス。特定の名前がないため、この項目名で紹介する。

非常に高い感染力を持った致死性のウイルスで、感染すると短時間で皮膚が溶け始め、やがて内臓、筋肉など体中が溶解し、死亡する。

初期症状としては吐き気や眠気があり、やがて皮膚に赤い発疹《ほっしん》ができる。それから発疹を中心に皮膚が剝《は》がれ始め、出血が起きる。また体内でも同様の症状が進行するため、咳や吐血などの症状が発生する。

感染者の体液を少量でも摂取すると感染し、遅くても一日以内には初期症状が現れる。さらに感染するのは人間とは限らず、他の哺乳類や魚にも感染するため、広まりやすい。

症状が進んだ人間は肉体がもろくなるため、衝撃や打撃に弱くなり、少しの刺激で肉体が崩壊してしまう。

『キャビン・フィーバー』は森を舞台に、『キャビン・フィーバー2』（タイ・ウェスト監督、二〇〇九年）は学校を舞台に、未知のウイルスが人間の肉を喰い尽くしていく様子と、感染者が誰か分からないために疑心暗鬼になっていく人間たちの様子が描かれる。

第三作目『キャビン・フィーバー ペイシェント・ゼロ』（カーレ・アンドリュース監督、二〇一三年）は一作目より前の物語となっており、これによればウイルスはドミニカ共和国のある島で発見されたことが語られている。

呪われた海の怪物
［のろわれたうみのかいぶつ］

ロジャー・コーマン監督の映画『呪われた海の怪物』（一九六一年）に登場する怪物。カリブ海の海中から出現した。

物語はキューバ革命の直後、キューバに潜入していたアメリカのスパイであるXK250が、アメリカ人ギャングのレンゾと協力し、前政府の財宝を持って国外脱出を企てているキューバ政府軍の将軍トスタードから財宝を奪おうと画策する。そしてカリブ海に伝わる「呪われた海の怪物」という伝説をでっち上げ、怪物の仕業に見せかけて将軍の部下たちを殺害するが、実は本当に怪物が実在しており、政府軍にも、スパイにも、ギャングにも見境なく襲いかかる、という筋書になっている。

架空のはずの怪物が実在して襲ってくる、という展開はなかなか捻《ひね》りがきいているが、肝心の怪物は全身が黒いモップに覆われ、頭部には飛び出した目玉と牙が覗く。また手には毛がなく、指先から鋭く長い爪が生える。腕からは海藻のように長く太い毛が垂れ下がり、水中を自在に移動する。文章にするとわりと不気味だが、例えば、目玉はテニスボールの真ん中にピンポン玉をはめ込んだだけのようなものであり、他の素材もかなり安っぽいので、よくその容姿がツッコまれる。

劇中では終盤まで姿を現さないが、出現してからは人間の攻撃をものともせず、ものすごい勢いで登場キャラクターを屠《ほふ》って行くため、見た目に似合わず狂暴である。

ラストはこの怪物が海底で人間の骨をしゃぶり、げっぷをするところで終わる。

映画秘宝編集部・STUDIO28編『あなたの知らない怪獣㊙大百科』（洋泉社）によれば、この映画はロジャー・コーマンがプエルトリコで他の映画を撮っている途中に思いつき、わずか六日間で撮り終えたのだという。

は

灰色菌

［はいいろきん］

ローアル・B・シュガーマンの小説『灰色の死』（一九二三年、那智史郎・宮壁定雄編、国書刊行会『ウィアードテールズ1』（一九八四年）収録）に登場する菌類。

アマゾン川の上流にある砂地に囲まれた空き地に棲息している灰色のカビのような生物で、極小のキノコのような形をしているが、それぞれのてっぺん部分から無数の触手を生やしており、絶え間なく周囲を探り回っている。

この菌が生息している空き地はほぼ全面にわたりこの灰色の菌に覆われているため、触手の動きによってその地帯が揺動しているように見える。

そして灰色菌の最も恐るべき性質は、有機物であろうと金属であろうと何でも喰い尽くしてしまうことで、一度生物がこの菌に触れるとたちまち全身を覆われ、喰い尽くされる。そのため灰色菌がいる地帯には草木が一本もなくなってしまう。

唯一喰うことができないのはシリカで、そのためにシリカを主成分とする砂地の先には浸食できないでいるようだ。

灰色のキノコ菌

［はいいろのきのこきん］

W・H・ホジスンの小説『夜の声』（一九〇七年、井辻朱美訳、創元推理文庫『夜の声』（一九八五年）等収録）に登場する菌類。太平洋に浮かぶある島に繁殖する菌類で、ごく一部のものを除きどんなものにでも繁殖する。そのため、島はほとんど全体がこの灰色の菌に覆われている。繁殖力が異常に強く、たとえ掻き落としてから石炭酸で消毒しても短時間でもと通りになる。

　この繁殖対象は人体も含まれ、菌に接触した場合、体の一部に小さなホクロほどの灰色の丸い点ができ、やがて広がっていく。また、この菌に侵された人間は進行が進むと、突然周囲の菌を食べてみたいという欲求に襲われ、実行すると急激な速さで菌に取り込まれる。

　そうなると人体は灰色のスポンジのようなものに変化してゆき、最終的にはただのキノコ菌の塊になってしまう。

　この作品はSF作家の福島正実の提案によりキノコの怪物が登場する映画『マタンゴ』（本多猪四郎監督・円谷英二特技監督、一九六三年）の原作となった。東雅夫編『怪獣文学大全』（河出書房新社、一九九八年。同書では『闇の声』という題で収録）には、福島自身の手で翻案された小説『マタンゴ』が収録されている。しかしこの灰色の菌類と**マタンゴ**は性質がかなり違うため、見比べてみるのも楽しい。

　同じく人体を侵食する灰色の菌類が登場する作品に小説『灰色の死』がある。こちらは**灰色菌**の項目を参照。

バスタトサウルス・レックス ［ばすたとさうるす・れっくす］

　映画『キング・コング』（二〇〇五年）に登場する怪物。地図にも載っていない孤島、髑髏島《どくろとう》に棲息する肉食恐竜。

　ティラノサウルスが独自進化を遂げた生物とされ、髑髏島において生態系の頂点に立つ。

　劇中では三頭が登場。撮影のため髑髏島を訪れた女優、アン・ダロウに襲いかかるが、彼女に心惹かれた**キングコング**によって妨害される。

　これによりコングとの戦いが勃発《ぼっぱつ》し、三頭で連携しながらコングと戦う。しかし一頭は岩で頭を潰《つぶ》され、さらに一頭が崖に頭を叩きつけられて死亡。残る一頭もコングとの激闘の末、顎《あご》を裂かれた上に上顎を潰されて倒れた。

　オリジナルの『キングコング』（一九三三年）におけるティラノサウルスに当たる恐竜（**ティラノサウルス（『キング・コング』）**の項目も参照）。ただし今作では豪華にも三頭同時に出現し、コングに襲いかかる。

　最後の顎を引き裂いて上顎を潰すという決着の付け方を含め、最後の一頭との戦いはオリジナル版のティラノサウルス戦を再現している。見比べてみるのも楽しい。

バトラ ［ばとら］

　大河原孝夫監督・川北紘一特技監督の映画『ゴジラvsモスラ』（一九九二年）に登場する怪獣。巨大な蛾《が》の怪獣で、幼虫と成虫の姿がある。

　幼虫は体長九〇メートル、体重二万トン。頭部に一本の巨大な角が生え、口元には牙があり、無数の足には爪が伸び、背にはたくさんの棘《とげ》が生えているなど、攻撃的なデザインをしている。体色は基本黒で、黄色や赤の模様が散りばめられる。

幼虫の時点で、角と目からプリズム光線を放つなど、強い戦闘能力を持ち、また海を泳いで渡るなど運動能力にも優れている。成虫は体長七三メートル、体重三万トン。真っ黒な巨大な蛾だが、頭部には角や鋭い牙が生える。羽には赤い稲妻状の模様が走り、マッハ二・五の速度で空を自在に飛行する。武器は目から発射するプリズム光線で、幼虫の時よりも強力になっている。

バトラは、環境を破壊する文明を滅ぼすため、地球が生み出した怪獣である。地球の先住民族コスモスの守護神であり、地球人も守るモスラとは対の存在であるため、敵対する。またバトラとは略称であり、本来は「バトルモスラ」という名前なのだという。

そのためかつて古代文明を攻撃した際、モスラによって北極海に封印されていたが、巨大隕石《いんせき》が地球に近付いていることと環境汚染が引き金となり、復活。モスラと戦うためにモスラの卵を運んでいる輸送船を目指して海を渡るが、モスラを襲うゴジラと遭遇する。ゴジラとの戦闘になるが、モスラには逃げられ、海底火山の爆発にゴジラもろとも巻き込まれる。

しかし再び海上に出現し、発光して瞬時に羽の生えた成虫の姿になり、空を飛んでモスラのもとに向かった。

日本の神奈川県に飛来し、横浜でモスラと激突。モスラを撃墜すると、現れたゴジラをも迎撃する。しかし、放射能熱線を受けてダメージを負ったところでモスラがバトラに加勢し、両者は和解する。二体でゴジラと戦い、戦闘不能に追い込んだ。

その後、モスラとともにゴジラを北の海へ運ぶが、途中でゴジラが覚醒し、喉を喰い破られ、放射能熱線を至近距離で受けて致命傷を負い、力尽きてゴジラとともに海に沈んだ。

実はバトラが目覚めたのは地球に接近する巨大隕石の衝突を回避するためであったが、その役割はモスラに引き継がれた。

ハプロテウシス・フェロクス

［はぷろてうしす・ふぇろくす］

H・G・ウェルズの小説『海からの襲撃者』（一八九六年、阿部知二訳『世界最終戦争の夢』等収録）に登場する深海生物。「ハプロテウシス・フェロックス」と訳される場合もある。

巨大なタコのような姿をした生物で、イングランドやフランスの海に出現した。

物語ではイングランドのコーンウォールからデヴォンの海岸部に現れ、次々と船を襲い、転覆させたことが語られている。

ハプロテウシスと遭遇し、生き残った人間の話によれば、その大きさは胴体が豚ほどあり、太く、長い触手を複数持つ。皮膚は艶《つや》やかななめし革のように光り、賢そうな眼を持っていたという。また、この時は複数匹が同時に出現している。

水中を奇妙な回転運動をしながら移動し、吸盤のついた触手を獲物に巻き付けて水中に引きずり込み、餌《えさ》にする。

深海生物であるハプロテウシスが海上に現れたのは、飢餓《きが》によるものという説の他、棲息地の近くに沈んだ難破船に乗っていた人間の肉の味を覚え、それを求めてやって来たのではないかという説が語られている。

バラゴン ［ばらごん］

本多猪四郎監督・円谷英二特技監督の映画『フランケンシュタイン対地底怪獣』（一九六五年）に登場する怪獣。身長二五メートル、体重二五〇トン。

中生代の大爬虫類《はちゅうるい》が眠りから目覚めたもの。頭に一本角が生え、巨大な耳のある四足歩行の恐竜のような姿をしている。

肉食で人間や家畜などを襲い、捕食する。口からは熱核光線と呼ばれる赤い光線を発射する。地底に生息する生物だが地上でも問題なく行動でき、動きは素早く、跳躍力もある。通常は四足で移動するが、戦闘時には二足で行動する様子も見せた。

秋田県の海底油田の地下に潜《ひそ》んでいたが、日光白根山付近で地上に出現し、周辺のロッジを襲撃。人間を捕食した。

その後、富士の樹海に出現した際、人間を捕食しようとしたところで人間を守ろうとする**フランケンシュタイン（『フランケンシュタイン対地底怪獣』）**と激突。熱核光線や地中の移動による不意打ちを駆使して戦うが、最後はフランケンシュタインに首を折られて死亡した。

その後、二代目のバラゴンが本多猪四郎監督・有川貞昌特技監督の『怪獣総進撃』（一九六八年）に登場。

小笠原諸島にある怪獣ランドにて**ゴジラ（二代目）**たちとともに暮らしていたが、**キラアク星人**という異星人によって操られる。

しかし劇中にはほとんど登場せず、ちらりと顔見せする程度である。

それから長らく登場がなかったが、平成に入り『ゴジラ・モスラ・キングギドラ 大怪獣総攻撃』（金子修介監督・神谷誠特技監督、二〇〇一年）にて日本の自然の守り神とされる護国三聖獣の一体「地の神・婆羅護吽」として登場。身長三〇メートル、体重一万トン。

デザインは昭和を踏襲しているが、体色が赤っぽくなり、目も赤く染まっている。

また赤核光線を放つ能力が失われ、噛みつきや爪、飛びかかりなどの肉弾戦が主な武器となっている。

劇中では新潟県の妙高山で覚醒し、神奈川県箱根の大涌谷にて他の護国三聖獣に先立ってゴジラと激突。

しかし体格の差もあって敵わず、散々に痛めつけられた末、放射能熱線を浴びせられて爆発四散した。

バラン ［ばらん］

本多猪四朗監督・円谷英二特技監督の映画『大怪獣バラン』（一九五八年）に登場する怪獣。
中生代の巨大爬虫類《はちゅうるい》「バラノポーター」

の生き残りとされ、東北地方の北上川上流の湖に棲息していた。この湖の近くにある集落の人々に「婆羅陀魏山神」として恐れられ、崇められていた。

調査のためにこの地域を訪れていた生物研究所の職員を殺害する。その後、その死の真相を解明するために同地を訪れた研究員やマスコミの前に姿を現し、存在が確認される。

その姿は顔に複数の角が生え、頭頂部から尻尾にかけては鋭く透明な棘《とげ》を生やしている。身長は資料によって異なるが、五〇メートルとされることが多く、体重は一万五〇〇〇トン。巨体でありながら前足と後足の間に広がる被膜を使って空を飛ぶことができ、また水中を移動することも可能である。

通常は四足で歩行するが、二足歩行でも移動することができる。

人間の兵器による攻撃をものともしない頑強な体を持ち、ダイナマイトより強力とされる特殊火薬も通じない。しかし光を発するものを飲み込むという習性を利用され、爆薬が仕掛けられた照明弾を飲み込み、体内から爆破させられた。

しかし、別個体が生き残っていたようで、ゴジラシリーズの作品のひとつ『怪獣総進撃』（一九六八年）にも登場する。こちらはバラン（二代目）などと表記される。他の多くの怪獣たちとともに「怪獣ランド」と呼ばれる島で平和に暮らしていたが、異星人である**キラアク星人**により操られ、他の怪獣たちとともに都市破壊に参加したと思われる。しかし当作品では着ぐるみの状態が悪かったことから人形が一部シーンに登場するのみで、破壊シーンや敵怪獣である**キングギドラ**との戦闘シーンには登場しない。

その後もゴジラシリーズにおいて何度か復活が検討されたものの、映画作品ではいずれも実現に至っていない。

映画はモノクロであるため、劇中ではバランの体色は不明だが、ポスターでは深緑色で描かれた。一方、『怪獣総進撃』では茶色で登場している。

バンブー・スパイダー ［ばんぶー・すぱいだー］

映画『キングコング 髑髏島《どくろとう》の巨神』（二〇一七年）に登場する巨大なクモ。体長五メートルから七メートルに達する。

南太平洋にある髑髏島の竹林に生息しており、密集した竹林の中で竹に擬態し、獲物を待つ。

その脚は見た目も長さもともに竹に酷似しており、獲物が近付くと上から突き刺し、仕留める。また体から触手を伸ばし、獲物を捕らえて持ち上げ、カニのようなハサミで捕らえることもできる。

初代『キングコング』（一九三三年）にはカットされた場面にクモガニと呼ばれる巨大な節足動物が出現するシーンがあった他、二〇〇五年のリメイク版『キング・コング』にアラクノ・クラウというクモとサソリを組み合わせたような怪物が登場する。キングコングシリーズでは人間に襲いかかるクモの怪物はある意味伝統的な存在なのだ。

人喰いゴカイ ［ひとくいごかい］

リチャード・カーティスの小説『スクワーム』（一九七六年）及びジェフ・リーバーマン監督による映画化作品『スクワーム』（一九七六年）に登場する怪物。

一九七五年、アメリカ合衆国ジョージア州のフライ・クリークという町で嵐により送電線が切れ、電流が地中に流れたことにより狂暴化した無数のゴカイ。

もとは町で養殖された一〇万匹のゴカイであったが、輸送中のトラックから逃げ出した。地中や水道管から出現し、町の人々を襲ってその肉を喰らった。このゴカイたちは皮膚を喰い破って体内に侵入し、肉を喰い荒らすため、襲われた人間は白骨死体と化す。一方、光や火に弱いという弱点を持つ。

町に大規模な被害をもたらしたが、電線の工事が終わったことで地中に電流が流れなくなったため、姿を消した。

映画では本物のゴカイやミミズが数万匹使われており、実際に蠢《うごめ》く様が見られる。

ビヒモス ［びひもす］

ユージン・ルーリー、ダグラス・ヒコックス監督の映画『大海獣ビヒモス』（一九五九年）に登場する怪獣。竜脚類のような姿をした巨大な恐竜で、劇中ではパレオザウルス（架空の恐竜）の一種とされる。海中でも陸上でも活動できる水陸両生の動物。

核実験の影響で現代に出現し、人々を襲った。体内に発電器官を持つ上、強い放射線を帯びており、この電気を放射線とともに投射することで外敵を攻撃することができる。その威力は強力で、人間を一瞬で焼き尽くし、ヘリコプターを爆発させるほど。

劇中では海辺に幾度か出現した後、テムズ川からロンドンに上陸し、街を破壊した。強い放射線により生命の危機が訪れていたものの、実際にいつ命が尽きるか分からず、さらにその放射能のせいで爆弾等で倒すと放射能を帯びた肉体がロンドン中に飛び散る可能性があるという厄介な状態になっていた。

これを鑑み、ビヒモスの体内にラジウムを埋め込んだ魚雷を放ち、放射能の影響を早めて体を崩壊させる作戦が取られる。

この作戦によりビヒモスは海中にいる間に潜水艦から発射された魚雷を口内に受け、死亡する。

しかしまた別のビヒモスが現れたことを示唆し、物語は終わる。

ストップモーション・アニメーションの巨匠、ウィリス・オブライエンの遺作となった作品。ロンドンを蹂躙《じゅうりん》するビヒモスの姿は納得の迫力があり、また放射線を電気に乗せて飛ばすという特殊能力も面白い。

ビヒモスの名前は旧約聖書に出てくる怪物の名前で、「ベヒーモス」などともいう。劇中でも「ビヒモス」の名前の由来として旧約聖書から引用されたと説明されている。

フェニックス［ふぇにっくす］（『ガメラvsフェニックス』）

高橋二三の小説『ガメラvsフェニックス』（小学館、一九九五年）に登場する怪獣。一九九〇年代のある年、人間が作り出したフロンガスによりオゾン層が破壊され、東京上空に降り注いだ殺人光線により地上に空いた穴からマグマが噴き出し、そのマグマが鳥の姿を形作ったもの。体長五〇メートルで、全身は緋色《ひいろ》に染まり、目も鼻もない。

鳥のように翼を使って空を飛ぶが、マグマそのものの体をしているため、接近するものは燃え上がる。また頭部からは直径二、三〇センチのマグマが滴《したた》り落ち、人間を殺傷した。

フェニックスはダイナマイト輸送車や石油タンカーなどを積極的に襲い、自爆を繰り返した。この爆発によりフェニックスの体は四散するが、すぐに一ヵ所に集まってもとの形に戻るという不死鳥の名にふさわしい能力を見せている。さらにフェニックスは東京タワーに自ら突き刺さったが、その際には東京タワーが高温により溶けだし、ものの数秒で消えてなくなってしまった。

この不可解な行動は自殺することを目的とした行為であった。本来は地中で眠っており、地上に出現するはずのなかったフェニックスは、人間の環境破壊により宇宙から降り注いだ光線によって地上に引きずり出され、目覚めることになり、不死の苦しみから逃れようと自傷行為を繰り返していた。

このフェニックスの存在はナスカの地上絵に描かれていたが、その隣にはガメラの地上絵があった。フェニックスの出現と同時にガメラが地上絵の下から蘇り、フェニックスと対決したが、その目的もフェニックスの望みを叶え、その命を絶つためであった。

しかし不死鳥の望みは叶わず、ガメラはフェニックスが出現した地上の穴を再び開き、不死鳥は地中に帰ることで事件は一応の解決を見ることになる。

映画ではなく小説によって描かれたガメラ作品だが、世界観は昭和ガメラシリーズと同様で、過去にガメラが日本に出現したことも語られている。

プテラノドン［ぷてらのどん］（『キングコング』）

映画『キング・コング』（一九三三年）に登場する翼竜。

地図にも載っていない孤島、髑髏島《どくろとう》に棲息していた古代生物の一種で、コングが気に入っている人間の女性、アン・ダロウを奪おうとした。これにコングが気付いたため飛び去ろうとしたところを捕らえられ、怪力でねじ伏せられる。

陸の**ティラノサウルス**、水中の**ブロントサウルス**に続き、空から襲ってくる存在として登場したプテラノドン。出番は短いものの、ウィリス・オブライエンによって描かれた空中を飛ぶプテラノドンの姿は見事である。

船の不定形生物 ［ふねのふていけいせいぶつ］

ドナルド・ワンドレイの小説『現れた触手』（一九三三年、那智史郎、宮壁定雄訳、国書刊行会『ウィアードテールズ3』（一九八四年）収録）に登場する謎の怪物。

嵐で遭難した船の中に突如現れた不定形生物で、正体は不明。船倉内にいつの間にか発生しており、生き残った二人の船員を襲った。

その姿は半透明の緑色をしたゼリー状の物体の塊で、表面にはクモの巣のように張り巡らされた血管のようなものが見える。また体からは酷《ひど》い悪臭を放つ。

体を膨らませたりしぼませたりしながら移動し、獲物を見つけると襲いかかり、緑色の液体を吐きかける。この液体は生物を凄《すさ》まじい速さで溶かすことができ、人間でさえも簡単に溶かしきる。またその不定形の体はピストルで撃たれてもまったくダメージを受けない。

弱点は光で、太陽の光を浴びると暗闇に逃げてしまう。しかし完全に殺す方法は分かっていない。

不定形の怪物を扱った初期の作品のひとつ。翻訳は『現れた触手』となっているが、触手は出て来ない。原題は『Spawn of the Sea（海の卵）』である。

ブラックスコーピオン ［ぶらっくすこーぴおん］

エドワード・ルドヴィグ監督の映画『黒い蠍《さそり》』（一九五七年）に登場する怪物。メキシコに出現した古代の巨大な蠍で、火山噴火の影響で現代に目覚める。その後、巨大地下洞窟に巣を作り、地上に現れて人間や牛などを襲って餌《えさ》としていた。大型と中型がおり、大型は体長一〇メートル以上、中型も数メートルはある。

機関銃を弾く硬い外殻を持ち、喉にあるわずかな外殻の隙間のみが弱点。地下洞窟の巣には複数が棲みついているが、同族意識はなく、餌を巡って殺し合いを行っている。

劇中ではこの洞窟の入口となっていた地面の割れ目を爆弾で塞《ふさ》ぐが、実はこの洞窟は別の洞窟に繋《つな》がっており、そこから無数の蠍が出現。大型の個体が汽車を転覆させ、乗客を襲う。この時、餌を巡って同族同士で殺し合いを行い、最後に残った巨大な個体が大都市メキシコシティへと侵攻を始める。

メキシコシティに辿《たど》り着いたブラック・スコーピオンは牛の肉を使ってスタジアムへ誘導される。この際、戦車の集中攻撃も効果を成さず、次々と戦車を倒していくが、攻撃姿勢を取るために仰《の》け反った際、銅線を繋いだ銛《もり》のような砲弾を弱点である喉に打ち込まれ、六〇万ボルトの電流を流されてついに倒れた。

ブラック・スコーピオンの動きは基本的にストップモーション・アニメーションで描かれ、巨匠ウィリス・オブライエンと弟子のピート・ピーターソンが撮影を務めた。

その生物的な動きは素晴らしく、巨大な蠍が襲ってくる様子がリアルに描かれている。

ブラック・スコーピオンがアップになるシーンでは人形モデルが使われているが、なぜか脊椎《せきつい》動物のような目と口があり、口からは常に唾液《だえき》を垂れ流している。この目には瞼《まぶた》があるらしく、倒れた後のブラック・スコーピオンは目を瞑《つぶ》っていた。その表情はどこかかわいらしい。

ブラッド・ビーチ・モンスター
［ぶらっど・びーち・もんすたー］

映画『ブラッド・ビーチ 血に飢えた白い砂浜』（一九八一年）に登場する怪物。アメリカ西海岸のサンタモニカビーチの砂浜の地中に潜《ひそ》んでおり、近くを通りかかった動物を突然地中に引きずり込んで少しずつ捕食する。

獲物を補足する範囲はそこまで広くないが、潜んでいる場所が他の場所とまったく区別がつかないため、回避することは難しい。

正体はイソギンチャクのような巨大な怪物で、緑色の体をしており、細長い体に花弁のような口を持っている。最後は爆弾によって粉々に破壊されるが、破片から再生する能力を持っているらしく、砂浜のあちこちにこの怪物が潜んでいることが示唆されて終わる。

二〇一五年には、同じように砂浜の地下に潜み、砂浜に触れた人間を襲う怪物が出現する映画『ザ・サンド』（サンド・モンスターの項目を参照）が公開されている。同じような性質がありながら人間の襲い方は全然違うので、見比べてみると楽しい。

ブルース
［ぶるーす］

映画『ジョーズ』（一九七五年）に登場する巨大ホオジロザメ。劇中でこの名を呼ばれたことはなく、「ブルース」は撮影時に使われたホオジロザメのロボットの愛称となる。

何らかの原因で異様に巨大化した、などの設定は語られていないが、その体長は八メートル、重さは三トンと平均四〜五メートルのホオジロザメにしては非常に大きい。

アメリカ東海岸のアミティ島に出現し、海で遊んでいた人々を襲って喰い殺し、島を恐怖に陥れた。

凄《すさ》まじい怪力と耐久力を持ち、船を噛み砕き、拳銃程度では大したダメージを与えられない。

最後は酸素ボンベを口に突っ込まれ、それを銃撃で爆発させられたことで頭部が木《こっ》端微塵《ぱみじん》に吹き飛んだ。

動物パニック映画の金字塔であり、今なお色あせないホラー映画の傑作。原作はピーター・ベンチリーの小説『ジョーズ』（一九七四年）。スピルバーグの友人でもあるジョージ・ルーカスが一九七七年に『スター・ウォーズ』を公開するまで、世界一位の興行収入を記録していた。

この映画以降、『グリズリー』（一九七六

年、**巨大グリズリー**の項目参照）や『テンタクルズ』（一九七七年、**巨大タコ（『テンタクルズ』）**の項目参照）など様々な巨大動物に襲われる映画が公開されることになる。また後に量産されることになるサメ映画（サメやサメらしき怪物に襲われる映画の総称）の原点ともいえる映画であり、後の映画界に様々な影響を与えている。

ブロントザウルス［ぶろんとざうるす］（『キング・コング』シリーズ）

映画『キング・コング』（一九三三年）やそのリメイク版に登場する恐竜。地図に載っていない島、髑髏島《どくろとう》に棲息していた古代生物の一種。

オリジナル版『キング・コング』では映画撮影のためこの島を訪れた撮影クルーが船で沼地を渡っている際に水中から出現し、襲いかかった。さらに陸上に逃げたクルーたちを追いかけ、そのうちのひとりを捕食している。

リメイク版『キング・コング』（二〇〇五年）にも登場。こちらは草食恐竜として描かれており、群れで棲息している様子が見られた。DVDの特典として封入された『スカルアイランド徹底解読本』によれば、髑髏島のブロントサウルスは胎生の動物に進化しているのだという。

ペキンマン［ぺきんまん］

ホー・メンホア監督の映画『北京原人の逆襲』（一九七七年）に登場する怪獣。大地震によりヒマラヤの奥地から数万年ぶりに目覚めた巨大な類人猿である。

体長二五メートル、体重三〇トンもあり、基本的には人間に敵対的だが、サマンサという白人女性の言うことだけには従う。

サマンサは二〇年前に飛行機事故で両親を失い、ペキンマンに育てられた女性で、彼女もまたペキンマンを「アワン（日本語吹き替えだと「ウータン」）」と呼び、慕っている。

このサマンサと親しくなった香港人チョウが興行のため、サマンサに頼んでペキンマンをおとなしくさせ、香港に連れて行く。しかしペキンマンは香港で虐待まがいのショーをさせられており、それを知ったサマンサに一緒に帰ろうと告げられる。

しかし直後、サマンサがプロモーターのルーに暴行され、それを見たペキンマンは怒りを爆発させる。鎖を引きちぎり、檻《おり》を破壊したペキンマンは、サマンサを救うべく香港の街に出現して暴れ始めた。

ペキンマンの特撮は日本人スタッフによって撮影されており、着ぐるみとミニチュアの街並みによって巨大怪獣が暴れる様子が描かれている。日本とは雰囲気の違う香港の街並みを舞台にペキンマンが破壊の限りを尽くすクライマックスは見ごたえ十分であり、見慣れぬ景色はどこか異世界感があって楽しい。

なぜ北京原人がヒマラヤにいるのか、なぜ巨大なのかなどについては特に触れられていない。

もともと『キングコング』（一九七六年）に影響を受けて作られた作品であるため、巨大な類人猿の怪と美女の組み合わせ、最後の戦いが高層ビルの屋上を舞台にしているなど、類似点がある。ただし、親子のように過ごしてきたペキンマンとサマンサの関係は**キングコング**とアンの関係よりも深く、互いが互いを救うべく暴れ、危険に飛び込む。そして、それは悲劇的な結末に繋《つな》がることになる。

ベリアル［べりある］（『バスケットケース』）

フランク・ヘネンロッター監督の映画『バスケットケース』（一九八二年）をはじめとする『バスケットケース』シリーズに登場する怪物。もとは弟のドウェインの脇腹に結合した形で生まれたシャム双生児であったが、ドウェインとともに平和に暮らしていた。しかし一二歳の時、ベリアルのことを忌み嫌う彼の両親により手術を受けさせられ、ドウェインと切り離されて捨てられる。しかしドウェインによって救われ、以降はドウェインの持つバスケットケースに入り、二人でともに生活していた。

その姿は肉塊に顔と腕が付いたようなもので、見た目に反して怪力を持ち、また普通の人間よりも食料を必要とする。性格は狂暴で、自分の親を始め、手術を担当した医師たちをドウェインとともに探し出し、殺害していた。

声を発することはできないが、ドウェインとはテレパシーで繋《つな》がっており、意思疎通が可能。しかしこの影響でドウェインが恋をした女性、シャロンに自身も情欲を抱くようになり、襲いかかった末に殺してしまう。これによりドウェインとベリアルはもみ合いになり、ホテルから落下して死亡したように思われた。

しかし続編『バスケットケース2』（フランク・ヘネンロッター監督、一九九〇年）では二人が重傷を負いながらも生きていたことが明かされる。ベリアルはベッドに鎖で縛り付けられるが、その怪力で鎖を引きちぎり、ドウェインとともに病院を脱出。そこで親戚の女性、ルースと出会い、彼女にベリアルと同じ奇形の人間たちを匿《かくま》うために使われている家に案内される。

ベリアルはそこでイヴと呼ばれる自身と同じ境遇にある女性に恋をし、愛を交わす。

そして第三作目『バスケットケース3』（フランク・ヘネンロッター監督、一九九一年）ではベリアルとイヴの間に子どもが一二人誕生。しかしイヴは警官に殺害され、子どもたちも連れ去られてしまう。

これに激怒したベリアルは仲間たちとともに警察署を襲撃、彼らを皆殺しにするも負傷する。そこでベリアルを救い出したドウェインは、ルースの子どもであるリトル・ハルに預け、ベリアルはそこで体を補強するための機械の体を与えられる。

そしてベリアルは我が子を救うため、最後の戦いに挑む。

一作目ではもの悲しくも異形の怪物であり、恐怖の対象であったベリアルは、二作目で同じ異形の仲間たちを見つけ、三作目では家族を守るために立ち上がる。シリーズにおけるベリアルの変遷を見るのが楽しい。また、二心胴体であった弟のドウェインもベリアルとの仲たがいを幾度か経験しながらも、最後は兄とともに戦う。二作目では異形のものたちに囲まれ、自分自身が異端の存在であることで精神を壊してしまう姿は痛々しくも恐ろしい。それでも彼は兄との絆《きずな》を取り戻すのだ。

　二作目以降に登場するベリアル以外の異形のものたちもバリエーション豊かで楽しく、シリーズものの宿命として作品を重ねるごとにエンターテインメント性を増していくが、その辺りは割り切って楽しみたい。

ま

魔境の森 ［まきょうのもり］

　ジョージ・W・ベイリーの小説『襲いかかる魔境』（一九二四年、那智史郎・宮壁定雄編『ウィアードテールズ1』収録）に登場する怪物。

　カナダ北西部の陥没地に自生している樹木で、夜になると動き出し、枝や蔓《つる》を使って動物を捕らえ、養分とする。その触手のような蔓の先には短剣のような歯が突き出ており、獲物を突き刺して血液を吸い取る。そのため、この植物が生えている一帯は森全体が襲いかかって来る魔境と化す。

　一方、植物であるためその場から自力で動くことはできず、また乾燥した地帯に生えているため、火に弱いという弱点もある。

マグマ ［まぐま］

　本多猪四郎監督・円谷英二特技監督の映画『妖星ゴラス』（一九六二年）に登場する怪獣。巨大なセイウチのような姿をしているが、哺乳類ではなく爬虫類《はちゅうるい》とされる。体長五〇メートル、体重二万五〇〇〇トン。

　妖星ゴラスと名付けられた黒色矮星《わいせい》が地球に迫り、それを避けるために南極に巨大なジェットパイプを建設。これを使って地球を移動させ、ゴラスとの衝突を避けるという作戦中、ジェットパイプの設置による温度上昇の影響で南極の地底から目覚めた。

　南極の基地を破壊し、暴れ回るが、調査に来た国連所属のＶＴＯＬ機（垂直離着陸機）のレーザー砲によって流血し、倒れた。

　ゴラスの着ぐるみは後に特撮テレビドラマ『ウルトラＱ』に登場するトドラに改造

された。またゴラスを倒したVTOL機は「国連ビートル」とも呼ばれ、後に『ウルトラマン』で科学特捜隊が使う戦闘機「ジェットビートル」に木型が流用された。そのため形がそっくりである。

マラブンタ ［まらぶんた］

バイロン・ハスキン監督の映画『黒い絨《じゅう》毯《たん》』（一九五四年）に登場する人喰いアリ。「マラブンタ」はスペイン語で「アリの大群の移動」やその被害を表す言葉であり、グンタイアリの別称としても使われる。

南米のアマゾン川奥地に棲息し、何億という群れを作り、動物を襲う。普段はアリ塚を形成し、その中で暮らしているが、稀《まれ》に大移動を始め、複数の群れがまとまってひとつの群れとなり、地面を黒く覆い尽くす。劇中ではその大きさは幅三〇〇メートル、長さ三キロと語られる。

アリ自体の姿かたちは普通のグンタイアリと変わらないが、凶暴性は段違いで、人間を含む大型の哺乳類を捕食する。さらに植物まで喰うため、マラブンタが通り過ぎた後には枯れ木が残る。

水の上を葉を使って渡ることができ、堀程度の水ではその進行を止めない。しかし最後は川の水をせき止めていた水門の爆破によって川を溢れさせ、洪水を起こすことで全滅させられた。

原作は『Leiningen Versus the Ants（ライニンジェン対アリ）』（カール・ステファンソン著、一九三八年）で、こちらに登場するグンタイアリも動物を骨ごと喰い尽くすなど、通常のグンタイアリより凶暴な昆虫として描写されている

マンダ ［まんだ］

本多猪四郎監督・円谷英二特技監督の映画『海底軍艦』（一九六三年）等に登場する怪獣。東洋の龍のような姿をしており、体長一五〇メートル、体重三万トンの巨体を誇る。

海底に築かれたムウ帝国の守護獣であり、普段は海底洞窟に潜んでいる。

劇中ではムウ帝国に進撃してきた海底軍艦、轟天号《ごうてんごう》と戦うために出現。長い体を生かし、轟天号に巻き付いたが、高圧電流を流されて離れたところに冷線砲を放たれ、全身が凍り付いてしまった。

『海底軍艦』の原作となったのは押川春浪の小説『海底軍艦』（文武堂、一九〇〇年）だが、ストーリー等はほとんど映画オリジナルであり、マンダも原作には登場しない。

映画『怪獣総進撃』（一九六八年）には別個体が登場。角や髭《ひげ》がなくなり、瞳孔が丸くなっており、龍というより蛇のような姿になっている。**キラアク星人**という異星人に操られ、ロンドンや東京を襲撃。東京ではゴジラとの共演を果たした。

初代は海中で活動する場面のみであったが、こちらは地上でも活動している。また、ボツとなったシーンではゴジラと戦う場面もあった。

この戦いは二〇二一年になってアニメ

『ゴジラ S.P』になって実現するが、こちらのマンダは龍や蛇に甲殻類を組み合わせたような見た目をしている。

実写では二〇〇四年の『ゴジラ FINAL WARS』に登場。この映画にはムウ帝国は出て来ないが、冒頭でノルマンディー沖深海にて因縁の轟天号と対決する。全長三〇〇メートル、体重六万一〇〇〇トンと昭和時代の倍近い大きさになったが、冷凍メーサーで凍らされた上、轟天号のドリルによって粉砕された。劇中では唯一人間に倒された怪獣で、ゴジラとの対決もなかった。

マントラ [まんとら]

福島正実の小説『地底怪生物マントラ』（一九六九年）に登場する怪物。

二〇億年前、地球の地下三〇〇〇キロメートル、マントル層とコアの中間あたりで、地上で生命が生まれたのと同じようにある種の物質が複雑な化学変化を繰り返し誕生した植物生命体。

マントル層とコアの中の放射性物質を栄養として進化し、また非常な高温・高圧の環境下で生まれたため、地上の植物とは比べ物にならないほどの硬く強い繊維で構成されている。

途方もない大きさで、地球のマントル層全体に広がり、地球を取り巻いて繁茂していると考えられる。また動物と同じように自在に動くことができ、無数にある枝を動かして地上に進出し、人間をはじめとした地上生物を襲った。

その強靭《きょうじん》さは尋常ではなく、末端にある鞭《むち》ほどの細い枝でもダイヤモンドの何十倍も硬く、鞭のように振り回せば建造物でも船でも易々と切り裂くことができる。またその表面からは特殊な化学物質が放出されており、人間の場合これを吸うと脳に強い影響を与え、幻覚を見る。

また地上の植物を枯らす作用がある無色のガスを発生させることもでき、これは人間の神経にもダメージを与える。

地上に長さ数十キロはある枝を出すこともあり、これはタコノキのようだと表現される。この枝からはさらに無数の枝が突き出て、その枝の先にも細いひげ根のようなものが生える。このひげ根が先述した触手のような枝だとされる。

この数十キロ規模の枝になると原爆の直撃でさえものともしない耐久力を誇る。地上より遥かに高温の地下深くで育った植物であるため火で燃やすこともできない。

破壊するためには超高周波音波によってマントラの超高密度の分子構造を破壊する必要がある。

物語ではこの攻撃方法を**タウ星人**という宇宙人が伝えるが、タウ星人もまたこのマントラに母星を滅ぼされたと語る。マントラは地球のような構造を持つ星であればどこでも生まれる可能性があり、さらに宇宙に存在する特別なエネルギーの流れ、宇宙潮流ともいうべきものに巻き込まれると、その影響で活性化し、地上に出現するのだという。

地球もこの潮流に巻き込まれ、マントラが活動を開始したと考えられるが、地球人がタウ星人に教えてもらった技術により抵抗を続けていたところ、突然活動を停止し、手で触れれば崩れるほどにもろくなり、滅び去った。

　これは宇宙潮流の流れから地球が脱したことで、マントラが力を失ったためだとされる。地球人は宇宙潮流のために滅亡の危機に陥り、宇宙潮流のおかげで滅亡を回避したのだ。

　地球規模の怪物が襲ってくるスケールの大きな話。地中には他にもマントラと共生関係にある体長二、三メートルのカブトムシに似た昆虫がいるとされ、これもマントラとともに人類を襲った。詳細は**怪物カブト虫**の項目を参照。

ミニラ ［みにら］

　映画『怪獣島の決戦　ゴジラの息子』（一九六七年）をはじめとする、ゴジラシリーズに登場する怪獣。

　ゴジラの息子とされ、ゴジラが棲んでいたゾルゲル島の地中から現れた卵から孵《かえ》った。生まれた直後は身長一三メートル、その後成長して一八メートルとなる。体重もそれに応じて一八〇〇トンから三〇〇〇トンまで変動している。どのような経緯で生まれたのか不明だが、生まれる直前からテレパシーを使ってゴジラを呼んでおり、ゴジラも自分の子どものように世話をしていたため、少なくとも近しい種族であると思われる。

　やんちゃな性格で、島を遊び場にしてはしゃぎ回った。しかしゾルゲル島に棲息する**カマキラス**や**クモンガ**といった怪獣に狙われ、その度にゴジラが怪獣たちと戦ってミニラを助ける。

　ゴジラとの関係も良好で、放射能火炎の練習をしてもらい、リング状の火炎やゴジラと同じような放射能火炎を吐けるようになる。

　物語の最後は、人間がゾルゲル島の気象をコントロールし、低温化させて怪獣たちを冬眠させる、という作戦を実行したため、ゴジラと抱き合いながら雪に埋もれた。

　続編『怪獣総進撃』（一九六八年）にも登場する。小笠原諸島にある怪獣ランドにて、ゴジラや他の怪獣たちと平和に暮らしていた。しかし宇宙人である**キラアク星人**が怪獣たちを操り、世界中で暴れ始める。理由は不明だがミニラはキラアク星人の手先にはならず、最終決戦地である富士の裾野に出現。他の怪獣たちと共闘して**キングギドラ**と戦い、その首にリング状の放射能火炎を放ってとどめを刺した。

　続く『ゴジラ・ミニラ・ガバラ　オール怪獣大進撃』（本多猪四郎監督・円谷英二特技監督、一九六九年）ではメインの怪獣として出演する。物語の舞台は一郎という少年の見ている夢の中で、そこにミニラが登場し、友達になる。普段は一郎少年と同じぐらいの大きさで、一郎と言葉を交わすこともできる。

　必要に応じて一八メートルの大きさに戻

ることができ、**ガバラ**という怪獣にいじめられるが、果敢に立ち向かい、最後は勝利する。これが一郎少年に勇気を与えた。

　以降、久しく出番がなかったが、『ゴジラ FINAL WARS』（二〇〇四年）にて三五年ぶりに登場。富士山中に出現し、はじめは一・六メートルと人間サイズであり、人間と交流する。その後、ゴジラを間近に見た際、突然二〇メートルまで成長。

　ゴジラ、モスラと同じく、他の怪獣のように**X星人**に操られることのなかった怪獣で、人間に友好的。最後、人間に敵意を向けたゴジラの前に立ち、ゴジラを説得して、ともに海へと帰っていった。

　なお、ゴジラとの関係については触れられていないため、子どもなのか、同族なのか、近い種族なのかなどは不明のままである。

ムートー［むーとー］

ギャレス・エドワーズ監督の映画『GODZILLA ゴジラ』（二〇一四年）に登場する怪獣。古代ペルム紀に棲息していた巨大生物とされ、名前の「M.U.T.O.」は、「Massive Unidentified Terrestrial Organism（未確認巨大陸生命体）」の略とされる。

　三角形の頭部に紅く輝く複眼があり、四本の大きな肢に四本の副腕の計八本の肢を持つ。劇中には雄と雌の二体が登場し、雄は肢の一対が翼になっており、空を飛ぶことが可能。雌は雄よりも体が大きく、より強力な力を持つ。雄は身長六一メートル、雌は身長九一メートル。

　放射性物質をエネルギー源としており、動く原子炉のような生物である**ゴジラ（モンスター・ヴァース）**の天敵で、ゴジラの体に卵を産み付け、寄生させる習性を持つ。逆にゴジラの方もムートーを積極的に排除しようとするため、互いに天敵関係にあるといえる。

　しかし現代ではゴジラの体を使うまでもなく、原子力潜水艦や原子力発電所など放射能を有するものが大量にあったことから、そちらを優先して襲っていた。劇中では核弾頭を利用して巣を作り、卵を育てている描写も見られた。

　体から電磁パルスを放出する能力があり、周囲の電子機器を無力化することができる。これはゴジラの放射能熱線を一時的に使用不能にしたり、威力を弱めたりする効果があるが、電子機器に溢れた現代では偶然にも絶大な効力を発した。

　劇中では卵から孵《かえ》った雄の幼体が一九九九年に日本の原子力発電所を襲ったとされる。卵は原子炉に寄生して繭《まゆ》となり、一五年にわたり放射能を吸収し続けていたが、二〇一四年になって羽化。繭を監視していた特務研究機関モナークの研究施設を破壊し、空へと飛び去る。その後、ロシアの原子力潜水艦を襲い、ハワイで燃料棒を喰っていたところにゴジラが出現。一対一では敵わないと踏んだのか逃亡する。

　その後、もうひとつあったムートーの卵から雌のムートーが誕生。ラスベガスを蹂《じゅう》躙《りん》し、アメリカ西海岸に向かう。この時、放射能に引き寄せられる性質を利用し、核弾頭でムートーとゴジラをまとめて吹き飛ばす作戦が実行されるが、雄雌のムートーがそれぞれ核弾頭を奪い、卵を育てるための栄養源としてサンフランシスコに作った巣に設置する。

そこにムートーを追ってやって来たゴジラが出現。巣を守るため、二体のムートーは連携してゴジラと戦うが、いつの間にか巣に接近していたアメリカ海軍の兵士、フォード・ブロディによって卵を焼き尽くされる。

これにより雌はゴジラとの戦闘を中断し、フォードを追うが、その間に形勢逆転したゴジラによって雄が尾でビルに叩きつけられ、絶命する。そして雌もゴジラに捕まり、無理やり口を開かれた末、放射能熱線を直接口内に浴びせかけられ、体内から崩壊して死亡した。

ハリウッド版の実写ゴジラ映画としては初となるオリジナルの怪獣であり、節足動物と爬虫類《はちゅうるい》を合わせたような奇妙な姿をしている。名前である「M.U.T.O.」はゴジラなどを含む巨大な未確認生物全般を表す名称であったはずだが、後続の作品では巨大生物に対し「タイタン」という呼称が使われることが多くなり、結果的にこのムートーたちを表す名前として定着している。

続編『ゴジラ キング・オブ・モンスターズ』（マイケル・ドハティ監督、二〇一九年）にも別個体のムートーが登場するが、こちらは**ギドラ（モンスター・ヴァース）**によって呼び寄せられた怪獣の一種であり、ギドラがゴジラに負けた後はゴジラに対し服従の意を示している。

メガギラス ［めがぎらす］

映画『ゴジラ×メガギラス G消滅作戦』（二〇〇〇年）に登場する怪獣。全長五〇メートル、翼長八〇メートル、体重一万二〇〇〇トン。

三億六七〇〇万年前から二億八九〇〇万年前に地球に棲息していた古代の巨大トンボ、**メガニューラ**たちのリーダー格の怪獣で、マッハ四で空を飛び、群れを率いる。紫色の体に黄色い模様が入り、全体的なシルエットはトンボに近いが、羽が一対しかなく、頭部がトカゲのような形状をしているという特徴がある。

メガニューラには、付近にいる他の強力な生物のエネルギーを吸収し、幼虫である**メガヌロン**のうち一匹に注入、メガギラスを生むという性質があり、今作ではゴジラのエネルギーを吸収したため、肉食爬虫類《はちゅうるい》のような頭部に成長したのだとされる。

武器は前脚にあるハサミと、エネルギーを吸収する尾の先にある針。また羽を震わせて高周波を放ったり、ゴジラを持ち上げて飛ぶ怪力も持つ。

ゴジラとの戦いでは、その素早さを活かして不意打ちを繰り返したり、尾を突き刺してエネルギーを吸収することで熱線を封じるなどして、善戦する。さらに吸収したゴジラのエネルギーを巨大な光弾にして放つという応用技も見せた。しかし最後は尾の針を噛み砕かれ、放射能熱線によって燃やし尽くされた。

『空の大怪獣ラドン』（本多猪四郎監督・円谷英二特技監督、一九五六年）で**ラドン**に食べられる幼虫として登場したメガヌロンが、半世紀近くを経て、ゴジラと一対一で戦うほどの力を持って現れたと考えると大出世である。個人的には宿敵ラドンとの空中戦を見てみたいと思うのだが、実現しないだろうか。

メガニューラ ［めがにゅーら］

映画『ゴジラ×メガギラス G消滅作戦』（二〇〇〇年）に登場する怪獣。三億六七〇〇万年前から二億八九〇〇万年前に地球に棲息していた古代の巨大トンボ。体長五メートル、体重一トン。

マイクロブラックホールを発生させる対ゴジラ兵器ディメンション・タイドの実験により時空が歪《ゆが》んだ際、古代から現代に飛来し、複数の卵を産み落とした。卵からは幼虫である**メガヌロン**が孵《かえ》り、これが成長してメガニューラとなった後、群れを作って行動する。他の強力な生物に襲いかかり、尾にある針を突き刺してエネルギーを吸収するという性質を持っており、ゴジラがその標的とされた。

ゴジラによって多数のメガニューラが倒されるも、生き残ったメガニューラはそのエネルギーを一匹のメガヌロンに注入。群れのリーダーとなる**メガギラス**を誕生させた。

もとになっているのは古代に実在したトンボ「メガネウラ」だが、それよりも遥かに大きい。また『空の大怪獣ラドン』に幼虫のメガヌロンが登場しているため、半世紀近くを経て成虫が登場したことになる。

しかし『空の大怪獣ラドン』のメガヌロンと今作のメガヌロンは設定が異なるため、同じようなメガニューラに成長するのかは不明である。

メガヌロン ［めがぬろん］

映画『空の大怪獣ラドン』（一九五六年）及び『ゴジラ×メガギラス G消滅作戦』（二〇〇〇年）に登場する怪獣。三億年前に棲息していた古代のトンボの幼虫とされる。

『空の大怪獣ラドン』に登場するものは体長八メートル、体重一トンの巨体で、阿蘇山の炭坑内で地熱と地殻変動により蘇る。トンボの幼虫であるためヤゴのような姿をしているが地上でも活動でき、炭坑周辺の人々を襲い、喰らった。しかし同じく阿蘇山で蘇り、卵から孵《かえ》った怪獣**ラドン**には敵わず、餌《えさ》としてついばまれた。

『ゴジラ×メガギラス G消滅作戦』では体長二メートル、体重五〇〇キロと小型になって登場。初代と違いヤゴらしく水中で成長する。

脱皮の直前になると水中から出て人間などを襲い、その体液を吸う。その後、成虫である**メガニューラ**に不完全変態する。

また通常のメガヌロンとは別に、メガニューラがゴジラの体内から吸収したエネルギーを注入され、体長五〇メートルまで巨大化したメガヌロンも登場。こちらは**メガギラス**という巨大怪獣に変態した。

メガロ［めがろ］

映画『ゴジラ対メガロ』（一九七三年）に登場する怪獣。体長五三メートル、体重四万トン。

二足歩行のカブトムシのような姿をしているが、腕の先がドリルのようになっている。この両腕のドリルは合わせることで万能削岩ドリルと呼ばれるものになり、地中を自在に掘り進めることができる。また角からはレーザー殺獣光線という稲妻状の黄色い光線を、口からは爆発する球体である地熱ナパーム弾を発射することが可能。

甲虫のような羽を持ち、マッハ三の速度で空を飛ぶ。また移動の際にはバッタのようにジャンプを繰り返し、素早く移動する。

もとは太平洋の海底に作られた王国、シートピア海底王国の守護神であった。人類の水爆実験のためにシートピア海底王国が被害を受けたため、その報復として地上に送り込まれ、破壊活動を行った。

その後、突然巨大化した等身大ロボットの**ジェットジャガー**の出現に口を開いて啞《あ》然《ぜん》としていたが、攻撃されたことで反撃を開始する。当初は互角の戦いを繰り広げていたが、**ガイガン**が加勢にやって来たことでジェットジャガーを圧倒し、追い詰める。しかしそこにジェットジャガーが救援を要請したゴジラが到着し、二対二の戦いとなる。

ゴジラとジェットジャガーの周囲を火の海にするなど追い詰めるが、最後はゴジラのドロップキックを二発受け、さらに何度も地面に叩きつけられて戦意を喪失。ガイガンとともに敗走した。

ドリルが付いた昆虫怪獣という、感情が薄そうな見た目と裏腹に、目の前に現れたジェットジャガーを挑発したり、そのジェットジャガーが巨大化して啞然としたり、助けに来たガイガンに手を振り上げて挨拶したり、ジェットジャガーを追い詰めて笑い声を上げたり、ガイガンとハイタッチしたりと感情豊かな姿が多く見られ、かわいらしい。

『ゴジラ 東宝特撮映画全史』によれば、今作は前作『地球攻撃命令 ゴジラ対ガイガン』（一九七二年）よりもかなり製作費を抑えられており、特撮の撮影期間は二週間程度しかなかったという。そのため特撮は過去作からの流用が目立つが、途中に登場するメガロによるダムの破壊シーンは圧巻である。また怪獣同士の戦いも二対二の対決を生かし、四者が入り乱れ、戦う相手が随時変わるなど、工夫されている。

モスラ［もすら］ （昭和）

映画『モスラ』（一九六一年）をはじめ、昭和ゴジラシリーズに登場する怪獣。巨大な蛾《が》の怪獣で、幼虫から繭《まゆ》に入った蛹《さなぎ》を経て成虫への変態を行う。平成シリーズに登場するモスラについては**モスラ（平成）**の項目を参照。

幼虫時の体長は一八〇メートル、体重は二万トン。茶色の円錐形の体を持ち、複数の脚と横に開く口、そして小さな目を持つ。『モスラ』では太平洋の南洋諸島のひとつインファント島で守護神と崇められる存在で、当初は卵の状態であったが、モスラに巫女《みこ》として仕える小美人の二人が興行師ネルソンに連れ去られたことで覚醒。卵の殻を破り、誕生した後、本能に導かれて小美人を追い、日本に上陸した。

体長一八〇メートルまで成長しながら動き、自衛隊の攻撃をものともせず東京に進撃した後、東京タワーをへし折ってそこで楕円形の繭を張り、蛹となって成虫に変態する。

成虫は黄、黒、オレンジといった色鮮やかな鱗粉《りんぷん》に彩られた四枚の羽を持つ巨大な蛾の姿になる。体長八〇メートル、翼長二五〇メートル、体重二万トン。複眼は青く、体は毛に覆われる。脚は六本で小さい。

この状態では空を自在に飛ぶことができ、強風により地面近くを飛ぶだけで周囲が破壊される。

ネルソンが小美人を攫《さら》ったままアメリカのニューヨークに逃亡したため、それを追ってニューヨークに飛来し、破壊活動を行うが、小美人が返還された後はおとなしくなり、彼女たちを連れてインファント島へと帰還した。

この映画の原作となった小説『発光妖精とモスラ』（中村真一郎・福永武彦・堀田善衛、一九六一年、東雅夫編『怪獣文学大全』収録）では、モスラはインファント島の神話に登場する存在として記される。それによればまだこの世が混沌として定まらなかった頃、夜を治める男神アジマが現れ、海の底から土を引き上げて島を作ったが、退屈で耐えられなくなり、自らの体を二つに裂いた。それにより夜を治める男神アジマと昼を治める女神アジゴの二柱に分かれ、二人の間にモスラの卵が生まれた。しかし卵はいくら待っても孵《かえ》らなかった。次にアジマとアジゴの間に人間が生まれた。人間は自分たちで増えて行き、やがて島一杯になった。

その後、アジマとアジゴの間に無数の小さな卵も生まれたが、それらは孵って、幼虫、蛹を経て蛾となった。

アジマは小さな卵が生まれたのはアジゴの失敗だったと決めつけて怒り、人間や他の生物たちに等しく死を贈り、自分自身は体を四つに裂き、それは暁、宵、北、南の星になった。

アジゴは大変悲しみ、永遠の卵モスラに自らの体を生贄《いけにえ》として捧げ、体を四つに裂いた。そこから普通の人間の半分にも満たない、アジゴを小さくした若い女が生まれた。彼女たちは夜でも体が光り輝き、アイレナと呼ばれた。アイレナたちはモスラに仕える巫女となり、永遠の命を持った。

そして女神アジゴは死ぬ前にこう予言していた。

「アイレナはモスラに仕え、モスラは必ず島を守る」

この予言が現実になるかのように、アイレナが興行師ネルソンに連れ去られた後、モスラの卵が孵り、全長一〇〇メートルはある巨大な幼虫が生まれる。この幼虫は白みを帯びた体色をしており、巨大な蚕《かいこ》の幼虫のようであったと描写されている。モスラの幼虫は鎌倉の七里ヶ浜から日本に上陸すると、東京に進撃し、国会議事堂にて繭を作る。そして成虫に変態した後、ネルソンが逃げたロシリカ共和国に出現し、ニュー・ワゴン・シティを襲い、ほぼ廃墟となるまで破壊した。

そしてアイレナを確保した後はインファント島に戻ったが、すぐに空へと飛び出し、宇宙の向こう、反世界まで飛び去って行ったという。

また小説では過去にゴジラが出現したことに触れられているが、映画ではモスラはゴジラと直接戦うことになる。

『モスラ対ゴジラ』（一九六四年）ではインファント島に帰ったモスラが卵を産むが、台風により日本に流れ着く。時を同じくして**ゴジラ（二代目）**が出現し、日本を襲撃。モスラの力を借りるべく、新聞記者である酒井市郎と中西順子らがインファント島に赴く。当初、小美人やインファント島の住人たちはモスラの卵を返さない日本人に不信感を抱いていたが、モスラは彼らの必死の訴えを聞き、残り少ない命を振り絞って日本に向かう。

そこでモスラはゴジラを襲撃。ゴジラはモスラの卵を破壊しようとしていたところであり、結果的に自身の卵を救うことにもなった。突風を武器にゴジラに立ち向かうモスラであったが、生命力が尽きかけていたその体ではゴジラに敵わず、羽に放射能火炎を浴び、卵を守るようにして力尽きた。

しかしその卵から二匹の幼虫が誕生。親の仇《かたき》を取るようにゴジラに襲いかかり、繭を作るための糸をゴジラに向かって吐き出し、身動きを取れなくして海中へと突き落とし、勝利した。

その後、二匹のうち一匹は死んでしまうが、残った一匹が宇宙からやって来た怪獣**キングギドラ**と戦うべくインファント島から日本に現れる（『三大怪獣地球最大の決戦』一九六四年）。ここではキングギドラを無視して互いに争うゴジラと**ラドン**をともにキングギドラと戦うよう説得するが、失敗。それでもたった一体でキングギドラに立ち向かうと、ゴジラとラドンはその姿に気持ちを動かされたのか、キングギドラとの戦いに参戦。地球の三大怪獣がキングギドラを宇宙に追い返した。

その後、この幼虫は成虫に成長し、「赤イ竹」という秘密組織によりレッチ島という島に連れ去られた小美人やインファント島の人々を助けるべく、島に来訪。この時ゴジラと遭遇しているが、人々の救出を優先し、ほとんど戦うことはなかった。

それから世代交代を経たのか、『怪獣総進撃』（一九六八年）では幼虫のモスラが登場。**キラアク星人**という異星人に操られ、中国の北京で暴れるなどしたが、コントロールが解けた後は他の地球怪獣とともにキングギドラとの戦いに参戦。**クモンガ**とともに糸を吹きかけ、キングギドラの動きを封じるなどして勝利に貢献した。

そしてこれが昭和シリーズにおけるモスラの最後の登場となった。

『ゴジラ　東宝特撮映画全史』によれば、モスラは「女性も見られる怪獣映画」にするため「可愛らしい小美人」を出すというアイディアから始まった企画だという。現在モスラはゴジラに次ぐ人気怪獣となっており、平成になってゴジラの後を継ぐように単独シリーズが作られた他、ゴジラシリーズへの登場も最多となっている。

昭和シリーズのモスラは小美人やインファント島の住人が危険にさらされた時以外は基本的に人間に敵意は持っておらず、ゴジラやキングギドラとの戦いでは人間を助けている。

モスラ［もすら］（平成）

映画『ゴジラvsモスラ』（一九九二年）をはじめとした平成ゴジラシリーズ及び米田興弘監督・川北紘一特技監督の映画『モスラ』（一九九六年）をはじめとする平成モスラシリーズに登場する怪獣。昭和の作品に登場するモスラについては**モスラ（昭和）**の項目を参照。

『ゴジラvsモスラ』では太平洋上の南洋諸島に存在するインファント島に棲息する巨大な娥《が》の怪獣であり、地球の先住民族コスモス（姿は人間の双子の女性のようだが、大きさは人間よりもはるかに小さい）の守護神と設定されている。昭和シリーズと違い、成虫は触覚からビーム（超音波光線）を放つ能力を得ており、また金色の鱗粉《りんぷん》を撒き散らし、光線を乱反射する能力を得ている。

台風と島の開発の影響で露出した卵の状態で現れ、日本へ輸送される途中にゴジラの襲撃に遭い、卵から孵化《ふか》する。ここにモスラの亜種であり、破壊を目的とする娥の怪獣**バトラ**の幼虫も出現し、三つ巴《どもえ》になるが、モスラは隙を見て脱出し、インファント島に帰還する。

その後、連れ去られたコスモスを追い、東京に出現。繭《まゆ》を作って成虫になり、出現したバトラの成虫と戦う。そこにゴジラが乱入し、再び三つ巴となるが、バトラとの和解によりタッグでゴジラに挑む。その戦いの末、バトラの犠牲によってゴジラに勝利し、海の中にゴジラを封印する。その後、モスラはバトラの後を継いで地球に迫る隕《いん》石《せき》の軌道を変えるべく、宇宙に旅立つ。

ミレニアムシリーズの『ゴジラ・モスラ・キングギドラ　大怪獣総攻撃』（二〇〇一年）では今までの設定とがらりと変わり、日本を守る護国三聖獣の一体として登場。成虫は全長三三メートル、翼長七五メートル、体重一万五〇〇〇トンとされる。また出番は短いが、幼虫の姿でも登場している。

ゴジラの出現に呼応して目覚め、鹿児島県の池田湖で繭を作って蛹《さなぎ》になった後、成虫となってゴジラに立ち向かった。

従来よりも細身で昆虫らしさが増した姿になり、特に尻はハチに近い形状をしており、実際に先端から毒針を飛ばす能力を得ている。ギドラとともにゴジラと戦うが、ギドラが戦闘不能になったことでゴジラと一対一の戦いになり、最後はギドラを庇《かば》って放射能熱線を真正面から浴び、炎上した。しかしそのエネルギーはギドラの糧となり、ギドラを千年竜王、**キングギドラ**へと変化させる。

ちなみに歴代でもかなり珍しい、自ら人間を殺害する描写があるモスラでもある。

『ゴジラ×モスラ×メカゴジラ　東京SOS』（二〇〇三年）では再び従来の丸みを帯びたデザインに戻り、体長三六メートル、翼長一〇八メートル、体重一万二〇〇〇トン。『ゴジラ×モスラ×メカゴジラ　東京SOS超全集』（小学館、二〇〇三年）によればかつて同種が東京及びロリシカ国に出現しているとされ、この世界では初代『モスラ』（一九六一年）と同様の出来事があったものと考えられる。

本作のモスラは人類を守るために戦う怪獣とされ、インファント島から日本を訪れる。また昭和シリーズ以来小美人も復活しており、モスラと交信する様子が見られた。

劇中では卵を産んだ後、**3式機龍**に代わりゴジラと戦うが、孵化して親モスラを助けに来た幼虫を庇ってゴジラの放射能熱線に倒れる。

幼虫は『モスラ対ゴジラ』（一九六四年）のモスラと同じくひとつの卵から双子で生まれ、機龍と共闘してゴジラを口から吐く糸でからめ取り、動きを封じた。感情の高ぶりにより目が青から赤に変わるという特徴がある。

続く『ゴジラ　FINAL　WARS』（二〇〇四年）でも登場。地球怪獣が次々と**X星人**に操られていく中、ゴジラとともに彼らの侵略に抗《あらが》った。

一万二〇〇〇年前にもX星人の傀儡《かいらい》であるサイボーグ怪獣**ガイガン**と戦った過去があり、今回も因縁の戦いが勃発《ぼっぱつ》。羽を一部切り取られ、光線によって全身を燃やされながらもそのまま体当たりするファイヤー・ヒート・アタックによりガイガンを粉砕した。

またゴジラとは世界観を別にする『モスラ』（一九九六年）をはじめとする平成モスラシリーズでは歴代最強のモスラが登場。このモスラは他のモスラと同様にインファント島の守護神とされるが、デザインが通常のモスラと違い、羽や目に緑色が使われている。これは幼虫から成虫になる際、繭の糸を屋久島の樹齢一万年の屋久杉にかけたことでその力を与えられたためだとされる。

このモスラは新モスラと呼ばれ、親の仇《かたき》である三つ首の怪獣、デスギドラを圧倒的な力で打ち倒す。その後、『モスラ2　海底の大決戦』（三好邦夫監督・川北紘一特技監督、一九九七年）では古代文明によって作られた人工怪獣、ダガーラとの戦いに敗れた新モスラがレインボーモスラへと変貌し、さらに水中形態であるアクアモスラの姿にも変化してダガーラを打ち破った。

最終作『モスラ3 キングギドラ来襲』（米田興弘監督・鈴木健二特技監督、一九九八年）ではキングギドラに敗れたことで鎧《よろい》モスラという全身が金属のような銀色に染まった姿に変貌。キングギドラを圧倒した。

モスラ［もすら］（モンスター・ヴァース）

映画『ゴジラ キング・オブ・モンスターズ』（二〇一九年）に登場する怪獣。身長一五・八メートル、翼長二四四・八メートル。日本のモスラに比べ細身で、カマキリのような脚、ハチのような毒針など、蛾《が》を主な素材に様々な昆虫のモチーフが取り入れられている。

中国雲南省の密林にある古代遺跡の中で卵の状態で眠っていたが、二〇一九年になって孵化《ふか》。積極的には人間と敵対しないが、敵意を感じた際には抵抗する様子が見られた。

ゴジラ（モンスター・ヴァース）と共生関係にある様子が見られ、ゴジラが**ギドラ（モンスター・ヴァース）**と戦っていることを察知したためか、繭《まゆ》を作って成虫になり、深手を負ったゴジラと交信。人間がゴジラの位置を把握し、ゴジラを復活させるきっかけを作った。その後、ゴジラを助けるため、ギドラとの戦いの場に駆け付けた。

今回のモスラは成虫でも糸を吐く能力を持ち、それによってゴジラの戦いをサポートした。その後、ギドラが呼び寄せた**ラドン（モンスター・ヴァース）**との戦いになり、空中戦を繰り広げ、毒針でラドンを戦闘不能に追い込むも、大きなダメージを追う。

さらにゴジラをギドラから守るため、自らギドラに立ち向かうも、引力光線をまともに浴びて消滅した。しかし残されたモスラのエネルギーはゴジラに受け継がれ、ゴジラがギドラを破るためのきっかけとなった。

初めてハリウッドにて描かれたモスラ。フルCGで描かれ、光を纏《まと》いながら大空を飛び回るモスラの姿はドハティの優れた描写もあり、とても神々しい。

モビー・ディック［もびー・でぃっく］

ハーマン・メルヴィルの小説『白鯨』（一八五一年）に登場する巨大な白いマッコウクジラ。世界中の海で何隻《せき》もの船を沈めてきたため、「海の悪魔」と呼ばれて恐れられている。

小説ではこの鯨に脚を喰いちぎられた船乗りエイハブがピークォド号という船の船長として、モビー・ディックへの復讐を求める物語が描かれる。

そしてモビー・ディックは日本近海の太平洋でエイハブらと遭遇。銛《もり》を何発も撃ち込まれるものともせず、ピークォド号の船員たちを次々と血祭りにあげる。

モビー・ディックはエイハブを海に落とすが、エイハブはなおもモビー・ディックの体にしがみつき、銛を突き刺す。だがその健闘むなしく、モビー・ディックが海に潜ったことで溺死《できし》する。

その姿に奮い立った船員たちがモビー・ディックに挑むも、海の悪魔はさらに暴れまわり、頭突きでピークォド号を破壊し、沈没させる。

これにより、船員は小説の語り手であるイシュメールだけを残し、みな死亡する。そしてモビー・ディックは再び海の中へと去って行った。

アメリカ文学を代表する小説として、刊行以来多くの人々に読まれ、また映像化されてきた作品。

古くは一九二六年に無声映画としてミラード・ウエッブ監督の『海の野獣』が公開されており、一九五六年公開のジョン・ヒューストン監督の映画『白鯨』も有名。

モブラ・エレックトリカス

［もぶら・えれっくとりかす］

香山滋の小説『ガブラ―海は狂っている』（一九七一年、東雅夫編『怪獣文学大全』他収録）に登場する怪獣。

世界最大のイトマキエイの一種とされ、幅一〇メートルはあるヒレを持つ。全身が青みを帯びたやすりのような皮膚に覆われ、有刺鉄線を巻き付けたような太く長い尾を持っている。

強力な発電器官を有し、物語中ではジンベイザメが変異した怪獣、**ガブラ**と戦闘した際、全身を包んで電流を流し、一撃で気絶させてしまった。

同作では放射能により変異した怪獣たちが登場するが、このモブラ・エレックトリカスはそういった要因により巨大化したわけではなく、もとから巨大な種として存在しているような書き方になっている。

しかし、モブラ・エレックトリカスのようなイトマキエイは現実には存在しないため、この小説のため創作された生物かと思われる。

妖虫

［ようちゅう］

デイヴィッド・H・ケラーの小説『妖虫』（一九二九年）に登場する怪物。アメリカ合衆国バーモント州の人里離れた谷合にある製粉所の地下から出現したと描写される。ミミズのような姿をした巨大な虫で、頭部には直径四メートルを超える口がある。この口には歯も牙もないが、妖虫は頭を半円形に動かして目の前にあるものを破壊し、樹木だろうと岩石だろうとすりつぶして飲み込んでしまう。その体長は観測できない程長く、口の中に飲み込まれた物体はその底なしの穴のような妖虫の腹の中に消えていく。

円形の口唇部は鋼鉄の鱗で覆われており、口の両側に目と思われる器官がある。この目は至近距離で放たれたライフルの弾丸を弾くほどに硬く、また体表が岩石のように硬い皮膚で覆われているため、体に傷を付けることすら困難なのだという。

アメリカのSF雑誌『アメージング・ストーリーズ』（一九二九年三月号）に収録されたものが初出。名前は中村融編『千の脚を持つ男』によった。

この怪物がバーモント州の製粉所目指して地下から現れた理由は、製粉所で使われていた石臼《いしうす》の音がこの怪物が出す音に似ていたためと語られている。妖虫の出現から約二〇〇年前に稼働し始めた石臼の音を聞きつけ、妖虫は二〇〇年かけて岩盤を掘り進めた。それは自身の連れ合いを見つけるためだった。

このように、遠くから聞こえてくる音を自分と同種のものが発する音や声だと勘違いした怪物が、その音の鳴るところへ向けて遠い世界からやって来るという話は、レイ・ブラッドベリの『霧笛』（一九五二年）にもみられるが（**リドサウルス**の項目参照）、この作品は先駆けとなっている。

ヨンガリ ［よんがり］

キム・ギドク監督の映画『大怪獣ヨンガリ』（一九六七年）に登場する怪獣。中東の核実験で眠りから目覚めた身長六〇メートルの巨大な爬虫類《はちゅうるい》で、真っ黒な皮膚をした二足歩行のトカゲのような姿をしている。鼻の先に一本角が生え、背中には一列に背ビレが生える。口から炎を、角から切断光線を放つ。

熱エネルギーや燃料を餌《えさ》とする習性があり、炎を直接吸い込んだり、ガソリンや油を飲んだりする。そのため通常の兵器による攻撃は餌にしかならず、意味をなさない。

一方、アンモニアを弱点としており、皮膚にかかると化学反応を起こす。これを利用して最後は大量のアンモニアを散布され、痙攣《けいれん》、下血して死亡した。

ヨンガリは着ぐるみで描写されるが、特撮部分を請け負ったのが昭和ガメラシリーズと同じエキスプロダクションであるため、目の造形などがガメラ怪獣と似通っている。また口から火を吐いたり、熱エネルギーを吸収するという性質はガメラに、角から放つ切断光線はギャオスにと、設定面でも類似した点が見られる。

ガメラは子どもの味方だが、ヨンガリも子どもと一緒に民俗音楽のアリランを聞いて踊り出すなど、ひょうきんな一面も見せた。

二〇〇〇年にはリメイク版である『怪獣大決戦ヤンガリー』（シム・ヒョンレ監督）が米韓合作として公開されている。こちらでは二億年にわたり眠り続けていた怪獣「ヤンガリー」として登場。身長一〇六メートル、体重一〇〇トンの巨体を持ち、異星人によって復活させられ、彼らに操られた。口から火球を放ち、異星人の力によるテレポート能力を身につけている。しかし異星人がヤンガリーを操るために額に付けていた「ダイモン」という結晶体を破壊されてからは地球人に味方し、異星人が操るもう一体の怪獣、サソリゲスと戦った。

ら

雷牙［らいが］

林家しん平監督の映画『深海獣雷牙』（二〇〇九年）に登場する怪獣。

前作『深海獣レイゴー』（二〇〇八年）に登場した**レイゴー**が進化したもので、陸上に適応し、二足歩行で移動できるようになっている。雷を操ったり、エネルギーを集中して手から光弾として放つ、口から光線を放つなど多彩な攻撃方法を持つ。

劇中では東京湾から隅田川に侵入、浅草に上陸し、街を蹂躙《じゅうりん》した。さらに二体目も出現し、縄張り争いを繰り広げることになる。

ラドン［らどん］

映画『空の大怪獣ラドン』（一九五六年）及びゴジラシリーズに登場する怪獣。身長五〇メートル、翼長一二〇メートル、体重一万五〇〇〇トン。

『空の大怪獣ラドン』では、九州の阿蘇山付近に埋まっていた巨大な卵が孵化《ふか》した怪獣とされ、マッハ一・五のスピードで空を飛ぶ。翼竜プテラノドンに関連のある動物で、水爆実験や異常気象の影響で復活したとされる。

劇中では阿蘇山の炭坑の奥で二体が誕生し、同じく古代生物であり、古代トンボの幼虫**メガヌロン**を餌《えさ》にして成長する。

成体となった一体が北九州を襲撃した際には、飛行するだけで衝撃波が発生し、街が破壊されるという事態に陥った。さらにもう一体が出現し、福岡の街を蹂躙《じゅうりん》し、帰巣本能により阿蘇山の河口付近に戻る。しかしそこで自衛隊の総攻撃を受け、さらに火山の噴火に巻き込まれ、溶岩の中に消えていった。

映画『三大怪獣 地球最大の決戦』（一九六四年）では再び阿蘇山から出現。海から現れた**ゴジラ（二代目）**と戦いになり、羽ばたきによる突風や啄《ついば》み、尻尾への噛み付きなどで戦った。またゴジラの放射能火炎をものともしない防御力も見せている。

戦いの途中、**モスラ（昭和）**が現れ、宇宙怪獣である**キングギドラ**から地球を守ることを説得されるが、ゴジラとともになぜ人間を助けなければならないのかと無視する。

しかし一匹でキングギドラに立ち向かうモスラの姿を見て心動かされ、ゴジラとともにキングギドラに立ち向かい、三大怪獣の共闘によりキングギドラを宇宙に追い返す。

続く『怪獣大戦争』（一九六五年）ではキングギドラを撃退するため、という名目で**X星人**に地球から連れ去られる。そしてX星に輸送され、キングギドラと戦い、勝利するが、その後X星人に操られ、地球を襲撃。だが解放され、後には再びゴジラと共闘し、キングギドラを改めて宇宙に送り返した。

その後、『怪獣総進撃』（一九六八年）にも登場。最初は**キラアク星人**に操られてロシアのモスクワを襲撃するが、その後は地球怪獣たちとともにキングギドラと戦う。この戦いでついにキングギドラは死亡。ゴジラとともに長い因縁に決着をつけるのだった。

以降昭和シリーズに出番はなかったが、平成になってから『ゴジラvsメカゴジラ』（一九九三年）に登場。こちらはプテラノドンが核廃棄物の影響で怪獣化した存在とされ、体長七〇メートル、翼長一五〇メートル、体重一万六〇〇〇トンと巨大化している。

もとはベーリング海のアドノア島にて眠っていた卵から孵《かえ》ったプテラノドンで、その際、巣に托卵されていた**ゴジラザウルス**の卵を兄弟だと思い、同族を求めて現れたゴジラと戦う。この戦いでゴジラの放射能熱線により撃墜されるが、太古の植物が発するメロディの力で復活。体が赤く染まり、口からウラニウム熱線を吐けるようになった。この状態のラドンはファイヤーラドンと呼ばれる。

ファイヤーラドンは卵から孵ったゴジラザウルスの幼体、ベビーゴジラを求めて日本に上陸。輸送中のコンテナを襲い、ベビーゴジラを強奪するが、そこに対怪獣用兵器として開発された戦闘機ガルーダと巨大ロボット、**メカゴジラ**が出現。ガルーダを撃墜し、メカゴジラにダメージを与えるも瀕死《ひんし》の重傷を負い、倒れる。

その後に現れたゴジラもまたガルーダと合体した**スーパーメカゴジラ**により倒れるが、それを見たラドンは最後の力を振り絞り、ゴジラのもとへ飛行。弟だと信じていたベビーゴジラを守るために光の粒子となり、ゴジラに力を与えて復活させ、ゴジラに勝機を与えた。

『ゴジラ FINAL WARS』（二〇〇四

年）にも登場。こちらの個体は身長一〇〇メートル、翼長二〇〇メートル、体重三万トンとさらに巨大化している。

プテラノドンが変異した怪獣とされ、X星人に操られてアメリカのニューヨークに襲来。マンハッタンに甚大《じんだい》な被害をもたらした。

その後、富士の裾野にて**アンギラス**、**キングシーサー**とともに復活したゴジラと対決するも、あっけなく倒されてしまった。

『空の大怪獣ラドン』（一九五六年）は東宝特撮映画では初のカラー作品であるため、ラドンは初めてカラーで描かれた東宝怪獣ということになる。

この作品には原作として黒沼健の小説『ラドンの誕生』（一九五六年、『怪獣大戦争怪獣小説全集Ⅱ』収録）がある。この作品ではラドンは最後、海に潜《ひそ》んでいたところを凍結爆弾によって凍らされ、氷塊となった状態のまま爆弾によって爆破されることで倒されている。

ラドン［らどん］（モンスター・ヴァース）

映画『ゴジラ キング・オブ・モンスターズ』（二〇一九年）に登場する怪獣。体長四六・九メートル、翼長二六五・五メートル。

メキシコのイスラ・デ・マーラという島の活火山から出現した翼竜のような姿の怪獣。全身が黒い岩石のような皮膚に覆われており、翼の端は溶岩のように燃えている。そのため。羽ばたくだけで高熱を撒き散らし、ソニックブームを発生させる。

劇中では環境テロリストの人間によって目覚めさせられ、火山の火口から噴火とともに出現。現場にかけつけた怪獣の調査研究機関であるモナークの司令船アルゴと護衛部隊からの攻撃を受けたため、イスラ・デ・マーラの町を破壊しながらモナークを襲撃した。海上で護衛部隊を全滅させるが、アルゴの誘導により嵐を纏《まと》って出現したギドラと激突することになる。

体格差のあるギドラと正面からぶつかるラドンであったが、両翼に噛み付かれた上で引力光線を浴び、撃墜される。

その後、しばらく姿を見せなかったが、**ゴジラ（モンスター・ヴァース）**と**モスラ（モンスター・ヴァース）**がギドラと戦っているところへギドラに加勢するために出現。モスラと戦い、その羽を燃やすなど善戦する。しかしモスラに噛み付こうとしたところ、肩口に毒針を突き刺され、戦闘不能になった。

そしてギドラがゴジラに敗れた後、ゴジラを新たな王と認め、その足下に跪《ひざまず》くのだった。

英語では「RODAN」と呼ばれる。『三大怪獣 地球最大の決戦』（一九六四年）と同じく**ゴジラ（二代目）**、**ラドン**、**モスラ（昭和）**、**キングギドラ**が登場する映画だが、地球の三大怪獣が協力してキングギドラと戦った旧作に対し、今作はギドラに味方する怪獣としてゴジラ、モスラと敵対する。

『空の大怪獣ラドン』（一九五六年）の初代ラドンや、ゴジラシリーズに登場する二代目ラドンが活火山の阿蘇山で生まれ、『ゴジラvsメカゴジラ』（一九九三年）に登場する平成ラドンが口から熱線を吐くファイヤーラドンに進化するなど、火山や炎と縁のあるラドンだが、今作のラドンもその流れを汲むように活火山の火口から出現し、高熱を纏うようなビジュアルになっている。

　ラストの一度敵対したゴジラに服従する姿については、モンスター・ヴァースにおける巨大怪獣（タイタンと呼ばれる）たちは最も強い怪獣に従う習性があるため、本能的なものとも考えられる。実際、『ゴジラ キング・オブ・モンスターズ』（二〇一九年）では、ギドラの呼び声に従って出現した他の怪獣たちもギドラがゴジラに敗れたことでゴジラに服従している。

　ただラドンが戦う相手はギドラとモスラのみであるため、個人的な意見としてはゴジラと戦うラドンの姿も見てみたかった。

リドサウルス ［りどさうるす］

ユージン・ローリー監督の映画『原子怪獣現わる』（一九五三年）に登場する怪物。「レドサウルス」「リドザウルス」と表記される場合もある。

　四本足歩行をする巨大なトカゲのような恐竜の一種で、頭頂部から尾の先にかけてナイフのように鋭い背ビレが一列に並ぶ。

　体長は約六一メートル、体重は五〇〇〇トン。体高は劇中の描写を見ると一五メートルほど。肉食で、人間を捕食する。

　頭は砲弾を通さない分厚い頭蓋骨に覆われているが、首の下部分の皮膚が脆《もろ》く、バズーカなどで傷を与えることができる。

　しかしその血液には古代の病原菌が含まれており、これに感染した人間は数分で動けなくなり、数日で死に至る。そのため、砲弾などで爆発させたり、火炎放射器で燃やし尽くせば病原菌が拡散するという厄介な性質がある。

　北極圏で氷の中に一億年以上閉じ込められていたが、核実験により氷が溶解し、蘇生。水陸両生のようで、北極圏のバフィン湾から北海海流に沿って移動し、アメリカの東海岸に辿《たど》り着くとメイン州の灯台を倒壊させたり、マサチューセッツ州の海岸を襲撃するなどしている。その目的地はかつての棲息地であったニューヨーク州であり、上陸した後はマンハッタンを破壊し、人々を蹂躙《じゅうりん》した。

　このリドサウルスに対して軍が出動し、バズーカで首の下に傷を与えるが、そこから流れ出した血に含まれている病原菌で多数の犠牲者が出る。このため、傷口から直接放射性アイソトープを撃ち込み、リドサウルスの体内を破壊する作戦が決行される。

　リドサウルスは次に夜の遊園地に出現。この地が最終決戦地となり、主人公である物理学者トムと、軍人のストーン伍長《ごちょう》により首に放射性アイソトープ弾を撃ち込まれ、もがき苦しんだ末、息絶えた。

　映画史上初めて放射能の影響により蘇っ

た古代の怪物として描写されたキャラクターであり、翌年に公開された『ゴジラ』（一九五四年）に影響を与えたことでも知られている。実際ゴジラとリドサウルスには共通点が多く、核実験によって蘇った古代生物である、海中と陸上を自在に移動し、海から出現する（劇中ではリドサウルスが海中を泳ぐ様子も描写されている）、通常の兵器で倒すことができず、特殊な武器によりとどめを刺す、などが挙げられる。

リドサウルスの動きはストップモーション・アニメーションによって描写されており、レイ・ハリーハウゼンが担当している。後に多くの映画で様々なモンスターたちのストップモーション・アニメーションを担当したハリーハウゼンだが、この映画は彼にとって出世作となった。

リドサウルス自体のデザインも非常に洗練されており、今見ても色あせていない。ハリーハウゼンが語るところによれば、これは『原子怪獣現わる』の原作としてクレジットされているレイ・ブラッドベリの小説『霧笛』（一九五二年、大西尹明訳、創元SF文庫『ウは宇宙線のウ』（二〇〇六年）等収録）が夕刊に掲載された際、そこに描かれていた灯台を襲う恐竜のデザインを参考にしたのだという（ブルーレイ版『原子怪獣現わる』特典映像として収録）。

ハリーハウゼンとブラッドベリは旧知の仲であり、学生時代からの親友であったが、『原子怪獣現わる』の企画と『霧笛』の内容が類似したのは偶然だったようだ。『霧笛』は太古の恐竜が自分の鳴き声に似た灯台の霧笛の音を聞き、仲間を求めて海の向こうからやって来るという、切ない物語になっている。

ハリーハウゼンとブラッドベリの対談によれば、まずハリーハウゼンはプロデューサーのジャック・ディーツから『原子怪獣現わる』の原案となるプロットを聞き、映画の特撮の制作に加わることになる。

ハリーハウゼンが、監督と美術を担当したユージン・ローリーと脚本の内容を練っていた時に、ディーツが『The Beast from 20,000 Fathoms（『２００００ファゾムからの怪物』、後の『霧笛』）』が掲載されたサタデー・イブニング・ポストの夕刊を持ってきた。そこには小説とともに灯台を襲う恐竜のイラストが描かれており、小説の作者として親友のブラッドベリの名前があった。

また、その後、ディーツはブラッドベリを呼んで『原子怪獣現わる』の脚本を渡し、アドバイスを求めたが、その際にブラッドベリがディーツのプロットとそっくりな物語の小説を新聞社に投稿していることを伝えた。これによりブラッドベリの小説が映画の原作とされることになる。

ブラッドベリの『The Beast from 20,000 Fathoms』は一九五一年六月二三日のサタデー・イブニング・ポストに掲載されており、上述の挿絵は画家のジェームズ・ビンガムが描いたもので、恐竜のデザインは四つ足で頭部から尾にかけて真っ直ぐな背ビレがあるというものになっている。その姿はリドサウルスによく似ているが、ジェフ・ロヴィン著『怪物の事典』によれば、リドサウルスのデザインはこの挿絵がもとになっているという。

　ちなみにリドサウルスのアルファベット表記は「Rhedosaurus」であり、レイ・ハリーハウゼンのイニシャル「R・H」をとって名付けられた、という話が有名だが、ハリーハウゼンは「リドサウルスは自分の名前のもじりだと噂《うわさ》されたこともあった」と語っているため、由来は別にあるようだ。

『霧笛』と『原子怪獣現わる』の物語は太古の恐竜が現れ、灯台を襲う、という部分以外はあまり類似していないが、ハリーハウゼンのインタビューによればリドサウルスの最期についてローリー、ハリーハウゼン、ブラッドベリの三人で結末を考え、ハリーハウゼンの案で主人公が遊園地で放射性アイソトープを撃ち込むというラストが決まったという。このため、原作の提供だけでなく、映画の内容にもブラッドベリが関わっていたことが窺える。

　ハリーハウゼンとブラッドベリはともにウィリス・オブライエンが特撮を務めた映画『キング・コング』（一九三三年）を楽しんだという。

　そしてハリーハウゼンはウィリス・オブライエンに弟子入りしてストップモーション・アニメーションの技術を学び、ブラッドベリの小説を原作とした映画で特撮を担当し、一躍有名になった。

　そんな不思議な巡り合わせの末に生まれたのがリドサウルスという怪物なのだ。

リバーデビル ［りばーでびる］

映画『キングコング　髑髏島《どくろとう》の巨神』（二〇一七年）に登場する怪物。

　体長二七メートルに及ぶ頭足類で、タコとイカを組み合わせたような姿をしている。劇中では南太平洋の孤島、髑髏島の入江に出現。傷を癒すために現れたコングに襲われ、無数の触手を使って抵抗するも、足で体を踏み潰《つぶ》されて餌《えさ》にされた。潰された際に黒い液体を噴出していたことから、恐らく墨を吐く能力があったものと思われる。また劇中では描写されないが、顎《あご》を遠心分離機のように回転させて渦巻を作り、獲物を呑み込むという狩りを行うらしい。

『キングコング　髑髏島の巨神』劇場パンフレットによれば『キングコング対ゴジラ』（一九六二年）に登場した**大ダコ**へのオマージュであるという。

レイゴー ［れいごー］

林屋しん平監督の映画『深海獣レイゴー』（二〇〇八年）に登場する怪獣。漢字では「零号」と表記される。

　体長八〇メートルもある巨大海棲生物で、トラック諸島（現チューク諸島）の伝説の怪物でもある。普段は深海に潜《ひそ》んでおり、夜になると海面近くに現れる。夜行性で体に電気を帯びており、出現する際には青白い稲妻が放射される。

　その姿はヒレを持つ巨大なトカゲといった様相で、白亜紀の海にいたという海棲爬虫類《はちゅうるい》、モササウルス科の動物に近い。ただしモササウルス科とは違い、背中に巨大な背びれを持つ。

太平洋戦争時、トラック諸島に駐留中であった日本海軍の大和以下連合艦隊と遭遇。海軍がレイゴーの子どもを敵潜水艦と誤断して主砲攻撃を行い殺害したことで復讐を誓い、共生関係にあるボーンフィッシュとともにたびたび連合艦隊を襲撃、甚大《じんだい》な被害を出した。しかし最後は戦艦大和により腹部を撃ち抜かれ、絶命した。

レイゴーのデザインコンセプトは「ゴジラが水爆実験の影響を受けず進化したらどうなるか」というものだったらしく、頭部はかなりゴジラに似ている。

また続編の『深海獣雷牙』（二〇〇九年）では**雷牙**という怪獣が登場している。詳細は当該項目参照。

レイジウイルス ［れいじういるす］

ダニー・ボイル監督の映画『28日後…』（二〇〇二年）及びファン・カルロス・フレスナディージョ監督の続編『28週後…』（二〇〇七年）に登場する架空のウイルス。感染した人間や動物を異常に凶暴化させ、理性なく他者を襲う存在に変えてしまう。

感染力も高く、感染した動物の血液や唾《だ》液《えき》など体液が粘膜に触れる、体内に入るなどするとウイルスが数秒で脳に侵入し、精神を司る部分を破壊してしまう。数秒から数十秒で症状が発現し、凶暴化する。その際、感染した者は相手に噛み付くなどして攻撃するため、それによって感染が広がる。さらにウイルスに侵されている間は痛みや疲労を感じないのか、体が傷つくことを気にすることなく、常に全速力で走って追ってくるため、非常に厄介である。

感染者は瞳が赤く染まり、感染していない同種の動物を選んで襲うという特徴がある。また感染者は物を食べなくなるため、数週間も経てば餓死する。加えてあくまで感染者は人間であるため、頭を破壊するなど普通の人間と同じように殺害することもできる。

もともとはチンパンジーに感染していたウイルスであったが、医療科学研究所を動物愛護団体が襲撃し、ウイルスに感染していたチンパンジーを逃がしたことで人間の間に蔓延《まんえん》した。ロンドンをゴーストタウンにするほどの凶悪性を見せた。

ゾンビ映画のひとつとして数えられることも多いシリーズであるが、襲ってくるのは死者ではなく生者である。こういったウイルスによって凶暴化した人間に襲われるジャンルは古くからあり、狂牛病に侵された人間たちが互いに殺しあったり、非感染者を襲う『処刑軍団ザップ』（一九七〇年）や、『ザ・クレイジーズ 細菌兵器の恐怖』（一九七三年、**トリクシー**の項目も参照）があり、本作もその系譜にあるといえる。

レプティリカス ［れぷてぃりかす］

ポール・バン及びシドニー・ピンク監督の映画『原始獣レプティリカス 冷凍凶獣の惨殺』（一九六一年）に登場する怪獣。

デンマークのツンドラ地帯に棲息していた一億年以上も前の太古の爬虫類《はちゅうるい》。驚異的な再生能力を持ち、肉片ひとつから復活することが可能。その姿は細長い蛇のようなドラゴン、いわゆるワームのような姿をしており、背には翼がある。また小さな脚があるが、基本的には蛇のように這《は》って移動する。肉食で人間や牛を喰う。

　体長は二七メートル以上あるとされ、その巨体で体当たりしたり、噛み付いたりして攻撃する。また口からは緑色の蛍光色の毒液を吐き、遠距離にいる相手にも対応できる。また骨は装甲板のように硬く、砲弾や銃弾などの兵器が通用しない上、より強力な攻撃で爆破などすれば破片から再生するため、厄介な性質を持つ。

　劇中では鉱山の採掘の際に凍った状態の尾の部分が発掘され、水族館に運ばれて調査が行われるが、偶然氷が溶けてしまう。

　その際古代生物の尾の発掘時にドリルで傷つけられた部分が再生したため、まだ細胞が生きていることが判明する。

これを見た研究者により尾は培養液に漬《つ》けられ、再生が促進されることになるが、レプティリカスは予想以上の速度で再生し、もとの姿に戻ると、街中に出現して暴れ始めた。

　その後、火炎放射器による攻撃を受け、海に潜ったレプティリカスはそこで水中爆雷による攻撃を受け、前脚を吹き飛ばされるなどダメージを負い、行動不能になる。しかし破片から怪獣が再生し、個体が増加することを恐れたデンマーク軍は攻撃を中止。やがて再生を完了したレプティリカスは再びコペンハーゲンに出現。街を破壊しながら進むが、口の中に強力な麻薬を打ち込まれ、意識を失う。

　その後、レプティリカスの体はばらばらにされ、完全に処分されたかに思えた。しかし海中では水中爆雷により吹き飛ばされたレプティリカスの片脚が再生を始めていた。

　デンマーク唯一の怪獣映画として知られる本作だが、デンマークの全面協力がありレプティリカスを迎撃する軍隊は戦車や軍艦まで本物が使われている。また大量のエキストラが参加しており、怪獣の出現に伴って逃げ惑う群衆の姿がこれでもかと描写されている。

　レプティリカスは操演によって撮影されているが、ドラゴンのような姿の怪獣が軍隊の攻撃をものともせずに破壊活動を繰り返す様は非常に楽しい。アメリカ公開版ではカットされている翼を広げて空を飛ぶ場面もあるのだが、この際には通常より翼が大きく描写されている。

　いろいろと特撮部分の拙《つたな》さがネタにされるレプティリカスだが、個人的にはとても好きな怪獣。幼い頃『冷凍凶獣の惨殺』というタイトルを見て、冷気による攻撃を行う怪獣なのかと勘違いしたのも今は良い思い出だ。

　アメリカン・コミックスの出版社チャールトンコミックスによりレプティリカスを主役にしたコミックも発売されており、こちらでは存分に空を飛ぶレプティリカスの姿を拝むことができる。また同じくチャールトンコミックスが刊行していた**ゴルゴ**を主役としたコミックとクロスオーバーし、ゴルゴと共演したこともある。

わ

ワーバット
［わーばっと］

映画『ゴジラvsコング』（二〇二一年）に登場する怪獣。地球の地下空洞に棲みついている全長一三〇メートルの巨大生物で、コブラのような姿をしているが、体の両側に翼のように発達した皮膜が生え、空中を滑空して獲物に襲いかかる。

劇中には二体登場し、地下空洞を訪れたコングと交戦する。一体はコングに尾を摑まれ、地面に叩きつけられて死亡。もう一体はコングに巻き付き、動きを封じるも、コングとともに地下空洞にやって来た人間による攻撃を受け、怯《ひる》んだところをコングに振りほどかれ、拳を叩きつけられて絶命した。

なお、『ゴジラvsコング』のパンフレットによればワーバットは牙に毒液を持つと設定されている。また学名は「ベラム・ヴェスペルティィリオ」だと記されている。

column 01

怪獣と怪物

一九五四年公開の『ゴジラ』以降、日本ではフィクションに登場する特殊な姿・能力を持つ生物の呼称として「怪獣」が定着し、現在も広く使われています。

その一方、同じような存在に対し「怪物」「モンスター」といった言葉も使われます。ではその違いは何なのでしょうか。

結論からいえば、これは個々人の判断に委《ゆだ》ねられるとしかいえません。

怪獣と怪物を区別する際、よく使われる基準としては、怪獣は巨大で、通常兵器で倒せず、特殊な能力を持っており、既存の生物とは異なる姿をしている、などです。

ただこういった要素にほとんど当てはまらない怪獣もいれば、逆に当てはまる怪物もいます。

たとえばゴジラシリーズやガメラシリーズ、ウルトラシリーズに登場するものは、多くの人は怪獣と答えるでしょう。ただ、特にウルトラシリーズなどは、等身大のものも、ロボットや妖怪のようなものまで怪獣という括《くく》りに入れることを可能にしています。

またゴジラの前身となったキングコングやリドサウルスは怪獣ではないのかといえば、意見が分かれるでしょう。他にも日本の怪獣映画に影響を与えた海外の古典映画はたくさんありますし、その逆もしかりです。

では日本の作品に出てくるものは怪獣で、海外の作品のものは怪物なのかといえば、そうとも言い切れないのが現状でしょう。

つまり改めて考えてみると、怪獣と怪物を客観的に区別することは難しいのです。ただその違いを考えてみるのは面白いので、自分は一体どうやって区別しているのか、改めて考えてみるのもお勧めです。

chapter 2

科学的変異
人造生物

あ

悪魔の植物人間

［あくまのしょくぶつにんげん］

ジャック・カーディフ監督の映画『悪魔の植物人間』（一九七四年）に登場する怪人。人間と植物を組み合わせ、両方の性質を持つ生物を作ることに生涯を捧げる狂気の科学者、ノルター教授によって植物の細胞と融合させられてしまったトニーという青年。

その姿は全身緑色で手の先が花の花弁のようになっており、体の前面にハエトリグサの葉のような形をした巨大な葉が生える。また顔は醜く歪《ゆが》み、口はウツボカズラのような形になり、前に突き出ている。

体の前面の葉は捕らえた人間を消化する力を持ち、トニーは復讐のためノルター教授を襲い、これによって殺害した。しかしその直後、ノルター教授の研究所を包む炎に巻かれ、非業の死を遂げた。

『ザ・フリークメーカー』のタイトルで紹介されることもある。劇中では他にもノルター教授の実験で巨大化した食虫植物や、実験の失敗で異形化した人間などが登場する。

人間と植物を組み合わせるという発想は『ゴジラvsビオランテ』（大森一樹監督・川北紘一特技監督、一九八九年）の**ビオランテ**の先輩に当たるといえるかもしれない。

アベレーション・バグ

［あべれーしょん・ばぐ］

ロレンツォ・ドゥマーニ監督の映画『アベレーション2』（一九九七年）に登場する、殺虫剤により突然変異を起こしたゴキブリたち。

カリフォルニア州のマウンテンビューに出現し、人間に直接襲いかかる他、体内に産卵して幼虫が人間の肉を食い破って出てくるというおぞましい生態を持つ。また人間よりも大きな女王ゴキブリが存在しており、クライマックスで姿を現す。この女王ゴキブリは強力な殺虫剤や銃弾、手榴弾《しゅりゅうだん》の爆発にさえ耐える力を持つ。また人間ほどの大きさがあるにもかかわらず、羽で空を飛ぶことも可能である。

邦題は『アベレーション2』だが、突然変異したトカゲが襲ってくる『アベレーション』とは無関係な映画（**アベレーション・リザード**の項目も参照）。原題は『BUG BUSTER』だが、このタイトルの由来にもなっているキャラクター、ジョージ将軍が良いキャラをしており、バグバスターとしてゴキブリたちを殲滅《せんめつ》しながら、クライマックスでは武器を失った後、素手で女王ゴキブリに挑む。

昆虫パニック映画と思いきや、人間サイズとはいえ巨大なモンスターが登場するのは嬉しい。

ただ女王ゴキブリ以外のゴキブリは基本的に本物が使われており、さらに幼虫にはヤスデが使われているため、苦手な人にはとことんきつい映画かもしれない

アベレーション・リザード
［あべれーしょん・りざーど］

ティム・ボクセル監督の映画『アベレーション』（一九九七年）に登場する殺人トカゲ。固有名がないため、項目名は筆者が便宜的に設定した。

ニュージーランドの雪深い山に出現した突然変異種のヤモリ。ヤモリだがトカゲと紹介されることが多い。

猫や小型犬ほどの大きさがあり、自分よりも大きな動物に襲いかかり、捕食する凶暴性を持つ。また猛毒の液を吐く能力も所持している。

異常な適応能力を持ち、銃弾を受ければ銃弾を弾く外皮を纏《まと》い、水中に入れられればエラ呼吸を獲得し、火で燃やされれば毒液を吐いて消火するなど、ダメージを受けるとそれに対抗して進化を果たす。また卵生で、一度に三つの卵を産み、次々と増えていく。

殺すには新しい耐性を獲得する前に殺しきるしかなく、一度に強力なダメージを与える必要がある。

『ウルトラマン』に登場した変身怪獣ザラガスのような耐性能力を持った怪物である。ちなみにヤモリがなぜ突然変異したのかはまったく語られない。

同年に公開された『アベレーション2』という映画があるが、これは邦題で勝手に続編のようなタイトルにされたのみであり、無関係な映画である。こちらにはゴキブリやヤスデが突然変異した怪物が登場する。詳細は**アベレーション・バグ**の項目を参照。

アンソニー
［あんそにー］

ジェフリー・オブロウ及びスティーヴン・カーペンター監督の映画『キンドレッド 戦慄の異形生命体』（一九八六年）に登場する怪物。

アマンダ・ホリンズという科学者が自分の息子ジョンの細胞に「ヒモシアニン（ヘモシアニン）」という化学物質を加えたことで誕生した人造生物。アマンダからはジョンの弟として「アンソニー」と名付けられる。

頭部が肥大化し、人間とタコを混ぜたような姿をしており、目が赤く光る。腋《わき》には複数の触手が生えており、これによって外敵の首を絞めるなどして攻撃する。

劇中には、体長二、三〇センチのものから人間大のものまで様々な大きさのアンソニーが登場する。アマンダの子守歌を聞くとおとなしくなるなど、かろうじて人間味のある性質も見せたが、基本的には人間に

敵対的であり、最後は全滅させられる。

イリス［いりす］

金子修介監督・樋口真嗣特技監督の映画『ガメラ3 邪神覚醒』（一九九九年）に登場する怪獣。身長九九メートル、翼長一九九・九メートル、体重一九九トン。

ヒューマノイド型だが、背中には四枚の翼のような形の皮膜と、先端が槍状《やりじょう》になった触手が生える。また頭部は先端に向けて尖《とが》った外骨格に覆われ、その隙間に発光する単眼が覗く。

皮膜を使ってマッハ九のスピードで空を飛び、触手はそれ自体が武器になるだけでなく、先端から超音波メスを発射する。またこの触手を他の生物に突き刺し、遺伝情報を吸い取って技をコピーする能力も持つ。

その正体は**ギャオス（平成）**の変異体とされ、劇中では奈良県高市郡南明日香村の祠《ほこら》にあったギャオスの休眠卵から誕生した。誕生した直後は大型犬ほどの大きさで、背中に殻を背負うカタツムリに似た姿をしていた。この殻から触手が何本か伸びており、これを獲物に突き刺して体液を吸い取り、餌《えさ》とする。

封印を解いた比良坂綾奈という少女に彼女の飼い猫であったイリスの名前を付けられ、育てられる。

理由は不明だが**ガメラ（平成三部作）**を憎悪しており、肉親をガメラとギャオスの戦いにより殺害されたことでガメラを憎んでいる綾奈と共鳴。殻を破り、彼女の憎悪と絶望を取り込んだ後、人間や野生動物を喰い殺し、その遺伝子情報を取り込みながら急成長する。そして巨大怪獣と化したイリスは綾奈と完全な融合を果たすため、彼女のいる京都に襲来。それを追ってやって来たガメラと戦いになり、ガメラの腕に触手を突き刺してその遺伝子情報を取り込む。

それによりプラズマ火球を放つ能力を得たイリスであったが、ガメラがその火球をちぎれた右腕で受け止めて炎の腕に変化させ、イリスに打ち付けたことで倒される。

劇中でギャオスの変異体と説明されるが、どのような過程でイリスに変異したのかは不明。その姿や特徴の類似点も頭部にかろうじて面影を残すこと、超音波メスを武器とすることぐらいで、ギャオスとはかけ離れている。

ガメラとの戦いは空中戦と地上戦が展開されるが、一度目の空中戦はCGと実写を組み合わせて描かれており、その美しさは怪獣映画史上でも随一。また地上戦では京都駅構内を舞台に怪獣映画初の屋内戦が描かれている。

宇宙の怪人［うちゅうのかいじん］

ロバート・デイ監督の映画『宇宙の怪人』（一九五九年）に登場する怪人。

地球人のパイロット、ダン・プレスコットが変異した存在。ダンはテストパイロットとして実験ロケットの打ち上げに参加し、「宇宙へ行った最初の人間」の称号を得るために予定高度を超えて宇宙空間へと飛び立つも、そこで隕石塵《いんせきじん》と衝突してしまう。

これによりロケットは墜落。ダンも脱出装置を作動させるが、行方不明になる。

しかしダンは生きていた。隕石塵に衝突した際、ロケットの操縦席の窓と宇宙服のバイザーが破壊され、ダンは高熱とともに体中の血液が沸騰《ふっとう》する感覚を覚える。しかし隕石塵が体を覆い、膜を作ると、体感温度は下がり、生き延びることができた。この物質はX線や赤外線を遮断する性質を持っているだけでなく、凄《すさ》まじい減圧からも彼を保護した。

ダンはそのまま地上に降りたが、今度は逆に地球上の高い気圧のもとでは満足な呼吸ができない体になってしまっていた。

充分な思考もできず、ただ生存本能に突き動かされ、彼は自分に近付く人間を襲ったり、血液銀行を襲撃するなどして、自分の体に不足する血液を摂取しはじめた。

その姿は宇宙服ごと隕石塵の膜に覆われて、全身が瘡蓋《かさぶた》のようになっており、かろうじて右目と口元だけが人間の原型をとどめているという、悲惨なものだった。また普通の人間以上の怪力を持ち、銃弾をものともしない強靭《きょうじん》な肉体に変化している。

先行するヴァル・ゲスト監督の『原子人間』（一九五五年、**原子人間**の項目参照）と同じく、宇宙に行った人間が怪物となって帰還するという話である。怪物となってしまったダンだが、ラスト、自我を取り戻し、ある言葉を恋人に語りかける姿には泣かされる。

エビラ ［えびら］

福田純監督・円谷英二特技監督の映画『ゴジラ・エビラ・モスラ 南海の大決闘』（一九六六年）に登場する怪獣。

もともとは南太平洋のレッチ島という島の海に棲むエビであったが、「赤イ竹」という秘密結社が島に核兵器工場を作り、そこから流れ出た放射能廃液により巨大怪獣化したもの。全長五〇メートル、体重二万三〇〇〇トン。

オレンジ色の巨大なザリガニのような姿をしており、左右でハサミの大きさが違い、右側が大きい。また**ゴジラ（二代目）**と岩を投げ合うなど、器用な使い方もできる。

特定の木の実から流れ出る黄色い汁を苦手としており、それを利用して赤イ竹に用心棒扱いされていた。しかし忠誠心があったわけではなく、単純に黄色い汁を用いる赤イ竹を攻撃できなかっただけで、それがなくなった後は攻撃対象と見なしている。

レッチ島に眠っていたゴジラが落雷により目覚めた際、交戦。正面から激突した他、水中に潜って不意打ちを仕掛けたり、水中に引きずり込むなどしたが、岩で殴られて逃走。

その後、島から逃げようとする赤イ竹の船を破壊した際、再びゴジラと相まみえる。この戦いは海中での戦闘となるが、もともと海中で活動できるゴジラに対しては有利とはならず、再び海上での戦いになった際に左右のハサミを食いちぎられ、再び敗走した。その後の行方は不明。

以降、長らく登場がなかったが、ゴジラシリーズ五〇周年記念作品『ゴジラ FINAL WARS』（北村龍平監督、二〇〇四年）に再登場。ここでは**X星人**によって操られる怪獣の一体として出現した。

デザインは初代より細身になっており、片手ではなく両手のハサミが巨大化している。地上でも活動でき、ミュータントと呼ばれる人間たちで構成された部隊、M機関と交戦。片方のハサミを破壊される。その後、東京湾にて**ヘドラ**とともにゴジラと戦うも、空に向かって吹き飛ばされ、墜落の際にヘドラにハサミが突き刺さった後、ゴジラの放射能熱線を浴びて爆発した。

講談社編『ゴジラ　東宝特撮映画全史』（講談社、二〇一四年）によれば、エビの怪獣であるがデザインモチーフはザリガニなのだという。

またイオン編『ゴジラ画報（第3版）』（竹書房、一九九九年）によれば、もともとエビラは『ロビンソン・クルーソー作戦　キングコング対エビラ』という企画に登場する怪獣であり、**キングコング（東宝版）**と戦う予定だった。しかしアメリカ側が難色を示したため実現には至らず、ゴジラと戦うことになった。

オクトマン［おくとまん］

ハリー・エセックス監督の映画『吸盤男オクトマン』（一九七一年）に登場する怪物。メキシコの農村にて、放射能汚染により突然変異を起こし、人型に変貌したタコ。茶色（場面によっては緑色にも見える）の体表と吸盤のある八本の脚を持ち、直立して二本の脚で移動する。その力は触手の一撃で人間の顔面を破壊するほど強力で、人間の体を軽々と持ち上げて移動できる。また瞳はそれぞれの眼球にひとつしかないように見えるが、視界は複眼のように映るらしい。

光や熱に弱く、ライトの光でも怯《ひる》む。ただ日光は平気なのか昼間でも活動できるようで、白昼に暴れる様子も見られる。

タコではあるが人間の女性を気に入り、連れ去ろうとする。最後はそのために銃で蜂の巣にされ、傷つきながら湖に入って行った。

その着ぐるみの出来をよくネタにされる怪物。個人的にはワニのような狂暴な目や牙の生えた円形の口、タコの触手がアレンジされた手足など、結構格好良いデザインで、そこまで馬鹿にされるようなものでもないと思うが、いかがだろう。

着ぐるみを手掛けたのが後に特殊メイクアーティストとして有名になるリック・ベイカーであることもよく知られている。

また監督及び脚本は『大アマゾンの半魚人』（ジャック・アーノルド監督、一九五四年。**ギルマン**の項目も参照）の脚本で知られるハリー・エセックス。そのため類似した場面が何度か出てくる。

海底一万リーグからの妖獣

［かいていいちまんりーぐからのようじゅう］

ダン・ミルナー監督の映画『海底一万リーグからの妖獣』（一九五五年）に登場する怪物。海洋生物に対する放射能の影響を調べている科学者、キング博士が、その調査のために海中に沈めた放射性物質により、何らかの海洋生物が突然変異して誕生した。

イグアナに似た頭を持つ半魚人のような姿をしており、体からは放射線を発している。そのため、この怪物に襲われた人間は被爆し、火傷を負ったような状態で発見される。

基本的には海中に潜《ひそ》み、船などでやって来る人間を襲っていた。しかし自分の生み出した怪物が人を殺し続けていると知ったキング博士がこれを倒すため、爆弾を抱えて海に潜る。

怪物は生みの親のキング博士に襲いかかるが、もみ合っているうちに爆弾が爆発。怪物と博士は海の藻屑《もくず》となった。

撮影は、役者が怪物の着ぐるみを纏《まと》って行われた。それゆえ、海中シーンでの怪獣の動きはあまり良くない。ただ長い牙の生えたイグアナのような頭は個人的には格好良い。この年代の映画ではよくあることだが、ポスターに使われている怪物のデザインと実際に登場する怪物のデザインがまったく異なる。

劇中ではこの怪物の他に、キング博士に巨大化させられた亀も登場する。ちなみに一万リーグは約四万八二八〇キロメートルだが、それほどの深い場所から怪物が浮上してくるシーンはない。

ガイラ

［がいら］

本多猪四郎監督・円谷英二特技監督の映画『フランケンシュタインの怪獣 サンダ対ガイラ』（一九六六年）に登場する怪獣。体長二五メートル、体重一万トン。

サンダという怪獣が琵琶湖に潜《ひそ》んでいた時、その細胞が海に流れて増殖、巨大化して別の怪獣に成長したもの。全身に緑色の毛が生え、鱗のような皮膚に覆われた巨人の姿をしている。

狂暴で人肉を好み、人を襲っては手摑みで捕らえ、食らう。また海で生まれたため、水中で活動することもできる。

自衛隊に攻撃されていたところをクローン元であるサンダに助けられるが、人を食ったことで人間に友好的なサンダと対立。巨人同士の決戦となる。

ガイラは山や東京銀座を舞台に幾度もサンダと戦うが、最後の戦いの途中、海底火山の爆発に巻き込まれ、消息不明となった。

ガジュラ［がじゅら］

ブランドフォード・メイ監督のテレビ映画『ガジュラ』（一九九八年）に登場する巨大生物。

化学物質によって突然変異したカエルの一種で、海底に棲んでいたが、海底火山の爆発により海上に浮上した。背中側が緑色、腹側が白色のなめらかな皮膚に覆われており、オスには頭部に角が生える。

陸上でも活動することができ、肉食恐竜のようなフォルムで二足歩行をする。劇中には、体長一メートルほどの幼体（ケーシーと名付けられる）、一メートル数十センチほどの幼体の兄、十数メートルの母親、数十メートルの父親の四体のガジュラが登場する。

幼体はポリネシア諸島のマラウ島で発見され、海洋生物学者のジャックとその息子のブランドンに保護される。ブランドンはガジュラの幼体と友達になるが、やがて海辺にこの幼体の兄のガジュラが出現する。しかし兄ガジュラは人間によって捕らえられてしまう。

この兄ガジュラを助けるため、母親のガジュラが出現し、マウイ島の人々を襲うが、軍隊の攻撃を受け、倒されてしまう。

この復讐のため、最も巨大な父親のガジュラが出現。兄ガジュラを奪い返していく。

だが幼体のガジュラはまだ人間のもとに残っていた。ジャックとブランドンはこの幼体を家族のもとに返すことを決める。

ガジュラの名前は邦題で勝手につけられたものであり、原題は『Gargantua（ガルガンチュア）』。人間に囚《とら》われていた子どもを親の怪獣が取り返しに来るというストーリーは『怪獣ゴルゴ』を踏襲している（**ゴルゴ**の項目参照）。

ガバラ［がばら］

本多猪四郎監督・円谷英二特技監督の映画『ゴジラ・ミニラ・ガバラ　オール怪獣大進撃』（一九六九年）に登場する怪獣。体長五八メートル、体重二万三〇〇〇トン。

ガマガエルが放射能によって変異した、という設定があるが、劇中では、一郎という少年の夢の中に現れた怪獣のひとつである。一郎少年をいじめるガキ大将、ガバラのイメージが投影されている。

体色は緑色で無数の瘤《こぶ》に覆われている。顔は猫っぽく、頭部から首の後ろにかけて角が生える。尾はない。武器は掌から流れる高圧電流。

弱い者いじめが好きで、ゴジラの息子である**ミニラ**を執拗《しつよう》にいじめる。しかし、一郎とミニラの作戦により返り討ちにあい、さらに**ゴジラ（二代目）**にも背負い投げをされて退散した。

ガブラ［がぶら］

香山滋の小説『ガブラ―海は狂っている』（一九七一年、東雅夫編、河出書房新社『怪獣文学大全』（一九九八年）他収録）に登場する怪獣。核実験により太平洋に棲んでいたジンベエザメが変異し、怪獣化したもの。ガブラという名前は、エベス（ジンベエザメ）が年を経ると「ガブラ」という怪物になる、という八幡浜の漁村の言い伝えから取られたものだとされる。

その体は重なり合う鋼鉄並みの硬度の鱗に覆われ、青銅色に光る。眼は炎のように燃えきらめき、頭部には二本の角が生える。

核の影響で海水が煮えたぎるほどの白熱光を全身から発する他、口から放射線を含む炎を吐き散らす。

物語には三尾のガブラが登場するが、すべて遠隔操作魚雷により木っ端微塵《こっぱみじん》に粉砕された。しかし人間が核を保有する限り、再びガブラは現れるであろうことが示唆されている。

『ゴジラ』の原作者・香山滋の作品であるため、『ガブラ―海は狂っている』ではゴジラが過去に出現したことが語られている。

また、本作では**モブラ・エレックトリカス**や**巨大イソギンチャク**などの怪獣も出現する。詳細は当該項目参照。

ちなみに円谷プロダクションが一九六七年から六八年にかけて放送した特撮テレビドラマ『ウルトラセブン』には「ガブラ」という同名の怪獣が登場するが、こちらは宇宙人によって連れて来られた四足歩行の宇宙怪獣であるため、名前以外は別物である。

また、この作品は香山滋氏の最後の作品としても知られている。

カマキラス［かまきらす］

福田純監督・有川貞昌特技監督の映画『怪獣島の決戦 ゴジラの息子』（一九六七年）をはじめ、ゴジラシリーズに登場する怪獣。体長五〇メートル、体重二八〇〇トン。

南海にあるゾルゲル島という孤島に棲息していた数メートルの大カマキリが、気象コントロール実験の失敗による異常高温と合成放射能により巨大化したもの。

体の色は茶色で、普通のカマキリと同様、最大の武器は前肢である。右の前肢が槍《やり》のように真っ直ぐな形をしており、左の前肢は湾曲《わんきょく》した鎌のような形をしている。

巨体ではあるが普通のカマキリと同じように飛行することも可能な他、バッタのように跳躍することもできる。

劇中には三匹のカマキラスが出現。**ゴジラ（二代目）**の息子である**ミニラ**の卵を掘り起こし、その殻を割ってミニラをいじめていたが、ミニラがテレパシーで呼んだゴジラと戦いになる。一体はゴジラの放射能火炎を受けて倒れ、もう一体は地面に何度も体を叩きつけられた後、やはり放射能火炎を浴びて倒れる。

残り一体は逃げ出し、人間を襲ったり、再びミニラを狙うなどしていたが、ミニラとの戦闘中に巨大なクモ怪獣、**クモンガ**が目覚める。この時はゴジラの出現によりカマキラスは再び逃亡した。

その後、ミニラを襲っているクモンガのもとに出現。しかしクモンガの糸に捕らえられ、毒針を刺されて死亡した。

『ゴジラ・ミニラ・ガバラ オール怪獣大進撃』（一九六九年）では少年の夢の中に現れる怪獣として登場。映像はほとんど前作の使い回しだが、一部新規撮影されたカットもあった。

平成では『ゴジラ FINAL WARS』（二〇〇四年）に登場。体長九〇メートル、体重二万トンと昭和に比べ巨大化している。

デザインも前肢が両方鎌になり、体の色も薄い緑色に変わった。**X星人**に操られ、フランスのパリを襲った後、日本の神奈川県の真鶴の海岸でゴジラと対決。保護色を使い、山の景色に溶け込んで奇襲を仕掛けようとするも、飛びかかったところをゴジラに摑まれ、投げ飛ばされて高圧鉄塔に突き刺さり、死亡した。

ガメラ［がめら］（平成三部作）

金子修介監督・樋口真嗣特技監督の映画『ガメラ 大怪獣空中決戦』（一九九五年）、『ガメラ2 レギオン襲来』（一九九六年）、『ガメラ3 邪神覚醒』（一九九九年）の三部作に登場するガメラ。身長八〇メートル、体重一二〇トン。

一億五〇〇〇年前、アトランティスの超古代文明によって生み出された人造生命体。同じくアトランティスの超古代文明によって生み出された生体兵器ギャオスを倒すため、甲羅状の「器」に地球の生命エネルギーである「マナ」を集めて生み出される。

人工的に生み出された生物であるゆえか通常の生物では不可能な体の構造を持っており、手足や頭部を甲羅の中に引っ込め、そこからジェット噴射を行って空を飛ぶことができる。その際には高速で回転しながら自由な方向に飛行することが可能。また頭部を出したまま、腕をウミガメのヒレのような形に変身させ、足の部分からのジェット噴射で飛ぶ飛行方法も見られる
また体内でエネルギーを濃縮し、プラズマに変換して口から吐き出すプラズマ火球を武器とする。さらにこれを強化したハイ・プラズマと呼ばれる火球も存在する。

この他、地球上から大量のマナを吸収し、腹甲を展開してプラズマエネルギーをビームのようにして放つウルティメイト・プラズマや、欠損した腕をプラズマ火球によりプラズマの腕に変換し、相手に叩き込むバニシング・フィストなど、様々な技を披露している。

非常に強い再生力を持ち、肉体も甲羅が破損しても修復可能。さらに体の形状自体も戦いを経るごとに変異しており、作品が進むごとにより鋭角的で凶悪な姿になっている。

アトランティスの滅亡以降は眠りについていたが、**ギャオス（平成）**の覚醒に呼応し、ギャオスを倒すために覚醒。その際、ガメラの体表を覆っていた土石にオリハルコン製の勾玉《まがたま》が埋め込まれており、これを手にした少女、草薙浅黄《くさなぎあさぎ》と精神的に繋《つな》がる。肉体的にもガメラが負傷した部位を浅

黄が負傷するなどの現象が起きた。

ガメラ（昭和シリーズ）とは違い、人間や子どもの絶対的な味方ではないものの、人間を庇《かば》う様子も時折見られる。しかし本来の目的は地球の守護であるため、そのための戦いにより人間が犠牲となる場合もある。

『ガメラ 大怪獣空中戦』では前述の通りギャオスの復活に呼応して出現し、二匹のギャオスを葬り、残った一匹と東京で決戦を繰り広げた後、プラズマ火球によって爆散させ、葬る。その後は人間に危害を加えることもなく、海へと帰って行った。

『ガメラ2 レギオン襲来』では地球外生命体である**レギオン**を根絶やしにすべく、札幌でレギオンと共生関係にあるレギオンプラントを粉砕。しかし仙台に現れたマザーレギオンとの戦いに敗れ、仙台に生えたレギオンプラントの爆発を受けて一時行動不能になる。

その後、人々の祈りを受け、それに応えるようにして復活。栃木県利根川にて自衛隊と戦うマザーレギオンのもとに襲来し、自衛隊との共闘によってレギオンを追い詰める。それでも倒しきれないレギオンに対し、ガメラは先述のウルティメイト・プラズマを発動。マザーレギオンを粉砕する。その後、空へと飛び去った。

『ガメラ3 邪神覚醒』ではウルティメイト・プラズマによって地球のマナを大量に消費したことにより、世界中でギャオスの卵が孵化《ふか》。これにより大量のギャオスが出現し、ガメラはこれの討伐《とうばつ》に当たる。

一方、かつてガメラとギャオスの戦いに巻き込まれ、家族を失った少女、綾奈は洞窟で不思議な卵を見つけ、そこから生まれた生物に亡き飼い猫の名前から**イリス**と名付ける。イリスはギャオスの変異体でありながら、ほぼ別の生物と化した存在であり、綾奈と勾玉を通して繋がっていた。綾奈のガメラへの憎悪を感じ取ったためか、ガメラに強い敵意を持ち、巨大な怪獣へと成長した後、ガメラと対決する。

空中戦を経て京都に降りたガメラは京都駅構内でイリスと対決。ガメラはイリスに体液を吸われ、これによりイリスはガメラのプラズマ火球をコピーする。しかしガメラはイリスの触手が突き刺さった腕を自ら破壊し、危機を回避するとともに、イリスの放った火球をその腕の断面で受け止め、バニシング・フィストに変形させてイリスの体に叩き込み、勝利した。

その後、空を覆い尽くすようにして飛ぶギャオスの変異体、ギャオス・ハイパーに立ち向かうため、夜空へと飛び去った。

昭和ガメラ最後の作品となった『宇宙怪獣ガメラ』（湯浅憲明監督、一九八〇年）から一五年の時を経て復活したガメラ。設定は一新され、古代文明において人工的に造られた怪獣とされた。また必殺技も火炎ではなく火球となっている。

一方、ジェット噴射による飛行など、ガメラの特徴は受け継いでおり、宿敵としてギャオスも同時に平成の世に蘇った。

どこかコミカルな場面が多かった昭和シリーズと違い、平成三部作は通してシリアスであり、ガメラも人間の味方とは限らない存在として描かれたが、その迫力のある特撮や骨太なストーリー、リアリティのある描写などの評価は高く、公開から二〇年以上経った現在でも多くのファンが存在している。

ギャオス［ぎゃおす］（平成）

映画『ガメラ 大怪獣空中決戦』（一九九五年）に登場する怪獣。

遥か太古に滅亡した超古代文明が遺伝子操作によって生み出した巨大な鳥、もしくは蝙蝠《こうもり》のような生物で、体色は赤銅色。様々な生物の優れた遺伝子情報を持つ。また単為生殖が可能であり、一体でも残っていれば個体を増やし続ける。

肉食で人間を好んで捕食し、短期間で急激に成長する。孵《ふ》化《か》直後は身長数メートルだが、最終的には八五メートル、体重は七五トンまで巨大化する。

鋭い爪や牙を武器とする他、口から超音波メスと呼ばれる特殊な超音波を発射する。これは劇中では黄色い光線のように描写され、触れたものを切り裂く切断技として使われる。

飛行能力にも優れ、超高速で飛ぶことが可能な他、大気圏を超えた高度まで上昇する姿も見せた。

劇中では九州の五島列島の姫神島にて太古の眠りから目覚め、島民を食い荒らした後、三体が島を飛び立った。うち二体は成体になる前に**ガメラ（平成三部作）**によって倒されるが、一体は逃げ延びて東京に出現し、東京タワーに巣を作る。ギャオスはこの巣に産卵するが、ギャオスを追って現れたガメラの火球により巣を破壊され、再びガメラとの戦闘になる。

ガメラとは空中戦、地上戦と激闘を繰り広げるが、最後は爆炎を吸収したガメラのハイ・プラズマを受けて爆散した。

平成ガメラ三部作最後の作品『ガメラ3 邪神覚醒』（一九九九年）ではギャオス・ハイパーと呼ばれるギャオスの群れが登場。前作『ガメラ2 レギオン襲来』（一九九六年）でガメラが**レギオン**との戦いの際、大量の地球のマナ（地球の生命エネルギー）を消費したことで世界中にあるギャオスの耐久卵が孵化したもので、通常のギャオスに比べ体色が黒い。

世界中に出現して被害をもたらしており、ガメラがこれを討伐《とうばつ》するために世界中で戦いを繰り広げた。映画は無数のギャオス・ハイパーが京都上空に出現し、ガメラがそれに立ち向かう場面で終わっている。

『小さき勇者たち〜ガメラ〜』（田崎竜太監督、二〇〇六年）では前作までとは世界観が違うものの、過去にギャオスが出現していたことが語られている。一九七三年の日本に四体が現れ、アヴァンガメラ（**トト**の項目参照）と戦い、追い詰めるが、ガメラの自爆によって全滅する。しかし本作に登場する怪獣、**ジーダス**はこのギャオスの死体の肉を食べて怪獣化したという設定があり、死後も災厄をまき散らしている。

吸血人間スネーク

［きゅうけつにんげんすねーく］

バーナード・L・コワルスキー監督の映画『怪奇！ 吸血人間スネーク』（一九七三年）に登場する怪人。正体は爬虫類《はちゅうるい》学者であり、人間と爬虫類の混合生物を作ろうとしているマッドサイエンティスト、カール・ストーナーによってキングコブラの血清を打たれてしまった大学生デイヴィッド・ブレイク。

血清を打たれてから彼の体は次第に蛇に変わっていく。体が薄い緑色に染まり、口は裂け、腕がなくなり、脚はひとつに結合し、ついにはキングコブラそのものの姿になってしまう。

デイヴィッドは吸血も何もせずに映画が終わるので、邦題の「吸血人間」は何を指しているのか不明だが、原題は『Ssssss』で、もっとよく分からない。

日本版のソフトのパッケージになっている蛇男はデイヴィッドではなく、デイヴィッドの前にストーナーの助手を務めていた人物で、やはりストーナーの実験によって蛇男に変えられてしまった人物。彼が知り合いの女性を見て涙を流す姿は切ない。

デイヴィッドが人の形から次第に蛇に変わっていく様子はなかなか見ごたえがあるが、やはり蛇男としてひと暴れしてほしかったところである。

恐竜

［きょうりゅう］ （『ジュラシック・パーク』シリーズ）

マイケル・クライトンの小説『ジュラシック・パーク』（一九九〇年）及びその映画化であるスティーヴン・スピルバーグ監督の『ジュラシック・パーク』（一九九三年）をはじめとしたシリーズに登場する恐竜。

遺伝子工学により現代に蘇った恐竜とされる。その方法は琥珀《こはく》に閉じ込められている恐竜の血を吸った蚊（原作では蝿《はえ》）の腹部から、恐竜のＤＮＡを採取し、これを解析・復元した上で、欠損部位を現生の鳥や爬虫類《はちゅうるい》、両棲類のＤＮＡで補完。さらにワニの未受精卵に注入することで卵の状態から恐竜を再生するという手法が使われたと説明される。この際、恐竜が繁殖しないように雌しか生まれないように調整されていたが、欠損したＤＮＡを補うために使われたカエルのＤＮＡの影響で雄に変化する個体が現れるという事態を引き起こした。

作中に登場する恐竜の種類は小説と映画で多少違いがあるが、実在するものとは異なる性質を持つ恐竜として描かれたものも多い。毒液を吐く能力を得たディロフォサウルス（映画版では襟巻《えりまき》も手に入れている）、劇中で初めて登場する恐竜で、ＣＧで描かれた巨体が観客の度肝を抜いたブラキオサウルス、映画『ジュラシック・パークⅢ』（ジョー・ジョンストン監督、二〇〇一年）で主な悪役として登場したスピノサウルスなど、観客の印象に残る恐竜は数多い。

またシリーズを通して登場する恐竜にヴェロキラプトルとティラノサウルス・レックスがいる。

ヴェロキラプトルは高い知能を持つ小型

の恐竜であり、群れをなして人間を襲う恐怖の存在として小説、映画ともに登場する。小説では群れのリーダーに「ビッグ・ワン」というあだ名が付けられており、映画でも『ジュラシック・パーク』、『ロスト・ワールド／ジュラシック・パーク』（スティーヴン・スピルバーグ監督、一九九七年）、『ジュラシック・パークIII』（二〇〇一年）の三部作すべてにおいて厄介な敵として登場する。しかし新シリーズ『ジュラシック・ワールド』（コリン・トレヴォロウ監督、二〇一五年）では人間に育てられ、信頼関係を築いた四姉妹のヴェロキラプトルが登場。ブルー、デルタ、エコー、チャーリーと名付けられたこのヴェロキラプトルたちは育ての親であるオーウェン・グレイディの言うことを聞き、ともに戦う姿を見せた。特に長女のブルーは最後まで生き残り、ティラノサウルスとともに後述するインドミナ・レックスとの戦いに挑み、続編『ジュラシック・ワールド 炎の王国』（J・A・バヨナ監督、二〇一八年）ではインドミナ・ラプトルと戦うなど、主役級の扱いを受けている。

ティラノサウルス・レックスもまたシリーズを代表する恐竜であり、映画では終盤で主人公たちを追い詰める役割を与えられた。小説版では「レクシィ」と呼ばれる雌の個体が登場しており、この愛称が映画版第一作に登場するティラノサウルスにも使われている。

映画版『ジュラシック・パーク』のクライマックスではレクシィがヴェロキラプトルと戦う場面が描かれ、映画を象徴するシーンとなっている。

『ロスト・ワールド／ジュラシック・パーク』では船に乗せられてロサンゼルスに上陸し、怪獣映画さながらの暴れっぷりを見せた。

『ジュラシック・ワールド』ではレクシィが久々に登場。先述したヴェロキラプトルのブルーと共闘してインドミナ・レックスに立ち向かうというシリーズ屈指の名場面が描かれている。

『ジュラシック・ワールド』では恐竜を再現するのではなく、ティラノサウルスをベースに、ヴェロキラプトルなど他の恐竜のDNAを加えて誕生した、遺伝子組み換えのキメラの恐竜、インドミナ・レックスが登場した。高い知能を持ち、体温調節とカモフラージュ能力を使って檻《おり》から脱出するなど、今まで登場した恐竜以上の脅威として描かれた。

続編の『ジュラシック・ワールド／炎の王国』では同様に遺伝子を組み合わせて生まれたインドミナ・ラプトルが登場。インドミナ・レックスより小柄であるものの、高い身体能力を持ち、人間たちを次々と襲った。

巨大アリ ［きょだいあり］ （『放射能X』）

ゴードン・ダグラス監督の映画『放射能X』（一九五四年）に登場する怪物。

カナダやアメリカ、メキシコに分布するアリの一種であるキャンピノータス・ヴィキーナス・マヤが、一九四五年に行われた核実験の放射線により突然変異し、巨大化したものと語られており、体長は働きアリで二・五〜三・五メートル、女王アリは四・五メートルにも達する。

アリに共通する特徴として視力が弱く、触角で周囲を探知し、敵や獲物を顎《あご》で噛み砕く、という性質を持つ。また尻にある毒針で相手を突き刺し、蟻酸《ぎさん》を流し込んで殺害する。

甲高い音を発して仲間同士で交信し合い、情報共有し、通常のアリと同じように巣を作って群れで活動する。

また突然変異の影響で幼虫、蛹《さなぎ》の段階がなく、卵からいきなり成虫の姿で生まれる。

ニューメキシコの砂漠に巣を作り、付近に住む人間を襲っていた。そのため軍が投入され、砂漠の巣は化学兵器によって掃討される。

しかし巣からは既に二匹の女王アリが巣立っており、一匹は退治されるものの、もう一匹はロサンゼルスの地下に巣を作っていることが判明する。

雨水管を巣に利用していた巨大アリを殲《せん》滅《めつ》すべく、軍も地下に突入し、銃や火炎放射器を使い、犠牲を出しつつも巨大アリたちを倒していく。

そして巣の奥に待っていたのは、卵を守る女王アリの姿であった。

実物大のプロップが作られた巨大アリは迫力抜群で、今見ても素晴らしい。

終盤の巣に突入する場面などは『エイリアン2』など後のモンスター映画に大きな影響を与えている。また、『モンスターパニック 超空想生物大百科』（大洋図書、二〇〇〇年）によれば、『放射能X』は、核の影響による突然変異を扱ったモンスター映画の嚆矢《こうし》となった作品だという。

巨大イソギンチャク ［きょだいいそぎんちゃく］

香山滋の小説『ガブラ―海は狂っている』（一九七一年、東雅夫編『怪獣文学大全』他収録）に登場する怪獣。放射能により太平洋の海底のイソギンチャクが変異したものと思われる。

物語中ではジンベエザメが変異した怪獣、**ガブラ**の出現により、放射能が海に与えた影響を調査するため、日本海洋科学研究所の所長、塚本秀樹らがドルフィン号と名付けられた潜水艦で海底に潜った際に出現。

まず気球のように巨大化した後、無数の触手を潜水艦に向かって伸ばし、一時間にわたって捕らえた潜水艦を振り回した。

潜水艦は無事脱出したが、海が狂い始めたことを如実に思い知らされる結果となった。

同作品に登場するガブラや**モブラ・エレクトリカス**と違い、固有名は与えられていないが、その描写を見るに怪獣の一種と考えて良いだろう。

巨大イナゴ ［きょだいいなご］

バード・I・ゴードン監督の映画『世界

終末の序曲』（一九五七年）に登場する巨大昆虫。イナゴが数メートルに巨大化したもの。

アメリカのイリノイ州の試験場で食糧問題を解決するために、野菜の巨大化実検が行われていた。それは放射能により光合成を促進させ、夜間を含めて野菜を異常成長させるものであったが、この試験場にイナゴが入り込み、実験体の野菜を食べてしまう。それによりイナゴの細胞分裂が異常に促進され、イナゴたちは巨大化する。結果、巨大イナゴたちは周囲の餌《えさ》を食い尽くし、やがて人間に牙を剝《む》くことになった。

イナゴたちは群れを作る習性があり、後肢を擦る音で互いに交信する。また何かを攻撃する直前にも甲高い音を発し、これが最も激しくなると攻撃を始める。そのため、巨大なイナゴが近付いて来ると奇怪な音が聞こえる。

一方、気温が二〇度以下になると動けなくなるという弱点がある。また、羽は巨大化しなかったため、空を飛ぶことができない。

数百匹に及ぶ巨大イナゴの群れを打倒するため、シカゴに原子爆弾の投下が決まる。しかし一匹のイナゴを捕らえたことで一縷《いちる》の望みが繋《つな》がれる。

そのイナゴを観察し、イナゴたちが交尾の際に発する音を発見したのである。その音によってイナゴをミシガン湖に集め、体が動かなくなる水中に誘い込んで溺死《できし》させる作戦が決行されたのだ。

『終末の兆し』というタイトルでも知られていた作品。撮影では実物のイナゴが使われており、画面に合成されたり、ミニチュアや写真の上を這《は》い回ることで巨大さが表現されている。DVDの特典によれば、撮影には二〇〇匹のイナゴが使われたという。

何かとイナゴの合成や写真の上を這い回るイナゴのことが話題になる作品。しかし銃弾をものともしない姿や、独特の高音がイナゴの出現の予兆になる描写など、ただの巨大化したイナゴではなく、イナゴのモンスターとして描かれているのが個人的に好きな点。また、物語のところどころに散りばめられた巨大イナゴの生態や性質が終盤でイナゴたちを倒すための作戦に繋がっていくのにもカタルシスを感じる。ぜひ先入観を持たずに見てもらいたい作品だ。

巨大タコ［きょだいたこ］（『オクトパス』）

ジョン・エアーズ監督の映画『オクトパス』（二〇〇〇年）に登場する怪物。

悪魔の目（デビルズ・アイ）と呼ばれる海域の深海に潜む巨大なタコで、付近を通る船を何隻《せき》も襲い、沈没させていた。劇中ではテロリストを護送するため、主人公でCIAのエージェントであるロイが乗り込んだ潜水艦がこの海域に入った際に出現。

機雷の爆破でも倒すことができず、襲っていた潜水艦の乗組員が海上に脱出した際にはそれを追って海上に出現。乗組員を救助した大型客船を襲ったが、主人公のロイが爆弾を積んだ小型船で特攻したことで爆発四散した。

この巨大タコ誕生のきっかけとなった事件は一九六二年に起こった。キューバ危機の際、生物兵器「トリコテセン系マイコトキシン」を積んだソ連の潜水艦をアメリカの潜水艦が撃沈した。その兵器が海中に流れ出し、タコに作用した結果、タコは世代を経るごとに突然変異を繰り返し、巨大化したのだという。

その巨体故に餌《えさ》が不足し、極度の鉄欠乏症を患ったことでタンパク質を欲して凶暴化していた（放射能によって巨大化したと紹介されることが多いが、劇中にはそのような説明は出てこない）。

大型客船を凌《しの》ぐほどの巨体であるとされるので、少なくとも数百メートルあると思われる。

また続編として『オクトパス　IN　N.Y.』（ヨッシー・ウェイン監督、二〇〇一年）があるが、ストーリー上の繋《つな》がりはなく、巨大なタコが出てくることしか共通点はない。

巨大タランチュラ［きょだいたらんちゅら］

（『世紀の怪物　タランチュラの襲撃』）

ジャック・アーノルド監督の映画『世紀の怪物　タランチュラの襲撃』（一九五五年）に登場する怪物。アリゾナの砂漠にある生物研究所にて、通常のタランチュラが放射性同位元素アンモニアクを結合剤とした特殊な人工栄養素を投与され、異常成長したもの。

研究所が火事になった際に逃げ出し、逃亡時点では一メートルほどの大きさだったが、後に体長数十メートルまで成長。馬やヤギ、人間などを襲って喰っていた。

機関銃、ダイナマイトもものともせず、砂漠から町に向かって進撃していたが、最後は空軍の戦闘機からミサイル、ナパーム弾の攻撃を受け、燃やし尽くされた。

登場シーンは基本的に実物のタランチュラが合成されており、リアルな動きを拝むことができる。

キラーコンドーム［きらーこんどーむ］

マルティン・ヴァルツ監督の映画『キラーコンドーム』（一九九六年）に登場する怪物。その名の通り怪物化したコンドームで、装着されたペニスを噛みちぎってしまう。

見た目は、コンドームの口部分に牙が生えた姿をしており、白いワラスボ（魚の一種）のように見える。ゴムを弾くように高速で動き回り、獲物を見つけると一直線に飛びかかる。ただ大変かわいらしい声で鳴く。

体は人間の皮膚に似た組織で覆われている。その薄い体には均等に脳が広がり、肉眼では見えないが、神経も張り巡らされている。その一方、消化器官を持たず、牙があるにもかかわらず後述するゼリーのような食物を除き、物を食べることはできない。

ゴムのような体は伸縮性に優れ、中に気体を入れられると何十倍にも膨らむ。

その正体は人工的にミミズやクラゲなどを掛け合わせて生んだ生物とされるが、物語終盤に登場するキラーコンドームを生み出した研究者の話では、幼態動物であるミリアリスやセタリア及び好塩性生物であるノイコサエダを掛け合わせたなどとされている。またゼリーのような食物を摂取するとされ、ペニスを噛み千切るのはこのゼリーをもらうためだと語られる。

はじめはある連れ込み宿でコンドームに擬態して犠牲者を増やしていたが、中盤で町中に解き放たれ、ニューヨークの男たちを去勢の恐怖に陥れた。たまに女性も襲われた。

キラーコンドームが作られた目的は、神のお告げを聞いたと妄信する狂信的な女医が、聖書に記されていない、子孫を残す目的ではない性行為を罪だと考え、避妊具を使って性行為を行う人間を罰するためであったと語られる。

しかし、このキラーコンドーム事件を捜査していたマカロニという刑事によって教会の地下にあった製造工場を発見され、キラーコンドーム製造工場は警察に摘発されることとなった。

舞台はアメリカのニューヨークだが、制作はドイツであり、登場人物もドイツ語で喋《しゃべ》る。原作はコミックのようだが、残念ながら未見である。

キラー・スノーマン ［きらー・すのーまん］

マイケル・クーニー監督の映画『キラー・スノーマン』（一九九七年）に登場する不死身の殺人鬼。その名の通り雪ダルマの姿をした殺人鬼である。

本名はジャック・フロストという人物。連続殺人鬼であり、わずか五年で三八人の人間を殺し、死体を潰《つぶ》し、刻んで身元を分からないようにして隠していたため、なかなか捕まらなかった。

それでも警察の必死の捜索によりついに逮捕され、処刑されることになったが、護送される途中、事故に遭い、遺伝子研究所の酸性溶液を浴びたことで雪と合体。雪ダルマの姿をしたキラー・スノーマンと化した。

この溶液は負活性物質と人間の染色体を結合させる作用があったが、雪はジャックのDNAを蓄えられず、性質だけを留めたため、魂が雪と結合した、というような説明がされている。

自在に液体から固体へと変化することができ、普段は雪で体を構成しているが、場合に応じて体を水に変え、狭い隙間などを通り抜ける。

また雪ダルマの姿の状態では怪力を発揮し、斧《おの》の柄で人間の頭を貫くなどしている。さらに、人体を貫くほど威力のある氷柱《つらら》を体から飛ばすこともできる。

体が雪でできているため、物理的な攻撃は効果をなさず、体を破壊してもすぐにもと通りになる。

高熱を弱点とし、ドライヤー程度の熱でも怯《ひる》む。ただし熱だけでは殺すことができず、溶けてもすぐに復活する。完全に殺すには雪に戻れなくなるようにする必要があり、不凍液をかけることで再生不能にできる。そのため最後は不凍液に沈められ、倒された。それでもまだ生きていることが示唆されている。

もともとジャック・フロストはイングランドに伝わる冬に現れる霜の妖精のことである。殺人鬼の名前はここから取られているのだと思われる。ちなみに映画の原題も『Jack Frost』である。

また日本では公開されておらず、ソフト化もされていないが、『Jack Frost 2: Revenge of the Mutant Killer Snowman』（マイケル・クーニー監督、二〇〇〇年）という続編がある。やはり雪ダルマの姿で復活したジャックが復讐のために暴れ回る話で、どうやら分身となるミニ雪ダルマも登場するようだが、筆者は未見である。

キラー・トマト ［きらー・とまと］

ジョン・デ・ベロ監督の映画『アタック・オブ・ザ・キラー・トマト』（一九七八年）をはじめとするキラートマトシリーズに登場する殺人トマト。

通常のトマトサイズからカボチャサイズ、人間ぐらいのサイズ、人間よりも大きな巨大サイズまで様々に存在し、人間に襲いかかっては食い殺す。移動方法も転がったり飛び上がったりと様々である。また、もごもごとした奇妙な声を発する。

街中の排水溝、スーパーマーケット、海水浴場と、所構わず現れ、弾丸も薬も効果をなさないため、大規模な被害を出した。しかし『思春期の恋』という歌を聞くと普通サイズのただのトマトに戻ってしまうという弱点があり、どこに耳があるのか分からないがイヤーマフでこれを防ぐトマトも現れた。ただ『思春期の恋』は楽譜でもだめらしく、楽譜を見せられると普通サイズのトマトに戻った。

続編『リターン・オブ・ザ・キラートマト』（ジョン・デ・ベロ監督、一九八八年）には、キラートマトの生みの親であるガングリーン博士が登場する。今度はトマトを人間の姿にしたトマト人間を作り出す。また実験の失敗作として生まれたふわふわのトマトFT（Fuzzy Tomato：毛羽立ちトマト）も登場。このトマトは悪事を行うことができなかったが、主人公たちに救われ、マスコットキャラクターのような活躍をみせる。

第三作目『キラートマト 決戦は金曜日』（ジョン・デ・ベロ監督、一九九〇年）ではついにトマトに顔ができる。きちんと目、鼻、口があり、トマト同士でもしゃべることができる。

第四作目『キラートマト 赤いトマトソースの伝説』（ジョン・デ・ベロ監督、一九九一年）ではフランスを舞台にキラートマトが活躍。ついに人間の言葉をしゃべり出すようになった。

キラー・モスキート ［きらー・もすきーと］

映画『キラー・モスキート 吸血蚊人間』に登場する怪物。名前の通りキラー（殺人鬼）がモスキート（蚊）になったモンスター。ただし原題は『MOSQUITO MAN（蚊人間）』である。連続殺人鬼のレイ・エリクソンという人物が、人工的に変異させられた蚊のDNAを事故により浴びた上で放射線を照射され、人間と蚊の特徴を持つ化け物と化したもの。

発端となったのは蚊を媒介《ばいかい》にして世界中に広まったギリン・ウイルスという新型ウイルスへの対抗策として、ワクチンの効果を持ち、繁殖力に優れた蚊を人工的に生み出す研究が行われたことだった。その際、人体実験の対象として終身刑であったレイが選ばれる。しかしレイは研究所に着いた瞬間に暴れ出し、人質を取って実験室に入り込む。そこで警察官と銃撃戦になり、実験用の装置が破壊され、爆発してしまう。

その装置にはDNAを変異させるため、放射能を浴びせようとコロイド溶液に漬けられた蚊が入っており、レイはそのコロイド溶液と放射線を全身に浴びてしまう。

その後、レイの自我は次第に消えていき、体も変異していくようになる。やがて巨大な蚊のようなモンスターと化したレイは、本能の赴くままに人間を殺害してその血を吸い、子孫を残すために同じく実験室で事故に遭った女性研究者ジェニファーを求めてさまよう。

その姿は茶色い外殻に覆われた人間大の蚊の化け物といった様相で、右腕が鎌のように変異しており、人間の体を容易に貫いたり、切り裂いたりできる。また口からは太い口吻《こうふん》が伸び、これを人間の体に突き刺すことで血を吸う。

背中には翅《はね》が生えており、空を飛ぶことも可能。外殻は非常に硬く、銃弾はおろか爆発でさえも傷ひとつ付かなかった。しかし眼だけは脆《もろ》い。

また、電流に弱いという弱点があり、スタンガン程度でも怯《ひる》む。そして、この弱点が彼の命を奪うことになる。

連続殺人鬼が科学的な変異を起こし、人間ではない怪物になるというのは**キラー・スノーマン**と同じだが、あちらが人間としての意識を残していたのに対し、こちらは蚊の本能に支配されてしまっている。また昆虫との融合やグロテスクな姿は『ザ・フライ』（デヴィッド・クローネンバーグ監督、一九八六年。**蝿男**の項目参照）の影響も窺える。

キラー・モスキートの描写には、着ぐるみとCGが効果的に使われており、着ぐるみの造形は作り込まれていて動きも良い。またCGは人間の脚とは真逆に曲がる関節であることを示す場面や飛行シーンなど、キラー・モスキートが人ならざる怪物であることを強調するシーンで使われている。

金属Q
［きんぞくきゅー］

海野十三の小説『金属人間』（偕成社、一九四九年）に登場する金属生命体。理学博士の針目佐馬太《はりめさまた》という人物によって作り出された人工生命で、生きた金属としての性質を持つ。

その姿は針金のようで、鍵穴を通ること

ができるほど細く、小さい。その一方、音速で三次元空間を移動できるほどの機動力を持ち、またカミソリの刃のように鋭いため、人を襲う際には鎌鼬《かまいたち》のように誰の目にも留まることなく人体を切り裂くことができる。その他、場合によってはその体を変形させることもでき、縮んだり、膨らんだりする様子が描かれている。

その小さな体に似合わず人間の何倍もの知能を持ち、言語を喋《しゃべ》ることもできる。また無機物、有機物にかかわらず物体に取り付いて操る能力を有し、鉄製の茶釜からマネキン、人間の死体まで取り付いて操って見せた。

最後は創造主である針目博士を殺害し、その体を乗っ取るが、正体を知られそうになったため研究所を爆破して逃亡した。

その後の行方は誰にも知られていない。

グエムル ［ぐえむる］

ポン・ジュノ監督の映画『グエムル　漢江の怪物』（二〇〇六年）に登場する怪物。「グエムル」は韓国語で「怪物」を意味する。

体長数メートルの両生類のような生物で、肉食性であり、人間を襲って捕食する。

正体は韓国を流れる漢江《ハンガン》に在韓米軍がホルムアルデヒトを投棄したことで、川を泳いでいた魚が突然変異したものと推測されるが、明確なことは不明。陸上でも活動でき、足のように発達したヒレで地上を高速で走る。また尾を器用に使い、物を摑んだり、獲物を捕獲することもできる。

漢江からソウル市内に出現し、多くの人々を襲った。またただ喰うだけでなく獲物を攫《さら》い、巣に持ち帰って保管する習性がある。

劇中では一体のみが登場。在韓米軍の使用する化学兵器「エージェント・イエロー」を浴びて弱ったところを、グエムルによって娘を失ったカンドゥという人物に鉄の棒で口を突き刺され、息絶えた。

クモ男 ［くもおとこ］

スコット・ジール監督のテレビ映画『クモ男の復讐』（二〇〇一年）に登場する怪人。アメリカン・コミックスに登場するクモの力を持つヒーローに憧れるクエンティン・ケマーという若者が変異したもの。

クエンティンは警備員として働いている性科学研究所で強盗に襲われ、相棒の男性を殺されてしまう。自分の無力さを嘆いた彼は、研究所で飼育されていた特殊なクモの体液を衝動的に自分の腕に注射してしまう。

以来、彼は怪力や腹に空いた穴から糸を出す能力を持つようになり、クモの体液を注射した右腕にはクモの巣のような模様が浮かび上がる。

特殊な力を手に入れ、喜ぶクエンティンであったが、やがて異常な食欲に襲われ、クモの本能が彼を支配し始める。それに呼応するように彼の体は異形の姿へと変貌していき、やがてクモと人間を混ぜ合わせたような毛むくじゃらの化け物と化す。

　そしてクエンティンは自分の恋人を手に掛けそうになった時、最後に残った人間の理性で、唯一まだ人間のものである自分の心臓を撃ち抜くように知り合いの刑事に頼む。

　マーベル・コミックスから出版されているアメリカン・コミックスのヒーロー、スパイダーマンをもとにしていると思われるが、映画としてはあのサム・ライミ監督の映画『スパイダーマン』（二〇〇二年）よりも一年公開が早い。内容としては自分の力を制御しきれないまま怪物と化してしまったスパイダーマンであるが、クエンティンもまたスパイダーマンの主人公、ピーター・パーカーのように善人であったのが悲しい。スパイダーマンのヴィラン（敵役）には自分の腕を治すために爬虫類《はちゅうるい》をもとにして作り上げた薬品を摂取し、それによってトカゲの化け物に変貌してしまう「リザード」というものがいるが、境遇としてはこちらに近い。問題はそんな彼を救ってくれるヒーローがクエンティンの世界にはいなかったということであるが。

　ちなみに原題は『EARTH VS. THE SPIDER』であり、『吸血原子蜘蛛』（バード・I・ゴードン監督、一九五八年）と同じだが、ストーリーはまったく似ていない。こちらについては**吸血原子蜘蛛**の項目参照。

群体［ぐんたい］

シオドア・L・トーマス著『群体』（一九五九年、中村融編、創元SF文庫『影が行く　ホラーSF傑作選』（二〇〇〇年）収録）に登場する不定形生物。

　アメリカのミシガン州のある都市にて、水道管に流れ込んだ栄養分とミネラルに富んだ水、残飯、石鹸《せっけん》と洗剤、医薬品、香辛料、香料、染料、インキ、軟膏《なんこう》、化粧品などが壁に空いた穴に入り込み、それが近くにあった高圧蒸気管によって温められ、さらに野菜屑《くず》と塩酸、そして床洗浄液が同時に流れ込んだ結果、特殊な化学反応が起こり、細胞片が生まれてそれらが成長・融合してひとつの生命体となったもの。

　生まれた群体は細胞分裂を繰り返し、神経組織を伸ばしながら穴の中で成長し、やがて水道管に流れてくる栄養分を喰らいながら体を巨大化させていく。

　その内、群体は地上の都市部まで体を伸ばすほど巨大化したが、栄養分が乏しくなったことから水道管を通って人間の生活圏に出現するようになる。

　この群体は動物の組織と接触するとタンパク質を即座に分解し、その結果生じたアミノ酸を利用して自分の体に作り替える。そのため、群体と接触した人間は痛みもないまま体を群体に同化吸収される。

　この時、群体を構成する水分割合が四〇パーセントなのに対し、人間を構成する水分割合が約六〇パーセントであることから、余分な水分が生じる。群体はこの水分を排出するため、人間を同化した際には大量の水が残る。このため、多数の人間が襲われたこの町は全体が水に浸ることとなった。この他、窒素《ちっそ》含有物とカルシウム含有物を吸収することができるため、その人間が着ている服など、生物以外も吸収することが可能で、それによって凄《すさ》まじい勢いで成長する。また体を切り離された場合はその分離した部分が新たな個体となり、やはり周囲の同化できる物質を探して吸収する。

弱点はヨード水溶液で、これに触れると細胞が死滅する。しかし人間の攻撃によりヨード水溶液を水道管に流された際には、すぐに体を変化させて防護壁を作って自衛し、全滅させられることはなかった。

やがて餌《えさ》が不足した群体は建造物に微量に含まれるタンパク質やカルシウムを求め、建造物の中に浸透して染料や接着剤、石材などを喰い尽くし始めた。これにより多くの建物が崩壊し、その中から一気に群体が外に飛び出した。

群体は都市に残っていた人々を同化し始め、それによって排出された水分で町は浸水し、やがて水と群体のために都市の人々は全滅。水が乾ききった後には、きらきらと光る緑色の組織になった群体のみが残っていた。

この群体はアメリカ陸軍や国に派遣された技術者によって殺されたが、また条件が揃《そろ》えば再び群体が生まれる可能性が示唆され、物語は終わる。

生物を吸収、同化する不定形生物というスライム系モンスターの特徴を持つ怪物だが、その被害は大都市ひとつを壊滅させるスケールの大きさを誇る。

水道管を通し、次第に町を侵食しながら人々を食い殺していく群体の描写は凄まじいため、ぜひ本編を読んでほしい作品だ。

ゴジラ［ごじら］（平成ＶＳシリーズ）

本項目ではゴジラシリーズに登場するゴジラのうち、映画『ゴジラ』（橋本幸治監督・中野昭慶特技監督、一九八四年）から『ゴジラvsデストロイア』（大河原孝夫監督・川北紘一特技監督、一九九五年）に登場するゴジラまでを扱う。

『ゴジラvsキングギドラ』（大森一樹監督・川北紘一特技監督、一九九一年）における描写によれば、『ゴジラ』及び『ゴジラvsビオランテ』（大森一樹監督・川北紘一特技監督、一九八九年）のゴジラは、マーシャル諸島のラゴス島で生き残っていた恐竜、**ゴジラザウルス**が一九五四年に行われた核実験により怪獣化し、体長八〇メートル、体重五万トンにまで巨大化したものとされる。

一九五四年に出現し、東京を襲った**ゴジラ（初代）**とは別個体で、一九八四年に伊豆諸島の大黒島の噴火をきっかけに出現し、東京に現れて破壊の限りを尽くした。放射能をエネルギーとしており、原子力発電所や原子力潜水艦を積極的に襲う。

口からは青白い放射熱線を吐き、着弾した物体を爆発させ、破壊する。また放射能エネルギーを体全体から周囲に放つ体内放射という技もあり、切り札として使われる。

劇中では人類の開発した飛行兵器スーパーXと戦い、これを撃墜するも、一定の音波に反応することを利用され、三原山に誘導されて火口に落された。

　しかし五年後の一九八九年、その体を構成し、強力な自己再生能力や核物質を食べる遺伝子を含む細胞、G細胞を狙ったテロリストが三原山を爆破。マグマの中で目覚め、再び地上に出現する（『ゴジラvsビオランテ』）。

　この時、G細胞と人間の細胞、そしてバラの細胞を組み合わせて生まれた怪獣**ビオランテ**が芦《あし》ノ湖に現れていたため、これと交戦。放射熱線により撃破すると、一度海に戻り、それから大阪を襲う。そこで自身の細胞から作られた抗核エネルギーバクテリアを詰めた砲弾を三発口内に撃ち込まれる。

　その後、若狭湾にて原発を襲おうとするが、自衛隊が発生させた人為的な雷を当てられたことより体温が上昇し、体内の抗核エネルギーバクテリアが活性化し始める。

　そんな折、再びビオランテが若狭に出現。より怪獣らしい姿になり、巨大化したビオランテに苦戦を強いられるも、体内放射や放射能熱線によりビオランテの体を破壊していく。しかしついに抗核エネルギーバクテリアの効果が現れ、日本海へと去って行った。

　その後、ゴジラの出現はなかったが、『ゴジラvsキングギドラ』（一九九一年）にて、時間を移動できる未来人により一九四五年、まだゴジラザウルスの段階であった時代にベーリング海へ転送される。これによりゴジラの誕生する未来はなくなったものと思われたが、一九八九年、ベーリング海に廃棄されたソ連の原子力潜水艦の影響で怪獣化。一九五四年の核実験よりも強力な放射線を浴びたため、体長一〇〇メートル、体重六万トンのさらなる巨体となった。

　ゴジラは北海道に上陸し、未来人の策謀《さくぼう》によって誕生したキングギドラ（**キングギドラ**の項目参照）と激突。その長い首に絞めつけられ、泡を吹いて苦しむも、体内放射によってキングギドラを弾き飛ばす。さらに放射熱線によりギドラの真ん中の首を吹き飛ばし、勝利した。

　その後、東京に進撃し、新宿の都庁に迫るが、そこで未来人の技術により真ん中の首をロボットに挿《す》げ替えられたメカキングギドラが出現。メカキングギドラはゴジラを捕らえ、空に舞い上がるが、ゴジラの放射熱線による反撃を受け、ともに小笠原海溝に沈んだ。

　しかししばらくして巨大隕石《いんせき》の落下により、熱エネルギーを吸収してゴジラが復活（『ゴジラvsモスラ』大河原孝夫監督・川北紘一特技監督、一九九二年）。海上でモスラ（**モスラ（平成）**の項目参照）や**バトラ**の幼虫を相手に戦った後、海底火山に沈む。そして、マグマの中を移動して富士山の火口から出現し、神奈川県に移動。横浜で成虫になったモスラとバトラの二体の怪獣を相手に戦うも、二体の怪獣に海へと運ばれ、そこでバトラを道連れにして北の海に沈んだ。

　その後、海に流れ出した核廃棄物のエネルギーを吸収し、目覚める（『ゴジラvsメカゴジラ』大河原孝夫監督・川北紘一特技監督、一九九三年)。種の本能で**ゴジラザウルス**の卵の存在を感知し、ベーリング海にあるアドノア島へ向かう。

　そこでゴジラザウルスの卵が自分の卵のあった巣に托卵されていたことで卵を弟のように思い守ろうとする**ラドン**と交戦する。この戦いではラドンを下すも、ゴジラザウルスの卵は人間に運ばれてしまう。しかし孵化《ふか》したベビーゴジラのテレパシーを受信したことでそれに導かれ、日本へ向かう。

　伊勢湾から上陸したゴジラは対怪獣用兵器として開発された巨大ロボット、**メカゴジラ**の迎撃を受ける。放射熱線を吸収し、強化されて撃ち返されるなど苦戦するも、最終的に戦闘不能に追い込む。

　それからベビーゴジラを追い、幕張で再びメカゴジラと激突。飛行兵器ガルーダと合体し、**スーパーメカゴジラ**となったメカゴジラにより腰部にある第二の脳を破壊され、一度は立ち上がることもできなくなるまで追い詰められる。

　しかし同じくメカゴジラに敗れたラドンがベビーゴジラを守るため、自らの命と引き換えにゴジラにエネルギーを与えたことで復活。通常の青白い放射熱線から強化された超高熱の赤い熱線、ウラニウム・ハイパー熱線に変化しスーパーメカゴジラを圧倒。ベビーゴジラを連れて海へと帰る。

　それからは南海のバース島でベビーゴジラが変異した**リトルゴジラ**と親子のように暮らしていたが、そこに**スペースゴジラ**が襲来(『ゴジラvsスペースゴジラ』山下賢章監督・川北紘一特技監督、一九九四年)。スペースゴジラにより捕らえられたリトルゴジラを救うため、スペースゴジラを追って日本に上陸し、福岡を舞台に決戦を繰り広げる。

　結晶体を周囲に生やし、そこから宇宙エネルギーを取り込むことで無限のエネルギーを取得するスペースゴジラに苦戦するが、人類の対怪獣兵器であるMOGERA(**モゲラ**の項目参照)との共闘により打開。最後は自ら宇宙エネルギーを取り込み、体内で融合させることで赤色の熱線、バーンスパイラル熱線を放ち、スペースゴジラを撃破した。

　その後はまたバース島でリトルゴジラと暮らしていたが、今度はバース島の地下にあった天然ウランが急激な核分裂反応を起こしたことで地殻変動が発生し、島が消滅。ゴジラもその影響を受け、体内の核分裂が異常に活性化し、体がマグマのように赤く光り続ける状態になる(『ゴジラvsデストロイア』)。

　この状態のゴジラは「バーニングゴジラ」と呼ばれ、口から放つ熱線も赤くなっており、今までの比ではない威力と化している。

　体温も異常上昇し、このままでは核爆発が引き起こされる状態になっていた。

　これは人類側の兵器スーパーXⅢによる超低温レーザーを浴びたことで体が一時的に凍結し、回避されるが、今度は体温が一二〇〇度を超えればメルトダウンを起こすことが明らかになる。

　人類側は時を同じくして出現した**デスト**

ロイアとゴジラを戦わせることでメルトダウンを防ぐ計画を立てる。このデストロイアはかつて初代ゴジラを葬った兵器、オキシジェン・デストロイヤーの影響により誕生した怪獣で、オキシジェン・デストロイヤーと同じ効果を持つ光線を放つことができた。

人類はリトルゴジラが変異した**ゴジラジュニア**を囮《おとり》にしようとするが、デストロイアはゴジラの目の前でゴジラジュニアを惨殺。怒り狂ったゴジラはデストロイアに挑みかかる。

核エネルギーが暴走したゴジラには既にオキシジェン・デストロイヤーさえも決定打にはなりえず、メルトダウン寸前の熱量と怒りのエネルギーが合わさった最強の熱線、インフィニット熱線(ハイパー熱線)を放ち、デストロイアの体を破壊した。この熱線は体内放射とともに放たれ、ゴジラ自身も放つ度に背ビレが溶け、周囲が爆発するほどの高熱を放出している。

そしてこの熱線の後、ついにメルトダウンが始まり、ゴジラの体は融解、夜に消えて行った。

『メカゴジラの逆襲』(本多猪四郎監督・中野昭慶特技監督、一九七五年)以来九年ぶりに復活し、以降平成の前半を駆け抜けていったゴジラ。**ゴジラ(二代目)**から世界観が一新され、初代ゴジラ以来三〇年ぶりに出現したゴジラとされている。またヒーローとして扱われていた二代目ゴジラに対し、再び人類の敵に立ち戻ったゴジラでもある。

デザインも二代目ゴジラから大幅に変わっており、特に『ゴジラvsビオランテ』以降はより生物的なデザインになった。頭部が小さく、首が長くなり、逆に下半身はどっしりと大きく作られている。

また高層ビルが増えた兼ね合いから、体長も八〇メートルから一〇〇メートルと、初代、二代目の五〇メートルよりもかなり大きく設定された。

二〇二二年現在でもゴジラを代表するデザインであり、ゴジラのグッズが作成される際などには平成VSシリーズのものに準拠する場合が少なくない。

また現時点で二代目ゴジラに次いでひとつのシリーズに出演し続けたゴジラであり、初代ゴジラやハリウッド版ゴジラ(**ゴジラ(『GODZILLA』)**の項目参照)とともに明確な死が描写されたゴジラでもある。

このゴジラの死から四年の時を経て、ゴジラは再び復活する。詳細は**ゴジラ(ミレニアムシリーズ)**を参照。

ゴジラ [ごじら] (『GODZILLA』)

ローランド・エメリッヒの映画『GODZILLA』(一九九八年)に登場する怪獣。全高五四メートル、全長九〇メートル、体重五〇〇トン。

ポリネシア海域の核実験でウミイグアナが突然変異し、巨大化した怪獣。姿は恐竜の獣脚類に似るが、背中に大きな背ビレが生える。南太平洋で日本人の乗る漁船を襲い、生き残った船員が「ゴジラ」と呼んだことでその名で呼ばれるようになる。

その後アメリカのニューヨークに出現し、高層ビル街で暴れ回った。

巨体ではあるが動きは素早く、高速で走ることができる他、身をかがめてミサイルを避ける、跳躍する、ビルの上を渡り歩くなどといった身軽さを見せる。また知能も高く、罠《わな》を見破ったり、ビルに穴を空けて向こう側に行ったと見せかけて背後から襲いかかったり、待ち伏せしてヘリを破壊するなどの行動を見せた。

放射熱線は吐けないが、炎に息を吐きかけ、火炎を増大させてぶつけるパワーブレスという技を使用する。また腕の爪や嚙み付き、踏みつけなどによる攻撃を見せている。

耐久力も高く、潜水艦の魚雷を二発受けた後に地上に出現して暴れ回っており、ヘリの機関銃や戦車砲程度では倒すことができない。さらに動けなくなった状態でF－18のミサイル一二発の直撃を受けてやっと倒れている。通常であればその俊敏さでミサイルを回避するため、戦闘力は高いといえる。また変温動物であり、自身より周囲の温度が高いニューヨークの町中では赤外線誘導ミサイルに感知されなかった。

水陸両生で魚を好んで食べ、これを利用しておびき出される場面がある。

また無性生殖によって増える能力を持ち、一度に卵を二〇〇個も生む。この卵から生まれた子ゴジラは体高が二メートル近くあり、誕生直後から高い運動能力を持つ。そして同族以外の生物を餌《えさ》と認識して襲いかかって来るため、非常に厄介な存在となる。

劇中では卵が産みつけられていたビルごとミサイルで破壊され、幼体はほとんど全滅する。ゴジラはこれに明確な怒りを見せているため、子どもに対する愛情があったものと思われる。そして幼体を殺した人間を殺害しようとするが、ブルックリン橋まで追いかけたところで橋を吊っているワイヤーに絡めとられて動けなくなり、そこに前述のようにミサイルを撃ち込まれてついに力尽きた。

ゴジラという名前でありながら姿や能力が日本のゴジラと異なるため、比較されて芳《かんば》しくない評価を下されることも多い怪獣。この辺りは個人の感想になるだろう。

ただ怪獣映画としては非常に面白く、体高五〇メートルを超える巨大怪獣がニューヨークの摩天楼の間を暴れ回る姿や、卵から生まれた無数の人間大の怪物たちが活躍する場面は一見の価値がある。町中を駆ける素早い怪獣の姿もCGを織り交ぜた映像ならではであり、先入観をなくして見てほしい作品である。

ちなみにウミイグアナの突然変異であるという直接的な描写は本編やノベライズにはないが、『ゴジラ 全怪獣大図鑑』（講談社、二〇二一年）などでは核実験によりウミイグアナが変異した生物と記されている。

またゴジラというよりも『原子怪獣現わる』（一九五三年）のリメイクだという感想がよく語られるが、『原子怪獣現わる』と『GODZILLA』はニューヨークを舞台にしている以外はあまり共通点はなく、このゴジラが**リドサウルス**の特徴を特別濃く受け継いでいるわけでもない。リドサウルスは水爆実験によって目覚めた太古の恐竜であり、四足歩行で、血液に未知の病原菌がいるため通常兵器で迂闊《うかつ》に攻撃してはならない存在として描かれている。このため怪獣同士で比べるとあまり似ていない。

なお、映画のラストでは生き残った最後の卵から幼体が孵《かえ》る姿が描かれているが、アメリカでは映画の続編としてこの幼体が主役となるアニメシリーズ『ゴジラ・ザ・シリーズ』が放映された。この幼体は刷り込みにより初めて出会ったニック（映画本編の主人公）を親だと思い、人間を守るために戦う。このゴジラは口から火炎を吐くなど、日本のゴジラに設定が近くなっている。

成長したゴジラは様々な理由で出現する怪獣たちと戦うが、中には映画で倒された親ゴジラがサイボーグ化されたなれの果て、サイバーゴジラと戦うエピソードも見られる。

ゴジラ［ごじら］ （『シン・ゴジラ』）

庵野秀明及び樋口真嗣監督の映画『シン・ゴジラ』（二〇一六年）に登場する怪獣。なお、劇中の世界では「怪獣」という言葉が使われていないため、「巨大不明生物」と呼ばれる。

もともとは太古から生きながらえていた海洋生物だったが、生息地域に大量の放射性廃棄物を大量に海中投棄されたことで、生き延びるために放射線に耐性を持つ生物へと急速に変化したものと推測されている。そのためか、放射性物質を餌《えさ》としていた。

アメリカのエネルギー省に所属していた日本の生物学者牧吾郎の提案により、コードネームとして「GODZILLA」が与えられる。これは牧の故郷である日本の大戸島において神の化身を意味する言葉「呉爾羅」が由来とされており、後に日本でも「ゴジラ」と呼称されることになる。

劇中での説明によれば、人間の八倍もの遺伝子情報を持つ地球上でもっとも進化した生物であり、さらに世代交代を経ることなく進化を繰り返すことが可能。体内には生きた原子炉ともいえる熱核エネルギー変換生体器官を持ち、水と空気だけでエネルギーを生成することができる。そのため、進化を繰り返した後は口に当たる器官は残っているものの、何か物を食べる必要はなくなっている。

劇中では目的は不明だが日本に出現する。先述した牧は近い将来ゴジラが出現することを予測し、日本に帰国。その後、東京湾でボートに数点の遺留物を残した状態で行方不明になっている。牧はかつて日本の学界から追放されており、また妻を放射線病で亡くしていることから、妻を見捨てた日本政府を憎んでいるのではないかと推測されている。また行方不明になった際、「私は好きにした、君らも好きにしろ」と謎めいた言葉を紙に残していたことから、古代生物の異常進化になんらかの関わりがあった可能性がある。実際、原種は小型の生物であったはずのゴジラは、劇中で五段階にわたる急激な進化を見せることになる。

はじめ、東京湾に出現した際のゴジラは巨大なオタマジャクシのような形態になっており、劇中でははっきりと姿は見せないものの、尻尾部分を海上に振り上げる姿が確認された。この段階は第一形態と呼ばれる。

第二形態では二本の脚を持つ、深海魚とトカゲを合わせたような姿になる。身長二八メートル、全長一二二メートル。東京都大田区の蒲田に上陸した形態で、陸上で活動するための機能を備えており、這《は》うようにして時速一三キロ程度の速さで地上を進行。首の部分には鰓《えら》があり、体液を常に滴らせる。背中には背ビレが生え、体表の色は褐色。

建物を破壊し、人間を押し潰《つぶ》しながら移動したため、街に大規模な被害をもたらした。

その後、品川区に侵入し、二本足で直立。体色が赤黒く変化し、腕が形成される。また背ビレが巨大化し、熱エネルギーにより赤く発光する。

この形態は第三形態とされ、身長は五七メートル、全長一六八・二五メートルと巨大化している。急激な進化により過剰な熱が発生したため、一度退化して東京湾に引き返し、海中に姿を消した。

その後、海中でさらなる進化を遂げ、第四形態に移行する。この段階では身長一一八・五メートル、体重九万二〇〇〇トンまで巨大化しており、体は黒い皮膚に覆われ、その裂け目から高熱による赤い光が漏れる。

相模湾より日本に上陸し、東京都へ向かって進撃。自衛隊の通常兵器ではダメージを与えられず、東京への侵攻を許す。

その後、港区にて米軍による地中貫通爆弾により爆撃を受け、負傷するが、これを受けてゴジラは口から真っ黒な煙を吐き出す。それはやがて高熱の炎（超高熱放射性粒子帯焔）に変わり、それが収束して紫色の熱線に変わると、上空に向けて撃ちだして米軍のB－2爆撃機を破壊。この際に背ビレが紫色に発光しており、今度は口を閉じてこの背ビレから複数の熱線を放射し、次々とB－2爆撃機を破壊した。この熱線は劇中で「放射線流」と呼ばれる。

このゴジラの一連の行動により約三〇〇万人の死傷者が発生するが、ゴジラもまたエネルギーを使い果たし、東京駅構内で活動を停止。このため、ゴジラを倒すための新たな作戦として、血液凝固剤を口から流し込み、活動を完全に停止させる「ヤシオリ作戦」が立案される。

そして米軍と自衛隊によるヤシオリ作戦が実行に移され、まず爆弾を詰め込んだ新幹線（無人新幹線爆弾）が足下で爆発することでゴジラが覚醒。直後、米軍の無人爆撃機が飛来したことで飛行するものをすべて撃ち落とす性質を持つゴジラは放射線流を放つ。この状態で尾の先から放射線流を放つ能力を身に付けるが、繰り返し出現する無人爆撃機によりついにエネルギーの枯渇を起こす。

その直後、周囲のビルが爆弾により倒壊し、ゴジラの上に降りかかって来たことで地面に倒れ込み、その口内に血液凝固剤を流し込まれる。

これに対してゴジラは短時間でエネルギーを回復し、口から放射線流を放って立ち上がるが、続けて在来線の電車車両に爆弾を積んだ無人在来線爆弾の爆発を受けたことで東京駅の駅舎に倒れ込み、再び血液凝固剤を流し込まれる。

これにより体内から体が凍結し、立ち上がった直後に動きを停止した。

この時点でゴジラは第五形態に進化しようとしており、尾の先が無数に割れ、小さな人型の生物を生み出そうとしている様子が描写されている。

二〇二二年現在では日本国内で公開された最新の実写ゴジラ映画に登場するゴジラであり、シリーズの中でも異色な存在。

最初から今まで知られていたようなゴジラの姿では登場せず、**ヘドラ**や**デストロイア**のように小型の生物が進化を繰り返しながら巨大化する様子が描写されている。また第一形態がオタマジャクシのような姿をしているのもヘドラと共通する。

国内では初めて着ぐるみではなくCGメインで描かれたゴジラでもあり、モーションアクターは能楽師の野村萬斎が務めた。

オリジナルの『ゴジラ』（一九五四年、本多猪四郎監督・円谷英二特技監督）と同じくゴジラ以外の怪獣が登場しない作品であり、徹底的にゴジラと人間の攻防が描かれる。はじめは異常進化を遂げるゴジラになすすべなく翻弄《ほんろう》される人間たちが、ゴジラを倒すために作戦を練り、立ち向かっていく様子が非常に熱い。特にヤシオリ作戦が開始された直後、「宇宙大戦争マーチ」をBGMに無人新幹線爆弾が発進して開始する人間側の攻撃は公開時に大きな話題を呼んだ。

ヤシオリ作戦はゴジラの体内に血液凝固剤を流し込み、活動停止に追い込むことが目的の作戦だが、その過程で新幹線、ビル、電車車両がゴジラを倒すためにゴジラに襲いかかる。これは今までのシリーズで壊されるばかりであった彼らの意趣返しとも見ることができ、超兵器でも何でもないものたちがゴジラを打ち倒す姿には感動さえ覚えてしまう。

他のゴジラシリーズとは独立した作品であるため、単独で楽しめるのはもちろんのこと、作中で使われるBGMなど過去の作品を見ていればより楽しめる場面も多いため、いろいろな人に楽しんでほしいゴジラだ。

ゴジラジュニア ［ごじらじゅにあ］

映画『ゴジラvsデストロイア』（一九九五年）に登場する怪獣。

バース島に棲んでいた**リトルゴジラ**が、島の天然ウランが核分裂を起こしたことによりその放射能を浴び、急速に巨大化が進んだもの。ゴジラのものよりは弱々しいが、口から熱線を吐けるようにもなった。

体長四〇メートル、体重一万五〇〇〇トン。かなりゴジラの姿に近付いているが、体色は濃い緑色であり、背ビレも小さい。また前傾姿勢で、**ゴジラザウルス**の特徴も残している。

帰巣本能により生まれた地であるアドノア島に向かうが、ゴジラと**デストロイア**を戦わせるために人間に囮《おとり》として利用される。

東京に上陸させられたゴジラジュニアは出現したデストロイア中間体と戦い、ひどく傷つけられながらも勝利する。しかし完全体となったデストロイアによりゴジラの目の前で殺害され、静かに目を閉じた。

もとがベビーゴジラであるためか、人間に敵意を向けることはなく、逆に助けるような素振りも見せた。それだけに人間に利用され、デストロイアになぶられ、殺される場面は悲しい。

しかし映画は少しだけ希望を持たせてくれるようなラストになっている。ぜひその目で確かめてほしい。

コックニー氏花

［こっくにーしばな］

国枝史郎の小説『物凄き人喰い花の怪』（一九二三年）に登場する人食い植物。その正体はスペインのカンタブリアに住むコックニーという研究者が、アフリカ産のモウセンゴケを異常進化させた植物であるとされる。

コックニー博士はアフリカで植物の研究をした後、故郷であるスペインのカンタブリアに帰ってきたが、そこで巨大な香水工場を作り、多くの人を働かせていた。

しかしこの工場を訪れた人や働いていた人が何者かに攫《さら》われたかのように姿を消す事件が多発し、コックニー博士の息子バルビュー、そしてコックニー博士自身も行方不明になる。

さらにバルビューの亡霊と思しき者が目撃されるようになったため、心霊研究者のフィリッポ博士が調査に乗り出す。そこで彼は音の反響の異常や人体が分解されて発生するアンモニア臭の出所から、工場の下に巨大な地下空間があることを突き止める。大勢の人を呼んで工場を破壊したところ、実際に巨大な地下空間が現れたのだが、そこにあったのはたった三本の巨大な花だけであった。

その生血を塗ったような深紅の花弁は五寸（約一五センチ）もの厚さを持ち、花弁の内側には白銀のように輝く針毛が生い茂り、雌蕊《めしべ》の太さは一抱えもあって、それを取り巻く黄金の雄蕊は海軍士官の肩章のようによじれもつれて茂っている。花の直径は三間（約五・四メートル）もあろうかという太さで、花は上を向き、花弁を広く押し開いて空の陽の光を吸っていたという。

フィリッポ博士はこの花が人々を食い、その体を溶解させたのだと見抜き、試しに犬を花に投げ込んだところ、花の弁がたちまち一度に向きを変え、逃げようともがく犬を内側へと巻き込んでしまった。そして二〇分も経つと消化を終え、静かに花弁を開いた状態に戻った。

人々はそれからこの花がある場所に近づかなくなり、餌《えさ》を失った花はそのまま枯れてしまったと語られる。

フィリッポ博士はこの花の名前を問われた際、名前などなく、しいて言えば花を生み出した人物の名を取って「コックニー氏花」だと答えている。また、バルビューの亡霊も錯乱した人々が見たものであり、実際に亡霊が現れたのではないと語っている。

コンガ［こんが］

ジョン・レモント監督の映画『巨大猿怪獣コンガ』（一九六一年）に登場する怪獣。

チンパンジーが成長促進剤を打たれ、巨大な怪物に変貌したもの。成長促進剤は植物学者のチャールズ・デッカーがアフリカのウガンダで見つけた驚異的な速さで成長する肉食植物をロンドンに持ち帰り、それをもとに作り出したものであるとされる。

コンガもウガンダでチャールズに懐《なつ》いた子どものチンパンジーだった。

コンガは実験のため、チャールズに成長促進剤を打たれたことですぐに成体のチンパンジーに成長。しかしチャールズはさらに成長促進剤を与え、コンガをゴリラのような容貌の怪物に変化させてしまう。そして催眠術を用い、自分の意にそぐわない人間を殺害させていく。

だが、チャールズが自分の教え子に手を出そうとしていることを知った彼の妻マーガレットがコンガにさらに成長促進剤を与える。これによりコンガは体長十数メートルまで巨大化し、マーガレットを殺害。チャールズを捕らえ、ロンドンの街に繰り出すが、軍隊の総攻撃により倒されてしまう。

コンガは着ぐるみを使って表現されているが、出番はあまり多くなく、巨大化した後もあっさりやられてしまう。人間に利用され続けた挙句、最後は亡骸《なきがら》が小さなチンパンジーに戻ってしまう場面は切ない。

コンガは、映画より先に小説やコミックで描かれた。例えば、一九六〇年から六五年にかけてアメリカン・コミックスの出版社チャールトンコミックスよりコンガを主人公とするコミックが発売されている。この会社は**ゴルゴ**や**レプティリカス**のコミックも刊行しており、コンガはゴルゴとともに会社を代表するキャラクターとして誌面を飾った。

サンダ［さんだ］

映画『フランケンシュタインの怪獣 サンダ対ガイラ』（一九六六年）に登場する怪獣。体長三〇メートル、体重一万五〇〇〇トン。

全身を茶色の体毛と松かさ状の皮膚で覆われた巨人。幼少時は猿のような姿をしており、人間に育てられたことから人間に危害を加えず、性格も温和である。

成長後、行方不明になるが、日本アルプス山中に潜《ひそ》み、生きていた。自分の細胞から生まれた弟、**ガイラ**が人間に攻撃されるのを目撃し、彼を庇《かば》うが、ガイラが人間を捕食したのを見て決別。一度はガイラを説得しようとするものの、相容れず戦闘となる。

東京銀座を舞台にした戦いはやがて海へと移り、最後は海底火山の爆発に巻き込まれ、消息不明となった。

前作『フランケンシュタインの怪物対地底怪獣』（本多猪四郎監督・円谷英二特技監督、一九六五年）に登場したフランケンシュタインと設定が酷似しており、**バラゴン**との戦いの後行方不明になったフランケンシュタインのその後のような印象を受けるが、幼少期の姿が違うなど微妙に設定が異なる。

舞台は『フランケンシュタインの怪物対地底怪獣』のパラレルワールドであるといえるだろう。

ジーダス［じーだす］

映画『小さき勇者たち〜ガメラ〜』（二〇〇六年）に登場する怪獣。一九七三年、ガメラとギャオスが戦った際、倒されたギャオスの肉を喰った爬虫類《はちゅうるい》が突然変異を起こしたもの。最初の出現時は体長九〇メートル、体高三〇メートル。

巨大な獣脚類のような姿をしており、首に襟巻《えりまき》のような器官を持つ。陸上と水中のどちらでも生息することができ、ハープーン舌という硬直して伸びる舌を武器とする。また高い跳躍力を持っていたり、垂直にビルを登ることができるなど、巨体の割に身軽で高い身体能力を持つ。

劇中では二〇〇六年に三重県志摩に出現し、住人を襲撃。餌《えさ》として喰い殺した。しかし突然現れた**トト**（今作のガメラ）の妨害を受ける。その際は体格差で有利に戦闘を進めるが、トトの吐き出した炎を浴びて海中に転落し、姿を消す。

その後、名古屋に出現し、再びトトを襲う。この時点では以前よりも巨大化しており、体高五〇メートル、体長一五〇メートル、体重二〇〇〇〇トンに及んでいる。この戦いでは舌で甲羅を貫くなどしてトトを追い詰めるが、子どもたちが運んだ赤い石と同化し、完全体となったトトの火球を受け、粉々に爆発した。

前述のギャオスの死体を喰ったという情報は『小さき勇者たち〜ガメラ〜超全集』（小学館、二〇〇六年）等に記されている情報であり、映画では説明されていない。

長く伸びる舌を武器とするという特徴はガメラと初めて戦った怪獣、**バルゴン**を思い起こさせる。バルゴンは舌の先から冷凍液を噴出するが、ジーダスも設定では舌先から毒液を噴出するという。

ジキル博士とハイド氏

「じきるはかせとはいどし」

ロバート・ルイス・スティーブンソンの小説『ジキル博士とハイド氏』（一八八六年）に登場する科学者。

ジキル博士はフルネームをヘンリー・ジキルといい、イギリスのロンドンの病院に勤める医師で、大柄で白い肌を持つ、道徳的かつ善良な人物である。その一方、自分でも抑えることができない快楽癖《へき》があり、快楽に興じる姿を人に見られることを恥じて二重生活を演じていた。

やがて善と悪を完全に分離し、善にのみ殉《じゅん》じる自分と、悪にのみ興じる自分を作り出そうと夢想する。そして実験を重ねてひとつの薬を調合、これを使うことでもうひとりの自分、ハイドに変身できるようになる。

しかし善と悪の分離には失敗し、善と悪が混ざったジキル、純粋な悪のハイドという二人の人物として生活するようになる。ジキルはハイドに変身すると自分とはまったく別の姿、性格になることを利用し、夜になると薬を飲んで快楽に身を任せるようになるが、やがて薬を飲まずともハイドに変身していることに気づく。

主人格が乗っ取られ始めたことを知ったジキルは薬の使用を控えるが、ある時我慢できずに薬を服用し、ハイドになる。そしてついに殺人を犯してしまう。

以降、薬なしにハイドに変身することが増え、ジキルに戻るために薬を要するようになる。

その薬の材料が尽きようとしたため、新しく材料を調達するが、それで作った薬は何の効果ももたらさない。最初に調達した薬の材料に混ざっていた不純物が重要な効果を担っていたのだと気づいた時にはもうそれを手に入れる術《すべ》はなかった。

最後の薬を使い、ジキルに戻った後、自らの命を絶つことで決着をつける。

ハイドはフルネームをエドワード・ハイドといい、小柄で毛深く、浅黒い肌の筋張った体の人物。先述したようにジキルが自分で調合した薬を飲むことで現れるもうひとつの人格である。

ジキルを含む全人類が善と悪の混ざりあった存在であるのに対し、ハイドは人類で唯一の純粋な悪の人間と表現される。

ジキルからハイドに変身する際には骨を挽《ひ》かれるような苦しみ、恐ろしい吐き気、そして凄《すさ》まじい恐怖に襲われるとされるが、それが終わると解放されたような自由な気分になる。そして積極的に遊興に身を任せ、悪事を犯すことに躊躇《ちゅうちょ》がなく、意図的に悪を行おうとする。

記憶はジキルと共有しており、ジキルはハイドになって開放的な生活を営むことを楽しんでいたが、やがて睡眠時など意識がなくなると薬なしにハイドに変身するようになる。ハイドはジキルの主人格を乗っ取り始め、ジキルに戻るために薬が必要になり、その量も次第に増えていく。

しかしジキルの最後の意思によりその命を絶たれる。命を絶ったのはジキルであったが、横たわっていた死体はハイドのものだったという。

『ジキル博士とハイド氏』は二重人格の人物を描いた世界で最も有名な作品である。幾度も演劇や映画にもなっており、早いものでは一九二〇年に『ジキル博士とハイド氏』（チャールズ・J・ヘイドン監督）、『狂へる悪魔』（ジョン・S・ロバートソン監督、一九二〇年）といったサイレント映画が公開されている。

また一九四一年に公開された『ジキル博士とハイド氏』（ヴィクター・フレミング監督）ではジキルとハイドを別々の役者が演じており、この別人が演じるという手法によって、両者の姿や性格がまったく異なることが上手に描き出されている。

ちなみに、原作ではハイドはジキルよりも小柄な人物として描かれているが、これはジキルの悪の面が善の面に比べ今まで意図的に制御されており、表に出ることが少なかったため、それがハイドに影響していると記されている。アメリカン・コミックスの『リーグ・オブ・エクストラオーディナリー・ジェントルメン』（アラン・ムーア、一九九九年）ではこの設定を逆手に取り、初めは小男だったハイドが悪事を重ね、性格が暴走するごとに体が肥大化していったとして、筋肉に覆われた巨漢のハイドが登場する。同作の映画化『リーグ・オブ・レジェンド 時空を超えた戦い』（スティーヴン・ノリントン監督、二〇〇三年）でも巨漢のハイドが表現された。

またこの肥大化した体を持つハイドという表現は『ヴァン・ヘルシング』（スティーヴン・ソマーズ監督、二〇〇四年）にも見られる。

思考の怪物

［しこうのかいぶつ］

アーサー・クラブトゥリー監督の映画『顔のない悪魔』（一九五八年）に登場する怪物。

人間の脳みそに脊髄《せきずい》が繋《つな》がったような姿をした生物で、脳からは二本の触角が伸びている。脊髄部分を尺取り虫のように伸縮させて動き、繁殖のための餌《えさ》として人間の脳と延髄を吸い出して喰らう。さらにこの捕食行為により喰った人間の知識を自身に取り込むことができる。

普段は目に見えず、透明な状態で近づいてきて人間を襲うため、犠牲者は突然何者かの襲撃により命を奪われることになる。

その正体はヴォルゲートという科学者が自分の思考を実体化させたもの。ヴォルゲート教授は長年人間の思考を分離して物質化させる研究に没頭しており、その過程で自分の脳に電気を流すことで実体化を実現する装置を発明。しかし実際に思考を実体化するには莫大なエネルギーが必要となり、ヴォルゲート教授は近くの軍事基地で空軍が実験に使っている原子力発電所のエネルギーを奪うことを思いつく。

　これにより教授の思考が怪物として実体化。制御が効かなくなり、勝手に動き出して人々を襲い始める。

　この時、空軍の軍人を襲い、その知識を得た怪物によって原子力発電所の制御棒を破壊し、さらなるエネルギーを得た怪物たちは目に見える姿へと変化する。生みの親であるヴォルゲートさえも殺害し、人間たちを追い詰めるが、原子力発電所の制御室を爆破されたことでエネルギーの供給源を失い、溶けてしまった。

『禁断の惑星』（フレッド・M・ウィルコックス監督、一九五六年）の**イドの怪物**と同じく思考が実体化した目に見えない怪物が襲ってくる映画だが、『顔のない悪魔』の原作はアメリア・レイノルズ・ロングが一九三〇年に発表した『The Thought-Monster（思考の怪物）』であるため、実はこちらの方が早い。本項目名もこの原作に基づいている。

『The Thought-Monster』は日本語訳されていないが、ヴォルゲートという科学者の思考を実体化する実験により目に見えない怪物が誕生するという物語で、この部分は『顔のない悪魔』と一致している。ただ怪物の性質は少々異なっており、この怪物は人間の精神そのものを喰う怪物とされ、「mental vampire（精神的な吸血鬼）」と表現される。紫色の光を嫌い、それがある場所には寄ってこない。ヴォルゲートはその性質を知ったことで、自分が生み出してしまった怪物と決着をつける。

　脳と脊髄を食らったり、原子力発電所を襲うのは映画オリジナルで、原作では最後まで姿が見えないため、脳と脊髄が組み合わさっている姿も映像化の際に設定されたもの。映画ではこの奇怪な姿で尺取り虫のように移動する姿がストップモーション・アニメーションで表現されており、異様な生物の異様な動きが堪能できるため、一見の価値ありだ。

シャークトパス
[しゃーくとぱす]

ジョン・オールドJr監督の映画『ジョーズ・アタック2』（一九八四年）及びリメイク版の『シャークトパス』（デクラン・オブライエン監督、二〇一〇年）に登場する怪物。

　オリジナル版ではシャークトパスという名前は出て来ないが、固有名がないためリメイク版に合わせて項目名をシャークトパスとしている。

　オリジナル版ではホオジロザメとタコを組み合わせ、イルカ並みの知能を持たせたモンスターとされるが、なぜか頭部が古代の板皮類のような見た目をしている。タコの触手で人間をなぎ倒し、巨大な牙と強靭《きょうじん》な顎《あご》で人間を噛み砕く。

デイヴィス・バーカーという科学者により海洋汚染から海を守るために人工的に造られたとされるが、デイヴィスも予想できなかったことに異常な自己再生能力を持ち、一二時間を一サイクルとして細胞組織が崩壊し、それが再生することで二倍に増殖する。

しかし火を弱点としており、最後は火炎放射器により全身を焼かれ、倒れた。

題名は『ジョーズ・アタック2』だが『ジョーズ・アタック』（アンソニー・リッチモンド監督、一九八七年）とはまったく関係がない上、公開年も先。もともと『死神ジョーズ／戦慄《せんりつ》の血しぶき』などの題名で知られていたが、なぜかDVD化の際にこのタイトルになった。

ホオジロザメ、タコ、イルカと海の動物たちをひとつにしたモンスターだが、タコの要素は触手として残っているものの、ホオジロザメの要素はどこにあるのか何億年も前の海にいたという板皮類のようないかつい頭に変わっている。ただその姿は正に海洋モンスターという様相で迫力がある。

リメイク版ではホオジロザメとタコの細胞を合成して生み出された生物兵器とされ、そのままホオジロザメの上半身にタコの下半身をくっつけたような姿をしている。こちらは普通のホオジロザメの要素はあるが、タコの触手の先に槍《やり》のような爪を生やしており、武器として使う。またタコ墨を吐くこともできる。

さらに陸上でも活動が可能となっているなど、海洋モンスターを超えるポテンシャルを見せてくれる。

こちらのシャークトパスはシリーズ化されており、続編『シャークトパスvsプテラクーダ』（ケヴィン・オニール監督、二〇一四年）では魚と翼竜の遺伝子を組み合わせた生物兵器プテラクーダと陸海空を舞台にした戦いを繰り広げる。この作品に登場するシャークトパスは第一作のシャークトパスが残した卵から生まれた子どもだが、生まれた時に初めて見た生物学者ロレーナを親だと思い、彼を救うなど前作にはない愛情深さも見せた。

第三作目『シャークトパスvs狼鯨』（ケヴィン・オニール監督、二〇一六年）では、なぜか人間と狼《おおかみ》とシャチが組み合わさったような怪物に変貌したホエールウルフと戦う。

ジャイアント・モスキート

［じゃいあんと・もすきーと］

ゲイリー・ジョーンズ監督の映画『モスキート』（一九九四年）に登場する怪物。アメリカの国立公園に落下した宇宙船に乗っていた宇宙人の血液を吸った蚊が突然変異し、巨大化したもの。もとになった蚊はエイディーズ・エジプタイ（ネッタイシマカ）とされる。

姿は蚊そのものだが、その大きさは一メートルほどあり、その巨体で空中を自在に飛んで人間に襲いかかる。

通常の蚊と同じく口吻《こうふん》を突き刺し、人間

の血を吸い取る。しかしその太さは直径数センチもあり、犠牲になった人間は体中の体液を失い、干からびてミイラのようになってしまう。さらにこの口吻は木製のドアやガラスを突き破るほど強力である。

さらに生態が変化しているのか、通常の蚊とは違い地上に卵を産み、幼虫であるボウフラを経ずに卵から直接成虫が生まれる。また、通常の蚊が血を吸うのは産卵のために一度だけなのに対し、ジャイアント・モスキートは何度でも人間に襲いかかり、血を吸い尽くす。

一方、やはり蚊であるためか耐久力はそこまで強くなく、拳銃や手斧《ておの》の攻撃で殺すことが可能である。最後は産卵場所ごと爆発で吹き飛ばされ、全滅した。

ジャイアント・モスキートたちの造形はかなりリアルで、巨大な害虫が襲ってくるという恐怖が見事に描写されており、大変気持ちが悪い。

また伝説的なホラー映画として知られる『悪魔のいけにえ』（トビー・フーパー監督、一九七四年）で殺人鬼のレザーフェイス役を演じたガンナー・ハンセンが出演しており、レザーフェイスが凶器として使用していたチェーンソーを使ってジャイアント・モスキートと戦う場面が話題となった。

獣人ゴリラ男 [じゅうじんごりらおとこ]

映画『獣人ゴリラ男』（フェルナンド・メンデス監督、一九五六年）に登場する怪人。

死を克服する肉体を作るため、死体の頭に類人猿の脳を移植していた科学者カルロス・リケルメにより、頭部にゴリラの脳みそを入れられたギレルモ・サンタナというプロレスラーである。

術後しばらくは見た目は普通の人間と変わらなかったが、覆面レスラーとしてプロレスの試合に出た際に野性の本能が目覚める。相手のプロレスラーをその怪力で投げ飛ばした後、ギレルモは牙を剝《む》き出しにして暴れだし、カルロスを殺害。人間であった頃の恋人を攫《さら》って逃亡する。その間にもギレルモは次第にゴリラに近付いて行き、体には獣毛が生え始めていた。

最後は生前の友人であった警官のロブレスにより銃弾で貫かれ、ビルの上から転落して死亡した。

メキシコで定番のプロレス映画（ルチャ・ムービー）とホラー映画を融合させ、フランケンシュタイン風に仕上げた映画。ゴリラ男が出て来るまでが長いが、その間にも人間の体に類人猿の脳を融合させる実験は行われており、ゴリラだけでなくチンパンジーの脳を使っている描写も見られる。

植物人間 [しょくぶつにんげん]

蘭郁二郎の小説『植物人間』（一九四〇年）に登場する怪人。

紀伊（和歌山県）の森の中に地図にもない沼があり、そこに一八、九歳のまったく同じ姿をした三人の美しい少女が住んでいる。三人とも緑色のワンピースを着ているが、ワンピースにはそれぞれ菊、薔薇《ばら》、百合の刺繍《ししゅう》がほどこしてあり、それによって区別することができる。

その正体は吉見という研究者が、その地で見つけた珍しいヤドリギの一種を進化させたものである。かつて動物も植物も同じ微生物から進化した、という事実を踏まえ、動物のように活発に動く植物を作り上げたもの。葉緑体を体に備えているなど、植物としての特徴も持つ。

感情も持っているらしく、三人のうち菊の刺繍のあるワンピースを着た「洋子」と呼ばれる少女は、彼女たちの住む森に迷い込んできた人間の男に好意を抱いたような反応を見せるなどしている。

ショッキラス ［しょっきらす］

映画『ゴジラ』（一九八四年）に登場する怪物。ゴジラに寄生していたフナムシがその放射能により巨大化及び異形化したもの。

体長一メートル、体重四五キロもあり、人間を見つけると飛び付いてきて血を吸うなど、生態も変化している。

ジラ ［じら］

北村龍平監督・浅田英一特技監督の映画『ゴジラ FINAL WARS』（二〇〇四年）に登場する怪獣。背ビレのある獣脚類の恐竜のような姿をしており、灰色の皮膚に体を覆われる。

体長九〇メートル、体重不明。強靭《きょうじん》な脚があり、巨体ではあるものの素早く走り、長距離を跳躍することができる身軽さを持つ。

人間を捕食対象と認識しており、見つけると積極的に食い殺そうとする。

劇中には**X星人**に操られる怪獣の一体として登場。まずオーストラリアのシドニーに出現し、街を破壊したり、人間を襲うなどした。その後、X星人に回収され、ゴジラが蘇った際には再びシドニーに出現させられ、ゴジラと対峙《たいじ》。一度はその放射熱線を跳んで回避し、そのままゴジラに飛びかかるも、尾で叩き落とされてオペラハウスに突っ込み、再び放たれた放射熱線によって粉砕された。

名前の由来はゴジラの英語表記である「GODZILLA」から「GOD」を抜いたもの。ハリウッド版のゴジラ（**ゴジラ（『GODZILLA』）**の項目参照）がもとになっており、姿はほぼそのままで本家と同じくフルCGで表現された。ただし体長は一・五倍に巨大化している。

『ゴジラ ファイナルウォーズ超全集』（小学館、二〇〇四年）によればイグアナが突然変異した怪獣で、マグロを常食しているという。実際に劇中でも「マグロを喰っている」というセリフが述べられる。また、同種のモンスターが、一九九八年にアメリカ東海岸に出現したという非公式な情報も報告されている、とあるが、これは先述の『GODZILLA』が一九九八年に公開されたことにちなんだ話のようだ。

シル［しる］

ロジャー・ドナルドソン監督の映画『スピーシーズ 種の起源』（一九九五年）に登場する人工生命体。

一九七四年一一月、地球人が宇宙に向けて地球人のDNA構造、太陽系の配置と運行、地球の人口などといった情報を発信した。

そして一九九三年一月、発信源は不明だが、地球外生命体から返事が返ってきた。そこには「メタン用の優れた触媒《しょくばい》の製法」及び「地球人類のDNAと結合させることができるDNAの配列」の情報が記されていた。そして後者のDNAを実際に人間の卵子に組み込んだことで生まれたのがこの生命体である。

この生命体は「シル」というコードネームを付けられた。異様な速さで成長し、誕生一ヶ月後には人間の少女の姿に成長。しかしこの新種の生命体を恐れた科学者たちはシルを毒殺しようとし、彼女はガラスを突き破って逃走。

その後、貨物列車に飛び乗り、食物を摂取した後、全身から触手を発生させ、列車内で蛹《さなぎ》のような姿になり、一定期間を経て人間の若い成人女性の姿に変化した。

この状態のシルは子孫を残すことを目的に行動し、人間の男を誘惑して性行為に及ぶ。しかし相手が病気を持っているなど、交配相手として相応しくないと判断した場合は対象から除外する。

自由に異形の姿に変身できる他、人間の女性の姿をしている段階でも体から触手や棘《とげ》のような器官を発生させる能力を有しており、それにより相手を攻撃する。また高い再生能力があり、体の一部が切断されてもすぐに修復できる。身体能力も高く、怪力や凄《すさ》まじい跳躍力を持つ。

終盤では異形の姿を露わにし、洞窟内で自分を追跡する人間たちと戦った。

また自身の成長だけでなく、子を宿した際の胎児の成長速度も異常に早く、性行為を終えた直後に懐妊し、数十分後には出産を果たしている。

最後は自分を追跡してきた人間に生まれたばかりの子どもを殺され、怒り狂って暴れるが、自身も銃撃を受け、炎の中に消えた。

変身後のシルのデザインは**エイリアン**（『**エイリアン**』**シリーズ**）や**キラーコンドーム**のデザインを行ったH・R・ギーガーが手掛けている。

また続編の『スピーシーズ2』ではシルのクローンとしてイヴという名前の生命体が登場する。

シンジェノア［しんじぇのあ］

ウィリアム・マローン監督の映画『バイオ・スケアード 悪魔の遺伝子』（一九八〇年）及びジョージ・エランジアン・Jr監督の映画『シンジェノア』（一九九〇年）に登場する怪物。

『バイオ・スケアード 悪魔の遺伝子』では

ある研究所で遺伝子操作によって生み出された怪物とされ、車のドアを剝《は》ぎ取る、銃弾で撃たれても死なないなど人間を遥かに超える強靭《きょうじん》な肉体を持つ。

黒い体表の半魚人のような姿をしている。髄液を養分としており、長い舌を伸ばして人間の口に突っ込み、髄液を吸い尽くす。この養分確保のため、殺人を繰り返していた。

最後はプレス機に倒れ込んだところでプレス機を作動させられ、これに潰《つぶ》されて息絶えた。

このプレス機による決着は『ターミネーター』（ジェームズ・キャメロン監督、一九八四年。**T-800**の項目も参照）に先行しているが、『蠅男《はえおとこ》の恐怖』（カート・ニューマン監督、一九五八年。**蠅男**の項目も参照）に影響を受けたものだろうか。

続編の『シンジェノア』は『バイオ・スケアード　悪魔の遺伝子』とは世界観を異にしており、ストーリーも繋《つな》がっていない。共通するのはシンジェノアが登場するということのみ。シンジェノアのデザインが一部で好評だったため、シンジェノアが登場する続編が作られたらしい。

今作に登場するシンジェノアはアメリカの巨大企業ノートン・サイバーダイン社によって遺伝子操作により作り出された人造兵士。中東で起こると予測される大戦のために開発されたせいで、砂漠のような乾燥した環境に適応しており、怪力を誇る。また二四時間に一度無性生殖により卵を産み、個体を増やすため、放っておけば増え続ける。

一方、そのために水を弱点とし、かかっただけで化学反応を起こし、大量に浴びればドロドロに溶けてしまう。

ただし火に対して極端に強いわけでもないらしく、火を吹きかけられた際には怯《ひる》んでいた。また、普通の銃では死なないというセリフがあるが、劇中の描写を見る限り何発か銃弾を受けると死んでいる。しかし再生能力を持ち、バラバラになった個体の肉片がひとつになって新たなシンジェノアと化す描写も見られた。その際にはバラバラになった人間の肉片も一緒に取り込み、異形の怪物と化している。

いくら砂漠用とはいえ水だけで倒せてしまうのは戦争用の兵士としてどうかと思うが、劇中に登場したものはまだ「原型」と語られているため、これからさらに改良が加えられる予定だったのかもしれない。

千の脚を持つ男［せんのあしをもつおとこ］

フランク・ベルナップ・ロングの小説『千の脚を持つ男』（一九二七年、中村融編、創元推理文庫『千の脚を持つ男』（二〇〇七年）収録）に登場する怪物。

クラゲのようなゼリー状の体を持った怪物で、少なくとも一〇〇〇本の触手、鉤《かぎ》のように曲がった嘴《くちばし》、巨大な口を持つとされる。その体長はクジラよりも大きく、触手には金色の吸盤が並ぶ。また嘴の上には黒い目が二つあり、体表からは黄色の粘液のようなものを分泌する。水など塩を含む水の中でしか生存できない。

正体はアーサー・セント・アマンドという人物で、エーテル振動による生体細胞を変化させる実験で自身を実験台にしたことで、このような怪物となってしまった。

はじめは人間の姿と怪物の姿を行き来することができ、怪物に変化する際はエーテル振動を含む光線を照射し、人間に戻る際はアーサーの意思によって変化していた。怪物の姿になると多くの食物を必要とし、アーサーは人間を襲ってその血液を吸っていた。しかし途中から怪物の欲望が制御できなくなり、食欲の高まりとともに怪物の姿に強制的に変化するようになる。怪物化が進行するにつれて食物や血を欲する量は増加し、アーサーは痩《や》せ細っていくようになる。

途中、上半身は人間、下半身は一〇〇〇本の触手が生えた怪物という状態になったときでも、かろうじて上半身にはアーサーの意思が残っていたが、やがて完全に怪物に意識を乗っ取られる。

完全に怪物と化したアーサーは人や動物を襲いながら巨大化していき、最後は船を破壊できるまでになった。だがそれ以降はまともな食物が手に入らなかったのか、最後は痩せ細ったアーサーの死体が見つかることとなった。

双頭の殺人鬼 ［そうとうのさつじんき］

ジョージ・ブレークストン監督の映画『双頭の殺人鬼』（一九五九年）に登場する怪人。在日米国人記者ラリーが薬液を注射されたことにより変異したもの。

ラリーは宇宙線が生物進化に与える影響を研究している鈴木博士という科学者のもとを取材に訪れた際に睡眠薬を飲まされ、眠っている間に実験台にされる。その後、薬液を打たれた右肩に瘤《こぶ》が現れ、ラリーは人が変わったように狂暴化し、殺人を重ねる。

そのうち、瘤は人間の目のようになり、次第に巨大化して類人猿のような頭になる。

さらにこの類人猿のような頭はラリーと分離し、毛むくじゃらの猿人として独立した存在となり、ラリーと争う。正気を取り戻したラリーは何とかこの怪物を富士山の火口に突き落とし、無事に自分を取り戻した。

主人公がアメリカ人であり、台詞《せりふ》も全編にわたって英語で交わされるが、一貫して日本を舞台にした物語として描かれる。泉速之著『銀幕の百怪　本朝怪奇映画大概』（青土社、二〇〇〇年）によればこの映画は日本で映画製作を行っていた監督のジョージ・ブレークストンが、ユナイト日本支社から資金提供を受けて製作したのだという。

サム・ライミ監督の『キャプテン・スーパーマーケット』（一九九三年）には主人公アッシュの肩から頭が生えてきて、やがて分離してもうひとりのアッシュとなり、本物のアッシュと戦う場面があるのだが（**カンダールの悪霊**の項目参照）、『双頭の殺人鬼』とそっくりである。もしかして元ネタなのだろうか。

た

太陽の怪物［たいようのかいぶつ］

トム・ブートロス監督の映画『太陽の怪物』（一九五八年）に登場する怪物。物理学者のギルバート・マッケンナが原子力実験中の事故で多量の放射能を浴びたために変異したもの。ギルバートは太陽の光に五分以上当たっていると細胞が変異し、体が爬《は》虫類《ちゅうるい》のような鱗で覆われ、トカゲと人間が混ざったような怪物と化すようになった。

変身するのは太陽の光を浴び続けている間のみで、日陰に入ればもとに戻る。また月の光や電気の光では変身しない。怪物に変わると理性を失い、周囲の人間を襲うようになる。そして殺人を重ねたギルバートはやがて追い詰められていく。

月の光ではなく太陽の光で変身するという、人狼とは逆の性質を持つ珍しいモンスター。その性質上真昼間を中心に暴れ回るのもモンスター映画としては珍しい。

トカゲと人間を足して二で割ったようなマスクの造形は実に見事。基本的に太陽の下にしか出て来ないので、その姿を存分に拝むことができる。

チコ［ちこ］

海野十三の小説『生きている腸《はらわた》』（一九七六年、早川書房『十八時の音楽浴』（一九七六年）収録）に登場する怪物。題名通り、人間の死体から取り出され、腸だけで生きている。

医学生の矢吹隆二という青年がある刑務所の附属病院から手に入れた人間の腸で、はじめはガラス管に満たしたリンゲル液の中で飼育されていたが、その時点で全身を曲げたり、動かすなど、異常性を見せた。

矢吹は実験のため、少しずつリンゲル液の濃度を減らしていき、ほぼ水だけの液体にした後、最終的に液体そのものを取り除いた。にもかかわらず腸はいまだ生き続けており、大気中での生存が確認された。

その後、腸は変化を続け、餌《えさ》にしていた砂糖水を与えると、テーブルの上から矢吹の方に体を伸ばし、もっと欲しいというような素振りを見せるようになった。

また実験を続けるうち、細い白金の棒の先を生ける腸に当て、それからその白金の棒に、六〇〇メガサイクルの振動電流を伝わらせると、生ける腸がぬらぬらと粘液を吐き出すことが判明した。さらに腸壁の一部に音叉《おんさ》で一定の振動数の音響をある順序に従って当てた結果、その腸壁の一部が、音響に対して非常に敏感になったことを発見した。どうやら人間の鼓膜のような能力を生じたものらしいと考えた矢吹は、自分の言葉もやがて理解するだろうと確信する。

さらに生ける腸は大気中で生活しているうちに表面が乾き、表皮が脱落して人間の皮膚のようなものが形成されるのも確認された。そして生ける腸は大気中で生きるようになってから五〇日も経つと、矢吹の部屋の中を自由に散歩するまでになった。

矢吹はこの腸に「チコ」という愛称を付け、ペットのように飼育した。そしてチコが大気中で生きるようになって一二〇日目、実験のためにこもりきりだった矢吹は久しぶりに外出することにし、チコのために砂糖水をたっぷりと用意した。

しかし外は彼を誘惑するものに満ちており、彼は八日間にわたって帰宅せず、娯楽を満喫した。それから矢吹はやっと家に帰ったが、部屋に入った瞬間女の体臭のようなものを感じ、電気を点け、砂糖水の残りを確認したところでチコが飛びついてきて、矢吹の首に巻き付いた。

彼はそのまま頸部《けいぶ》を絞められ窒息死することになる。実は彼が囚人の腸だと考えて育てていたチコは、刑務所の附属病院の電話交換手を務めていた二四歳の女性のものであり、盲腸炎で亡くなった彼女の腸を、病院の院長が取り出したものだった。

チコは一二〇日にわたって同棲していた矢吹に女性として非常に愛着を持っていた。そのため、久しぶりに帰ってきた彼を見たチコはあまりの喜びに彼に飛びついたが、その際に不幸にも首を絞めてしまい、殺してしまったのだという。

その後、チコを知るものはいなくなり、彼女がどこに消えたのかも不明のまま物語は終わる。

知性を持つアリ ［ちせいをもつあり］

ソール・バス監督の映画『フェイズⅣ 戦慄《せんりつ》！ 昆虫パニック』（一九七四年）に登場するアリたち。

宇宙で発生した異常現象によりアリゾナ砂漠のアリが知能を持ったもの。この変異は種類を問わず様々なアリに発生しており、まず異なる種のアリたちが協力し、自分を餌《えさ》とする動物たちを排除しはじめる。そのため、アリゾナ砂漠ではアリの異常発生が起きる。

アリたちは種類を問わぬ群れを形成し、四角柱のアリ塚を作り上げる。調査にやって来た生物学者のアーネスト・ホッブスと暗号の解読に長《た》けたジェームズ・レスコがこのアリ塚を破壊すると、アリたちは人間を敵と見做《みな》し、攻撃を始める。

ここにアリと人間の生存を懸けた戦いが第一局面を迎えようとしていた。

人間側が殺虫剤を撒けばアリたちはそれへの耐性を備えた子孫を生み出す。人間側がアリたちの研究を進めれば、それを妨害すべく特殊な形のアリ塚を作り、研究所に向かって日光を反射させ、室温を上昇させる。さらに研究所に侵入し、設備を破壊する。人間がアリを観察するように、アリたちも人間を観察、研究していたのだ。立場の逆転したアリたちは、次第に人間を追い詰めていく。

人間よりも小さく弱いはずのアリたち

が、突然変異により高度な知能を獲得し、その圧倒的な数をも武器にして人間に牙を剝《む》く様子が淡々とドキュメンタリータッチで描かれる。タイトルの「フェイズⅣ」はアリと人間の戦いが局面を変えながら展開していき、最終的に第四局面に突入することを示している。

巨大なアリなどは出て来ないが、実在するアリたちがまるで演技をしているように画面の中を動き回り、人間たちを追い詰めていくため、ただのアリが次第にモンスターに見えてくる点が素晴らしい。

デストロイア ［ですとろいあ］

映画『ゴジラvsデストロイア』（一九九五年）に登場する怪獣。

一九五四年に**ゴジラ（初代）**を葬ったオキシジェン・デストロイヤーにより海中の酸素が破壊されたことで、二五億年前の先カンブリア紀の無酸素状態の海に棲んでいた甲殻類が東京湾一帯で蘇生。その後、一九九五年に東京湾横断道路工事のため、その甲殻類が潜《ひそ》んでいた地層が露出し、外気に触れたことで異常進化して怪獣化したもの。増殖と合体を繰り返し、巨大化する。

はじめは全長三から五ミリの微小体と呼ばれるプランクトンのような生物で、オキシジェン・デストロイヤーの影響か体内にミクロオキシゲンという微小化された酸素を持つ。この酸素は分子が異常に小さく、物質を構成する原子と原子の隙間に入り込み、分解する特性を持つ。これを使い、他の生物を分解・捕食する。

この微小体が合体し、全長二から三〇センチほどのカブトガニのような姿のクロール体に成長する。微小体と同じくミクロオキシゲンを利用した狩りを行い、分解した相手の細胞を吸収することで進化する。

次の段階では体長二から一八メートルの幼体と呼ばれる姿に変異し、体重も三五〇キロから二六〇トンと大幅に増える。下半身はクモやカニのように発達し、そこから長い首と頭部が生じ、尾も生えている。眼が発達し、牙が生えており、地上で活動して他の生物を直接襲うなど、より危険な存在となっている。また口からミクロオキシゲンをガスのように噴射する攻撃、オキシジェン・デストロイヤーレイを放つ能力も身につけた。

この幼体は火炎放射器により撃退されたが、高熱により身体の変異が活性化しており、幼体同士が集まって体長六〇メートル、体重一万五〇〇〇トンの集合体になる。姿は幼体に似ているが、首の下から鋭い触手とハサミが生え、攻撃性が増す。また幼体、集合体ともに口の中に第二の口があり、これを**ゴジラジュニア**に突き刺してエネルギーを吸収した。

さらに集合体は飛翔体という羽の生えた形態に自在に変化することができ、胸部からミクロオキシゲンを噴射して空中を飛行する。この状態だと身長六五メートルとなるが、体重は変わらない。

集合体及び飛翔体は、ミクロオキシゲンの濃度を高め、高エネルギー化したオキシジェン・デストロイヤーレイを口から放つことが可能で、幼体時よりもさらに強力になり、かつてのオキシジェン・デストロイヤーに匹敵する威力になっている。

　集合体及び飛翔体はゴジラと同族のゴジラジュニアと戦うが、熱線を受けて火力発電所に墜落。その周囲のエネルギーを吸収し、さらに強力な完全体へと変貌する。この形態はゴジラジュニアのエネルギーを吸ったためか二足歩行となっており、口も肉食の爬虫類《はちゅうるい》や哺乳類に近くなっている。

　背部には大きな翼が生え、尾の先にはハサミがあり、体のところどころに鋭い爪や角が生じる。

　この形態で放つオキシジェン・デストロイヤーレイは瞬間的にオキシジェン・デストロイヤーを上回り、さらに頭部の角からはミクロオキシゲンを放出しながら相手の分子構造ごと切り裂く赤い刃、ヴァリアブル・スライサーを放つ。また尾のハサミも強力な武器となり、これで相手を掴んで飛行し、引きずり回すなどしてダメージを与えることも可能。

　劇中では進化を遂げる過程で多くの人間を犠牲にし、さらに集合体・飛翔体の段階でゴジラジュニアと戦い、完全体になった後にはゴジラジュニアを殺害する。

　さらに息子同然だったゴジラジュニアの死を悲しむゴジラをも圧倒するが、この時のゴジラは体内で核エネルギーが暴走している状態で、異常な回復力を持っていたこともあり、オキシジェン・デストロイヤーレイもヴァリアブル・スライサーも決定打にならなかった。さらに怒りに駆られたゴジラは**デストロイア**に対し一切攻撃の手を緩めず、熱に耐性を持つはずのデストロイアにさえダメージを与える赤い熱線を放ち、デストロイアは劣勢になっていく。

　ついには胸の開口部を熱線により破壊され、一度分裂して集合体になって襲いかかるも、体内放射により弾き飛ばされ、再び完全体に戻って戦いを挑む。

　しかしゴジラが自身の背ビレが溶けるほどの威力を持って放った最後の熱線、ハイパー熱線を受け、全身が砕かれ、燃え上がるほどのダメージを負う。

　これにはデストロイアも空中に逃げ出そうとしたが、人間たちがそこに超兵器スーパーXⅢの超低温レーザー砲や冷凍メーサー戦車により集中攻撃を放ち、急激に凍結されたことで地面に落下。ついに力尽きた。

　一九八四年の『ゴジラ』から一〇年以上にわたりシリーズの主役を担ってきた**ゴジラ（平成VSシリーズ）**の最終作の敵であり、初代ゴジラを葬ったオキシジェン・デストロイヤーの化身。まさにゴジラにとっての最後の敵としてふさわしい存在であるが、皮肉にも自分を生み出した人間によってとどめを刺された。

　その能力や強さは正に最強といっても過言ではないが、今作ではゴジラもまた核エネルギーの暴走により通常とは桁違《けたちが》いに強くなっており、互角の激闘を繰り広げる。

　未公開となったシーンでは腹の開口部が開き、そこからビームを発射する場面があったが、カットされている。また人間たちによって墜落させられた後、再びゴジラと戦う場面もあったが、カットされた。

微生物のような姿から成長・集合を繰り返し、巨大化していくという設定は昭和の**ヘドラ**と似ており、どちらも飛翔体が存在するという共通点もある。

デス・ワン［です・わん］

ルチオ・フルチ監督の映画『サンゲリア2』（一九八八年）に登場する細菌兵器。鳥や人間に感染すると全身が腐乱した末に人肉を食らうゾンビと化す。このため、本項目ではデス・ワンに感染したゾンビも扱う。

デス・ワンは見た目は緑色の気体で空気感染する上、感染者に接触した人間にも感染するなど感染力も高い。また鳥など人間以外の動物もこれに触れるとゾンビ化する。

劇中ではこのウイルスを輸送中にテロリストが襲撃し、強奪。このテロリストのひとりがデス・ワンに感染したため、パンデミックが引き起こされる。さらに感染者の遺体を焼却して処理したため、舞い上がった灰を鳥が摂取し、ゾンビ化。人間を襲い始めたため、あちこちで感染が引き起こる。

ジョージ・A・ロメロの『ザ・クレイジーズ 細菌兵器の恐怖』（一九七三年）と『ゾンビ』（一九七八年）に『バタリアン』（ダン・オバノン監督、一九八五年）を混ぜて、そこにヒッチコックの『鳥』（一九六三年）をトッピングしたようなストーリーが展開される。そのためか劇中に登場するデス・ワンの感染者も多種多様で、オーソドックスなのろのろと歩くゾンビもいれば、走るゾンビ、武器を使うゾンビ、鳥のゾンビ、しゃべったり格闘するゾンビ、なぜか生首のまま冷蔵庫に入っていて空中に飛び出してくるゾンビなどが描かれる。序盤に登場する、鉈《なた》を振りながら高速で追いかけてくるゾンビは特に有名で、この映画を語る場合必ずといっていいほど言及される。その際に流れている爽快《そうかい》なBGMは、ゾンビとの戦闘シーンで繰り返され、気分を盛り上げてくれる。

またのろのろとしたゾンビは人間の肉を喰うが、動きの機敏なゾンビはなぜか噛みつかず肉弾戦を挑んでくることが多い。

一般に監督はブルーノ・マッティとされることが多いが、伊東美和編著『ゾンビ映画大事典』（洋泉社、二〇〇三年）によれば、主演のビアトリス・リングはマッティが撮影現場に来たことは一度もないと話しているという。

『サンゲリア2』という題名で前作『サンゲリア』（ルチオ・フルチ監督、一九七九年）の正当な続編であるが、ストーリーや世界観は繋《つな》がっていない。『サンゲリア』のゾンビについては**サング**の項目を参照。

デューテリオス［でゅーてりおす］

小林晋一郎のシナリオ『ゴジラvsビオランテ』（出版芸術社『怪獣大戦争 怪獣小説全集』（一九九三年）収録）に登場する怪獣。

体長五〇メートルはある怪魚で、ネズミ

のような尾と足を持つ。

その正体はある研究所で人為的に複数の生物を合成した生物が脱走し、巨大化したもの。海と陸の両方で活動することができる。

物語中では海中を進んでいたところ、ゴジラと遭遇。横浜港から地上に上陸し、そこでゴジラと戦った。しかし自衛隊のレーザー砲がデューテリオスの尾を吹き飛ばしたことで怯《ひる》んだ隙を突かれ、ゴジラに喉を食い破られて絶命する。その傷口からは青色の血液が流れていたという。

『ゴジラvsビオランテ』は東宝によって募集された、ゴジラ映画のオリジナルストーリーの中で佳作入選を果たした作品。これはもちろん一九八九年公開の『ゴジラvsビオランテ』のもとになったが、映画にはデューテリオスは登場しないため、原案のみに現れる幻の怪獣となった。

シナリオでは、デューテリオスは**ビオランテ**を作り出す実験の過程で生まれた怪獣とされており、ビオランテと同じく人の業が生んだ存在として描かれている。

透明人間 ［とうめいにんげん］

H・G・ウェルズの小説『透明人間』（一八九七年（橋本槇矩訳、岩波文庫、一九九二年））に登場する怪人。本名はグリフィン。

優秀な科学者で、人体の光の屈折率を空気と同じにする薬を開発し、それを飲んだことで全身が透明となる。その過程はまず体が白くなり、やがて曇りガラスのようになって、ついに見えなくなる、という形で描写されている。

しかしこの薬が透明にできるのは人体だけであったため、服を着ることもできず、雪や雨の下を歩けばそれによって居場所がばれるという困難に突き当たる。また、ものを食べると体内に入ったそれが見えてしまうことから、まともに食事を摂ることもできないという状況に陥る。

もとより傲慢《ごうまん》な性格で人間性に難があったグリフィンは自身の置かれた状況に我慢ならず、犯罪を繰り返すようになる。グリフィンは友人であった研究者ケンプに自身の境遇を語るが、ケンプが警察にグリフィンのことを連絡したため逃亡。裏切ったケンプを殺害しようとするが、待ち構えていたケンプや警察たちにより捕らえられ、息絶えた。

この小説は一九三三年に映画化され、公開された。この映画『透明人間』（ジェイムズ・ホエール監督）ではグリフィンに「ジャック」というファースト・ネームが与えられている。全身を包帯で覆い、原作でも描写された顔にサングラスをかけた印象的な姿も映像化されており、透明人間のイメージを決定づけた。また透明化の薬に「モノケイン」という名前が与えられたのはこの映画からである。

この映画はシリーズ化され、計五本の続編が作られている。

また二〇二〇年に公開されたリブート版『透明人間』（リー・ワネル監督）では薬品によって透明化するという要素がなくなり、

ステルススーツを使って姿が見えなくなる、という設定に変化している。またステルススーツを開発した人間もジャック・グリフィンではなくエイドリアン・グリフィンという科学者とされる。

また二〇〇〇年にはウェルズの透明人間を原案としたポール・バーホーベン監督の映画『インビジブル』が公開されている。この作品ではセバスチャンという科学者が生物の透明化とその復元を研究しており、自らを被験者として人体実験を行い、透明人間になる姿が描かれる。劇中ではCGによって皮膚から筋肉、骨と次第に体が透明になっていく過程が描かれた。

毒虫 ［どくむし］ （『昆虫大戦争』）

二本松嘉端監督の映画『昆虫大戦争』（一九六八年）に登場する昆虫。

小笠原諸島の南ヶ島に棲息する昆虫の一種に科学的な改良を加え、人間を狂わせる毒と強い繁殖力、そして高い知能を持たせたもの。

見た目はミツバチもしくはスズメバチだが、針を刺すのではなく顎《あご》で噛むことで人間に毒を注入する。この毒を受けた人間は脳神経が麻痺《まひ》し、狂ったように笑いながら他者を攻撃するようになる。また、初期段階ではこの毒虫たちの「核兵器で人間が滅ぶのは勝手だが、自分たちが巻き込まれるのはごめんだ。それゆえに人間を殲滅《せんめつ》する」という思考が流れ込んでくる。

また人間の体に卵を産む能力もあり、それによって繁殖する。人間及び核兵器に対し非常に攻撃的で、人間を見つけると襲ってくる他、水爆兵器を積んだ米軍の飛行機にも襲いかかり、墜落させている。

毒虫たちの映像には本物のハチが使われており、引きの画面ではミツバチが、アップの画面ではスズメバチが使われている。

トリクシー ［とりくしー］

映画『ザ・クレイジーズ 細菌兵器の恐怖』（一九七三年）に登場する細菌兵器。

感染した人間は一日目は興奮状態に陥り、凶暴性が増し、他者に暴力を働いたり、破壊行為を行うようになる。そして二日目になると死亡するか、脳を侵されて廃人と化す。

もともと米軍で開発されていた生物兵器であったが、輸送機がアメリカの田舎町、エバンズ・シティに墜落したことで飲料水の水源を汚染し、町の住民たちに次々と感染した。

ゾンビ映画の巨匠、ロメロ監督の映画であるが、今作に出てくる感染者は生きた人間であるため、見た目では普通の人間と判別がつかない。また人間を興奮させ、凶暴化させる細菌であるため、普通の人間が興奮した場合と区別がつかず、感染者なのかどうか分からないという恐怖がある。

これに先駆けて狂犬病に感染した人間たちが殺戮《さつりく》を繰り広げる『処刑軍団ザップ』（デヴィッド・E・ダーストン監督、一九七〇年）があり、本作はこの映画の影響を受けたことが指摘されている。

　二〇一〇年にはリメイク版の『クレイジーズ』（ブレック・アイズナー監督）が公開された。こちらにも細菌兵器としてトリクシーが登場する。

トリフィド［とりふぃど］

　ジョン・ウィンダムの小説『トリフィド時代』（一九五一年（井上勇訳、創元ＳＦ文庫、一九六三年））に登場する食人植物。高さは二メートルから三メートルほどにまで伸びる。

　三本の太い根を脚のように使って移動する植物で、肉食であり、獲物を持ち上げての歩行が可能であり、上部にはコップのような形をした器官がある。この中にはねばねばとした液体があり、虫などが中に入ると逃げられないようになっている。間にある幹は球形で、葉柄の先端にある輪生状のものを、長さ三メートルほども伸ばし、しなやかな武器として使うことができる。この蔓《つる》のようなものは毒毛、刺毛などと呼ばれ、人間を殺すことができるほどの猛毒を放出し、刺したり殴りつけたりする形で使う。またこの際、気味が悪いほど正確に獲物の頭部を狙う。

　そして殺害した動物が腐敗するのを待ち、肉が柔らかくなると、蔓や刺毛を使い、葉柄にあるコップ状の器官に肉を運んで養分とする、という生態を持つ。また通常の植物と同じく光合成も可能。

　一定の知能があると推測され、トリフィド同士でコミュニケーションを取っている可能性が示唆されている。

　発見されてからは刺毛を切断され、人間に害がない状態にされた上で家の庭に植えられたり、良質な植物油が採れることから大規模に栽培されるなどしていたが、ある日、緑色の大流星群を地球が通過した際、流星を見た人間が視力を失うという世界規模の事件が発生する。

　以降、トリフィドは野放しになり、視力を失った人間を格好の獲物として襲い始め、人類の脅威となった。

　名前の由来は「Ｔｒｉ（三つ）Ｆｉｄ（に分裂した）」で、三本の根の形状に基づく。

　物語では何らかの遺伝子操作により人工的に生み出されたのではないかと推測されているが、はっきりとは示されていない。

　『トリフィド時代』は何度か映画化されており、『トリフィドの日〜人類ＳＯＳ〜』（スティーヴ・セクリー監督、一九六二年）では細長い幹に二本の腕のような枝、ドリアンのように棘《とげ》のついた頭部を持つ植物の怪物として描かれている。この頭部から触手を伸ばし、獲物を捕獲する。

　この映画ではトリフィドは宇宙から飛来した植物とされ、海水に弱いという弱点が加えられている。またトリフィドが人間を襲い始めた原因も流星が発した光線による突然変異とされている。

な

ネモ船長の巨大生物

［ねもせんちょうのきょだいせいぶつ］

サイ・エンドフィールド監督の映画『SF巨大生物の島』（一九六一年）に登場する巨大な生物たち。カニ、鳥、ミツバチ、鸚《おう》鵡貝《むがい》が登場した。

どの生物も人間よりも大きく、太平洋の孤島に迷い込んだ人間たちに襲いかかった。

この映画はジュール・ヴェルヌの小説『神秘の島』（一八七四年（大友徳明訳、偕成社文庫、二〇〇四年））を原作とした映画だが、巨大生物たちは映画オリジナルのキャラクターである。劇中ではこの島で暮らしていたネモという人物が世界中の飢餓や経済戦争をなくすため、食料となる動物を巨大化させる実験を行っており、その結果生まれた生物だと語られている。

ちなみにネモは同じくヴェルヌの小説『海底二万里』（一八七〇年（村松潔訳、新潮文庫、二〇一二年））に登場するキャラクターで、潜水艦ノーチラス号の船長を務める人物。原作では『海底二万里』と『神秘の島』は続きものだが、映画は単独の作品となっている。そしてノーチラス号の「ノーチラス」は鸚鵡貝の英名であるため、鸚鵡貝はネモとノーチラス号にちなんで登場させたのではないかと考えられる。

これら巨大生物の動きは巨匠レイ・ハリーハウゼンによってストップモーション・アニメーションで描かれており、リアルな動きが堪能できる。

は

蝿男

［はえおとこ］

ジョルジュ・ランジュランの小説『蝿』（一九五七年）や、その映画化作品である『蝿男の恐怖』（一九五八年）、その続編である『蝿男の逆襲』（エドワード・L・バーンズ監督、一九五九年）、『蝿男の呪い』（ドン・シャープ監督、一九六五年）、『蝿男の恐怖』のリメイクである『ザ・フライ』（一九八六年）、その続編『ザ・フライ2 二世誕生』（クリス・ウェイラス監督、一九八九年）に登場する怪人。

『蝿』では物質を原子の状態まで分解し、

距離を隔てた場所まで転送する機械を作製した科学者ロバートがその正体として語られる。彼は自らを使って人体実験をする際、その機械に蠅が紛れ込んだことで蠅と原子レベルで融合してしまう。そのため頭部と右腕が蠅と入れ替わってしまったロバートは、機械に紛れ込んだ蠅をもう一度探し出し、機械を使ってもとに戻ろうとするも、見つからない。

　さらに以前の実験で機械に入れ、そのまま原子レベルに分解されて行方不明になっていた猫までロバートの体に混ざり始め、最終的には猫の白い毛の生えた扁平《へんぺい》な頭《ず》蓋《がい》、巨大な猫のように尖《とが》った耳、桃色に濡れた猫の鼻、丸い皿のような蠅の目、毛の生えた割れ目から管が伸びる蠅の口、蠅の肢《あし》と入れ替わってしまった右腕、それ以外は人間の体、というおぞましい姿に変わってしまう。

　ロバートは人間としての意識や思考が失われていくことに絶望し、姿を見た妻に自分を殺してくれるように頼む。最後は自分の姿が公にならないよう、自身の兄の工場のプレス機に自ら体を差し入れ、妻に粉砕させた。

　一方、彼と体の一部が入れ替わってしまった蠅は白い頭、奇妙な肢を一本持った姿で、ロバートの兄、アーサーの家の周辺を飛び回っていたが、庭のクモの巣に引っかかったところを兄の手で殺される。

　映画『蠅男の恐怖』では、蠅男になる科学者の名前がアンドレ・ドランブルになっている。また、蠅と入れ替わるのが右腕ではなく左腕である、猫の原子が混ざっておらず、頭が蠅のみと入れ替わっているなど、多少の設定の差異が見られるが、基本的には原作と同様のストーリーが描かれる。しかしラストシーンはより印象的なものとなっており、頭がアンドレで体が蠅の奇妙な昆虫がクモの巣に引っかかっているのが発見される。この奇妙な蠅は必死に助けを求めるが、これを見た彼の兄フランソワと、アンドレの友人で事件を調査していたチャラス警部は、クモに襲われようとしていた蠅を石で殺してしまう。

　フランソワはチャラス警部に言う。「あなたも人を殺した。人間の顔をした蠅も、蠅頭の人間も、殺した点では同じだ」と。

　そして蠅男の死は自殺として処理され、フランソワはアンドレの息子フィリップに、「彼は探検家であるがゆえに、科学のため、真理を求めたが、油断して事故に遭い、死んだのだ」と告げるのだった。

　次作『蠅男の逆襲』は原作を離れた映画オリジナルのストーリーとなっている。前作にも出てきたアンドレの息子、フィリップが父の研究を引き継ぎ、物体転送装置を作るが、助手のアランの裏切りによって蠅と合体させられる。

　父と同じく蠅の頭と人間の体を持った蠅男となったフィリップはその力を使い、アランと、彼と結託していた葬儀屋のマックスを殺害する。そしてかつて父の事件を目撃した伯父フランソワと警部ビーチャムによってフィリップの頭をした蠅が捕らえられたことで、もう一度転送装置を使ってもとの姿に戻ることができたのだった。

この作品では蝿男の他、モルモットと腕が入れ替わってしまう刑事も登場する。『蝿男の呪い』ではアンドレやフィリップと同じ姓を持つマーティン・ドランブルが登場するが、ストーリーは繋《つな》がっていない。彼は祖父から続く物質転送装置の研究を続けているが、かつて祖父がその実験の失敗のために蝿と合体し、以降、その子孫は寒さに弱く、急速に体が老化する劣勢蝿遺伝子を持つようになっていた。この老化を防ぐためには血清が必要であり、投与しなければすぐに死んでしまう。

マーティンは兄のアルバートや父とともに転送装置の実験を続けていたが、その過程で複数人を犠牲にしていた。このことで警察から招集がかかり、マーティンと父は転送装置を使って逃げようとするが、アルバートはこれを拒否し、転送装置を破壊する。これにより転送途中だった彼らの父は死亡し、マーティンもまた、老化の症状が始まり、防ぐ術《すべ》がないまま体が朽ち果てていくのだった。

『ザ・フライ』では転送装置は「テレポッド」と呼ばれ、主人公の名前もセス・ブランドルとなっている。ブランドルは物質の転送の実験を繰り返す途中、自分を実験台にしたところ、蝿が紛れ込んだために遺伝子レベルで蝿と合体してしまう。

実験直後はもとの姿と変わらないブランドルであったが、その体は次第に変異していき、まず身体能力が異常に向上する。さらに性欲や味覚に変化が現れ、やがて歯が抜け、爪が剝《は》がれ、口からは溶解液を吐くようになる。さらに体は変異を続け、やがてブランドルの肉体が剝がれて、人間と昆虫が混ざったような恐ろしい怪物として羽化する。

このブランドルと蝿が混ざった怪物は「ブランドルフライ」と呼ばれる。ブランドルフライは自分の子を身ごもった恋人のヴェロニカを使い、テレポッドを利用して自分の遺伝子を持つ我が子と融合し、蝿化を止めようとするが、阻止される。

そして瀕死《ひんし》のブランドルフライは、ヴェロニカの持つショットガンの銃口を自分の頭に当てさせ、人として命を絶つのだった。

ランジュランの『蝿』とはかなり設定やストーリーが異なっているため、『蝿』の忠実な映画化であった『蝿男の恐怖』とも異なっている。特に蝿男の設定は異なっており、体の一部が人間と蝿で交換され、蝿の頭と人間の体を持った蝿男と、人間の頭と蝿の体を持った人面蝿の二つに分かれてしまった『蝿』や『蝿男の恐怖』に対し、『ザ・フライ』は遺伝子レベルでの融合により、人間と蝿が完全にひとつになっている。

続編『ザ・フライ2 二世誕生』はブランドルとヴェロニカの息子、マーティンが主人公となる。ブランドルが蝿の遺伝子と融合した状態でヴェロニカと性交したため、蝿の遺伝子を持った人間として生まれたマーティンは異常な成長速度と天才的な頭脳を持ち、父親のテレポッドの研究を継ぐことになる。その内、彼はベスという女性研究員と出会い、恋に落ちる。しかしその間にもマーティンは蝿遺伝子の影響で体が変異していき、やがて繭《まゆ》を作り、怪物のような姿に変貌する。

マーティンは殺人を重ねながら自分をモルモットとして扱っていた研究所所長のバードッグへの復讐を狙う。そして彼はバードッグをテレポッドに引きずり込み、ベスに頼んで装置を可動させる。これによってマーティンは人間の遺伝子を取り込み、逆にバードッグは蝿の遺伝子と融合して、奇妙な怪物となり果てる。そしてマーティンは人間として生きていくことができるようになったのだ。

マーティンが変異した怪物は「マーティンフライ」と呼ばれる。『蝿男の恐怖』のリメイク版である『ザ・フライ』の続編であるため、主人公が第一作目の主人公の息子である、最後は物質転送装置により人間になるなどの点は『蝿男の逆襲』と共通している。その一方、主人公の名前がマーティンである、生まれた時点で蝿の遺伝子を持っている、肉体の成長（老化）が異常に速い、などの点は『蝿男の呪い』と共通しており、本作は『蝿男の逆襲』と『蝿男の呪い』の両方を題材にしていると思われる。

吐きだめの悪魔 ［はきだめのあくま］

ジム・ミューロー監督の映画『吐きだめの悪魔』（一九八七年）に登場する怪人たち。六〇年熟成された安酒を飲んだ結果、なぜか体がドロドロに溶けていく症状を発症した人々。

舞台はアメリカ合衆国ニューヨークのマンハッタン。酒屋の主人が地下室から六〇年前の安酒を見つけ、激安で売り出す。

しかし、それを飲んだ人間は、口から青や緑や黄色や紫の蛍光色の液体を吐き散らしながら溶解してしまう。また溶解が始まると体が異様にもろくなり、少しの刺激で体が破壊されてしまう。

さらにこの安酒を飲んだ人間の体液は強力な酸と化しており、触れた人間を溶かすという二次被害を引き起こす。

同じく人間の体が溶けていくことを主題とした作品に『溶解人間』（ウィリアム・サッチス監督、一九七七年）があるが、こちらは特殊な宇宙線により体が溶解しながら怪物と化していく宇宙飛行士を描いた作品であり、趣《おもむき》が異なる。詳細は**溶解人間**の項目を参照。

蜂女 ［はちおんな］

ロジャー・コーマン監督の映画『蜂女の恐怖』（一九五九年）に登場する怪人。

正体は、ニューヨークで化粧品会社を営むジャニス・スターリンという社長である。老いへの恐怖からスズメバチのロイヤルゼリーをもとに作られた若返り薬を過剰に投薬したことで、スズメバチと人間が混ざった怪物と化してしまったのだ。

その姿は体は人間だが、眼は複眼で、頭部には触角が、口には長い牙が生えている。また腕は毛で覆われ、指先に毒針が生じる。

ジャニス本人は悪人ではないが、スズメバチの影響で凶暴性が増しており、蜂女に変身すると自分の邪魔になる人間を襲い、殺害する。攻撃の際には牙で噛み付くか、指の毒針を使い、首を狙って短時間で死に至らしめる。

しかしその悪行も長くは続かず、最後は高濃度のフェノールが入ったフラスコをぶつけられ、怯《ひる》んだところを窓から突き落とされて死亡した。

『蜂女の実験室』というタイトルでも知られていた映画。蜂女の造形は良いとは言えないが、白黒画面で暗い場所に出現するため、結構迫力がある。

ハドソン博士の秘密のゴリラ

［はどそんはかせのひみつのごりら］

ハワード・ウォルドロップの小説『ハドソン博士の秘密のゴリラ』（一九七七年、マイケル・パリー編、宇佐川晶子訳、ハヤカワ文庫『キング・コングのライヴァルたち』（一九八〇年）収録）に登場する怪物。

ハドソン博士という科学者が、事故によって肉体を失うも、かろうじて脳だけ生き残っていた青年ロジャー・イルデルの脳を取り出し、ゴリラの体に移植して生まれた。

思考や記憶はイルデルのものだが、体はゴリラであるため、はじめは体をうまく動かすことができず、体調不良であったが、次第に脳が体に順応していく。

口の構造が人間と違うため、言葉を発することはできなかったが、そのうちにペンを使って紙に文字を書き、自分の意思を伝達できるようになる。

それによりロジャーはハドソン博士の娘、ブランチと交流を深めていくが、やがてロジャーを虐待していた男、チューレグがハドソン博士とブランチを殺害。これを見たロジャーは怒り、檻《おり》の外にあった鍵を取って自ら檻から脱出し、チューレグを殺害する。

そしてチューレグが持っていたサブマシンガンを奪うと、駆け付けた警官を肉弾戦とサブマシンガンで蹴散《けち》らし、逃走する。

そして、人間の知恵を持ったゴリラが街に解き放たれたのだ。

この小説はゴリラの頭に人間の脳を入れるという展開だが、逆に人間の頭にゴリラの脳を入れるという展開の『獣人ゴリラ男』（一九五六年）という映画もある。詳細は**獣人ゴリラ男**の項目を参照。

バルゴン

［ばるごん］

田中重雄監督・湯浅憲明特技監督の映画『大怪獣決闘 ガメラ対バルゴン』（一九六六年）に登場する怪獣。ニューギニア島にある虹の谷と呼ばれる谷に生まれるトカゲが突然変異を起こしたもの。

本来は一〇〇〇年に一度生まれ、一〇年かけて成長する巨大なトカゲだが、その卵が巨大なオパールに似ていたため、日本人の小野寺によって日本に持ち帰られる。小野寺が赤外線による治療を受けている最中に生まれたトカゲが赤外線を浴びて突然変異を起こし、異常成長する。体長八〇メートル、体重七〇トンの巨大怪獣と化した。

　ワニとトカゲを組み合わせたような姿をしており、鼻先に一本の長い角が生える。また目の上と背中に短い角があり、背中の七本の角からは虹色の光線を放つ。この光線はどんな物でも溶解させてしまうほどの高熱を持つ。また口からはカメレオンのように長い舌が伸び、舌先からは冷凍液を噴射する。一方、水に弱く、水に浸かると体が溶けてしまうという弱点がある。

　劇中では虹色光線の高熱に惹かれて出現した**ガメラ（昭和シリーズ）**と対戦する。大阪城を背景に戦い、ガメラを氷漬けにして勝利した。

　その後、ダイヤモンドなどの宝石類を食物とする特殊な生態を利用して琵琶湖《びわこ》に沈める作戦が取られるが、宝石を奪おうとした小野寺によって邪魔され、失敗してしまう。

　しかし、氷が解けて復活したガメラによって、バルゴンは琵琶湖の中に引きずり込まれ、体が溶解して死亡した。

　ガメラが初めて戦った記念すべき怪獣である。ガメラは火を吐き、バルゴンは氷を吐くので、両者は対の関係になっている。しかし、続編に登場する**ギャオス（昭和）**にライバルの立場を奪われ、今作以降、実写作品での登場はない。

　近藤和久の漫画『大怪獣激闘　ガメラ対バルゴン』（角川書店、二〇〇三年）では平成ガメラの世界観で現れたバルゴンが描かれており、やはりガメラと戦っている。ここでのバルゴンは全身から無数の結晶体を角のように生やした四足歩行の恐竜のような姿をしており、オリジナルと同じように冷凍液や虹色光線を使用する。

ビオランテ ［びおらんて］

　映画『ゴジラvsビオランテ』（一九八九年）に登場する植物怪獣。

　ゴジラ細胞とバラの細胞、そして映画に登場するキャラクター、白神博士の娘、英理加の細胞を混ぜたことで生まれたとされる。

　花獣態、植獣態という二つの形態があり、前者は通常のバラのような大きさ、姿から、体長八五メートルの巨体に成長した。巨大化時は植物の蔓《つる》が幾重にも巻き付いたような円錐型の体の頂上に巨大な葉が広がり、赤いバラの花が咲いたような姿をしている。また、花の中心部には複数の牙が生えた口があり、体の下部にはオレンジ色に光る結晶体のような器官が見える。

　複数の触手を伸ばして外敵に攻撃する。この触手はゴジラの肉体をも貫くほど強力な鋭いものや、ヘビのように先端に口を持つものがある。後者の触手は口から溶解液を放出することが可能。

　花獣形態はゴジラの放射熱線を浴びて爆発炎上するが、その後、鰐《わに》のような頭部を持つ植獣形態となって復活。この形態は全長約一二〇メートルあり、ゴジラの肉体を貫くほど鋭い触手や、生物を溶解させる、口から吐く樹液などを武器とした。また花獣形態と違って自ら移動することができ、その巨大な口でゴジラに噛み付いたが、逆に口の中に放射能熱線を浴びせられ、大ダメージを負う。

その後、黄金の光の粒子となって宇宙に昇って行った。

名前の由来は北欧の神話に出てくる植物の精霊とされるが、該当《がいとう》する精霊はいない。

原案となったシナリオ『ゴジラvsビオランテ』（『怪獣大戦争 怪獣小説全集』収録）では不知火《しらぬい》という科学者が娘のエリカを蘇らせるための実験で生まれた怪獣とされる。バラではなく、インド産の有毒植物アルマネアとエリカの細胞を放射能によって融合させた怪獣として登場する。体長数十メートルに成長し、ゴジラと対峙《たいじ》。青いモヤのようなガスや可燃性の有毒花粉をゴジラに噴射し、ダメージを与えた。また蕾《つぼみ》が開いた花の中には白い能面のような人間の顔が生じたという描写があり、人間と植物の融合体であることが強調されている。最期は炎に包まれ、燃え尽きた。

人喰いアメーバ

［ひとくいあめーば］

アンソニー・M・ラッドの小説『人喰い沼』（一九二三年、那智史郎・宮壁定雄編、国書刊行会『ウィアードテールズ1』（一九八四年）収録）に登場する怪物。アメリカのアラバマ州南部にある研究所で、ジョン・コーリス・クランマーという生物学者と、その息子のリーによって人工的に成長した巨大なアメーバ。

クランマーはある成長媒体《ばいたい》とラジウム放射線を使用し、アメーバを巨大化させることに成功した。クランマーは大型の牛の肝臓ほどの大きさまで成長させたそれを息子のリーに見せ、焼いて殺すように指示するが、リーは自分の父親の研究成果を世に知らしめるため、密かにそのアメーバを育て始めた。

食物さえあれば際限なく巨大化させることができると父親から聞いていたリーはアメーバを泥沼に入れ、そこに様々な食物を入れて育てる。すぐに沼一杯の大きさまで膨れ上がったアメーバは、一日に二頭の豚を呑み込むまでになった。リーはその後も様々な餌《えさ》をアメーバに与えていたが、それでは満足しなかったアメーバはやがて沼から這《は》い出した。最初の犠牲になったのはリーの妻ベギーで、続けてリーもこのアメーバに飲み込まれた。

惨劇を目にしたクランマーは自分の生み出したアメーバが生きていることを知り、銃やナイフで立ち向かうも、傷つけた箇所がすぐに修復してしまい、殺すことはできなかった。

そのため、クランマーはアメーバをおとなしくさせるために餌を与えながら、アメーバの棲む沼の周りに高い壁を築いた。これによりアメーバは外に出られなくなり、食物を与えられなくなったことで死を迎えたという。

那智史郎・宮壁定雄編『ウィアードテールズ1』の解説によれば、不定形モンスターが暴れ回る物語の元祖はこの『人喰い沼』なのだという。不定形モンスターによくみられる特徴として、体全体で人を呑み込み消化する、食べ物を消化吸収するほど巨大化する、物理的な攻撃が効かない、といったものがあるが、これらの性質が既にこの『人喰い沼』の時点で描写されている。

人喰い巨大蜂 ［ひとくいきょだいばち］

ベニ・ディエズ監督の映画『スタング 人喰い巨大蜂の来襲』（二〇一五年）に登場する怪物。地底に巣を作るハチの一種が成長ホルモンを混ぜた庭用の肥料によって巨大化したもの。

巨大化の原理は不明だが、恐らく何らかの形で肥料を摂取したのだと思われる。

はじめは一〇センチほどの大きさだったが、寄生対象とした動物の大きさに合わせて成虫の大きさも変化するという特性を持ち、人間に寄生したものは人間大の、犬に寄生したものは犬ほどの大きさの成虫になる。

基本的には単独で動物を襲い、針を突き刺して卵を産み付ける。この卵は短時間で孵化《ふか》、成長し、成虫の姿になると獲物の体内を突き破って外に出る。

一方、女王バチも存在しており、巣を作る習性がある。そこに獲物を運び込み、幼虫を直接獲物となる動物の口に潜り込ませ、寄生させるという方法を取ることもあるようだ。

寄生バチと狩りバチの両方の特性を併せ持ったような生態をしており、突然変異によって生態に何らかの変化があったものと思われる。また、針を刺してから数分で宿主を突き破って成虫が現れるので、卵を植え付けているのではなく、宿主の体の一部を変化させ、ハチに変えているのかもしれない。

人間を巣に連れ帰り、幼虫を寄生させせようとする場面は『エイリアン2』を連想させるが、同作でアンドロイド、ビショップを演じたランス・ヘンリクセンが今作にも出演している。（**アンドロイド（『エイリアン』シリーズ）**の項目も参照）

人喰いゴキブリ ［ひとくいごきぶり］

テレンス・H・ウィンクレス監督の映画『ザ・ネスト』（一九八八年）に登場する昆虫。孤島の町ノースポートにて、島を開発している企業インテック社の研究者ハバードが遺伝子操作によって生み出した新種のゴキブリ。

本来の目的は他のゴキブリを駆除することで、新種のゴキブリ・インテックローチは他のゴキブリを食った後一代で死ぬように設計されていた。しかしその設計には誤りがあり、雌しかいないはずのゴキブリたちは単性生殖を始め、数を増やした。

ゴキブリにもかかわらず繭《まゆ》を作り、この繭からは農薬に耐性を得た個体などが生まれる。

また食った動物と混成し、新たなゴキブリに変異できる能力を持ち、劇中には猫や人間と混成したゴキブリが登場した。

さらに進化して社会的本能を持つようになっており、女王を中心とする群れを持ち、巣を作る。終盤には島の洞窟に作られた巣にて巨大な女王ゴキブリが登場。この女王ゴキブリは複数の人間とゴキブリが混成して生まれたもので、体に何人もの人間の顔が張り付いているというおぞましい姿をしている。

撮影には数百匹の本物のゴキブリが使われており、俳優が本当にゴキブリを纏《まと》わりつかせている姿を見ることができる。

これと同様に無数の本物のゴキブリと女王ゴキブリが登場する映画に『アベレーション2』（一九九八年）がある。詳細は**アベレーション・バグ**の項目を参照。

人喰いナメクジ ［ひとくいなめくじ］

ファン・ピケール・シモン監督の映画『スラッグス』（一九八七年）に登場する怪物。工場が出した有害廃棄物により突然変異したナメクジ。

姿は大型の黒いナメクジだが、雑食性で、動物を積極的に襲う。そのため集団で人間に取り付くと、その肉を食い破り、骨だけにしてしまう。

まだ体の器官も一部変異しており、ナメクジにもかかわらず口が縦に開き、牙が生えている。また誤ってこのナメクジの一部を食べてしまった人間は、内部からナメクジの幼虫に食い破られる。

アメリカ合衆国ニューヨーク州の田舎町に出現。廃棄物を出した工場の真下にある下水道で繁殖し、下水管を通して町中に広まった。

湿気に触れると爆発するリチウムとヒ素の混合物により棲《す》み処《か》である下水道が爆破され、根絶やしにされた。

撮影には実物のナメクジが無数に使われており、かなりリアルで気色の悪い映像が見られる。

ヒルゴン ［ひるごん］

バーナード・L・コワルスキー監督の映画『吸血怪獣ヒルゴンの猛襲』（一九五九年）に登場する怪物。

アメリカのフロリダ州の沼地に棲息する巨大なヒル。人間と同じぐらいの体長があり、頭部には巨大な吸盤を持つ。獲物を見つけると襲いかかり、巣である洞窟に連れ去った後、吸盤で血液を吸い取る。

劇中ではロケットの打ち上げ実験で発生した放射能がヒルを巨大化させたのではないかと推測されている。独特の低い音を発し、ヒルゴンが近付いて来ると、この音が鳴り響く。

劇中では二体が登場。沼地を訪れた人間を次々と襲い、犠牲にしていたが、その正体が判明したことから、水中の巣ごとダイナマイトで爆破され、倒される。しかしまだ生き残りがいることを示唆し、物語は終わる。

ヒルゴンの名前は邦題で付けられたものであり、原題は『ATTACK OF THE GIANT LEECHES（巨大ヒルの襲撃）』である。

ヒルゴンの姿は着ぐるみで描かれており、明らかに中に人間がいる動きをするのはご愛敬だが、巣に連れ込んだ人間たちの首筋に吸い付き、血を吸う姿はなかなか怖い。

二〇〇八年にはリメイク版『恐怖のモンスターパニック 巨大ヒルの襲来!』（ブレット・ケリー監督）が作られているが、こちらは肝心の巨大ヒルが体長数十センチほどでヒルゴンに比べるとあまり大きくないのが残念。また姿も大きなヒルそのものである。

フランケンシュタイン［ふらんけんしゅたいん］
（『フランケンシュタイン対地底怪獣』）

本多猪四郎監督・円谷英二特技監督の映画『フランケンシュタイン対地底怪獣』（一九六五年）に登場する巨人。太平洋戦争末期、不死身の兵士を造るためにドイツから日本の広島市に贈られた「フランケンシュタインの心臓」が原爆に被爆し、それが人間の姿に変化したものとされる。体の一部をちぎられても再生する生命力を持つが、常に大量のタンパク質を必要とする。

はじめは人間の子どもの姿であったが、放射能医学研究所に保護されてから急激に成長し、数メートルに巨大化。檻《おり》に入れられて保護されるものの、取材に来たテレビ局員の持ち込んだ照明に驚き、檻を破壊して逃亡する。その際、繋がれていた鎖で腕がちぎれるも手首のみの状態で這《は》い回っていた。

温厚な性格であり、以降も人間に危害を加えることはなかったが、同時期に地底怪獣**バラゴン**が家畜や人間を襲い、食い殺していたことからその犯人ではないかと疑われ、駆除対象となる。

フランケンシュタインは自分を攻撃する自衛隊にも反撃せずにいた。しかし、フランケンシュタインを親切に世話してくれたボーエン博士という科学者や助手の戸上季子がバラゴンに襲われそうになった際には、彼らを守るために戦った。バラゴンと激闘を繰り広げた後、その首をへし折って勝利する。

しかしこのバラゴンが地底を移動するために掘った空洞の影響で地盤が崩れ、地割れに飲み込まれて生死不明となった。

この他、海外向けに作られたバージョンでは、バラゴンとの死闘の後、突如として現れた**大ダコ**と戦い、湖に引きずり込まれて生死不明となる。

この大ダコ出現バージョンは結局海外に輸出されることはなかったが、ソフト化やテレビ放送の際にはこちらが使われていた。現在はどちらの結末のバージョンも見ることが可能である。

フランケンシュタインは本来怪物を作った研究者の名前だが、この作品では怪物の名前として使われている。

この映画は米国で20世紀ＦＯＸが企画していた「キングコングと、フランケンシュタイン博士がゾウやサイの死体を組み合わせて作り出した怪物が戦う」という案が日本に持ち込まれたもので、『キングコング対ゴジラ』（本多猪四郎監督、円谷英二特技監督、一九六二年）、『フランケンシュタイン対地底怪獣』に結実した。また、『ゴジラ対フランケンシュタイン』という企画もあったが、ボツになっている。

フランケンシュタインを演じたのは古川弘二という俳優。人々から迫害されながらも人々を守る心優しい怪物を見事に演じた。

フランケンシュタインの怪物
［ふらんけんしゅたいんのかいぶつ］

メアリー・シェリーの小説『フランケンシュタイン』（一八一八年（芹澤恵訳、新潮文庫、二〇一四年））に登場する人造人間。

生命の創造という目的に取り付かれたヴィクター・フランケンシュタインという大学生が墓場から死体を盗み、それを繋《つな》ぎ合わせたことで生まれた存在。

しかし生を得た人造人間は黄色い皮膚の下に筋肉や動脈がそのまま浮き上がり、歯は白く、唇は黒く、艶《つや》やかな黒い髪が伸び、目は嵌《は》めこまれた薄茶色の眼窩《がんか》と同じ色をし、やつれたような顔色だった。

生命創造の高揚感は一度に消え失せ、怪物を作り上げた恐ろしさに、フランケンシュタインは怪物を見捨てる。そのうちに怪物が逃げ出してしまうが、彼はそれを放置して故郷のジュネーヴに帰ることを考える。

しかし、そのジュネーヴで彼の弟が何者かに殺害される。故郷に帰ったフランケンシュタインはそれが怪物の仕業であることを確信する。

やがて、怪物が彼のもとに現れる。怪物は知性を獲得し、言葉を話すようになっていた。怪物は見捨てられた後、その醜さゆえに迫害された自分の境遇を語り、自らの伴侶《はんりょ》となる人造人間を作れば復讐を止めることを告げる。一度は同意したフランケンシュタインであったが、さらなる怪物を増やすことを恐れ、直前になってその要求を拒否し、逃げ出す。怒りに駆られた怪物はフランケンシュタインの友人や婚約者を次々と殺害する。今度はフランケンシュタインが復讐のため怪物を追跡し、やがて北極海へと辿《たど》り着く。

彼はそこで出会った北極探検隊のウォルトンに怪物を殺してくれるよう頼み、息を引き取る。それから怪物が現れ、名前さえ与えてくれなかった創造主の死を嘆いた後、海の向こうへと消えていく。

メアリー・シェリーがこの作品を書くきっかけになったのには興味深いエピソードがある。

一八一六年、メアリーは後の夫となる詩人、パーシー・ビッシュ・シェリーと駆け落ちし、同じく詩人であったバイロンやその専属医のジョン・ポリドリらと、スイス・ジュネーヴ近郊にあるレマン湖畔のディオダティ荘に滞在していた。

この年の夏は雨が長く降り続き、屋敷から出ることができなかった。そこでバイロンは退屈しのぎに怪談を朗読することにし、その際サミュエル・テイラー・コールリッジの詩『クリスタベル』（一八一六年、**ジェラルダイン**の項目も参照）を読んだところ、メアリーが錯乱状態に陥った。彼女が落ち着いた後、ドイツの怪奇譚《かいきたん》をフランス語に訳したアンソロジー『ファンタスマゴリアナ』を朗読。それからバイロンは皆でひとつずつ怪奇譚を書こうと提案する。

そして後の世で「ディオダティ荘の怪奇談義」と呼ばれるこの集まりは、二つの名作を世に生み出すきっかけになった。ひとつは後の吸血鬼作品に多大な影響を与えたジョン・ポリドリの『吸血鬼』（一八一九年、**ルスヴン卿**の項目も参照）、そしてもうひとつがメアリーの『フランケンシュタイン』だったという。

メアリーの記した小説では理知的で知能が高く、言葉を話す者として怪物が描かれているが、現在の一般的なイメージは本能的で知能が低く、言葉を発することもない怪物だろう。またその容貌は頭もしくは首に電極が刺さり、平たい頭をした、眠そうな顔をした大男ではないだろうか。加えて怪力を持つ不死身の怪物とされることも多い。

このイメージはジェイムズ・ホエール監督の映画『フランケンシュタイン』（一九三一年）によって決定づけられたものだ。名優ボリス・カーロフが演じるこの怪物は知能の低い、ある意味純粋な存在として描かれ、劇中で多くの人々を殺害し、最後には炎に焼かれる。またフランケンシュタインの設定も変わっており、名前はヘンリー・フランケンシュタインとされ、大学生ではなく科学者とされる。

現在では広く知られ、フランケンシュタインの怪物を登場させる際にはよく使われる雷によって怪物が誕生する設定も原作にはなく、この映画がもとになっている。

この映画は大ヒットし、後のフランケンシュタインの怪物のイメージを決定的なものとした。また同作はシリーズ化しており、続編『フランケンシュタインの花嫁』（ジェイムズ・ホエール監督、一九三五年）では怪物が実は生きていたことが明かされる。この作品では怪物は盲目の老人と友人になり、彼から言葉を教えてもらう様子が描かれている。

またフランケンシュタインの学生時代の恩師、プレトリアス博士もまた生命創造を夢見ており、怪物に花嫁を作ってやるとして味方に引き込む。しかし生み出された花嫁は怪物を見てその存在を拒絶し、怪物は絶望して暴れる。その時、創造主であるフランケンシュタインがプレトリアス博士に連れ去られた婚約者、エリザベスを助けに現れる。怪物は二人をプレトリアス博士の塔から脱出させ、自らは花嫁を道連れに塔を爆破する。

この作品では原作同様怪物が知性を持ち、言葉を覚える一方、原作では敵対していた創造主を、自らの手で救うという真逆の展開が描かれている。

続編『フランケンシュタインの復活』（ローランド・・リー監督、一九三九年）ではヘンリーの息子、ウォルフ・フランケンシュタインが父の研究を引き継ぎ、怪物を復活させる。この作品では怪物はイゴールという背中の曲がった男に命令されて殺人を犯す存在として描かれており、前作のように言葉は発しない。しかしイゴールの死を悲しみ、新たな友人を欲するなど、感情があることが描写されている。

以降『フランケンシュタインの幽霊』（アール・C・ケントン監督、一九四二年）でも怪物は復活し、さらに『フランケンシュタインと狼男』（ロイ・ウィリアム・ニール、一九四三年）では同じくユニバーサル映画の看板モンスターである狼男、**ローレンス・タルボット**と共演。さらに次作『フランケンシュタインの館』（アール・C・ケントン、一九四四年）では**ドラキュラ**まで加わり、三大モンスターの共演が実現した。この共演は次作『ドラキュラの屋敷』（アール・C・ケントン監督、一九四五年）、最終作『凸凹フランケンシュタインの巻』（チャールズ・バートン監督、一九四八年）まで続いている。

その後、イギリスのハマーフィルム・プロダクションが『フランケンシュタインの逆襲』（テレンス・フィッシャー監督、一九五七年）を製作。この作品の怪物は灰色のつぎはぎだらけの肉体を持つ大男として描かれ、劇中では怪物の脳として使う科学者の脳が、事故により傷ついたため、知能の低い怪物となったことが描写される。またこの作品では怪物は「モンスター」ではなく「クリーチャー」と呼称されている。この怪物は名優、クリストファー・リーが演じた。続編の『フランケンシュタインの復讐』（テレンス・フィッシャー監督、一九五八年）ではカールという後弯症《こうわんしょう》の男が、新たな肉体を手に入れるため、フランケンシュタイン博士によって別の人間の体に脳を移植される様子が描かれる。

この後もフランケンシュタインはシリーズ化されるが、ストーリーは繋《つな》がっていない。

それ以降もフランケンシュタインの怪物は様々な映画などに登場するが、基本的にはユニバーサルの怪物像に由来する、知能を持たない大男として描かれることが多かった。

一九九四年に公開された『フランケンシュタイン』（ケネス・ブラナー監督）では比較的原作に忠実な映画化がなされ、ロバート・デ・ニーロ演じる怪物は言葉を話し、高い知能を持つ存在として描かれている。

またドラキュラや狼男といったユニバーサルモンスターを再び共演させた『ヴァン・ヘルシング』（スティーヴン・ソマーズ監督、二〇〇四年）でも知能を持ち、言葉を発する存在として怪物が登場する。ちなみにこの怪物のデザインはユニバーサル版とハマーフィルム版を合わせたようなものになっている。

プルトニウム人間

［ぷるとにうむにんげん］

バード・I・ゴードン監督の映画『戦《せん》慄《りつ》！プルトニウム人間』（一九五七年）及び続編『巨人獣 プルトニウム人間の逆襲』（一九五八年）に登場する巨人。ネバダ砂漠で行われたプルトニウム爆弾実験により被爆したアメリカ陸軍のグレン・マニング中佐が体に変異を起こし、巨人と化した。

　グレン・マニング中佐はこの事故で大火傷を負い、ほとんどの皮膚を失う。しかし放射能の影響で肉体が変異し、異常な速度で新しい細胞が生成され、さらに古い細胞が死滅しなくなるという状態になった。このため、皮膚が数時間で完治するほどの生命力を獲得し、命を取りとめるが、細胞の際限のない増加により身長が三メートル、五メートルと次第に巨大化していく。

　マニング中佐は自分の体が変わっていくことに苦悩する。さらに心臓の成長速度が他の器官に比べて遅く、このままでは上手く血液循環を行えなくなり、死んでしまうと聞かされ、正気を失ったマニング中佐は保護されていたテントを抜け出し、街中に繰り出す。

　身長一八メートル、体重八トンの大きさとなったマニング中佐はラスベガスの街に現れ、破壊活動を行う。この時、骨髄に注入することで彼の巨大化を抑える成長抑制剤が持ち込まれ、巨大な注射器によってその足首から注入される。しかし、その痛みで怒りを爆発させたマニング中佐は、薬を注入したクルター医官に注射器を投げつけ、殺してしまう。

　これにより軍の一斉砲火を浴びたマニング中佐はダムの底へ落ちて行った。

　『巨人獣 プルトニウム人間の逆襲』にはダム底に落ちた後、脳を損傷し、完全に人間性を失ったマニング中佐が登場。その姿は、顔の右半分の頭蓋骨《ずがいこつ》が露出し、右目を失ったより恐ろしいものになっている。

　今作でのマニング中佐は本能のままに暴れる野獣のようになっており、一度はアメリカ陸軍に捕らえられる。軍では何とか彼に記憶を取り戻させようとするが、マニング中佐はうなり声を上げるばかりでどうにもならない。さらにマニング中佐は眠った振りをし、隙を突いて逃亡。しかし最後は駆け付けた妹の声に人間性を取り戻し、高圧電流の流れる電線を握り、自ら命を絶った。

　監督のバード・I・ゴードンは名前の頭文字を取って「ミスターＢＩＧ」と呼ばれ、その名の通り生物が巨大化した映画を数多く制作した。なかでも『戦慄！ プルトニウム人間』は代表作であり、ヒットを記録している。

ヘラクレオフォービアの巨大生物
［へらくれおふぉーびあのきょだいせいぶつ］

Ｈ・Ｇ・ウェルズの小説『神々の糧《かて》』（一九〇四年（小倉多加志訳、ハヤカワ文庫、一九七九年））に登場する巨大生物。

　生物の成長を止められなくする異常発育促進剤ヘラクレオフォービアを食べたことにより巨大化した生物たち。ヘラクレオフォービアは物語中で「神々の食物」とも呼ばれ、これを摂取したヒヨコ、スズメバチ、ハサミムシ、ネズミなどが登場する。

　さらにこの食物は人間の子どもたちにも与えられ、やがて一〇メートルを超える巨人と呼ばれる存在を生み出すことになる。物語は巨人と通常の小さな人々が対立し、戦いが行われることを示唆して終わる。

　この小説は巨大生物ものの映画を手掛けたバード・I・ゴードンによって映画化されている。

　一九七六年公開の『巨大ネズミの襲撃』（『巨大生物の島』の邦題でも知られる）では孤島で行われた実験により巨大化したハチ、ニワトリ、イモムシなどが登場。またこのニワトリの死骸を喰って巨大化したネズミが群れを成し、人間に襲いかかる。

　ちなみに彼が一九六五年に公開した『巨人の村』（日本未公開）も原作後半部分の巨人たちの話がもとになっているという話もあるが、ストーリーは全く違う。

　一九六一年に公開された映画『SF巨大生物の島』は先述した『巨大生物の島』と邦題が類似しているが、こちらはジュール・ヴェルヌの小説『神秘の島』（一八七四年）を原作とした作品であるため、別物である。しかしこの作品では原作にない要素として飢饉《ききん》の解決のため、実験により巨大化させられた生物の登場があり、ウェルズの『神々の糧』の要素を一部拝借している可能性がある。

ま

マグラ ［まぐら］

光瀬龍の小説『マグラ！』（一九六三年、東雅夫編『怪獣文学大全』収録）に登場する怪獣。巨大な魚の怪獣だが、発達した大脳、両生類のような肺、哺乳類のような肝臓や腎臓を持ち、背から後半身にかけて非常に発達した発電組織を持っている。

　また、胸びれが陸上動物の前脚としての機能を示すようになっており、海中だけでなく地上でも活動が可能。

　物語中では、当初マグラは海中に現れたが、やがて海から上陸し、駿河湾を始めとして、沿岸部の街に多大な被害をもたらすようになった。その身から放たれる電撃は鉄橋や船舶を一瞬にして炎の塊のようにして溶かしてしまうのだと描写される。またこの過程でマグラは人間を喰うことを覚えたため、さらに被害が拡大している。

やがてマグラは東京湾に向かって進み始めたが、人間側は対策として音響発信機を開発。これは偶然漁の網に掛かったマグラの幼魚の大脳や神経を調べ、発見されたマグラが強く興奮する波長の振動を機械的に発信させるものだった。この音響発信機によりマグラは興奮して猛烈な放電を繰り返す。これにより、マグラの電気エネルギーはやがて尽きてしまう。

この隙を突いて自衛隊により魚雷が発射される。マグラは最初に放たれた六発の魚雷を電撃で爆発させるが、続けて発射された六発の魚雷を撃ち落とすほどの力は残っておらず、直撃を受けて倒れた。

小説中ではマグラが現れたきっかけははっきりとは語られていないが、日本海溝に捨てられた原子力発電所の放射能灰により海水が汚染され、深海底流で拡散したことが原因ではないかと推測されている。

先述の『怪獣文学大全』には作者の光瀬氏の書下ろしエッセイが収録されており、それよれば「マグラ」の名前は「築地の魚河岸にマグロが大量に入荷したというテレビのニュース」を見ている際にストーリーを思いつき、「ゴジラ」の名前に倣って「マグラ」とつけたことが語られている。

海中で生まれた怪獣が地上に適応し、進撃して来たり、エネルギーを枯渇させてから打倒する展開は『シン・ゴジラ』に先行している（**ゴジラ（『シン・ゴジラ』）**の項目参照）。

マタンゴ［またんご］

本多猪四郎監督・円谷英二特技監督の映画『マタンゴ』（一九六三年）及びその原作『マタンゴ』（福島正実、一九六三年）に登場する奇怪な菌類。

太平洋にある霧に覆われた島に生えていたキノコが水爆実験の放射線により変異したもので、これを食べるとその人間もマタンゴと化す。

マタンゴを食った人間はまず胞子に全身を覆われ、知性も失われていく。巨大な人型のキノコのような姿になり、この状態では人間の自我が失われる。またマタンゴには人間に高揚感を与え、幻覚を見せる物質が含まれており、マタンゴを食べた人間は他の人間にもこれを食べさせようとする。

マタンゴになった人間は自立して動くことが可能だが、光を嫌い、夜または日中の霧の濃い時に活動する。

W・H・ホジスンの小説『夜の声』（一九〇七年、井辻朱美訳、創元推理文庫『夜の声』（一九八五年）等収録）を原案として生まれたキノコの海棲物。『夜の声』に登場する**灰色のキノコ菌**は島に自生する菌類だったが、マタンゴは放射能による突然変異の結果生まれたものとされている。

『オール東宝 怪獣大図鑑』（洋泉社、二〇一四年）等によればマタンゴのデザインはキノコ雲がイメージされているようで、まさに放射能とキノコの合体という容貌になっている。

二〇〇八年には吉村達也が『マタンゴ』の続編として小説『マタンゴ　最後の逆襲』（角川ホラー文庫、二〇〇八年）を発表した。

緑の地獄からの怪物

［みどりのじごくからのかいぶつ］

ケネス・G・クレイン監督の映画『昆虫怪獣の襲来』（一九五八年）に登場する怪物。

動物や昆虫を乗せたロケットを宇宙へ発射し、その影響を観察するという実験に使われたスズメバチの一種。

スズメバチが乗せられていたロケットが行方不明になり、四〇時間にわたって宇宙の放射線を浴びたことで体長数十メートルに巨大化したもの。

ロケットはアフリカの「緑の地獄」という場所に落ち、スズメバチたちはヴィルンガ山という火山に巣を作っていた。

その姿は巨大化して飛行能力を失ったのか空を飛ぶシーンがなく、歩いて移動する。羽は小さいながらあり、常に震わせて羽音を発している。

通常のスズメバチと同じく毒針を持つが、なぜか尻ではなく口についており、そこから毒を注入して敵や獲物を殺害する。アフリカの動物や人間を襲い、餌《えさ》としていた。

女王バチを中心として巣を作り、群れで行動する。またその体は手榴弾《しゅりゅうだん》の直撃をものともしないほど頑丈だが、最後は突然噴火した火山の溶岩に呑まれ、群れごと焼き尽くされた。

名前は原題である『MONSTER FROM GREEN HELL』の直訳。DVDが発売されるまでは、よく『緑の地獄からの怪物』のタイトルで紹介されていた。

怪獣の大きさがシーンによって変わったり、スズメバチの怪獣なのに飛べなかったり、人間側が特に何もしていないのに全滅したりと腑に落ちない部分もある映画だが、五〇年代のSF映画に登場する個性豊かな怪獣のひとつとして見る分には楽しい。

ミュータント ［みゅーたんと］（『ナイトメア・シティ』）

ウンベルト・レンツィ監督の映画『ナイトメア・シティ』（一九八〇年）に登場する突然変異した人間たち。

原子力発電所の放射能漏れにより放射線を浴びた人々で、顔が爛《ただ》れ、時に腐敗したような状態になっている。放射線の影響で赤血球が形成できず、生きた人間を見つけると襲いかかってその血を吸う。また人間であった頃の理性は失っているが、身体能力は失われていないどころか向上しているようで、全力疾走で襲いかかってくる上、知能も残されており、ナイフやハンマー、斧《おの》や機関銃を使いこなし、自動車を運転する。さらに仲間同士で連携することもできるなど、非常に厄介な存在と化している。

致死量の放射線を浴びたにもかかわらず

生き残ったため、身体組織の再生力が異常に向上しており、頭部を破壊するなど即死させる以外の攻撃は基本的に効かず、銃撃にも怯《ひる》むことなく襲いかかってくる。

さらに襲撃した相手も放射線を浴びるのか、犠牲者がミュータントと化す場合もあり、感染によって数を増やしていく。

さらにミュータントたちは発電所などのインフラを破壊、次第に人間が追い詰められることになる。

走るゾンビの元祖として有名な映画。ただし同じくゾンビ映画として扱われる『メシア・オブ・ザ・デッド』（ウィラード・ハイク監督、一九七三年）にもゾンビが集団で走って犠牲者を追いかける場面があるため、「元祖走るゾンビ映画」という評価については疑問が残る。

映画自体はタイトル通り夢落ちなのだが、最後に夢が現実になることを示唆して終わる。

ここに登場するミュータントたちは放射線を浴びて突然変異を起こした人間であり、いわゆる生ける屍《しかばね》とは少々異なるため、項目名としては「ミュータント」にしている。DVDの特典映像でも監督自身がこの映画に登場するのはゾンビではなく、放射能によって怪物化した人間であると語っている。

しかし人間の血肉を求めて襲ったり、頭部を破壊しなければ殺せなかったり、犠牲者が感染してミュータントと化したりといった部分はゾンビ映画のお約束を踏襲している。

ただ放射線の影響で超人化しているという設定のため、ミュータント一人ひとりが異様に強く、普通の人間側が絶望的な状況に立たされるのが他のゾンビ映画にはない魅力。後に登場する走るゾンビの映画『バタリアン』（一九八五年）や『ドーン・オブ・ザ・デッド』（ザック・スナイダー監督、二〇〇四年）と比べても武器を使いこなす今作のミュータントたちの攻撃力は随一。まさに悪夢なミュータントたちの饗宴《きょうえん》を楽しもう。

ミュータント・ハンド［みゅーたんと・はんど］

デイモン・サントステファーノ監督の映画『ミュータント・ハンド』（一九九二年）に登場する意思を持つ腕。

科学者であった父親の遺志を継ぎ、連続殺人鬼の死体とトカゲの遺伝子から作られた万能薬プラスミドを開発した科学者ハリソン・ハリソン。彼が事故で切断した右腕の傷口にプラスミドを注射したところ、異形の腕が新しく生える。

爬虫類《はちゅうるい》のような見た目と普通の人間の腕の見た目に自由に変えられる。ハリソンの意思とは関係なく動き、ハリソンの肩から抜けて自立して動くことも可能。その際は先端に手の付いた蛇のような姿になる。

独立した意思を持っているものの、ハリソンには懐《なつ》いており、彼の言うことはきちんと聞く。さらに、傷口にプラスミドを注射すればいくらでも腕を生やすことができる。

劇中ではハリソンの敵を次々と屠《ほふ》っていく活躍を見せ、後半では数が増えて軍団となったミュータント・ハンドたちが、プラスミドを使った金儲《かねもう》けを目論《もくろ》むハリソンの母親やその愛人たちと戦った。

宇宙生物に寄生された宇宙飛行士の手が動き回る『這《は》い回る手』（ハーバート・L・ストロック監督、一九六三年）をはじめ、悪霊に取り憑《つ》かれたために切断した腕と戦う『死霊のはらわたII』（サム・ライミ監督、一九八七年。**死霊（『死霊のはらわた』シリーズ）**参照）や、『アイドル・ハンズ』（ロッドマン・フレンダー監督、一九九九年。**アイドル・ハンズ**の項目参照）と同じく分離した腕が勝手に動く類《たぐい》の話だが、他の作品と違い腕と体が共闘する展開が熱い。岩本均の漫画『寄生獣』（講談社、一九八八年～一九九五年）を思い起こさせるが、ミュータント・ハンドはミギーほど賢くはない。

また、アメリカン・コミックスの『スパイダーマン』（一九六三年～）には片腕を失った科学者が爬虫類の再生能力に注目し、失った部位の再生を可能にする薬品を開発するが、自分を実験台にしたところ、トカゲのような怪物に変貌してしまったリザードというキャラクターが登場する。ミュータント・ハンドの元ネタになったのはこれだろうか。

メギラ［めぎら］

アーノルド・レイヴェン監督の映画『大怪獣出現』（一九五七年）に登場する怪物。海底の地殻に棲息していたカタツムリの一種が原爆の実験により放射線を浴びて突然変異し、巨大化したもの。体長は五、六メートルほど。

なぜか芋虫《いもむし》のような姿をしており、複数の脚を持ち、顎《あご》には牙が生え、頭部には丸い二つの瞳がある。

普段は殻に入っているが、自在に抜け出して行動することができ、他の動物を襲って喰らう。また口から白濁した液体を撒《ま》き散らす。

劇中では複数体が出現。太平洋にて次々と人間を襲っていたが、爆弾で倒される。しかし研究所に持ち帰られていた卵が孵化《ふか》し、今度は地上で人間を襲い始める。

メギラという名前は劇中では出て来ず、邦題でつけられた名前である。メギラは大怪獣という割には小さいが、その造形は目を見張るものがあり、生々しい動きや質感も必見である。

よ

溶解人間［ようかいにんげん］

映画『溶解人間』（一九七七年）に登場する怪人。

土星調査から帰還した軍人スティーヴ・ウェストが特殊な宇宙線を浴びたことで肉体が変異し、全身が次第に溶解する状態になったもの。体から放射線を発しており、スティーヴが訪れた場所では放射線が検出される。

この状態になったスティーヴは異常に狂暴で、なぜか肉体も強化されている。病院から抜け出した彼は素手で人間を襲い、顔面をむしり取ったり、首を引き抜いたりしながら辺りを徘徊《はいかい》する。また銃弾を叩き込まれても一切効果がない。

しかし肉体の溶解は続き、最後はどろどろの肉片になって息絶えた。

『原子人間』（一九五五年）や『宇宙の怪人』（一九五九年）などと同じく、宇宙から帰還した人間が体に変異を起こし、人を襲う怪物となってしまう映画の系譜に当たる作品（**原子人間**及び**宇宙の怪人**の項目も参照）。

特殊メイクはリック・ベイカーが担当し、『モンスターパニック 超空想生物大百科』（大洋図書、二〇〇〇年）によれば次第に溶けていくスティーヴの肉体を表現するため、四段階に分けてマスクを製作し、さらに撮影中にはシロップを掛けて効果を上げたという。

ウィリアム・サッチス監督のデビュー作でもあるが、なぜか川を流れていく生首を異常にしつこく見せ、滝から落ちて潰《つぶ》れるところまでを丹念に描写した場面があり、よく話題になる。

ら

ラモン［らもん］

ルイス・ティーグ監督の映画『アリゲーター』（一九八〇年）に登場する巨大なワニ。

もともとはアメリカのシカゴに住む少女にペットとして飼われていた小さなワニ。「ラモン」という名前は飼い主の少女につけられたもの。少女の父親によってトイレに流され、下水道で生きるようになる。

しかし、その下水道には、スレイド製薬という製薬会社の研究者が、成長ホルモン剤を開発するための実験に使った犬を投棄していた。ラモンはその犬の死骸を食べたことで異常成長し、体長一〇メートルを超える怪物となる。

ラモンははじめ下水道に入ってくる人間を襲い、食い殺していたが、やがて地上に進出するようになった。

成長ホルモン剤の影響で食欲が異常に促進されており、積極的に獲物を狙う。その牙や顎《あご》はもちろんのこと、巨体から振るわれる尾の一撃は人間を軽く吹き飛ばすほどの威力がある。

アメリカ発祥の都市伝説として有名な、ペットとして飼われていた子ワニがトイレに捨てられ、下水道で成長している、という話をもとに映画化したもの。

さらにこの映画では巨大化まで果たしているため、パーティ会場に出現して暴れる姿は圧巻。ただのワニ映画ではなく怪獣映画のような迫力があるため、そのような作品が好きな人にはお勧めしたい。

リトルゴジラ ［りとるごじら］

映画『ゴジラvsスペースゴジラ』（一九九四年）に登場する怪獣。ゴジラザウルスという恐竜の幼体であったベビーゴジラが、バース島でゴジラと一緒に暮らしているうちにその放射能の影響を受け巨大化したもの（**ゴジラザウルス**の項目を参照）。体長三〇メートル、体重八〇〇〇トン。

ベビーゴジラ時代に人間に世話をされていた影響か、とても人懐《ひとなつ》っこく、温厚な性格である。姿は子どものゴジラといった感じで頭や目が大きく、ずんぐりとしているが、体色は緑色で背ビレもまだ小さい。

ゴジラを倒すことを目的に宇宙から現れた**スペースゴジラ**によって捕らえられ、人質にされる。その後、ゴジラと人間が作り上げた兵器**モゲラ**によってスペースゴジラが倒されたことで解放。バース島で泡のような放射能熱線を吐く姿が見られた。

昭和シリーズに出てきたゴジラの息子**ミニラ**が、突然現れた卵から孵《かえ》った出自不明の怪獣だったのに対し、こちらはベビーゴジラ時代を含め、ゴジラとの関係が丁寧に描写されている。

バース島にやって来た人間を歓迎したり、ゴジラに懐いたり、スペースゴジラを仲間だと思って近付いて行く様子などは大変かわいらしい。

次作『ゴジラvsデストロイア』（一九九五年）ではさらに成長した**ゴジラジュニア**として姿を現した。詳細は当該項目を参照。

レナード・フライバーグ ［れなーど・ふらいばーぐ］

キット・リードの小説『巨大な赤ん坊の攻撃』（一九七六年、マイケル・パリー編、宇佐川晶子訳『キング・コングのライヴァルたち』収録）に登場する赤ん坊。

もともとは普通の赤ん坊であったが、父親のジョウナス・フライバーグが実験に使っていた培養菌を口にしてしまったことで、姿は赤ん坊のまま巨大化していくようになる。

その大きさは、はじめは数メートルほどであったのが、次第に数十メートルになり、やがて海に出てクジラを一頭を食べるほどになった。

はじめは軍による殺害が予定されていたが、レナードが公海に出てしまったため、それは取りやめになる。そしてレナードがどうなるかは分からないまま、物語は終わる。

赤ん坊を巨大化させるというアイディアは他に『ジャイアント・ベビー／ミクロキッズ2』（ランダル・クレイザー監督、一九九二年）という映画がある。この作品では電磁物体拡大機という機械の作用により、巨大化する赤ん坊が登場した。

わ

ワニ人間［わににんげん］

ロイ・デル・ルース監督の映画『恐怖のワニ人間』（一九五九年）に登場する怪人。その名の通りワニと人間が組み合わさってしまった存在。

もともとはポール・ウェブスターという軍人で、飛行機事故により全身に大火傷を負って、マーク・シンクレアという科学者に治療のためにワニのホルモンを注射される。その結果、傷は回復したものの、体に鱗が生えてきてしまうという症状に悩まされる。

これを改善するため、ガンマ線とX線を組み合わせた光線を浴びる治療を受けることになるが、途中、ポールを恨むマノンという男の行動により事故が発生し、ワニ化の症状が進行。頭部がワニそのものに変異してしまう。

ポールは治療の失敗を知り、逃走。自らの姿に絶望し、最後は自ら沼に沈み、命を絶った。

『恐怖のワニ人間』というタイトルではあるが、ワニ人間はむやみに人を襲ったりはしないし、むしろ妻であった女性を助けるなど、人間としての理性を残している。それだけに変わっていく自らの姿に絶望する姿は悲痛である。

作品がヒロインの回想という形で進む点や、他の動物と混ざり、異形の姿となりながら理性を残し続けるところなどは前年公開の『蝿男《はえおとこ》の恐怖』（一九五八年、**蝿男**の項目も参照）の影響が窺える。

chapter 3

怪異
オカルト
ファンタジー

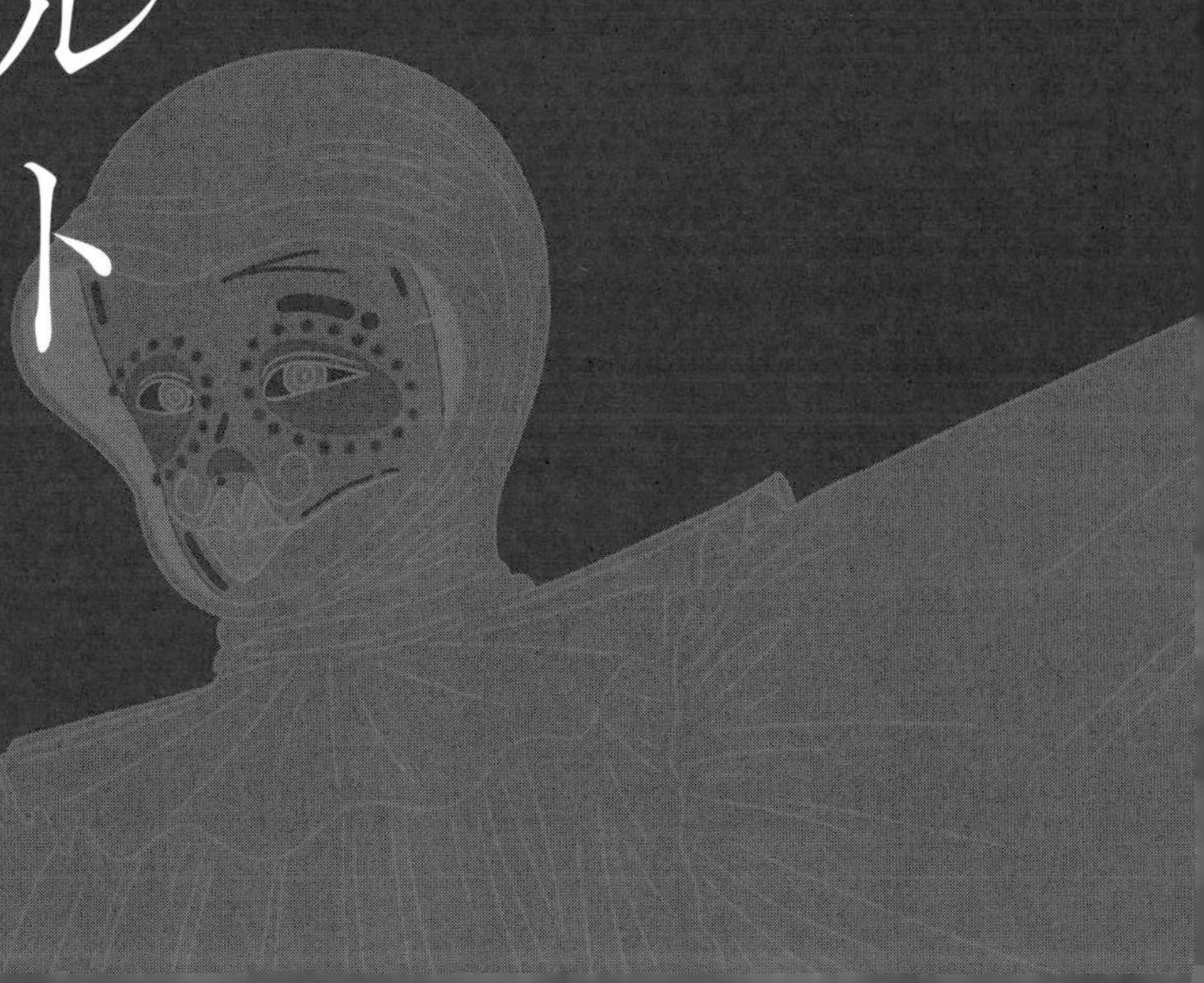

アイドル・ハンズ ［あいどる・はんず］

ロッドマン・フレンダー監督の映画『アイドル・ハンズ』（一九九九年）に登場する悪霊に憑《つ》かれた腕。

　この悪霊は怠惰な人間の手に取り憑き、その人間の肉体を利用して周囲の人間を殺害し、魂を地獄に連れて行くとされる。憑かれた人間が操られるのは片手の手首から先のみであるため、取り憑かれていない方の手などを使ってある程度制御できるものの、憑かれた手の力は強く、宿主は悪霊に振り回されることになる。

　劇中ではアントンという青年の右手に憑《ひょう》依《い》。彼の両親を殺害し、さらに親友二人を殺害するものの、親友二人はなぜかゾンビとして復活。この二人と協力し、アントンは右手を手首から切断することに成功する。

　しかし切断された右手がひとりでに動き回るため、アントンはこの右手を電子レンジに閉じ込め、加熱して倒そうとする。しかし右手はそれでも力尽きず、先の二人の親友ゾンビが迂闊《うかつ》に電子レンジを開けたため、脱出。町の人々を襲い始める。

　痛覚が存在しないのか、自分の指を電動鉛筆削りに突っ込み、骨を鋭く尖《とが》らせて武器とした。また右手しかないにもかかわらずかなりの怪力を誇り、人間の頭皮を剥《は》いだり、人の首を絞めて殺したりする。完全に倒すためには、ドルイド教に伝わる特殊なナイフを突き刺すしかないようだ。

　右手が悪霊に憑かれるという発想には先駆者があり、『死霊のはらわたⅡ』（サム・ライミ監督、一九八七年）には、主人公のアッシュが悪霊に憑かれた自分の右手と格闘するシーンがある。詳細は**死霊（『死霊のはらわた』シリーズ）**を参照。

赤い靴 ［あかいくつ］

ハンス・クリスチャン・アンデルセンの創作童話『赤い靴』（一八四五年）に登場する奇妙な靴。

　ある伯爵《はくしゃく》が子どものために縫った革の靴だが、足に合わなかったためにそのままになっていたとされ、ぴったりとサイズの合うカーレンという少女のもとに買われていく。

　カーレンはこの赤い靴を気に入り、本来は黒い靴を履かなければならない教会へ赤い靴を履いて行く。カーレンの頭は常にこの赤い靴でいっぱいで、牧師の説教など聞こえもしない。

　孤児だったカーレンを引き取った老婦人は目が悪く、カーレンが赤い靴を履いていることに気付かなかったが、人から教えられてカーレンをきつく叱《しか》る。しかしカーレンは次の日曜日も教会に赤い靴を履いて行く。

この時、カーレンは教会の戸口で松葉杖をついた赤いひげの老兵士に会うが、老兵士は靴のほこりを払うことを申し出る。

そこでカーレンが足を差し出すと、老兵士は赤い靴を褒め、「踊っている間はしっかり足にくっついているんだぞ」と言って靴の底を叩いた。

それから教会の帰り、カーレンが馬車に乗ろうとすると、またあの老兵士が現れ、「なんてきれいなダンス靴だ」と言う。その言葉にカーレンが思わず踊り始めると、足が勝手に動き出し、彼女の意思とは関係なく踊り続けた。

それは他の人々がカーレンから無理やり靴を脱がすまで続き、老婦人は靴を戸棚にしまってしまう。

その後、老婦人が病に倒れ、カーレンは看病を行っていたが、街で行われる大きなパーティに招待され、あの赤い靴を履いて出かけてしまう。

そこでカーレンは踊ろうとするが、なぜか自分の意思とは反対の方向に足が動き、踊ったまま街を出て暗い森へと入って行った。

そこにあの赤いひげの老兵士が現れ「おお、なんてきれいな赤い靴だ」と告げた。カーレンは赤い靴を脱ごうとしたが、足にくっついて脱ぐことができない。赤い靴は踊り続け、墓地を抜け、教会に辿《たど》り着いた。

そこには天使がおり、カーレンにお前は死ぬまで踊り続けるのだと告げた。カーレンは赦《ゆる》しを乞《こ》うが、彼女の足は勝手に踊り、教会から出て行った。

それから何日も踊り続け、やがてカーレンは自分の住んでいた家の前を通り過ぎたが、そこで老婦人が棺桶《かんおけ》に入れられ、運び出されるのを見た。

再びひとりになったカーレンはなおも踊り続け、首切り役人の家のドアを叩いた。そこでカーレンは自分の罪を告白し、足を切り落としてくれるように頼み、首切り役人はそれに応えて斧《おの》で彼女の足を切り落とす。

赤い靴を履いた足は、なおも踊り続け、森の方へ消えて行った。

それからカーレンは改心したが、教会の前に行くとあの赤い靴を履いた足が現れ、踊るということが繰り返された。

カーレンは牧師の家で女中として働かせてくれるように頼み、誠心誠意真面目に働いた。そしてやっと彼女の魂は赦され、その魂は光に乗って天に昇ったという。

カーレンという少女の罪と赦しを描いた作品だが、自分の意思に反して踊り続け、切り離されてもなお彼女の前に出現する赤い靴は不気味である。

悪魔の車 ［あくまのくるま］

エリオット・シルヴァースタイン監督の映画『ザ・カー』（一九七七年）に登場する殺人自動車。黒塗りの自動車だが、ドアノブがなく、運転手も存在しないまま動き回り、人を轢《ひ》き殺すという怪現象を起こす。

その正体は悪魔が取り憑《つ》いた車で、出現する際には風が吹き荒れる。またその本性から神聖な地である墓地の中に入ることができない。一方、倒れた人間を何度も執拗《しつよう》に轢《ひ》き、殺害する、家の中に逃げ込んだとしても人間を殺すためであれば家の窓を破って侵入して轢き殺すなど、人間に対する強い殺意を見せる。

しかし最後は爆弾を仕掛けた崖に落とされ、爆発。爆炎には悪魔の顔が浮かび、唸《うな》り声が響き渡った。

アッシャ［あっしゃ］

ヘンリー・ライダー・ハガードの小説『洞窟の女王』（一八八七年（大久保康雄訳、創元推理文庫、一九七四年））をはじめとする『アッシャ』シリーズに登場する不死の女王。

その姿は言語を絶するほどの美しさを持つとされる女性。二〇〇〇年以上前にアラブ人の間に生まれ、古代に伝わる不死の秘術を学び、永遠の命を得たとされる。他にも他者の心を読んだり、病を癒したり、千里眼のような能力を持つ。また生命を操ることができ、容易に人の命を奪う。

アフリカで古代コール人が築いたという都の廃墟《はいきょ》に囲まれた洞窟に住み、アマハッガー人と呼ばれる人々を治めており、女王として君臨している。

そして二〇〇〇年もの間、かつての恋人であるカリクラテスの生まれ変わりが訪れるのを待ち続けていた。

一九三五年にはアーヴィング・ピチェル及びランシング・C・ホールデン監督の映画『洞窟の女王』が公開されている。

アラクネ［あらくね］

（『お人好し』）

ジョン・ウィンダムが一九五三年に発表した小説『お人好し』（中村融編、創元推理文庫『千の脚を持つ男』（二〇〇七年）収録）に登場する怪物。ギリシャ神話に伝わるクモにされてしまったという女性、アラクネその人で、普段は淡い緑の体に濃い緑の斑点が散りばめられ、背筋に沿って青い矢じり模様が並んだ大きなクモの姿をしている。

クモの姿でも人間の言葉を発することができ、会話も可能。

女神アテナの呪いのため、自ら死を選ぶこともできず、永遠にクモの姿でいなければならないとされる。その制限が緩和されるのは一年に一度のみで、自分と入れ替わってくれる女性を見つけると、二四時間だけその人間の姿で過ごすことができる。しかし人間の姿になってもクモの性質は抜けないらしく、アラクネはクモの雌が雄に対してそうするように、作中では入れ替わった女性の夫を喰い殺してしまったことが示唆されている。

アンディ［あんでぃ］

アイラ・レヴィンの小説『ローズマリーの赤ちゃん』（一九六七年（高橋泰邦訳、ハヤカワ文庫、一九七二年））及びそれを原作とした及びロマン・ポランスキー監督の映画『ローズマリーの赤ちゃん』（一九六八年）に登場する悪魔の子。

一九五九年、新聞紙に包まれた赤子の死体が地下で見つかるなど、呪われたアパートと呼ばれていた「ブラムフォード」というアパートに引っ越してきた夫婦がいた。妻の名前はローズマリー・ウッドワスといい、題名はこの女性に由来する。

ローズマリーはアパートに潜《ひそ》む悪魔崇拝者たち、そして出世のために彼女を売った夫により、悪魔サタンの子を身ごもることになる。そしてローズマリーが生んだ赤ちゃん、アンディは普通の赤子とはかけ離れた容姿をしていた。

アンディの姿については映画では描写されないが、原作ではオレンジ色の髪で驚くほど毛が多く、眼は山吹色で、白眼も虹彩もなく、縦に黒く細く瞳孔が割れている、と描写されている。

『ローズマリーの赤ちゃん』はこのアンディ（悪魔崇拝者は「エイドリアン」と呼ぶ）が生まれた直後に幕を下ろすが、一九九七年にアイラ・レヴィンが続編として記した小説『ローズマリーの息子』（黒原敏行訳、ハヤカワ・ノヴェルス、一九九八年）では、成長したアンディが登場する。

ローズマリーは悪魔崇拝者たちにより一九七三年から二七年間も昏睡状態に陥らされており、一九九九年に目覚めた後、三三歳になった息子のアンディと出会うことになる。

アンディは悪魔崇拝者たちの教団を改革し、慈善団体へと変えて今や世界平和を掲げる「神の教団」という世界的な組織の教祖となっていた。その風貌はイエス・キリストに類似していたが、それは超能力によって本来の姿を隠しているためであり、実際は額に角が生え、目も赤子の頃と同じく恐ろしいものとなっている。またその目的も世界平和などではなく、世界を破壊することであった。彼は二〇〇〇年を迎える祭典を祝うために用意した蠟燭《ろうそく》にウイルスを仕込み、世界中にばらまくことを目論《もくろ》んでいたのだ。

しかしそれが実行される直前、アンディは人間らしい感情に目覚め、祭典を中止しようとする。だがそれを阻止しに現れたのは彼の父、悪魔サタンだった。ローズマリーとアンディは、二人でサタンと対峙《たいじ》する。

映画『ローズマリーの赤ちゃん』は後の映画に多大な影響を与え、『エクソシスト』（ウィリアム・フリードキン監督、一九七三年。**パズズ**の項目も参照）、『オーメン』（リチャード・ドナー監督、一九七六年。**ダミアン・ソーン**の項目も参照）などに続くオカルト映画ブームの火付け役となった。

『ローズマリーの息子』は小説の『ローズマリーの赤ちゃん』の続編だが、映画の『ローズマリーの赤ちゃん』の続編としては『続・ローズマリーの赤ちゃん／悪魔の子が生まれて8年が経った…』（サム・オースティーン監督、一九七六年）というテレビ映画が作られている。本作は『ローズマリーの赤ちゃん』の八年後が舞台となり、成長した赤ちゃんが登場する。彼はアンドリュー（アンディ）ともエイドリアンとも呼ばれ、少年時代、青年時代が登場する。人間として生きながら、悪魔の力を制御できない彼の姿が描かれる。

五つの月が昇る星の幻 ［いつつのつきがのぼるほしのまぼろし］

ジャック・ヴァンスの小説『五つの月が昇るとき』（一九五四年、中村融編、創元ＳＦ文庫『影が行く ホラーＳＦ傑作選』（二〇〇〇年）収録）に登場する怪異。

地球とは違う、五つの月がある星では、通常一夜ごとに別々の月が昇るが、一定期間だけすべての月が揃《そろ》って昇る夜が来る。

このすべての月が昇る夜は奇怪な現象が起きるとされ、そこにいる人間が想像したものが具現化する。例えば星の外部との通信を望めば通信機が、恋人のことを思い浮かべれば恋人が現れるが、もし恐怖心を持ち、怪物の姿を想像してしまえばその通りの怪物が現れる。

この幻は、ただの幻ではなく、実際にそれを想像した者が物理的に触れることのできる幻である。そのため、怪物を想像した際には自分に襲いかかって来て、時には傷つけられ、殺害される羽目になる。

この幻を消失させるには、何らかの方法で自分を気絶させるなどして、想像そのものができなくなるようにすれば良いとされる。

他にも人間の想像や思考が具現化された怪物として**イドの怪物**や**ソラリスの海**がある。詳細は当該項目参照。

イビル・アッシュ ［いびる・あっしゅ］

サム・ライミ監督の映画『キャプテン・スーパーマーケット』（一九九三年）に登場する死霊。

時空の裂け目に吸い込まれ、中世のイングランドにやってきた現代人、アッシュ・ウィリアムズがもとの時代に帰るため、「死者の書」の書と呼ばれる書物を探しに向かう途中、**カンダールの悪霊**という名の悪霊が彼を襲撃し、彼の分身である死霊を発生させた。この分身がイビル・アッシュ、すなわち「悪のアッシュ」と呼ばれる。

イビル・アッシュははじめアッシュの肩に首が生えてくる形で出現し、その状態でアッシュと戦ったが、後に分離し、体を持ったアッシュの分身となった。

しかしイビル・アッシュはアッシュとの戦いに敗れ、体をバラバラに切断されて土に埋められる。だがアッシュは死者の書を手に入れる際、唱えなければならない呪文をきちんと覚えていなかったために適当な呪文を唱え、それによって墓場から死霊たちが蘇ることになる。この時、イビル・アッシュもともに蘇り、死霊の軍団を指揮する役割を担うことになる。

蘇生した後のイビル・アッシュは腐ったように皮膚が変色しており、目が窪《くぼ》んでいるなど、アッシュとは見た目がまったく異なっている。鎧《よろい》に身を包んだイビル・アッシュは死霊たちを従えてアッシュが帰還したカンダール城を襲撃。その目的は死者の蘇生と封印を可能にする死者の書を奪うことであった。

しかしアッシュ、カンダール城の城主であるアーサー王、その宿敵でありながらアーサー王に加勢したヘンリー王たちの活躍により死霊たちの目論見《もくろみ》は失敗に終わり、イビル・アッシュもアッシュが作った爆弾によって粉砕された。

肩から首が生えてきて、その首が本体と分離して本体と戦うという映画に『双頭の殺人鬼』（ジョージ・P・ブレイクストン監督、一九五九年。**双頭の殺人鬼**の項目も参照）という作品があるが、アッシュとイビル・アッシュの場面はこの映画とそっくりである。参考にしたのだろうか。

ヴラディスラヴ・ブレンリック

［ゔらでぃすらゔ・ぶれんりっく］

H・ワーナー・マンの小説『ポンカートの狼男』（一九二五年、那智史郎・宮壁定雄編、国書刊行会『ウィアードテールズ1』（一九八四年）収録）に登場する狼男《おおかみおとこ》。

ポンカートという地域で吸血鬼に襲われ、彼に使役される狼男にされてしまった人間。物語はこのブレンリックが書き残した告白の体裁で語られる。

それによれば、ブレンリックはもともと行商であり、大きな売上金を得た日の帰り道に吸血鬼率いる狼男たちに襲われる。その際に五人いた狼男のうちひとりを殺したことで新たな狼男として選ばれ、吸血鬼に服従させられることになる（**ポンカートの吸血鬼**も参照）。

吸血鬼の命令を受けると手を地について四本足になり、骨の組み合わせが変わって高速で走れるようになる。そして人馬を襲い、その肉を喰らう存在と化す。

しかしブレンリックはある程度理性を保っていたため、同じように主（物語中では「お頭《かしら》」と呼ばれる）の吸血鬼を憎んでいるサイモンという狼男と共謀《きょうぼう》し、他の仲間たちを誑《たぶら》かして吸血鬼に反乱を起こそうとする。しかしそれを見破られ、吸血鬼に操られ、自分の妻子を自らの手で殺害させられるという罰を受ける。

それによりブレンリックは絶望し、自分が行ってきたことを彼を捕らえた兵隊たちに自白する。そしてその復讐心が認められ、吸血鬼と他の人狼たちのところまで案内させられる。

そこで吸血鬼に操られそうになるも、同行した兵隊たちに動きを封じられ、狼男たちが殺され、吸血鬼が逃げ去って行くのを見て、自分の苦難が終わったことを悟った。

それからブレンリックはおとなしく、自分の死刑を受け入れたのだという。

ガイの自動車の幽霊

［がいのじどうしゃのゆうれい］

E・F・ベンスンの小説『つちけむり』（一九一二年、P・ヘイニング編、野村芳夫訳、文春文庫『死のドライブ』（二〇〇一年）収録）に登場する無機物の霊。

イングランド東部のバーチャム村にあるガイ・エンフィンストーンという人物が使っていた自動車が幽霊として現れるもの。

ガイはこの村で子どもを轢《ひ》き殺した後、猛スピードで自分の家の大庭園の門に激突し、死亡した。その際に車も大破したが、以降、この付近では、その事故を再現するように自動車の幽霊が現れるようになった。

この車の幽霊は、猛スピードで土煙を上げながら大庭園の門に向かって激突することをひたすら繰り返す。

さらに、物語中では、この事故現場付近で子どもの悲鳴を聞いたり、子どもの姿を目撃した者もいたことが語られている。

『死のドライブ』の解説によれば、自動車と超自然現象を結び付けた初めての作家がこのE・F・ベンスンであったという。

カンダールの悪霊

［かんだーるのあくりょう］

サム・ライミ監督の映画『死霊のはらわた』（一九八一年）シリーズに登場する悪霊。「カンダリアンデーモン」と呼ぶ場合もある。

アメリカのフロリダ州ジャクソンビルのある森に封印されていた悪霊。

第一作目『死霊のはらわた』では、主人公のアッシュ・ウィリアムズをはじめ、五人の若者がこの森にあった小屋で偶然「死者の書」と呼ばれる書物と、それに書かれている悪霊を復活させる呪文を録音したカセットテープを見つけ、内容を知らずに再生してしまう。これによりカンダールの悪霊は現代に蘇ることになる。

カンダールの悪霊は普段目に見えないが、人間に取り憑《つ》く能力があり、取り憑かれた人間は動く死体のような状態になる。死霊になった人間はカンダールの悪霊の意のままに操られる。また森の木々を操る能力を有し、それによって人間を襲う様子も見られた。

第二作目『死霊のはらわたII』（サム・ライミ監督、一九八七年）は一作目と直接繋《つな》がらないセルフリメイクのような作品だが、やはりアッシュが「死霊の書」のテープレコーダーを再生したことで現代に蘇る。

この作品ではカンダールの悪霊がアッシュの右手に憑き、右手首から上のみが死霊と化す。

アッシュは自分の右手と戦い、挙句チェ

ーンソーで切り落とす。この切り落とした右手は悪霊に操られ、アッシュに襲いかかった。さらに終盤では森の木々を操って巨大な怪物のような姿になり、アッシュに襲いかかる。

　しかし生存者であるアニーが死者の書に記されている悪霊を時空の裂け目に追い返すための呪文を読んだことで時空の裂け目が発生し、悪霊は吸い込まれる。このためアッシュへの攻撃は失敗に終わるが、アッシュ自身もこの裂け目に引き込まれてしまうことになる。

　第三作目『キャプテン・スーパーマーケット』（一九九三年）では前作で時空の裂け目に落ちた挙句、中世イングランドにやって来たアッシュとカンダールの悪霊の戦いが描かれる。

　アッシュが落ちた先はカンダール城と呼ばれる城で、当時のカンダールの悪霊はその近くの森に潜《ひそ》んでいた。

　もとの時代に戻るには死者の書が必要であると知ったアッシュは死霊の巣食う墓場に死者の書を探しに行くが、途中、森でカンダールの悪霊と遭遇。風車小屋に逃げ込むが、そこで小さなアッシュの姿をした複数の悪霊が出現し、その中のひとりに体内に潜《もぐ》り込まれる。すると右肩からもうひとつの顔が死霊として生じ、これと戦うことになる。

　最終的にこの死霊と分離したアッシュは死霊を倒し、解体して地面に埋める。しかしこの死霊はアッシュの自業自得により復活する。詳細は**イビル・アッシュ**の項目を参照。

　その後、カンダールの悪霊は何らかの理由により眠りについたと思われるが、一九八〇年代になり、考古学者レイモンド・ノウビー教授が死者の書を発見したことにより、再び目覚める。そして第一作目『死霊のはらわた』の事件に繋がる。

『死霊のはらわた』シリーズの元凶ともいえる存在。悪霊と死霊の区別は分かりづらいが、カンダールの悪霊はジャクソンビルの森に巣食っていた目に見えない存在で、悪霊に取り憑かれた人間が死霊ということで区別している。

　一応『キャプテン・スーパーマーケット』は第一作に繋がるようにカンダールという地名が出てきたり、森に巣食う悪霊が登場したりするのだが、そもそも舞台がアメリカではなくイギリスなので、地理的な矛盾が発生している。もしかしたら何らかの形でイギリスからアメリカへカンダールの悪霊が移動するできごとがあったのかもしれない。

『死霊のはらわたⅡ』の続編として描かれたテレビドラマシリーズ『死霊のはらわたリターンズ』（二〇一五～二〇一八年）でも主にアッシュの自業自得によってカンダールの悪霊が蘇り、アッシュと対決する。

ギャファレル ［ぎゃふぁれる］

G・G・ペンダーヴズの小説『八番目の緑の男』（一九二八年、那智史郎・宮壁定雄編、国書刊行会『ウィアードテールズ2』（一九八四年）収録）に登場する悪魔。

アメリカのコネチカット州のノーガタック渓谷という渓谷にて「七本の人間樹軒」なる酒場を営んでいる。

この酒場には人間の形に精巧に刈り込まれたように見える木が七本、店の前に並んでおり、それぞれ表情が異なっている。

ギャファレルは時折、この七本の人間樹軒にて「エノクの息子たち」と呼ばれる会員のみが参加できる晩餐会《ばんさんかい》を開催する。しかしこの晩餐会の目的は参加した人間の魂を抜き取ることであり、ギャファレルによって魂を抜かれた人間の肉体は動かなくなり、魂は人間の形をした木に変えられる。

すなわち店の前に飾られていた人間樹は「エノクの息子たち」そのものであり、抜かれた人間の魂の成れの果てであった。彼らはギャファレルの思い通りに動く傀儡《かいらい》となっていた。

そしてギャファレルは人間樹が増える度に店の名前を変える。八人目の犠牲者が出た時、店の名前は「八本の人間樹軒」に変わっていた。

キングシーサー ［きんぐしーさー］

福田純監督・中野昭慶特技監督の映画『ゴジラvsメカゴジラ』（一九七四年）に登場する怪獣。身長五〇メートル、体重三万トン。

古代琉球民族、安豆味王族の守り神とされ、沖縄の岩山に眠っているが、祈りの歌によって目覚める。

その姿はシーサーの頭を持った二足歩行の獣、といった様相で、高い身体能力を持つ。

また、プリズム眼と呼ばれる眼を持っており、右目で吸収したビーム攻撃を一〇倍に強化して左目から打ち返す。

劇中では、**メカゴジラ**の襲撃にあった沖縄にて「ミヤラビの祈り」を聞き、復活。その身軽さやプリズム眼を駆使して戦うが、次第に劣勢に追い込まれる。そこに**ゴジラ（二代目）**が登場し、ゴジラと共闘してメカゴジラを撃破した。

その後は再び岩山に潜り、眠りについた。

二〇〇四年公開の『ゴジラ FINAL WARS』（北村龍平監督）にも登場。こちらでは**X星人**という異星人に支配され、人間や**ゴジラ（ミレニアムシリーズ）**に敵対することとなった。沖縄のコンビナートを襲撃した後、富士の裾野でゴジラと激突。**アンギラス**や**ラドン**とトリオでゴジラに挑むが、返り討ちにされた。

『オール東宝 怪獣大図鑑』（洋泉社、二〇一四年）によれば、キングシーサーのデザインを担当した井口照彦の話では、まずシーサーの写真を集めて研究し、全身は炎のイメージで獣っぽさを表現したという。

グレゴール・ザムザ ［ぐれごーる・ざむざ］

フランツ・カフカの小説『変身』（一九一五年（高橋義孝訳、新潮文庫、一九五二年））に登場する人物。朝起きると巨大な毒虫になっていたという悲惨な境遇で知られる。

彼が変身した虫の容貌は甲殻のように硬い背中、何本もの弓形の筋に分かれて盛り上がっている腹、細く、何本もある肢、ひどく頑丈な顎《あご》、といったように描写される。

　初めは人間時と同じ思考能力が残っており、真面目なセールスマンであったグレゴールは仕事のことや家族のことを思い、悩むが、彼の発する言葉は他人には通じず、意思を表現することができないようになる。

　一方、体の性質は人間時と大きく異なっており、食べ物では以前に好物だったホットミルクを受け付けなくなり、代わりにチーズなどの発酵した食品、もしくは腐りかけた食物を好むようになり、逆に新鮮なものは食べられなくなる。

　また壁や天井を這《は》うこともできるようになるが、自分が暮らしている部屋からは出ていかず、妹であるグレーテの世話になる。

　しかし妹にも姿を見られたくないので、妹が部屋に入ってくる時はソファの下に身を隠している。そんなある日、彼は自分の部屋の物を片付けられる様子を見て、人間であった頃の私物を失うことで自分が人間でなくなってしまうことを危惧《きぐ》し、壁に掛けてあった写真を持ち去られまいと写真の上にへばりつく。

　これを見た彼の母親が失神し、ちょうど帰宅した父親はグレゴールに怒り、リンゴを投げつける。これが直撃したグレゴールは重傷を負い、ほとんど動けなくなるが、彼を治療する者はいないどころか、グレゴールにぶつかり、へばりついたままのリンゴさえも誰も取り除こうとしなかった。

　それから家族がグレゴールのことを気にすることはほとんどなくなり、世話は新しく雇われた手伝いの女性によって行われた。

　次第にグレゴールの部屋はいらない家具を置く物置と化し、グレゴール自身、まともに食事もしないままやせ細っていく。

　そしてその日がやってきた。グレーテが居間でヴァイオリンを弾いているのを聞いたグレゴールは、その演奏に感動して部屋から這い出してしまう。その時、家には三人の紳士が下宿していたが、部屋から這い出してきたグレゴールを見て、彼らは下宿を引き払い、しかも宿代も支払わないと言いだした。家族たちはこのありさまを見て、ついにグレゴールを見捨てようと考えるが、長い間何も食べていなかったグレゴールの体は既に限界だった。

　彼は家族たちに思いをはせながら、深夜三時、外が明るくなったのを感じて、人知れず最後の息を吐いたのだった。

　グレゴールが変身した虫の種類は特定されておらず、実在する種類の生物なのかも分からない。硬い背中の甲殻や何本もの肢、力強い顎を持っていることなどから考えると個人的にはムカデのような生物が連想されるが、ゴキブリ、甲虫など様々な説がある。

黒猫の祟り ［くろねこのたたり］

エドガー・アラン・ポーの小説『黒猫』（一八四三年、巽孝之訳、新潮文庫『黒猫・アッシャー家の崩壊』（二〇〇九年）他収録）に描かれる怪異。

物語は語り手が独房の中にいるところから始まる。彼はかつて動物好きの人間で、同じく動物好きの妻と様々なペットを飼って暮らしていた。しかし酒に溺《おぼ》れるようになった語り手は、やがてペットを虐待するようになる。

なかでも最も彼に懐《なつ》いていたプルートという名前の黒猫に対する虐待は凄《すさ》まじく、片目をナイフでくり抜いた上、首を吊らせて殺してしまう。

しかしプルートを殺したその日、語り手の家は火事になって全焼。家を含む資産をすべて失うことになる。また、火事の後、焼け残った家の壁にはまるで絵画のように首を吊った猫の姿が映りこんでいた。

以降、語り手は自分の行動を後悔し、プルートに似た黒猫を探し求めたところ、胸の辺りに大きな白い斑点があるものの、プルートにそっくりな、しかも片目がない黒猫と出会い、家で飼うことにする。

語り手の妻はこの新しい黒猫を大変に可愛がるが、語り手は再び黒猫に対して原因不明の憎悪を募らせていくことになる。そしてついに手斧《ておの》で黒猫を殺そうとするが、黒猫を庇《かば》おうとした妻に激高し、彼女を殺してしまう。

語り手は狼狽《ろうばい》するも、すぐに自分の犯罪の隠蔽《いんぺい》を始める。彼は自宅の地下室の壁に妻の死体を塗り込むと、その証拠を隠滅した。またそれからというもの、彼の前にあの黒猫が姿を現さなくなった。

以降、警察の捜査でも死体は見つからなかったが、ある日、家を調べに来た警察の前で妻を埋めた壁から赤子の泣き声のような声がした。警察が壁を壊すと、腐乱した妻の死体と、その頭に乗っている黒猫の姿があった。

黒猫は壁の中から語り手の罪を告発したのだ。

ケツァルコアトル［けつぁるこあとる］

ラリー・コーエン監督の映画『空の大怪獣Q』（一九八二年）に登場する怪獣。アメリカ合衆国ニューヨーク州に出現した翼の生えた爬虫類《はちゅうるい》（四肢があるため、特にトカゲに似る）、もしくは前肢と翼が別々にある翼竜のような怪獣で、上空から人々を襲い、食い殺していた。その正体は古代アステカに伝わる翼のある蛇神であり、コロンビア大学の医学生が人間を殺して皮を剝《は》ぐ人身御供の儀式を行ったことで現れたことが示唆されている。また劇中には、卵から孵化《ふか》したケツァルコアトルの雛《ひな》が登場するが、登場する成体は一体のみであり、単体で子孫を増やすことができるのか、それともどこかに他の個体がいたのかは定かではない。

マンハッタンのクライスラー・ビルディングに巣を作り、そこで卵を育てていたが、人間に見つかり、卵や雛を殺害されたことで激怒。警察官たちと激闘を繰り広げるが、警察の機関銃による総攻撃を受け、ついに大地に落ちた。

ケツァルコアトルは実際にアステカ神話

に伝わる神で、「翼のある蛇」を意味する。平和の神と伝えられ、人身御供を辞めさせた話などが残るため、人を襲って喰らう映画のケツァルコアトルとは異なる。

ゴーザ ［ごーざ］

アイヴァン・ライトマン監督の映画『ゴーストバスターズ』（一九八四年）に登場する邪神。紀元前六〇〇〇年にメソポタミアのヒッタイト人やメソポタミア人に信仰されていた破壊の神。

一九二〇年、イヴォ・シャンドアという人間がこの神を信仰し、ニューヨークにゴーストを集める機能を持った一棟のマンションを作り、その屋上にて自身が集めたゴーザの信者たちとともに世界の破滅を祈る儀式を行った。

そして一九八四年、このマンションにて門の神ことズールと、鍵の神ことビンツが復活。それぞれ人間の体を乗っ取り、交わることで異次元の門を開き、ゴーザを復活させる。

その姿は奇妙な衣装を纏《まと》った人間の女性のようだが、目は赤く、髪は逆立ち、手からビームを放つ。

また人が思い浮かべたものに姿を変えて世界を破壊する、といったように、人に破壊者の姿を選ばせるという性質を持つが、『ゴーストバスターズ』ではある理由から**マシュマロマン**というキャラクターの姿に変化した。詳細は当該項目参照。

またシリーズ最新作『ゴーストバスターズ／アフターライフ』（ジェイソン・ライトマン監督、二〇二一年）でも登場。新生ゴーストバスターズの前に立ちはだかる。

さ

ジェラルダイン ［じぇらるだいん］

サミュエル・テイラー・コールリッジの幻想詩『クリスタベル』（一八一六年）に登場する吸血鬼、または魔女。主人公クリスタベルの前に傷付いた高貴な麗人として現れ、また自身はクリスタベルの父、レオライン卿の友人であったローランド卿の娘であると名乗る。

しかしその正体は人ならざる何かとして描写され、呪いによりクリスタベルの生命力を自身の生命力へ転換する、その言葉を支配するといった行動を見せる。

また作中に登場する吟遊詩人ブレイシーには鳩《はと》を狙う蛇に例えられており、またその瞳が蛇のように変化する描写も見られる。『クリスタベル』においてジェラルダインが吸血行為を行う描写は見られないが、前述したように生命力を吸収するような描写があることから、文学上に現れた最古の吸血鬼のひとつとして数えられることも多い。マシュー・バンソン著『吸血鬼の事典』ではこのような吸血鬼は心霊的吸血鬼として分類しており、民間伝承中にもそういった吸血鬼の例がある。

『クリスタベル』は未完のままコールリッジが死去しており、作中ではジェラルダインの正体が何であったか明確には触れられておらず、またクリスタベルに近付いた理由も明らかになっていない。

しかし後世の文学者たちに影響を与えたことは確かで、吸血鬼小説の古典のひとつ、『吸血鬼』の作者ジョン・ポリドリの日記にはこんなことが書かれている。バイロン卿、ポリドリ、パーシー・ビッシュ・シェリー、メアリー・ゴトウィン、メアリーの妹クレア・クレモントがバイロン卿の借りていた別荘、ディオダティ荘で怪奇談義をしている時に、バイロン卿がコールリッジの『クリスタベル』を読み上げた。するとメアリーが錯乱状態に陥ったという。これは所謂《いわゆる》「ディオダティ荘の怪奇談義」と呼ばれる一連の出来事の最中のことであり、この中でバイロン卿が「皆でひとつずつ怪奇譚《かいきたん》を書こう」と提案したことがポリドリの『吸血鬼』、そしてメアリーの『フランケンシュタイン　あるいは現代のプロメテウス』執筆の契機となって行くのである。

また『クリスタベル』におけるジェラルダインの描写は、後にレ・ファニュの『吸血鬼カーミラ』（カーミラの項目参照）に影響を与えたとも言われている。

ジェリー・ダンドリッジ

［じぇりー・だんどりっじ］

トム・ホランド監督の映画『フライトナイト』（一九八五年）に登場する吸血鬼。

一〇〇〇年以上を生きる不死者だが、通常時は若い人間の男の姿をしており、人間の町に家を構え、人間社会に溶け込んで生活している。しかし日光を弱点としているため、昼間は地下室に置いた棺桶《かんおけ》の中で眠り、夜になると活動を開始する。

人間を軽々と持ち上げ投げ飛ばす怪力、血を吸った者を吸血鬼にし操る、巨大な蝙《こう》蝠《もり》のような姿に変化し空中を飛行するなど様々な能力を持つ。

一方、他人の家には招かれないと入れない、日光に当たると体が焼ける、信仰心を持つ者がかざした十字架に傷つけられるといった吸血鬼としての弱点も持つ。

劇中では新しい家に越してきた際、隣人であるチャーリーという高校生の少年に自分が吸血鬼ではないかと疑われたことで彼を抹殺すべく動く。その過程でチャーリーの友人であるエトや恋人のエイミーの血を吸い、自身の配下の吸血鬼とするなど、チャーリーを追い詰める。

しかしチャーリーが、テレビでバンパイアハンターのキャラクターを演じていた役者、ピーター・ヴィンセントの力を借り、二人が諦めずに戦い抜いたことで逆に追い詰められ、最後は日光を浴びて爆散した。

ジェリーや彼の配下の吸血鬼たちは本性を現す際には顔が変化し、歯が鋭く尖《とが》り、口が裂け、眼が獣のようになる。石田一著『図説モンスター　映画の空想生物たち』（河出書房新社、二〇〇一年）によれば、吸血鬼の本性を現した人物が顔の形が変わるほどの特殊メイクをするのは『フライトナイト』が初めてであり、以降の吸血鬼映画に影響を与えたという。

また、エイミーの顔が吸血鬼化する有名なカットがあるが、このエイミーの顔は『学校の怪談』の口裂け女のメイクの参考になったとされる（**妖怪（『学校の怪談』シリーズ）**の項目も参照）。

当該映画には**ビリー・コール**というジェリーの相棒も登場するが、こちらは吸血鬼でもなければ人間でもないという謎の人物になっている。詳細は当該項目参照。

『フライトナイト』は続編として『フライトナイト2／バンパイヤの逆襲』（トミー・リー・ウォーレス監督、一九八八年）が制作されており、こちらはジェリーの妹レジーヌ・ダンドリッジが吸血鬼として登場する。こちらは残念ながら日本ではDVD、ブルーレイ化されていない。

また二〇一一年にはリメイク版『フライトナイト／恐怖の夜』（クレイグ・ガレスピー監督）が公開されており、こちらでもジェリーは主人公チャーリーを狙う吸血鬼として登場する。

死の王［しのおう］

ユルグ・ブットゲライト監督の映画『死の王』（一九八九年）に登場する謎の存在。

少女がノートに描いた、王冠を被った骸《がい》骨《こつ》の絵として表現される。

物語はひとりの男の死体が映り込む場面から始まり、この死体が腐敗していく様子とともに、月曜日から日曜日までの間に自殺していった人々の様子が映し出される。そして最後、完成した死の王の絵を前に、少女が呟《つぶや》く。

「死の王様は生きるのをやめさせる」

劇中では自殺する人に回ってくるチェーンレターが描写され、何かしらの死の連鎖が起きていることが示唆されるが、ストーリーらしいストーリーはなく、風呂で睡眠薬を飲んで湯に沈んでいく男や何度も自ら頭を壁に打ち付けて死ぬ男などの映像がひたすら流れる。

死の王という概念的な存在が彼らを死に導いたのかとも思われるが、死の王が実在するのか、何かの比喩なのかも直接的には語られず、ひどく不気味な印象を残す映画となっている。

ちなみにこの映画の木曜日に当たる部分には、ひたすら風景を映しながら、自殺した人間の名前、年齢、職業を流していく場面があり、ネット上で語られた怪談「NNN臨時放送」で語られる光景に似ている。

「NNN臨時放送」は深夜にテレビを見ていると、たくさんの人の名前が下から上へ流れてきて、暗いクラシック音楽を背景に淡々とその名前が読み上げられる。そして最後に「明日の犠牲者はこの方々です。おやすみなさい」という声がする。

この映画ではBGMや読み上げの声はないものの、ひたすら死者の名前を画面に映していく光景が不気味であり、もしかしたら、この映画が深夜に放送されていたことが、それらの要因のひとつとしてあったのかもしれない。

日本にも原因不明の自殺の連鎖を扱った作品として『自殺サークル』（園子温監督、二〇〇二年）がある。詳細は**集団自殺現象**の項目を参照。

死の着物 ［しのきもの］

J・U・ギージーの小説『呪術大日本』（一九二五年、那智史郎・宮壁定雄編『ウィアードテールズ1』収録）に登場する怪異。日本に伝わる呪術によって呪いをかけられた人間の夢に現れる着物とされる。

見た目は花の刺繍《ししゅう》が施された美しい和服だが、これを着たいと強く願い、袖《そで》を通してしまった者には死が訪れるという。

集団自殺現象 ［しゅうだんじさつげんしょう］

園子温監督の映画『自殺サークル』（二〇〇二年）及び続編『紀子の食卓』（二〇〇六年）で描かれている、前触れも、理由もなく不特定多数の人々が自ら命を絶つという怪現象。

映画では冒頭の五四人の女子高生が突然駅のホームから線路に飛び込むシーンをはじめとして、人々の自殺が日常生活の延長のような感覚で行われる。この怪現象は日本各地で発生するが、原因は明かされないまま物語は終わる。

続編の『紀子の食卓』では一部の自殺に理由があったことが語られるも、大部分の突発的な自殺についてはやはり理由も原因も明かされない。

『自殺サークル』では、買い物に行くようなノリで窓から飛び降りる看護師、夕食を作りながら自分の腕を包丁で切り始める主婦、漫才のオチとして自分の首をナイフで掻き切る芸人、自殺ごっこをしているはずが本当に屋上から飛び降りる高校生など、日常の中に非日常がねじ込まれるような不安を覚える描写が随所に挿入される。

特に「それではみなさんさようなら」という童謡のようなメロディとブラックな歌詞を持つ音楽をバックに、脈略もなく人々が次々と自殺を遂げていくシーンはかなり不条理だが、名シーンである。

彼らが命を絶ったのは自らの意思だったのか、それとも何らかの存在の干渉があったのか。それは想像するしかないのだろう。

同じように連鎖する自殺を扱った作品に映画『死の王』（一九八九年）がある。詳細は**死の王**の項目を参照。

シンクロナイズドモンスター

［しんくろないずどもんすたー］

ナチョ・ビガロンド監督の映画『シンクロナイズドモンスター』（二〇一六年）に登場する怪獣。

アメリカのニューハンプシャー州の田舎町のある公園で、主人公のグロリアが朝八時五分にある公園に行くと、なぜか韓国のソウルに怪獣が出現するようになった。

その体長は数十メートルに及ぶ。三日月型の頭に細身の体、短い尾に黒い皮膚という姿をしており、なぜかグロリアの動きにシンクロしてまったく同じ動きをする。また痛覚も共有しており、例えば怪獣がミサイルなどで撃たれると、グロリアも撃たれた部分に痛みを覚える。

グロリアが公園の砂場に入ると、黒雲と稲妻とともに突如としてソウルの町中に怪獣が出現し、グロリアが砂場から出ると消える。グロリアは自分の不用意な動きでソウルの人々に被害を与えたことを後悔し、地面にハングルで謝罪文を記したことで次第に人々に人気の怪獣となる。

その一方、グロリアの幼馴染であるオスカーが同じ公園に入ると、今度は巨大ロボットがソウルに出現することがわかる。自分の行いを自省するグロリアと違い、オスカーはこれを利用してグロリアを自分の思い通りにしようと、彼女が自分のもとを離れればソウルの街に被害を与えるなどとグロリアを脅すようになる。

これに対しグロリアは対抗することを決意。自らソウルに赴くと、オスカーのロボットと対峙《たいじ》する。するとアメリカのオスカーの前に怪獣が出現し、彼を摑み、投げ飛ばしたことでロボットも消え、平和が訪れた。

怪獣とロボットが出現した理由は劇中の時間で二五年前に遡《さかのぼ》る。小学生時代のグロリアとオスカーは宿題として制作した模型を持って登校していた。グロリアの模型は韓国の街並みを再現したものだったが、強風で吹き飛ばされてしまう。オスカーはそれを追って茂みに入るが、それを追ったグロリアはオスカーが彼女の模型を何度も踏みつけている姿を目撃する。

その時、突然雷が落ち、二人は吹き飛ばされる。そしてグロリアのカバンからは怪獣の人形が、オスカーのカバンからはロボットの人形が転がり落ちる。ソウルに出現していたのは、この人形たちをモデルにした怪獣とロボットだった。

このように怪獣とロボットが出現するようになった理由は何となく描かれているが、どういう原理で現れるのかは一切説明されないため、想像するしかない。

怪獣とシンクロする女性、グロリアはアン・ハサウェイが、彼女に嫉妬しロボットとシンクロする男性、オスカーはジェイソン・サダイキスが演じた。またアン・ハサウェイは今作の製作総指揮も務めている。

スカーレット・レイディ ［すかーれっと・れいでぃ］

キース・ロバーツが一九六六年に発表した小説『スカーレット・レイディ』（中村融編『千の脚を持つ男』収録）に登場する呪われた車。

車種は一九三〇年代に特注で作られたセダンで、目の覚めるような朱色で塗られているために「真紅の淑女」を意味するこの名前を付けられた。

何度も所有者が変わっている自動車で、まるで意思があるかのように搭乗者や走行先にいる動物、人間を事故に遭わせる。

走行中はもちろんのこと、ブレーキをかけてもギアをリバースに入れても、時には人が乗っておらずとも勝手に動き、対象を血祭に上げる。

また、この車を手に入れた人間は異様にスカーレット・レイディに執着するようになり、古いためか壊れやすいこの車を、何度でも修理して路上で走らせようとする。そのため被害者が増え続けるという悪循環に陥った。また、スカーレット・レイディを走らせなければならないという強迫観念にとらわれ、そうしなければ苦痛を感じるようになる。加えて所有者としての期間が長くなると、車を走らせていない時もその側にいて、車に話しかけるなどの異常な行動を見せるようになる。

何度も所有者を変えながら犠牲者を増やしていったスカーレット・レイディであったが、最後はスクラップにされ、ばらばらに破壊されてしまった。

世界を渡る風 ［せかいをわたるかぜ］

フランク・オーエンの小説『世界を渡る風』（一九二五年、那智史郎・宮壁定雄編『ウィアード・テールズ1』収録）に登場する魔風。

地上に存在するあらゆる国、土地、山と七つの海を駆け抜け、町を薙《な》ぎ払い、森や宮殿を吹き飛ばしてきた大きな風とされる。

この風はある時、中国南部を訪れた際に「暁の乙女」と名付けられた花に恋をする。

しかし暁の乙女には既に花の声を聞くことができる人間の恋人、ハイ・リンがおり、世界を渡る風の気持ちには応えなかったため、風は暁の乙女を掠《かす》め取り、逃げ去った。

それから世界を渡る風は名前の通り世界中を旅していたが、恋人を奪われた男はこの風と戦うため、世界中の風が集まるというヒマラヤ山中の「大いなる風の街」に住み、この風が訪れるのを待っていた。

そして三〇年後、その日がやって来た。老人となっていたハイ・リンは風が吹き込む館を作り、世界を渡る風を待ち構えていた。世界を渡る風はその館に入り込み、そしてハイ・リンとの戦いが始まった。

世界を渡る風は轟音《ごうおん》を上げて猛《たけ》り狂ったが、ハイ・リンは古《いにしえ》の呪文を唱え、それに対抗。そしてついに、世界を渡る風は暁の乙女を手放し、館の窓から去って行った。

ハイ・リンはこの戦いで命を奪われたが、彼のもとには暁の乙女が戻ってきていたという。

赤死病の仮面

［せきしびょうのかめん］

エドガー・アラン・ポーの小説『赤死病の仮面』（一八四二年、田中西二郎訳、創元推理文庫『ポオ小説全集3』（一九七四年）収録）に登場する怪異。

赤死病とは疫病の一種で、これを患うとまず体が痛み始め、眩暈《めまい》に襲われ、やがて毛穴という毛穴からおびただしい血があふれ出し、息絶える。この出血により犠牲者の体や顔が真紅の斑点だらけになることから赤死病と呼ばれ、発症すれば三〇分で死に至るという恐ろしい疫病であった。

赤死病が蔓延したある国の王プロスペローは、潤沢な食糧が蓄えられた城を閉ざし、疫病が入って来ないようにして優雅な生活を送っていた。城の周辺では国民たちが次々と赤死病に倒れていたが、プロスペローは意に介さず、疫病の蔓延から六ヶ月経った頃、城で仮面舞踏会を開く。

この舞踏会には多くの人々が集まったが、時計が真夜中一二時の鐘を鳴らす頃、会場に突然、血まみれの死装束を纏《まと》った長身痩軀《そうく》の男が現れた。不気味なことに男が被る仮面は人間が死後硬直した際の顔を模しており、鮮血の斑点で彩られていた。

それは赤死病を象《かたど》った仮装であった。人々はこの男を恐れたが、プロスペロー王がこれを追った。しかし黒い壁と赤いステンドグラスがある最も奥の部屋に男を追い詰め、対峙《たいじ》したところ、プロスペロー王は突然倒れてしまう。

これを見た他の人々も勇気を出して赤死病の仮面の男を捕まえるが、その死装束と仮面の下には何の実体もなかった。

この瞬間、赤死病が仮面舞踏会の会場に入り込んでいることが明らかになった。舞踏会の参加者たちは次々と赤き死に倒れ、やがて立っている者はいなくなったという。

それ

［それ］

（『イット・フォローズ』）

デヴィッド・ロバート・ミッチェル監督の映画『イット・フォローズ』（二〇一四年）に登場する怪異。

特定の人間を標的として、その標的となった人物が知っている人間から見知らぬ他人まで、姿を変えながら追跡し続ける謎の存在。これに捕まると命を奪われる。

この怪異の標的となった場合、誰かと性行為を行うことでその相手に怪異を感染させることができ、これによって標的が変更される。

この追跡者の姿は現在進行形で感染している本人か、過去に感染したことのある人間にしか見えない。また決まった人の姿をしていないため、人ごみの中で見分けるのは困難を極める。

移動方法は歩きのみであるため、自動車を使うなどして距離を離せば時間を稼ぐことができる。一方、どんなに離れても必ず追って来るため、誰かに感染させるまで逃げきれることはない。

感染者以外には姿は見えないものの、物理的な質量はあるようで、壁を通り抜けるなどといったことはできず、屋内にいる者を追跡する際には出入口を使うか、塞《ふさ》がっている場合は壁や窓を破壊して侵入して来る。また遠くにいる相手を傷つけるために、物を投げつけるなどする場合もある。

感染者以外にも直接攻撃することが可能で、殴りつけたり移動を阻害することができる。また銃で撃つなどすると普通の人間と同じように血が噴き出る。

しかし殺害することはできず、どんなに傷つけても何事もなかったように立ち上がり、対象を追跡する。そして対象の命を奪った後は、その前に感染していた人間を追い始める。

まるで「不幸の手紙」のように特定の条件を満たすことで相手に怪異を押し付けることができるホラー。「それ（イット）」と呼ばれる追跡者の正体は最後まで不明であるが、一言も発さずただ歩いて対象を追跡する「それ」の姿はかなり不気味である。

た

タチアナ・ラティアヌ

［たちあな・らてぃあぬ］

ウィリアム・テンの小説『吸血鬼は夜 恋をする』（一九六七年、国書刊行会『書物の王国12 吸血鬼』（一九九八年）他収録）に登場する吸血鬼。

ブラスケット町という町に住む若い娘。吸血鬼の家系に生まれた子どもであり、この家系では吸血鬼の血は一家のうちひとりの子どもにしか伝わらず、吸血鬼の血を継いだ者は日光を恐れ、夜にしか外に出られないという特徴を持っていた。

タチアナは自分が吸血鬼であることに気付いてから苦悩し、誰も殺さないためたくさんの子どもたちを襲って、少しずつ血を吸っていた。そのため彼女の周辺では子どもたちの血球が減る奇病が流行した。大人は自分を捕まえるのではないかと思い、襲うことができなかった。

しかしタチアナが血を吸った子どものところにハンカチを落として行ったことから吸血鬼である疑いを持たれるようになる。タチアナの恋人のスティーヴがそのことを尋ねると、彼女は自分が吸血鬼であることを告白。スティーヴはそれでも彼女に結婚を申し込む。

だがタチアナは自分の正体に悩み、ひとり十字路に行き、教会の時計が夜の一二時になる時、十字路の真ん中で自らの胸に杭を打ち込み、命を絶とうとしていた。

スティーヴらがなんとかこれを止め、タチアナを落ち着かせる。そしてスティーヴの父親であるジャッド医師がある解決方法を思いつく。

そしてジャッド医師によりタチアナの日

光に弱い体質はホルモン治療で回善し、血液を摂取しなければならない問題はジャッド医師が開発した結晶化させた血液を日に一度、眠る前にそれを水に溶かして飲めば生きられるようになった。その後、タチアナはスティーヴと幸せに暮らしたという。

ダミアン・ソーン ［だみあん・そーん］

映画『オーメン』シリーズに登場する悪魔の子。六月六日の六時に生まれた、悪魔サタンと雌の山犬（ジャッカル）の子で、『新約聖書』の「ヨハネの黙示録」に記されている「黙示録の獣」そのものである。頭部に悪魔の印である「666」の痣《あざ》がある。この三つの「6」は悪魔、反キリスト、偽預言者という魔性の者の三位一体を指す。また世界に七本しかない「メギドの短剣」と呼ばれる武器によりこの悪魔の子を殺害できるとされる。

第一作目、リチャード・ドナー監督の『オーメン』（一九七六年）では、ダミアンが誕生してから五歳になるまでの姿が描かれる。映画の主人公であるロバート・ソーンは、妻のキャサリンが死産したことを受けて、妻には内緒で、それと同日の六月六日の午前六時に生まれた孤児を養子としてもらい育てることにした。この子は「ダミアン」と名付けられた。

幼少時のダミアンは悪魔の子という自覚はなく、ソーン夫妻のもとで育つ。しかし教会に近づくことを嫌がる、一切の病気をしない、近づいた動物たちが逃げ惑うのに、黒い犬だけは彼に懐《なつ》く、といった不可思議な現象が起きていた。

また、彼の正体を知る者や暴こうとする者はダミアンの意思にかかわらず何らかの超常的な力が起こり、その命を奪われる。そしてその犠牲となった者を写した写真には、例えば首を切断される場合は首に黒い線が入るなど、その死因となるものを予見するような黒い線が写りこむ、という怪異も発生していた。

その他、悪魔の信奉者がダミアンを守るために派遣されており、様々な場面で暗躍している様子が見られ、第一作ではダミアンの乳母として近付いた信奉者がダミアンの母キャサリンを殺害し、さらに父ロバートも同じように殺害しようとするが、返り討ちに遭っている。

第一作のラストではロバートが彼の正体に気付き、メギドの短剣により殺害しようとするものの、その場面を警察に発見され、射殺される。これによりダミアンは養父母を失い、やがてロバートの弟リチャードに引き取られることになる。

ドン・テイラー監督の『オーメン2／ダミアン』（一九七八年）では、ダミアンは一二歳に成長しているものの、やはり悪魔の子という自覚はないまま従兄マークを兄のように慕い、彼とともに陸軍学校に入学する。しかしこの陸軍学校にも悪魔の信奉者のひとりが潜入しており、ダミアンに聖書の黙示録について教えたことで、ダミアンは自分の頭皮に「666」の数字があることを知って困惑、自分が悪魔の子であることを嘆き悲しむ。

そしてこの秘密をマークに伝えたダミアンは、マークに自分を手伝ってくれるように頼むが、マークはそれを拒絶。怒りと悲しみのあまり、ダミアンはマークを手を触れることなく殺してしまう。

さらにリチャードは「イゲールの壁画」というアンチ・キリストの顔が四つ描かれた壁画にダミアンと同じ顔の者が描かれていることに気付き、彼が悪魔の子であることを知り、ダミアンを殺害しようとするが、悪魔の信奉者であったリチャードの後妻がこれを阻止する。しかしダミアンは二人がいる部屋に火をつけ、信奉者もろともリチャードを焼き殺す。

これ以降、ダミアンは悪魔の子としての自覚を持ち、道を歩んでいくことになる。

第三作、グラハム・ベイカー監督の『ダミアン3／最後の闘争』（一九八一年）には三二歳になったダミアンが登場する。彼は叔父の会社を継ぎ、社会的地位を手に入れ、駐英大使になることを目論《もくろ》んでいた。実は聖書外伝の『ヘブロンの書』に、「天使の島（現在でいう英国）」にキリストの子であるナザレが救世主として生まれることが記されており、それを阻止することのできる地位を欲していたのである。

そしてダミアンはナザレが誕生する日である三月二四日生まれの男児の赤子を殺害していく。

また、ダミアンはテレビキャスターであり、シングルマザーのケイトという女性と親しくなり、ケイトの息子であるピーターにも懐かれる。

しかしダミアンはピーターを自分の手下として育て、悪魔の子としての仕事を手伝わせた挙句に身代わりとしたため、怒り狂ったケイトにメギドの短剣で突き刺されることになった。

直後、彼の目の前にナザレの幻が出現。彼に対し「お前が勝ったのか」と呟《つぶや》き、死亡する。こうして悪魔の目論見は阻止された。

しかし、子どもの頃からダミアンの周囲には、悪魔を信奉し、彼に悪魔の子としての道を歩ませようとする者たち、そして悪魔の目的を阻止するため、悪魔の子として彼を殺害しようとする者たちばかりがいた。ダミアンは自ら歩む道を選べなかった。

果たして彼を悪魔にしたのはその出生なのか、それとも周りの人間たちだったのか。

デル・ダ・メディーヌ ［でる・だ・めでぃーぬ］

金田龍監督の映画『満月のくちづけ』（一九八九年）に登場する悪霊。女子高生の高原里恵という少女が、憧れの教師、沢田恭介との恋を成就させるため、友人の悦子の勧めで呼び出そうとした恋の精霊だった。

しかし二人とともに占いをしていた麻美という少女が、いたずらで儀式に使っていたワインを飲んでしまったことにより、儀式が失敗して悪霊と化す。

以降、メディーヌは彼女の通う女子高を舞台に、沢田に近付いたために里恵が殺意を向けた人間を次々と殺害する。しかし、メディーヌはやがて沢田とは関係ない里恵の友人まで手に掛け始める。

このメディーヌを祓《はら》うためには午前○時までに満月の光を浴びなければならないが、メディーヌはこれを阻止すべく今度は里恵を狙う。

こっくりさんやエンジェル様のような占いによって呼び出される精霊のようだが、儀式を間違えると連続殺人を犯す悪霊と化すという非常に凶悪な性質を持っている。

ドリアン・グレイ ［どりあん・ぐれい］

オスカー・ワイルドの小説『ドリアン・グレイの肖像』（一八九〇年（福田恆存訳、新潮文庫、一九六二年））に登場する歳をとらなくなった美青年。友人の画家バジルが自分を描いた肖像画を見て、自分の代わりにこの肖像画が歳をとればいいと願ったことで自身は歳を重ねなくなり、肖像画が代わりに年老いるようになった。しかし肖像画は彼に若さを与えるとともに、その良心を奪ってしまう。

以降、ドリアンは奔放に生きるようになり、快楽に耽《ふけ》るとともに、人を傷つけることに鈍感になる。そして彼が罪を犯す度に肖像画は醜く変貌していく。

やがてドリアンは自分を諫《いさ》めるバジルを衝動的に殺害し、その罪の発覚を恐れて麻薬に溺《おぼ》れるようになる。

その後、自分の積み重なった罪を恐れたドリアンは快楽主義から改心することを決意するものの、いくら善人として振る舞っても、彼が犯した業とともに醜くなった肖像画はもとに戻らない。

自分の罪悪を見せつけられることに耐えかねたドリアンは肖像を破壊しようとナイフを突き刺すが、どうしてかナイフは彼自身の胸に刺さっていた。

そのナイフによりドリアンは命を失う。しかしそこに横たわっていたのは醜い老人となったドリアンで、彼の傍には若く美しいドリアンの姿が描かれた肖像が掛かっていた。

オスカー・ワイルド唯一の長編小説として知られる作品。何度か映画化されており、一九四五年に『ドリアン・グレイの肖像』（アルバート・リューイン監督）が、一九七〇年に『ドリアン・グレイ／美しき肖像』（マッシモ・ダラマーノ監督）が公開された。

映画『リーグ・オブ・レジェンド 時空を超えた戦い』（スティーヴン・ノリントン監督、二〇〇三年）には、アラン・ムーア著、ケビン・オニール画の原作コミック『リーグ・オブ・エクストラオーディナリー・ジェントルメン』に登場しないオリジナルのキャラクターとしてドリアンが登場。どんな傷を負っても一瞬で再生する能力などを持っているが、一方で自分の絵画を見ただけで絵の中の自分と入れ替わり、死んでしまうとされ、弱点もより強調されている。

鳥の襲撃 ［とりのしゅうげき］

ダフニ・デュ・モーリアの小説『鳥』（一

九五二年、務台夏子訳、創元推理文庫『鳥―デュ・モーリア傑作集』（二〇〇〇年）収録）及びその映画化であるアルフレッド・ヒッチコックの『鳥』（一九六三年）にて描かれた怪現象。

種類にかかわらず、様々な鳥が人間を襲い始めるという奇怪な現象。原作ではイングランドのコーンウォール州が、映画ではアメリカのカリフォルニア州が舞台となる。

原作では原因はまったくの不明で、ただ襲撃の条件として海が満ち潮になるということだけが分かるのみである。また海辺の町が舞台となることもあり、鳥たちの中でもカモメの出番が多く、強い印象を残す。

映画では原作と比べて、ストーリーやキャラクターが大幅に変わっているが、鳥が原因不明のまま襲ってくるという部分については変わらない。撮影では、実際に二万八〇〇〇羽もの鳥が使われたという。

この映画は後の動物パニック映画に大きな影響を与えたとされ、このジャンルの映画の原点と評されることもある。

は

パズズ ［ぱずず］

ウィリアム・ピーター・ブラッティの小説『エクソシスト』（一九七一年（宇野利泰訳、創元推理文庫、一九九九年））及びその映画化である『エクソシスト』（一九七三年）をはじめとする『エクソシスト』シリーズに登場する悪魔。

『エクソシスト』では南風の擬人化であり、疫病と災厄を司るとされる。冒頭では「パズズの像」としてライオンの頭と腕、巨大な四枚の翼、サソリの尾、蛇の男性器を持つ石像が登場する。

アメリカのリーガン・マクニールという一二歳の少女に取り憑《つ》き、彼女を操って神を冒瀆《ぼうとく》するような行動をさせたり、汚い言葉を吐かせたり、肉体を変異させて狂暴な姿にしたりした。また口から緑色の液体を吐く、首を一八〇度回転させる、体を空中に浮かせるなど、普通の人間では不可能な行動をさせる様子も見せた。

映画では姿を見せないが、サブリミナル的に一瞬だけ真っ白な顔の男が映る場面があり、これがパズズの容貌だとされることが多い。

劇中では悪魔祓《ばら》いのデミアン・カラス神父が死闘の末パズズをリーガンから自分の身に宿らせ、自ら命を絶つことで悪魔祓いを完了させる。

しかし映画の続編『エクソシスト2』（ジョン・ブアマン監督、一九七七年）では未だリーガンの中に取り憑いていることが判明し、善人に取り憑くという性質があることが語られる。また本作ではイナゴを操る能力を見せている。

終盤ではリーガンの姿を借りてもうひとりのリーガンとして実体化するも、フィリップ・ラモント神父により心臓を抉《えぐ》り出され、倒される。

その続編『エクソシスト3』（一九九〇年）は原作者であるウィリアム・ピーター・ブラッティが自ら監督を担当しており、自身の小説『レギオン』（一九八三年）を原作とし、ストーリーも『エクソシスト2』ではなく『エクソシスト』に続くものとなっている。『エクソシスト』で自ら命を絶ったカラス神父に対し、パズズはその体に連続殺人犯の魂を憑依《ひょうい》させ、殺人を犯させるという復讐を行う。しかし最後はカラス神父が自我を取り戻し、一作目でリーガンの事件を担当した刑事、キンダーマンに自らを殺すように頼み、悪魔と殺人鬼の霊から解放される。

八人目の女房 ［はちにんめのにょうぼう］

坂口安吾の小説『桜の森の満開の下』（一九四七年）に登場する妖女。

都に住んでいたところ、夫を山賊《さんぞく》に殺害され、山賊の八人目の妻として鈴鹿峠《とうげ》に連れ去られる。

その容姿は大変に美しいとされるが、それ以上に残虐な心を持つ。自分の夫を殺した山賊を恐れることなく、むしろ新しく夫になったのだからと様々な命令を下す。山賊はその指示により他の女房を殺害する。生き残ったのは七人のうち、八人目の女房が女中として使うと決めたひとりだけだった。

その後も八人目の女房にできる限りの贅《ぜい》沢《たく》をさせるが、女は満足せず、もともと住んでいた都に帰らせろと言う。

そこで山賊は住み慣れた山を下り、都に上る。しかし八人目の女房の残虐さは影を潜《ひそ》めず、毎日のように山賊に都に住む人間の首をきり取り、持ってくるように命じる。

女房はその首を人形のようにして使って、首をそれぞれ様々な役割に見立て、ごっこ遊びに興じていた。肉が腐ってもお構いなしで、山賊の家にはたくさんの首が並ぶようになる。

もともと人殺しであった山賊はそれには何の感慨も抱かなかったが、ふと山が恋しくて堪《たま》らなくなる。それを女房に告げ、ひとり山に帰ろうとするが、女房は彼を失いたくないと泣きつき、ともに山に帰ることにする。

しかし、桜の咲き誇る山に足を踏み入れたとき、山賊の男は自分が背負っている女房が、実は鬼であることに気づく。

その姿は全身が紫色の、顔の大きな老婆であり、その口は耳まで裂け、髪の毛は緑色で縮れていた。

男はなんとか鬼女を背中から振り下ろそうとするが、鬼の指が喉に食い込んだ。それでも男は鬼を地面に落とし、今度はその首を思いきり絞めた。

しかし、彼が我に返った時、そこにあったのは美しい女房の亡骸《なきがら》だった。

男は初めて胸の内に悲しみの感情を覚え、桜の下で泣き続けた。そして女房の死体に触れようとすると、その体はいつの間にか消えており、ただ花びらだけがあった。

　そしていつしか男自身の姿も消えてしまい、後には桜の花びらだけが残っていた。

　この作品では鈴鹿峠の桜の森が満開の時、花の下を通ると精神的におかしくなると語られている。そのため、満開の桜の下を通った男が見た女は本当に鬼であったのか、それとも男の見た幻覚だったのか、明らかにされてはいない。

　ただ桜の下におらずとも、この八人目の女房が恐ろしい心を持っていたことだけは明らかなようだ。

ビリー・コール ［びりー・こーる］

　トム・ホランド監督の映画『フライトナイト』（一九八五年）に登場する怪人。

　吸血鬼である**ジェリー・ダンドリッジ**の相棒として登場するが、彼と違い日光の下で活動できるなど、吸血鬼の弱点を持たない。

　一方、頭部を含む体の複数個所に銃弾を受けても活動できたことから、人間ではない何者かだったことが窺える。最後は白木の杭で胸を貫かれ、緑色の液体と骨になって倒れた。

　劇中ではその正体が明示されず、リメイク版の『フライトナイト／恐怖の夜』（二〇一一年）には登場しないため、何者だったのかが未だに不明のキャラクター。胸に杭を打ち込まれるという吸血鬼と同じ倒され方をする一方、日光はまったく効かず、吸血する描写もなく、緑色の体液もどこから来たのか分からないという謎だらけの存在である。

琵琶池の妖姫 ［びわいけのようひ］

　小川未明の一九〇六年の小説『森の妖姫』（ちくま文庫『文豪怪談傑作選　小川未明集　幽霊船』（二〇〇八年）収録）に登場する妖怪。信濃国（長野県）のある山中に存在する琵琶池と呼ばれる池に棲むとされ、空色の着物に緋《ひ》の袴《はかま》を着て、房々と黒髪を伸ばした美しい女性の姿をしている。

　池のほとりでさめざめと泣いていることがあるが、もしこれを目撃した人が声を出してこの女を呼んだりすると、その声が妙な反響を起こし、静かな水面が震え、逃げようとして山の麓《ふもと》に向かうと風や嵐とともに一〇〇万の馬や騎兵たちに襲われる。

　このため、琵琶池でこの妖姫を呼んだ人間はひとりとして戻ってくることはないという。

　この妖姫はかつて人間の女で、妾《めかけ》としてひとりの主人に仕えていた。しかしある侍が主人の非行を諫言《かんげん》し、斬り殺されそうになった際、侍を慕っていた彼女はそれを止めた。そして死罪を免《まぬが》れて国外追放になったその侍の後を追い、城を抜け出して信濃の森にやって来た。

　二人は三年ほど琵琶池のほとりで平和に暮らしたが、かつての主人が放った追手によって侍が殺害され、悲観にくれた女は人を恨み、世に憤って、琵琶池に身を沈めて妖霊と化したのだという。

ある時、琵琶池を訪れた画家の青年がかつての侍と似ていたことから、妖姫はこの青年を池に取り込んだ。それからしばらくの間、妖姫は姿を見せなくなった。そして今でも琵琶池には画筆や、キャンバスなどが浮いている時があるが、人が近づくと沈んでしまうと言われている。

ブオン・リティーロ駅［ぶおん・りてぃーろえき］

ステファン・グラビンスキ著『奇妙な駅（未来の幻想）』（一九二二年、芝田文乃訳、国書刊行会『動きの悪魔』（二〇一五年）収録）に登場する謎の駅。「ブオン・リティーロ」はポーランド語で「鄙《ひな》」を意味する。

舞台は二三四五年、電磁力を使って超高速で地中海沿岸を走る列車が、本来辿《たど》り着くことのない駅に停まる。この駅は地上三〇〇〇メートルほどに屹立《きつりつ》した二つの岩壁の根元に張り付いており、岩壁は燐光を発しているという。

駅に駅員はいないが、ベンチなどの設備は備わっている。作中では、列車がこの駅の手前で動かなくなったため、乗客たちはブオン・リティーロ駅で一夜を明かすことになるが、真夜中になって燐光を発する花《か》崗岩《こうがん》の岩壁から菫《すみれ》色の霧が放出され、駅と電車を包み込んだ。

やがて、駅から脱出するために歩いていた数人の人間を除き、列車と駅にいた人々は霧に飲み込まれて永遠に行方不明になってしまったと語られている。

物体O［ぶったいおー］

小松左京の小説『物体O』（ハルキ文庫、一九六四年）に登場する怪現象。

一九六〇年代のある年の四月二八日、突如として日本の上空から落下し、関東地方の大部分と新潟、長野県の一部、九州地方の長崎県西部と鹿児島県の約半分を壊滅させたリング状の物体。

その形状から「物体O」と名付けられたこの物体は、落下の直撃を免《まぬが》れた地域のうち、長野県、静岡県、近畿地方や九州地方の一部を外の地域から孤絶させることになる。その高さは二〇〇キロメートル、直径は一〇〇〇キロメートル、周縁部の厚みは約一〇〇キロもあり、上は宇宙に届き、リングの内部は大阪府を中心として本州をすっぽりと取り囲んだ状態になった。

リングの内部は空間があったため、リングに潰《つぶ》されずに済んだ人々は死を免れたが、物体Oがあまりに巨大であるゆえ、リング内部に閉じ込められた人々は上空から抜け出すことも、物体に穴を空けることもできず、また物体は地下に約数十キロにわたりめり込んでいると推測されたことから、地下にトンネルを掘ることもできない状態であった。

逆に外部からの助けを待つことも絶望的となり、リング状に切り取られた空間の中での生活を余儀なくされる。

また、物体の南端には直径約三〇〇キロメートルの緑色で半透明の半球形の物体が付いていることも判明する。しかしそれが何を意味するのかは不明であった。またリング部分は銀で構成されていることも判明する。

このように物体Oの調査が進められていたが、出現から約一〇ヶ月後、物体Oは突然消え失せた。その反動で西日本全体が暴風雨や地震、津波などの自然災害に襲われ、また物体Oの落下により消滅したが、もともと関東地方だった地域には、巨大な海溝が残ることとなった。

そして物体Oの出現から約一年、そして消失から約三ヶ月後、物体Oの調査を行っていた科学者、大隈教授は知り合いの素封《そほう》家《か》の家を訪ねた。

そこで彼が知ったのは、物体Oの出現とほぼ同時期、この家の女性が銀製のイヤリングを落とし、失くしたということ、そして物体Oの消失とほぼ同時期、そのイヤリングを自宅の庭で発見した、という事実だった。

つまり庭に落ちたイヤリングは、不思議なことに、突然五〇〇〇〇万倍に巨大化した分身を作り、日本に落下したのだ。

その理由は解き明かされないまま、物語は終わる。

蛇女 ［へびおんな］

ジョン・ギリング監督の映画『蛇女の脅怖』（一九六六年）に登場する怪物。

顔が蛇のように変異した女性で、皮膚は緑色の鱗で覆われ、口には長い牙が生え、目は蛇のものに変わっている。この蛇女は人間の首筋を狙って嚙み付き、嚙まれた人間は肌が黒く変色して泡を吹き、死んでしまう。ただし寒さに極端に弱いという弱点がある。イギリスのコーンウォールにて、連続殺人を犯していた。

その正体はアンナ・フランクリンという美しい女性で、かつてボルネオにいた頃、蛇神を崇拝するカルト教団に連れ去られ、蛇女になる呪いを掛けられた。そのため自分の意思にかかわらず、蛇女に変異してしまい、人を襲うようになる。

終盤、蛇女と化したアンナは父親を嚙み殺し、ヒロインのバレリーに襲いかかろうとするが、窓を割られたことで風が入り込み、気温が急激に下がったため死亡する。その亡骸《なきがら》は屋敷を覆う炎の中に消えて行った。

蛇女の恐ろしいメイクは様々な媒体で紹介されているので、よく知られているだろう。同監督の『吸血ゾンビ』（**吸血ゾンビ**の項目も参照、一九六六年）と抱き合わせて撮影された作品であるため、舞台が同じコーンウォールであったり、ストーリーに類似点が多かったり、蛇女を演じるのが『吸血ゾンビ』で首を切断される女性ゾンビを演じたジャクリーン・ピアースだったりする。

ピアース演じるアンナは人間時の姿が大変に美しく、それだけに蛇女に変身した後のギャップがすごい。風が吹き込んだだけで死んでしまう蛇女の弱さはよく話題になるが、アンナが父親のフランクリン博士を殺した後に死んだのは、カルト集団がアンナに掛けた呪いの本来の効果だったのかもしれない。

ベルトラン・カイエ ［べるとらん・かいえ］

ガイ・エンドアの小説『パリの狼男《おおかみおとこ》』（一九三三年）に登場する人狼。

フランスの田舎町の少女、ジョセフィーヌが教会にお使いに行った際、その教会の神父に襲われて妊娠し、クリスマスの夜に生まれた子どもとされる。

幼少時から獣じみた行動を見せる少年として描かれ、家畜を襲うなどしたため、育ての親であるエマール・ガリエによって部屋に監禁される。

しかし青年になったベルトランは彼を溺《でき》愛《あい》する母親を利用して部屋から脱走し、パリに向かう。

その途中、幼馴染の親友を殺害。これが彼の最初の殺人となる。そしてパリに辿《たど》り着き、軍人として暮らし始めた彼は、同時に猟奇殺人や死体を盗掘し切断するなど様々な事件を引き起こす。

そんななか、ベルトランはソフィーという女性と出会い、彼女と恋仲になる。彼を追ってパリにやって来たエマールはベルトランを見つけるが、彼がソフィーと暮らしている間は猟奇事件を起こさなかったため、これをソフィーによる愛が彼の狂気を抑えているのだと考えていた。

しかし実はベルトランの衝動が抑えられていたのはソフィーが自らの体を傷付け、ベルトランの血への渇望を満たしていたからだと判明する。

ある夜、その衝動がいつか彼女を殺すのではないかと考えたベルトランは、家を出て仲間の軍人に襲いかかり、ついに逮捕される。その後、ベルトランは軍法会議にかけられ、精神病院に収容されるも、虐待と薬によって精神を破壊されてしまう。

やがて彼は隣の独房に入れられた女をソフィーだと思い込み、最後には彼女を連れて病院を脱出し、窓から飛び降りて命を絶つ。

その後、ベルトランの墓を掘り返したところ、そこにはまだ腐りきっていない犬の死体が入っており、人間の死体は見つからなかったと語られ、物語は終わる。

作中では、ベルトランが狼男の呪いを背負って生まれた理由としてはクリスマスの日に生まれたことが原因とされているが、その前日譚《ぜんじつたん》として、彼の祖先であるジャン・ピタモンが対立していたピタヴァル家の住む城に忍び込み、城の者たちを皆殺しにしようとするも逆に囚《とら》われ、地下牢《ちかろう》に監禁されながら生肉を食糧として与え続けられたことが呪いの遠因となっていることが示唆されている。

この小説はイギリスの映画製作会社ハマー・フィルム・プロダクションによって『吸血狼男』（テレンス・フィッシャー監督、一九六一年）として映画化されたが、舞台はフランスからスペインに、またベルトランに当たる狼男はレオンへと名前が変更され、設定も若干変えられている。

ヘレナ・マルコス［へれな・まるこす］

ダリオ・アルジェント監督の映画『サスペリア』（一九七七年）に登場する魔女。

一九世紀の初めにヨーロッパのいくつかの国から放逐された悪の才能に恵まれた伝説的な魔女とされ、人々を惑わす妖術を使っていたという。

一八九五年にギリシャを追われて、ドイツのフライブルクにバレエとオカルトの学校「フライブルク・バレエ学院」を創立する。

ヘレナはそこで「黒の魔女」と呼ばれ、あちこちから信奉者と資金を集めていた。しかし迫害を受け、一九〇五年に焼死。以降学校はオカルトを廃し、バレエの学校として有名になる。

しかしヘレナは実は死んでおらず、フライブルク・バレエ学校の校長として姿を見せることなく裏で学校を操っていた。校舎には、彼女の信奉者が教師などの職員として集まり、儀式を行っていた。時にはヘレナ自ら妖術を使い、邪魔な生徒や職員に病や苦痛を与え、時に殺害していた。

劇中でも終盤まで姿を見せず、動物を操ったり、何者かに襲わせるなどして邪魔者を殺害していた。

しかしアメリカからやって来たスージー・バニヨンという学生がヘレナの潜《ひそ》む部屋を見つけ出し、ヘレナと対面する。ヘレナは自分の姿を消し、死体を操って彼女を殺害しようとする。

しかし雷光のせいで一瞬姿が浮かび上がったところ、壊れた孔雀の置物の羽部分を武器として持っていたスージーに首を刺され、死亡した。ヘレナの死とともに校舎は燃え上がり、焼き尽くされた。

最後に見せたその姿は全身が焼け爛《ただ》れた老婆というもので、彼女が首を刺された際には信奉者である教師たちも喉から血を流し、倒れている。

またダリオ・アルジェントによる続編『インフェルノ』（一九八〇年）、『サスペリア・テルザ』（二〇〇七年）にはヘレナの妹である魔女が登場し、それぞれ暗黒の母こと**マーテル・テネブラルム**、涙の母こと**マーテル・ラクリマルム**と呼ばれる。

今作では言及されていないが、『インフェルノ』や『サスペリア・テルザ』を見るに、ヘレナはため息の母ことマーテル・サスペリオルムという別称を持つようだ。

『サスペリア・テルザ 最後の魔女』ではヘレナの過去について語られており、主人公の母が戦いを挑み、敗れた魔女であったとされる。この戦いでため息の母は深手を負って魔力のほとんどを失ったため、スージーに殺されることになったのだという。

ちなみに『サスペリア』といえば、冒頭のタクシーのシーンに幽霊の顔が映るという話が知られているが、これは都市伝説ではなく、監督のダリオ・アルジェントが演出として自分の顔を映りこませているものである。

二〇一八年にはルカ・グァダニーノ監督によるリメイク『サスペリア』が公開され

ており、こちらにもヘレナ・マルコスが登場し、スージーと対決する。

ポイント・デューンの住人たち

［ぽいんと・でゅーんのじゅうにんたち］

ウィラード・ハイク、グロリア・カッツ監督の映画『メシア・オブ・ザ・デッド ゾンビの群れ』（一九七三年）で描かれた狂気に陥った人々。

アメリカ合衆国カリフォルニア州にあるポイント・デューンという町では、「血の月」と呼ばれる赤い月が昇ると町の住人たちが狂い出し、動物や人間の血肉を喰らうようになるという怪現象が発生する。

この赤い月が昇ると町の住人たちは片目から赤い血を流し、青白い顔になり、狂気に侵されていない人間を見つけると襲いかかり、生きたまま喰らう。

この怪現象は一〇〇年前に現れた**闇の訪問者**なる者の存在に起因しており、黒服に身を包んだこの男が現れた際、人々は狂気に陥り、血肉を喰らうようになったという。そして闇の訪問者は一〇〇年後にまたポイント・デューンを訪れると語っていたことから、一〇〇年目に当たるこの年、街の人々は再び狂い出していたのだ。

この怪異は町の住人だけでなく、町を訪れただけの人間にも起こる。まず目から血が流れ出し、体温が異様に低くなる。さらに痛みを感じなくなり、口の中から虫やトカゲが出てくるなどの謎の現象に襲われる。

そして人の肉を喰うようになり、やがて自我が失われる。

人々が人肉を喰うようになるのは、闇の訪問者がかつて人肉を食い、そこで新しい宗教に目覚め、ポイント・デューンの人々に広めたため、というようなことが示唆されているが、一体どのような宗教なのかなど、詳細は明らかになっていない。

また邦題は「デッド」「ゾンビ」などの言葉が入っているが、もともとの原題は『Messiah of Evil』であり、町の住民よりも「闇の訪問者」の方を表すタイトルだった。実際、劇中では死体が蘇る描写はない。ただ生きながら血を失い、体温が下がっていく描写を見るに、意識を保ったまま死体に変わっていく、とも取れる。

ポイント・デューンの人々が食うのは人間だけでなく、スーパーマーケットに売られている生肉や、生きたネズミなど生肉であれば捕食の対象となるらしい。

ちなみに生きた人間を見つけると走って追いかけて来るため、彼らをゾンビとして見るなら『ナイトメア・シティ』（ウンベルト・レンツィ監督、一九八〇年、**ミュータント**（『**ナイトメア・シティ**』）の項目参照）や『バタリアン』（ダン・オバノン監督、一九八五年、**バタリアン**の項目参照）よりも早く走るゾンビを描いた作品ということになる。

ポンカートの吸血鬼

［ぽんかーとのきゅうけつき］

『ポンカートの狼男《おおかみおとこ》』（一九二五年、那智史郎・宮壁定雄編『ウィアードテールズ1』収録）に登場する吸血鬼。

ポンカートと呼ばれる地域に住みついていた吸血鬼で、他人を吸血することで狼男に変え、使役する能力を持つ。また自身も黒い狼の姿に変化することができる。

　この能力を使って五頭の狼男を使役し、自分も狼の姿になって夜な夜な旅人を襲っていた。狙うのは事前に目を付けていた金持ちで、殺した人間の肉を喰らい、金品を奪っていた。しかしなぜか自分は金品を受け取らず、すべて部下に渡していた。

　その理由ははっきりとは明かされていないが、恐らく金品を与える代わりに犠牲者の血を最初に吸うことで、その魂を吸い、不死身の体を維持していたのだろうと推測されている。

　この物語の主人公であり、ポンカートの吸血鬼によって狼男にされてしまった哀れな男の詳細については**ヴラディスラヴ・ブレンリック**の項目を参照。

マーテル・テネブラルム

［まーてる・てねぶらるむ］

映画『インフェルノ』（一九八〇年）に登場する魔女。「暗黒の母」とも呼ばれる。三姉妹の魔女のひとりで、最も若く、残虐とされる。

　バレリという建築家が三人の女性に頼まれ、ドイツのフライブルク、アメリカのニューヨーク、イタリアのローマに建てたという三つの建造物のひとつで、現在はニューヨークにアパートとして鎮座している「グルジェフ館」の地下に潜んでいた。ちなみにフライブルクは前作『サスペリア』に、ローマは次作の『サスペリア・テルザ 最後の魔女』に登場する。詳細は**ヘレナ・マルコス**及び**マーテル・ラクリマルム**の項目を参照。

　自身の信望者を使い、魔女の秘密に迫る人間たちを次々と消していた。終盤に現した姿は黒い服を纏《まと》った若い女性であったが、自ら死神を名乗り、黒いフードを被った骸骨《がいこつ》といういかにも死神らしい姿に変化する。しかし直後アパートの火事に巻き込まれ、焼失した。

　基本的には、魔女の秘密が記された本を読み、その秘密を探ろうとする人間が次々と殺されていく物語が続く。その一方、脈略もない場面があり、途中、ホットドック屋の主人が駆けつけてきてネズミに襲われる古本屋の主人の首を包丁で叩き切る場面があるが、一切説明がない。

　順当に考えるなら、魔女の三母神に迫る情報の書いた本を置き、魔女に迫るきっかけを作ったり、魔女の使いである猫に危害を加えたために暗黒の母がネズミやホットドック屋の主人を操り、殺害させたのかと思うが、特に説明はなく、そのままスルーされる。

もしかしたら「涙の母」が猫を抱いていたため、こちらの怒りに触れたのかもしれない。ダリオ・アルジェントの映画は特に本筋と関わらないシーンがよく登場するので、考えても意味はないのかもしれない。

また、『インフェルノ』は『サスペリア』に続くダリオ・アルジェント監督の魔女三部作の二作目に当たる作品であり、マーテル・テネブラルムは前作に登場した魔女ヘレナ・マルコスの妹と設定されている。他にも「涙の母」ことマーテル・ラクリマルムが前半に意味深に登場するため、今作で三姉妹が揃《そろ》ったことになる。なお、マーテル・ラクリマルムが本格的に活躍するのは次作『サスペリア・テルザ 最後の魔女』にて。

マーテル・ラクリマルム ［まーてる・らくりまるむ］

映画『サスペリア・テルザ 最後の魔女』（二〇〇七年）に登場する魔女。「涙の母」もしくは「嘆きの母」とも呼ばれる。

一九世紀に、イタリア中部の町ヴィテルボの墓地に埋葬された貴族オスカー・デ・ラ・バレーの棺《ひつぎ》に入れられていた遺品入れの箱がローマの古代美術館に送られ、そこの館長が箱を開けたことで復活する。

混沌と絶望を喜びとし、ローマから暗黒を広げることで人々の正気を失わせ、互いに殺し合わせる。さらに自身の下僕である魔女たちを使役し、自身の敵を殺害させるなどしていた。

その正体は、一〇〇〇年以上前、黒海の近くで魔術を生み出した三人姉妹の魔女のひとり、マーテル・ラクリマルムである。それぞれ、ため息の母（マーテル・サスペリオルム。**ヘレナ・マルコス**の項目参照）、暗黒の母（**マーテル・テネブラルム**）、涙の母（マーテル・ラクリマルム）と呼ばれ、ため息の母はドイツのフライブルクに、暗黒の母はアメリカのニューヨークに、涙の母はイタリアのローマに安住の地を求めた。しかしため息の母と暗黒の母は既に死亡し、残るは涙の母のみになっていたという。

涙の母は三姉妹の中で最も美しく、残酷とされ、その姿は黒髪の若い女で、左目の下に涙を表すような刺青が描かれている。

物語の主人公であり、邪悪な魔女と戦う良き魔女の血を引くサラを執拗《しつよう》に狙っていた。しかし最後は、サラに住処である館に侵入され、彼女に力の源である古代の赤い衣を剥《は》ぎ取られ、火にくべられたことで力を失い、館が崩壊。それに飲み込まれて死亡した。

ダリオ・アルジェントの魔女三部作の最終作である本作にて、『サスペリア』に登場したため息の母ことマーテル・サスペリオルム、『インフェルノ』に登場したマーテル・テネブラルムに続き、満を持して登場した最後の魔女マーテル・ラクリマルム。

一応前作『インフェルノ』にも顔見せ程度で登場しているのだが、金髪だった姿が黒髪になっていたり、そもそも復活したのが今作だと語られているため、作品同士の間で設定に若干の矛盾があるように思われる。

魔女三姉妹の元ネタになっているド・クインシーの『深き淵よりの嘆息『阿片常用者の告白』続編』（一八四五年（野島秀勝訳、岩波文庫、二〇〇七年））には、三姉妹のうち最年長なのが「われらの涙の貴婦人（マーテル・ラクリマルム）」と記されているため、涙の母は恐らく長女なのだと思われる。ちなみに二女は「われらの嘆息の貴婦人（マーテル・サスピリオルム）」、三女は「われらの闇の貴婦人（マーテル・テネブラルム）」とされているため、魔女三姉妹の順番も一致するものと思われる。実際、『インフェルノ』ではマーテル・テネブラルムは三姉妹の中で最も若いとする描写がある。

『サスペリア』と『インフェルノ』がそれぞれ独立した物語であったのに対し『サスペリア・テルザ 最後の魔女』は前作、前々作で起きた出来事について語られており、明確な続編として作られている。

マイケル・マイヤーズ ［まいける・まいやーず］

「ブギーマン」とも呼ばれる。また、映画での役名は「シェイプ（幻影）」であることが多い。ジョン・カーペンター監督の映画『ハロウィン』（一九七八年）を始め、『ハロウィン』シリーズに登場する不死身の殺人鬼。主にハロウィンの日になるとアメリカのイリノイ州にあるハドンフィールドという田舎町に現れ、殺戮《さつりく》を繰り広げる。このハドンフィールドはマイケルが生まれた町でもある。

なお、『ハロウィン』シリーズは第一作を起点として三つの時系列があるため、この項目では『ハロウィン』、『ハロウィンII ブギーマン』（一九八一年）、『ハロウィン4 ブギーマン復活』（一九八八年）、『ハロウィン5 ブギーマン逆襲』（一九八九年）、『ハロウィン6 最後の戦い』（一九九五年）と続く作品群を「第一シリーズ」、『ハロウィン』『ハロウィンII ブギーマン』、『ハロウィンH20』（一九九八年）、『ハロウィン レザレクション』（二〇〇二年）と続く作品群を「第二シリーズ」、『ハロウィン』『ハロウィン（2018）』（二〇一八年）、『ハロウィン KILLS』（二〇二一年）と続く作品群を「第三シリーズ」として呼び分ける。なお三作目である『ハロウィンIII』は番外編で他の作品と世界観が異なるため、ここでは言及しない。また、ロブ・ゾンビ監督のリメイク版は『ハロウィン（リメイク）』（二〇〇七年）、『ハロウィンII（リメイク）』（二〇〇九年）という形で旧作と区別して記述する。

どのシリーズでも共通して青色の作業服に白いマスクを着用した男という姿で登場し、滅多に素顔を見せることはない。劇中でマスクを外すシーンはいくつかあるが、画面上で素顔を確認できるのは『ハロウィン』とリメイク版のみである。

凶器は初めての殺人でも使用した肉切り

包丁を使うことが多く、主に逆手に握り、突き刺す形で他者を殺害する。その他、斧《おの》、メス、注射器、ピッチフォーク、大鎌など、身近にあるものであれば何でも凶器として使用する。

一方、機械類は好まないのか、凶器として使うことは少ない（猟銃やショットガンを使用したことがあるが、銃を撃つのではなく銃身で直接被害者の体を貫いた）。後述するように自動車を運転することもできるため、使い方を知らないというより好みの問題なのかもしれない。

また電話線を切断して連絡手段を失わせる行動をよく取り、『ハロウィン4 ブギーマン復活』ではさらに変電所を襲ってハドンフィールド一帯を停電に陥れた上で行動している。

その他、シリーズに共通して異常な怪力を有し、片手で大の男を持ち上げる、親指で頭蓋骨を貫く、素手で人間の頭を潰《つぶ》したり、首をへし折ったりする。肉切り包丁を一振りするだけで人間の首を飛ばす。六〜八人掛けのテーブルを片手で投げ飛ばすなどの描写が見られる。

またその耐久力も尋常ではなく、胴体や頭部に複数の銃弾を撃ち込まれてもすぐに起き上がり、何事もなかったように動き始める。刃物を叩き込まれてもそのまま活動する、車で撥《は》ね飛ばされてもすぐに立ち上がる、ガス爆発に巻き込まれるも一〇年の時を経て復活する、集中砲火を受けるも川に流された後に一年で復活するなど、通常の人間と比較するとありえない頑強な身体を持つ。知恵も回り、自分の死を偽装して逃げおおせたこともある。そのため劇中において一度も明確に死亡した描写がない。

普通の人と同じように生まれ、また、**ジェイソン・ボーヒーズ**や**フレディ・クルーガー**、**チャッキー**のように人とは異なるものになってしまうという描写があるわけでもないが、その不死身さゆえ作品中では「悪魔」に例えられ、殺すことができないと言及される。またマイケルの主治医であり、彼の宿敵でもあるルーミス医師は、マイケルを「善悪の判断がつかない」、「邪悪そのもの」などと語っている。最新作である『ハロウィン ＫＩＬＬＳ』ではついに「暴力では殺すことができない」と明言される。実際、同作では明らかな致命傷を負ったにもかかわらず短時間で回復し、周囲の人間を皆殺しにするなど、尋常ではない怪物っぷりを見せてくれる。

その動作も特徴的で、どんな場合においても一切走ることなく、徒歩で移動する。殺人を犯した後などに首を傾げるような動きをする、言葉を話すことがなく、発するのは微かな呼吸音のみ、仰向けに倒れた後には手を使わずに上体を起こすなどの描写が見られる。これらの特徴によって、マイケルが人間からはほど遠い存在であるという感覚を見る者に覚えさせる。

一方、第一シリーズの『ハロウィン5 ブギーマン逆襲』では姪《めい》の呼びかけに応じてマスクを取って素顔を見せ、涙を流した直後に突然姪を襲い始めるなど、自身の行動を制御できないような様子も見せている。

他方、第二シリーズや第三シリーズではそういったことはなくなり、まるで機械のように淡々と殺人を重ねる。

思惑の分からない謎の行動もよく見られる。他の被害者を驚かせるためなのか自分が殺した人間の死体をセッティングする、わざわざ殺した姉の墓石を持ってくる、白いシーツを頭から被り、そこに眼鏡をかけた状態で殺人を行うなどの描写がある。

殺人の動機も不明で、最初の殺人の被害者となった姉をはじめ、第一、第二シリーズでは妹や姪など自分と血の繋《つな》がった人間を殺害することを目的として行動している様子が見られるものの、なぜ血縁者を狙うのかという部分については一貫して不明のままであった。また、血縁者以外にも犠牲者は多数あり、こちらは何か目的があって殺されたのか、それともただ邪魔だったのか、マイケル自身が言葉を発することがないため、はっきりとしたことは分からない。

第一シリーズの終盤、『ハロウィン5 ブギーマン逆襲』及び『ハロウィン6 最後の戦い』においては、マイケルはドルイド教という宗教の崇拝対象であることが明かされる。ハロウィンにちなんだものかマイケルが不死身の殺人鬼と化した背景にケルトの伝説が関わっており、「家族を殺せ」という声を聞いたことで血縁者を殺害するようになった、手首にルーン文字が刻まれているなどの設定が追加された。一方、マイケルはこの宗教団体に対して何の感情も持っていなかったらしく、『ハロウィン6 最後の戦い』の終盤、宗教団体の本体である精神病院（最初の殺人後、マイケルが隔離されていた病院でもある）に侵入し、信者たちを皆殺しにするなど、マイケル本人はケルトの伝説やドルイド教の埒外《らちがい》にいるような行動を取る。

一方、マイケルが血縁者を狙うと設定されたのは『ハロウィンII ブギーマン』以降であり、ヒロインであるローリーにマイケルの妹であるという設定自体がなかった第一作目『ハロウィン』や、改めてこの作品の続編として作成された第三シリーズでは、マイケルの行動目的も異なっている。これについては最新作の『ハロウィン KILLS』において語られており、自分の生まれた家に帰ることが目的だと示された。一方、やはり殺人動機は不明で、特に『ハロウィン KILLS』では出会っただけの人間がひたすら殺害される。

家に執着するというこの描写は実は第一、第二シリーズの段階でも見られ、『ハロウィン6 最後の戦い』ではマイケルの生家に住んでいた人間が狙われているし、『ハロウィン レザレクション』においてはマイケルの生家を舞台にしたネット配信番組に参加した若者たちが次々と惨殺された。

それに対して、『ハロウィン（リメイク）』や『ハロウィンII（リメイク）』では、あくまでマイケルは人間として描かれており、殺人鬼となった幼少時のきっかけについても時間を割いて描写され、妹であるローリーは殺害の対象外とされているなど、原典とはかなり設定が異なる。

第一～三シリーズにおけるマイケルの来

歴は以下のように描かれる。

一九六三年一〇月三一日ハロウィン、当時六歳であったマイケルはハドンフィールドの自宅にて肉切り包丁を使って姉のジュディスを殺害。精神に異常があるとみなされ、精神病院に入ることになる。ここで主治医となったサム・ルーミス医師は、マイケルは人間ではなく悪魔だと断言している。

一九七八年一〇月三〇日、精神病院を脱走したマイケルは自動車を奪い、ハドンフィールドに帰還する。そこで盗んだ青色の作業服と白いマスクが彼の標準スタイルとなり、翌三一日にかけて連続殺人を行う。その後、自分の生家にてルーミス医師に銃弾を撃ち込まれ、二階のベランダから地面に落ちるも、直後に姿を消す。

ここからストーリーが分岐し、第一、第二シリーズでは二作目『ハロウィンII ブギーマン』に繋がる。同作においては実の妹であることが明かされたローリーを殺害するために追い続けるが、病院内でルーミスの決死の自爆攻撃により炎に包まれ、意識を失う。その一〇年後、『ハロウィン4 ブギーマン復活』では病院を移送される途中、ローリーに娘がいるという話を聞いて覚醒。搬送車に乗っていた人間を皆殺しにした後、姪のジェイミーを殺害するため、ハドンフィールドに現れる。ここでもマイケルは多くの人々を殺害するが、最後は立ち上がったハドンフィールドの人々に集中砲火を浴び、倒れ伏す。

しかしマイケルはそれでも死んでいなかった。『ハロウィン5 ブギーマン逆襲』では、マイケルは付近の川に落ちて逃げ延びていたことが明かされ、浮浪者の男に助けられる。一年後、目を覚ましたマイケルはこの男を殺害し、ハロウィンの日、やはりハドンフィールドに舞い戻る。ジェイミーを狙うマイケルは彼を執念深く追っていたルーミス医師によってついに捕らわれるが、謎の宗教団体が警察を襲撃、マイケルとジェイミーは連れ去られる。

そして『ハロウィン6 最後の戦い』では成長したジェイミーが子どもを生み落とすも、直後ジェイミーはマイケルによって殺害される。しかし血の繋がった赤ん坊がいることを知ったマイケルはその赤子、スティーブンを殺害するためにハドンフィールドに舞い戻る。自分の家に住んでいた一家を殺害したマイケルは、自分を利用しようとした邪教団体を虐殺し、赤ん坊を保護した青年トミーやルーミス医師との最後の戦いで一度は行動不能にされるが、やがて姿を消す。

第一シリーズはこれが最後の作品となっており、その後のマイケルの行方は示されていない。

『ハロウィンII ブギーマン』から分岐する第七作『ハロウィン H20』ではマイケルの妹、ローリーが名前を変えて生き延びていたとされ、マイケルは二〇年の時を経て彼女を殺害するため、刑務所に向かう囚人用の移送バスに事故を起こさせて、そこから脱出し、ハドンフィールドに現れる。そこでローリーは再びマイケルと対決するが、ついに兄の首を切断し、決着をつける。

続く『ハロウィン レザレクション』では、ローリーが殺害したマイケルは実はマイケルが救急隊員の喉を潰《つぶ》し、話せなくした上でマスクを被せ、自分に成りすまさせた人間だったことが明かされ、マイケルが逃げ延びていたことが明らかになる。マイケルはローリーが入院する精神病院に侵入し、ついに彼女を手に掛ける。そしてハドンフィールドに帰還し、かつての生家に身を隠した彼であったが、廃墟《はいきょ》となったその家を舞台にライブ配信番組が撮られることとなり、家に入って来た侵入者たちは次々と血祭に上げられることになる。

第二シリーズはここで途切れており、続く第三シリーズは第一作『ハロウィン』の直接の続編とされた。

『ハロウィン(2018)』では一九七八年のハロウィンの惨劇から四〇年後のハロウィンの日、マイケルの主治医のサルトン医師の思惑により精神病院から刑務所へ移送される最中、バスが転覆して脱走する。四〇年前に被っていたマスクを手に入れ、ハドンフィールドに戻ったマイケルは、ハロウィンの夜に虐殺を開始。しかし四〇年にわたって彼との対決の準備を行っていたローリーとその娘、孫により彼女の屋敷に閉じ込められ、ガスと火を放たれる。

『ハロウィン KILLS』では火事が発生し消防隊がローリーの家で消火活動を行ったことで炎の中からマイケルが脱出。消防隊を皆殺しにした後、かつての自分の生家を目指し、人々を殺害しながらハドンフィールドを歩き始める。

このように設定をリセットしながら四〇年以上にわたって愛されてきた『ハロウィン』シリーズであるが、現在(二〇二二年五月)、第三シリーズは三部作の最終作となる『ハロウィン Ends』の公開が控えている。どのような結末が訪れるか楽しみである。

また『ハロウィン』自体も映画史において非常に重要な作品となっており、後のホラー映画やスラッシャー映画に大きな影響を与えた。さらに監督であるジョン・カーペンター自ら作曲したテーマ曲も非常に有名で、現在に至るまで『ハロウィン』シリーズのテーマ曲として使用されている。

マシュマロマン［ましゅまろまん］

映画『ゴーストバスターズ』(一九八四年)に登場するゴースト。「ステイパフト・マシュマロ」というお菓子のパッケージに描かれていたキャラクターが実体化し、巨大なゴーストとなったもの。体長約三四メートル。

劇中では破壊の神**ゴーザ**が変身する形で登場する。ゴーザは人の頭に思い浮かんだものを使って人類を滅ぼすという力を持つ存在であった。そのため、ゴーザと対峙《たいじ》していたゴーストバスターズのひとり、レイモンド・スタンツが破壊とは一番縁のないもの、ということでマシュマロマンのことを思い浮かべたが、その希望は叶わず、マシュマロマンは破壊の化身として実体化することになる。

その巨体でニューヨークの町を闊歩《かっぽ》し、自分を攻撃するゴーストバスターズを狙う。しかしゴーストバスターズは原子力動力を使用した幽霊捕獲装置、プロトンパックから放射されるレーザーを交差させ、物質を原子レベルで崩壊させる凄《すさ》まじいビームを使ってゴーザが現れた異次元の扉を破壊する。

それとともにマシュマロマンもクリームを撒き散らしながら崩壊した。

スライマーとともに『ゴーストバスターズ』シリーズを代表するキャラクターとして知られる。二〇一六年公開のリブート版『ゴーストバスターズ』（ポール・フェイグ監督）にも短いながら登場した他、スピンオフ作品でも多数出演している。

また初代『ゴーストバスターズ』と世界観が同じ最新作『ゴーストバスターズ／アフターライフ』（二〇二一年）には体長数センチのミニ・マシュマロマンが複数登場している。

闇の訪問者

［やみのほうもんしゃ］

映画『メシア・オブ・ザ・デッド ゾンビの群れ』（一九七三年）に登場する怪人。

劇中の時代から一〇〇年前、アメリカ合衆国カリフォルニア州のポイント・デューンという町を訪れた宗教者。

黒い服と帽子を纏《まと》い、黒い馬に乗ってやって来た男は出会った猟師に自分は司祭をやっていたと話す。

そして「かつて山で集団生活をしていた際に恐ろしい光景を目撃した。極限状態にあったため人肉も食べたが、新しい信仰を持ったおかげで何ともならなかった。その新たに発見した信仰と宗教を広めよう」と語り、猟師を襲ってその肉を喰う。

そしてポイント・デューンに「血の月」と呼ばれる赤い月が昇り、町の人々は狂気に陥って動物や人間の血肉を喰らうようになったという。

闇の訪問者はそれから一〇〇年後、再びこの町を訪れると語って姿を消す。

そして一〇〇年後、町には再び赤い月が昇り、人々は毎晩海辺に出て火を焚き、闇の訪問者が訪れるのを待つとともに、海辺に行かない者は町中で動物や正常な人間を襲い、その肉を喰い始めた。

そんな狂気の中、闇の訪問者は海から現れ、ポイント・デューンを訪れる。町の人々は外から来た女性、アレッティを生贄《いけにえ》に捧げるが、闇の訪問者は彼女を無傷のまま逃がす。自分の信仰を町の外に広める役割を担わせるために。

劇中では太古の神を崇めていることが説明されるが、一体どのような宗教と信仰を持ち、どのような手段で人々を狂気に陥らせたのか、はっきりとしたことは描かれていない。ただ、一〇〇年後もまったく変わらない姿で、海から現れたのを見るに、既に人間ではなくなっているようだ。

妖怪［ようかい］（『学校の怪談』シリーズ）

平山秀幸監督の映画『学校の怪談』（一九九五年）をはじめとする『学校の怪談』シリーズに登場する妖怪たち。口裂け女や花子さん、動く人体模型やホルマリン漬け、二宮金次郎などの定番から、ろくろ首やのっぺら坊などの古典的な妖怪、クモのクリーチャーのような姿をしたインフェルノ、動き回る恐竜の骸骨《がいこつ》模型、お化けとなったコピー機など、変わり種も登場した。

特にシリーズを代表するのはテケテケと呼ばれる妖怪で、本来の怪談では下半身のない人間として語られるが、このシリーズでは下半身のあるピンク色の謎の妖怪として描かれている。ひょうきんな動きでシリーズのマスコット的な存在となった。

また、テケテケの親戚のシャカシャカが『学校の怪談3』（金子修介監督、一九九七年）に登場している。

ら

ローレンス・タルボット［ろーれんす・たるぼっと］

ジョージ・ワグナー監督の映画『狼男《おおかみおとこ》』（一九四一年）をはじめとする一連のシリーズに登場する人狼。ラリー・タルボットと呼ぶ場合もある。

ウェールズの名門、タルボット家に生まれた普通の人間であったが、狼憑《つ》きであり、狼に変身したベラという人物に噛まれたことで狼男に変貌する。

普段は人間として生活できるが、満月の夜になると自分の意思にかかわらず狼男と化してしまう。その姿は全身に毛が生え、手足の爪は鉤爪《かぎづめ》となり、口からは鋭い牙が伸びるというもの。こうなると自分の意思では自分を制御できず、殺人を繰り返してしまう。

狼男を殺害できるのは銀の弾丸と銀のステッキのみとされ、タルボットは最終的に自分の父親によって銀のステッキで殴り殺される。

しかし続編『フランケンシュタインと狼男』（ロイ・ウィリアム・ニール監督、一九四三年）では、墓荒らしがタルボットの棺桶《かんおけ》を開き、そこに満月の光が注いだことで蘇る。呪われた我が身を嘆くタルボットは死を求め、生命の神秘を解明したフランケンシュタイン博士を探し求めるが、博士は既に死んでいた。

再び昇った満月により狼男に変貌したタルボットはまた殺人を犯し、村人に追い立てられてフランケンシュタイン城へと逃げ込むが、そこで腐った床を踏み抜き、地下洞窟へと落ちる。

翌朝、人間に戻ったタルボットはそこで氷漬けの状態で眠っている**フランケンシュタインの怪物**を発見する。フランケンシュタイン博士が生と死について記したノートのありかをこの怪物が知っているのではないかと考え、これを解凍しようとする。しかしうまくいかず、狼男に変身したタルボットは怪物と対決。最後はダムの爆発により起きた奔流により怪物とともに流される。

続編『フランケンシュタインの館』（アール・C・ケントン監督、一九四四年）ではフランケンシュタインの怪物とともに氷漬けになっているタルボットが発見される。タルボットは自分を解凍したグスタフ・ニーマン博士に協力し、彼に変身の呪いを解いてもらう代わりにフランケンシュタインの研究ノートを探すことになる。

しかしやはり満月が訪れると狼男に変身し村人を殺してしまうタルボットは、自分に恋をしていた娘、アランカに襲いかかり、彼女に銀の弾丸を撃ち込まれ、息絶える。

続編『ドラキュラの屋敷』（アール・C・ケントン監督、一九四五年）では、生きていたタルボットがエデルマンという科学者と出会い、ついに狼男の呪いを解いてもらうことに成功する。しかしエデルマンは**ドラキュラ**によって吸血鬼と化しており、タルボットは彼を銃で撃ち殺し、そして復活したフランケンシュタインの怪物と戦った後、燃え上がるドラキュラの城から去っていく。

これで彼の物語は終わりかと思われたが、番外編的な作品である『凸凹フランケンシュタインの巻』（チャールズ・バートン監督、一九四八年）ではまたも狼男としてタルボットが登場。フランケンシュタインの怪物やドラキュラと戦いを繰り広げ、最後は蝙蝠《こうもり》に変身したドラキュラに飛びかかり、海の中へと落ちていく。

これ以降、映画の続編は作られていないが、ジェフ・ロヴィンによる小説『狼男の逆襲』（一九九八年（友成純一訳、扶桑社ミステリー、二〇〇六年））は『凸凹フランケンシュタインの巻』の続編として記されており、ローレンス・タルボットの最後の戦いが描かれる。ドラキュラとの戦いの後、五〇年にわたり眠り続けていたタルボットは一九九八年に目覚め、同じく復活したドラキュラを打ち倒すために行動する。

そしてドラキュラにとっては十字架や木の杭と同じぐらい効果的な、超自然的な力を宿したその牙によりドラキュラを痛めつけ、最後は心臓を貫いて決着をつけた。その後、タルボットは彼を助けてくれた女性、キャロラインの手でとどめを刺され、人間として命を手放した。

タルボットは狼男という怪物を世界的に知らしめたモンスターであり、ユニバーサルにおけるモンスター映画の主役として活躍し続けた。狼男を倒すには銀の武器が必要であるという話は、このシリーズがもとになって生まれた伝説である。劇中で何度か登場する「トリカブトの花が咲き、秋の月が輝くとき、どんなに善良な心を持つ男も狼男になる」という言い伝えも映画オリジナルのもの。シリーズでは全作を通じてロン・チェイニー・Jrがローレンス・タルボットを演じている。

また、ユニバーサルでは『狼男』以前にも『倫敦《ロンドン》の人狼』（スチュアート・ウォーカー監督、一九三五年）という映画があり、こちらは現存する最古の人狼を扱った映画とされる。

chapter 4

地球外生命体

アクレイ［あくれい］

映画『スター・ウォーズ』シリーズに登場するクリーチャー。登場するのは第五作目、ジョージ・ルーカス監督の『スター・ウォーズ エピソード2／クローンの攻撃』（二〇〇二年）。

ヴェングサという惑星に棲息する肉食動物で、体高三メートルに及ぶ。甲殻類のような六本の脚と甲羅、爬虫類《はちゅうるい》のような頭部を持つが、両生類なのだという。

脚の先端部分が鋭く巨大な爪のようになっており、これで獲物を狙う。

劇中では惑星ジオノーシスの処刑場で囚人を見せしめに処刑する役割を担った個体が登場。同じく処刑を担う**ネクスー**やリークとともに映画の主役であるアナキン・スカイウォーカー、その師オビ＝ワン・ケノービ、恋人のパドメ・アミダラを襲う。しかしオビ＝ワンによりライトセーバーで切り裂かれ、倒れた。

アックスヘッド［あっくすへっど］

ギレルモ・デル・トロ監督の映画『パシフィック・リム』（二〇一三年）に登場する怪獣。その名の通り頭部に斧《おの》の刃のような形の角がある。また胸部や背部にも同様に斧の形の突起がある。「トレスパッサー」という別称を持つ。

劇中では、世界で初めて出現した怪獣であるとされている。アメリカのサンフランシスコの海から現れ、ゴールデン・ゲート・ブリッジを破壊。そして、六日間にわたって暴れ回り、三つの都市を破壊した後に、陸空軍の総攻撃で倒された。この怪獣により数万人が命を落としたという。

その描写を見る限り体長は一〇〇メートル近くあり、冒頭で出現するシーンのインパクトは抜群である。

日本の特撮ヒーロー番組『スペクトルマン』第三四話「ムーンサンダーの怒り!!」、第三五話「スペクトルマンが死んだ!?」（当時の番組名は『宇宙猿人ゴリ対スペクトルマン』）には「ムーンサンダー」という怪獣が登場する。

ムーンサンダーは頭に斧が生えたようなデザインをしており、劇中でゴールデン・ゲート・ブリッジを破壊する場面があることから、アックスヘッドはこのオマージュではないかと言われることがあるが、公式で言及している情報は見つからなかった。

『パシフィック・リム』シリーズに登場する怪獣に共通する設定については**プリカーサー**の項目を参照。

アンドロメダ菌株

［あんどろめだきんかぶ］

マイケル・クライトンの小説『アンドロメダ病原体』（一九六九年）に登場する地球外の病原体。

アメリカ軍の人工衛星に付着していた菌株で、大きさは二ミクロンほど。ウイルスよりも非常に大きく、生物の細胞ほどある。この人工衛星がアリゾナ州の小さな町、ピードモントに墜落した際に地球上に拡散。一夜にしてピードモントの住人四八人を全滅させ、瞬く間に感染を広げた。

この病原体は空気感染し、動物の肺に入るとまず血管を損壊させ、血液を凝固させる。この作用は短時間で発生し、感染者はわずか数秒のうちに全身で凝血が起きて死亡する。

また何らかの形で凝血が妨げられた場合、脳に侵入して血管を破壊し、出血させるという厄介な性質を持つ。ただし死体からは感染しない。

また病原体は限られたpH領域内でのみ生存が可能で、領域を外れるとたちまち死滅するという性質を持つ。

マイケル・クライトンのベストセラー小説であり、一九七一年には映画化作品の『アンドロメダ…』（ロバート・ワイズ監督）が公開されている。

宇宙からやって来た病原体がパンデミックを引き起こすという作品は小松左京の『復活の日』（一九六四年）が先んじてあるが、マイケル・クライトンはこれに影響を受けて『アンドロメダ病原体』を書いたという話もある。

ちなみに宇宙で採取した微生物がパンデミックを起こすという点で見ればさらに前の映画作品として『宇宙からの生命体 ブラッド・ラスト』（エドワード・バーンズ監督、一九五八年）がある。

さらに遡《さかのぼ》ると金星を滅ぼしたウイルスが地球にやって来る『花と怪獣』（ヘンリー・カットナー、一九四〇年、マイケル・バリー編、宇佐川晶子訳、ハヤカワ文庫『キング・コングのライヴァルたち』（一九八〇年）収録）という小説もある。詳細は**レインボウ**の項目を参照。宇宙から訪れる病原体の物語は案外歴史が長いようだ。

イーア

［いーあ］

ジェイムズ・ティプトリー・Jrの小説『たったひとつの冴えたやりかた』（一九八五年、浅倉久志訳、ハヤカワ文庫『たったひとつの冴えたやり方』（一九八七年）等収録）に登場する地球外生命体。

他の生物の脳に寄生する生態を持った極小の生物だが、知的生命体でもあり、通常はノリアンという惑星でドロンという生物の頭部に寄生して生活している。このドロンとは共生関係にあり、脳に当たる器官がないドロンの頭脳として働き、寄生している状態ではイーアドロンという名前で呼ばれる。

イーアの寿命は長く、宿主のドロンが死亡すると別のドロンに寄生する。宿主の外に出ても生きることができるが、寒さを好み、熱に弱いため、高熱にさらされると死んでしまう。また種子により子孫を増やすが、この種子も長期間にわたって生存できるものの、やはり高熱に弱い。種子は金色で、金粉のようだと比喩される。種子は生物の体内に入ると孵化《ふか》し、成長する。

　一種の社会を作っており、若いイーアは年を経たイーアに寄生生活をする上での心得を学び、宿主を傷つけないで生き、神経に作用して多幸感を与えるなどして宿主に感謝の意を伝える。一方、基本的に宿主を傷つけることはないが、宿主が自分の命に危険が及ぶ行動をした際にはそれを止めるために苦痛を与える場合もある。

　イーアはドロン以外の生物を宿主に選ぶこともでき、それが知的生命体である場合はその体を借り、自分の代わりに声を発してもらうなどの方法で会話が可能。

　しかし教育を受けないイーアは野生生物そのものであり、見境なく宿主の脳を食い尽くしてしまう。さらに近くに別のイーアの宿主がある場合、互いの宿主に性行為を行うように仕向け、その間にイーア同士で交配して種子を作る。このため、教育を担当するイーアがいない状態でイーアに寄生されると、イーアが次々と別の生物に感染し、生物を食い殺し続けるという恐ろしい現象が発生する。

　また交配する相手がいない場合でも胞子により単性生殖が可能であり、繁殖期に交配相手がいない場合は胞子を生み、個体を増やす。胞子は種子と違い、親とまったく同一の存在が生まれる。

　イーアはこの胞子を生む欲求を抑える術《すべ》を年上のイーアから学ぶが、学ぶ相手がいない場合は自分を抑えきれず、やはり胞子を生んでしまう。

　物語ではこのイーアのひとりであるシロベーンという個体が、人間の少女であるコーティー・キャスの脳に寄生し、ともに宇宙を旅するうちに友情を築いていく。しかしコーティーとシロベーンはその過程で、教えを受ける機会がなかったイーアの幼生たちが人間を殺してしまった跡を発見する。さらにシロベーンはまだ自分が胞子を生むことを制御する術を知らない若いイーアであり、やがてコーディーの脳に自分の胞子を生み、コーディーを殺してしまうのではないかと怯える。またそれはコーディーにとっても自分を媒介にして教育を受けられないイーアを拡散してしまう可能性を示していた。

　しかしそれを知ったコーディーは、シロベーンにあるアイディアを伝える。それは彼女たちに残された、たったひとつの冴えたやり方だった。

E.T.

［いーてぃー］

スティーヴン・スピルバーグの映画『E.T.』（一九八二年）に登場する異星人。名前は「Extra-Terrestrial」の略で、「地球外生命体」という意味になる。

　姿は人間と同じく頭と手足、体がある二足歩行の生物だが、肌は毛がなく、茶色で、頭部は平べったく、大きな目と鼻、口がある。首は長く、体は痩《や》せており、しわが多い。また脚が非常に短い。

テレパシーや念力などの能力を持つが、性質は穏やか。劇中では複数人でアメリカ合衆国カリフォルニア州の森に植物のサンプルを採取しに訪れ、地球人に見つかったことで逃げる際、宇宙船から離れていたひとりが取り残されてしまう。

この宇宙人がエリオットという地球人の少年と出会い、「E.T.」と名付けられる。そして二人は友情を育み、E.T.は故郷に帰りたいという願いを伝え、エリオットはそのために奔走する。

そしてE.T.はエリオットと兄のマイケルが集めてきたガラクタで母星への通信機を作り上げ、郊外の森で交信を試みるが、途中の川で倒れ、瀕死《ひんし》の状態に陥る。

その後、E.T.は密かに彼を監視していた科学者たちにより研究所に連れられ、蘇生が試みられるが、その甲斐なく死んでしまう。

しかし、エリオットが死体と対面すると、E.T.は胸を赤く光らせ、蘇る。E.T.はもうすぐ迎えが来ることを伝え、エリオットは彼を送り届けるため、マイケルやその友人たちとともにE.T.を連れて研究所から逃走。郊外の森へと向かう。

森に降り立った球形の宇宙船を前に、エリオットたちと最後の別れをし、友情を確かめ合ったE.T.は、宇宙へと帰って行った。

言わずと知れた宇宙人とのファーストコンタクトものの名作。E.T.は侵略者でも、地球人を導く高位の存在でもなく、事故で取り残されてしまった孤独なひとりの生命体として描かれている。それゆえに彼は地球人の子どもであるエリオットと対等な立場で友情を築くことができたのだろう。

ヴァラクティル ［ゔぁらくてぃる］

映画『スター・ウォーズ』シリーズに登場するクリーチャー。登場するのは第六作目、ジョージ・ルーカス監督の『スター・ウォーズ エピソード3／シスの復讐』（二〇〇五年）。

四足歩行のレプタヴィアン（鳥型爬虫類《はちゅうるい》）で、体長一五メートルに及ぶが、温厚で人《ひと》懐《なつ》っこい。竪穴の多い惑星ウーパタウに棲息する動物であるため、崖などを三次元的に移動することができ、鞍《くら》を着けて人々を運搬する役割を担った。

宇宙女囚 ［うちゅうじょしゅう］

海野十三の小説『宇宙女囚第一号』（一九三八年、早川書房『十八時の音楽浴』（一九七六年）収録）に登場する異星人。その姿は人間の女性に近く、四肢は豊満に発達し、皮膚の色は白く、乳房は盛り上がり、金髪が頭部から生え、肩の辺りでもつれているとされる。

一方、顔には鼻や口に当たる器官がなく、眼は頭髪の間から生えた三本の角のようなものの先端に付いているなど、人間と異なる特徴も見られる。また腕の先には手首や指はなく、蔓《つる》のような触手が一本生えているだけである。

同作においては、この異星人は火星の生物ではないかと推測されている。地球にやって来た理由はマカオ博士という研究者が物質を電子に変換して転送し、空間を隔てた場所で再構成することで空間転送を可能にする装置、立体分解電子機及び立体組成電子機を使った実験を行っていた際、火星でも類似した機械を使っていたために誤って火星で機械を使っていたこの女性型の生物を立体組成電子機に呼び寄せてしまったのではないかと語られている。

転送装置といえばジョルジュ・ランジュランの小説『蝿《はえ》』（一九五七年）が有名だが、『宇宙女囚第一号』は一九三八年発表であるため、こちらの方が二〇年近く早く、また物体や生物を量子レベルに分解して再構成することで転送するという発想も先駆けている。さらに『蝿』と同じく、物体の転送技術について、テレビの映像の転送技術を例として説明している点も興味深い。

海のもの ［うみのもの］

P・スカイラー・ミラーの小説『卵』（一九三九年、マイケル・パリー編、宇佐川晶子訳『キング・コングのライヴァルたち』収録）に登場する怪物のひとつ。物語中では「海のもの」「海の化物」などと呼ばれる。

宇宙から落ちてきた三つの胞子のうちのひとつが海に落ち、海底の軟泥を材料にして不定形の怪物に変化したもの。青緑色のゼラチンの塊のような見た目をしており、銃弾などによる攻撃ではその体にダメージを与えることはできない。

体の大部分がコロイド状の水と塩分の分子で構成されており、水と塩分により成長する。そのため、水を吸収しつつ、地上に進出してからは動物を襲って体の中に取り込み、分解して塩分を摂取していた。

この怪物は海を進んでアメリカのマイアミの海辺に出現。手始めに海辺にいる人間たちを呑み込み、消化し、不要な骨や衣服などを吐き出しながら飢えを満たした。

その後、生きた津波のように海上を移動し、リオデジャネイロに出現。そこで人間たちが用意した麻酔が注入された無数の動物の死体を平らげ、数日の間は眠っていたものの、復活。リオデジャネイロの街に進出し、街並みを破壊するが、そこで金属ソジウム爆弾を積んだミサイルによる一斉攻撃を受け、体を構成するコロイド状の物質が燃え上がる。水素とゼリー状のアルカリ膜に分離したことにより再生ができなくなり、乾燥・凝縮してついに命を失った。

この物語において他の二つの胞子が変化した怪物については**黄金の神**、**ニコラス・スヴァディン**の項目を参照。

ウラゴーゴル ［うらごーごる］

海野十三の小説『地球盗難』（一九三六年、三一書房『海野十三全集3』（一九八九年）他収録）に登場する異星人。ウラゴーゴル星なる惑星に住み、白っぽく半透明な体を持つ。大きさは人間よりひと回りほど大きく、人間が頭からすっぽりと白布を被ったような見た目をしているが、アメーバのように自由に形を変えられる。またダイヤモンドのように光る丸い四つの物体が眼球として機能しており、体の中心部にひとつ、それを囲むように円形に、三つの眼球がそれぞれ一二〇度ずつ離れて付いている。これによりあらゆる角度を視認できる。

シュウシュウという鳴き声を発するだけだが、人間とはテレパシーのようなものによってコミュニケーションを取ることが可能。またその体は物質をすり抜けて移動することができる。

地球人よりも優れた科学力を持ち、隕石《いんせき》を地球に打ち込み、シュピオルと呼ばれる強力な磁力のような力でウラゴーゴル星と繋《つな》ぎ、地球をウラゴーゴル星に引き寄せていた。またウラゴーゴル星が近づいた影響で、この星から放たれる特殊な光線が地球の地表に届くようになり、生物が巨大化するなどの異変も起きた。

しかしウラゴーゴルは最終的に地球侵略を諦め、去っていく。地球では次なるウラゴーゴルたちの侵略に備え、人間同士の戦争をやめ、全人類が一致団結するのだった。

エイリアン［えいりあん］（『エイリアン』シリーズ）

リドリー・スコット監督の映画『エイリアン』（一九七九年）をはじめとした『エイリアン』シリーズ及び『エイリアンvsプレデター』シリーズに登場する地球外生命体。生物の種族名としては「ゼノモーフ」という名称が使われる。

本項目では成体としてのエイリアンを扱う。成長前の段階については**フェイスハガー**、**チェストバスター**の項目を参照。また通常とは違う特殊な形態を持つエイリアンについては、**エイリアン・クイーン**、**ニューボーン**、**プレデリアン**の項目を別に設けているため、そちらも参照。

作品ごとにその容貌は細かな相違があるが、基本的には以下のような特徴を持つ。

体長は二メートル前後。体は黒く、硬質化したシリコン樹脂状の外皮に覆われている。また体全体で骨格が浮き上がっているような形状が見られ、あばら、骨盤、背中辺りはそれが顕著。

特徴的なのは頭部の形状で、前後に細長く、上部は半透明の黒いフードに覆われているが、後述するエイリアン・ウォリアーのみ内部が剝《む》き出しになっている。

口には人間に似た歯が生える他、舌がない代わりに口腔内にインナーマウスと呼ばれる第二の顎《あご》を持つ。この顎はエイリアンにとって最大の武器であり、これを凄《すさ》まじい勢いで突き出すことで獲物を仕留める。

その威力は尋常ではなく、人間の頭蓋骨はもちろん、**プレデター**を相手にした際にはその金属のヘルメットごと貫いた。

手足は細長く、一部筋肉組織が剝き出しになったような見た目をしている。筋力は非常に強く、爪と握力によって垂直な壁や天井を高速で這《は》い回り、場合によっては凄まじい跳躍も見せる。また手足の爪は武器ともなり、金属を容易に抉《えぐ》る。

背中にはパイプ状の突起物が四本ないし五本あり、また中心部を背骨のような組織が縦に走っている。この組織は尾に繋《つな》がっている。

尾はいくつもの節を繋ぎ合わせたような形状をしており、先端部に鋭い針もしくは刃物のような器官がある。これもエイリアンにとっては強力な武器であり、先端部を突き刺して相手の動きを止めたり、殺害する他、尾そのものを鞭《むち》のように振るって攻撃する。

また体内を流れる血液は黄色もしくは黄土色をしているが、強度の酸性であり、ほとんどの物質を腐食させる。エイリアンの体表は普通の銃弾で貫くことができる程度にはもろいが、傷つければこの血液が外に溢れ、様々な被害を与えるため、エイリアンを倒すことは容易ではない。

以上がエイリアンに共通する特徴であるが、シリーズの各作品ごとに異なる特徴も持つ。

第一作目『エイリアン』に登場する個体は「ビッグチャップ」と呼ばれ、頭を覆うフードの下に人間の頭蓋骨のような器官が見える。背中には五本の突起があり、体軀《たいく》は細身である。

西暦二一二二年、宇宙貨物船ノストロモ号が救難信号を受信し、「LV－426」という小惑星に着陸。そこで異星人の宇宙船を発見し、内部を調べたところ、巨大な卵のような物体が無数にあるのを発見する。そして乗組員のひとり、ケインが卵から出現したフェイスハガーに寄生され、その体内から飛び出したチェストバスターが成長し、ビッグチャップとなった。

隠密行動を得意とし、ノストロモ号の乗組員をひとりひとり殺害していった。最後に残ったエレン・リプリーはノストロモ号を自爆させ、脱出艇で逃げ出すが、ビッグチャップはいつの間にかそこに侵入していた。

ビッグチャップはリプリーを襲うが、エアロックから放出され、宇宙に吹き飛ばされた。

この作品ではビッグチャップが人間を卵、すなわち**エイリアン・エッグ**に変化させる力を持っている。これは撮影もされたが劇場公開版ではカットされた。ノベライズやディレクターズカット版ではそのシーンを見ることができる。

第二作目『エイリアン２』（ジェームス・キャメロン監督、一九八六年）では「エイリアン・ウォーリアー」と呼ばれる個体たちが登場。先述したようにフードがない他、腕に突起物が生えている。

この作品の舞台は前作でエイリアン・エッグがあったLV－426で、植民地となったこの星の入植者たちがエイリアン・エッグを発見したことで寄生され、無数のエイリアン・ウォーリアーが誕生。入植者からの信号が途絶えたことで調査に来た海兵隊、そしてアドバイザーとして同行したリプリーを襲った。

この作品からエイリアンがアリやハチの

ような女王を中心とした社会生活を営むという設定が加えられた。ウォーリアーは女王の兵隊として働き、体から分泌される液体を固めて巣を作り、そこに獲物を運ぶ。女王は巣でエイリアン・エッグを生み、獲物はそこから生まれるフェイスハガーへの生贄《いけにえ》とする。またエイリアン・クイーンの護衛としても働き、近付く外敵を排除する。

第三作目『エイリアン3』（デヴィット・フィンチャー監督、一九九二年）には「ドッグ・エイリアン」が登場。これはフェイスハガーが犬（完全版では牛）に取り付き、チエストバスターを寄生させたもので、他のエイリアンに比べ体色が茶色い他、二足歩行を使わず常に四足で移動し、趾行性《しこうせい》の後脚を持つ。背中にパイプ状の突起がないという特徴がある。通常のエイリアンより移動速度に優れ、口から酸を吐きかけるという攻撃方法も披露した。

第四作目『エイリアン4』（ジャン＝ピエール・ジュネ監督、一九九七年）では「ニュー・ウォーリアー」と呼ばれる個体が登場。これは第三作目で死亡したリプリーのクローンから取り出したエイリアン・クイーンから生まれた個体で、クローンを作り出す過程でクイーンに人間の遺伝子が多く取り込まれたことから、ニュー・ウォーリアーにもその遺伝子が多く、通常より知能が高い。

劇中では仲間を犠牲にしてその酸性の血液を流させることで密室から脱出。人間の支配を逃れ、人間への襲撃を開始した。

この過程で水中を泳ぐ姿が見られることから「アクア・エイリアン」と呼ばれる場合もある。またドッグ・エイリアンと同じように口から酸を吐き出す攻撃方法を取得している。

映画『プレデター』シリーズとのクロスオーバーである『エイリアンvsプレデター』（ポール・W・S・アンダーソン監督、二〇〇四年）ではプレデターの成人の儀式の相手として地球の南極に連れて来られたクイーンから生まれたエイリアンたちが登場。これらは「バトル・エイリアン」と呼ばれ、通常の個体に比べて戦闘能力が上がっており、特に尾の先の刃物状の器官が大きく発達している。

バトル・エイリアンはその名に恥じぬ戦闘力を見せ、特にクイーンから最初に生まれた個体である「アルファ・エイリアン（ノベライズ版での呼称。プレデターとの戦いで頭に網目状の傷を受けたことから「グリッドエイリアン」とも呼ばれる）の戦闘能力は凄まじく、儀式にやって来たプレデター三体のうち二体を続けて葬り去った。

続編『AVP2 エイリアンズvsプレデター』（コリン・ストラウス及びグレッグ・ストラウス監督、二〇〇七年）では『エイリアン2』と同じくエイリアン・ウォーリアーが登場した他、プレデリアンによって増殖された「ヌーヴェル・ウォーリアー」が登場。姿かたちや性質は通常のウォーリアーと変わらないが、その出生方法が異なる。詳細は**プレデリアン**の項目を見てほしい。

このエイリアンとプレデターの因縁はもともとはアメリカンコミックスにて設定さ

れたもので、一九九〇年に両者のコミック化の権利を持っていたダークホースコミックス社によって共演、戦った後、様々なコミック、ゲームにて両者は激突することとなった。

この『エイリアンvsプレデター』シリーズは両シリーズの番外編として作られているため、エイリアン本編よりも過去の世界、二〇〇〇年代当時の地球が舞台となっており、『エイリアン』シリーズでは地球を訪れたことがないエイリアンが実は遥か昔からプレデターによって地球に連れて来られていた、とされている。

また『エイリアン』の前日譚《ぜんじつたん》として作られた『プロメテウス』（リドリー・スコット監督、二〇一二年）ではゼノモーフは登場しなかったが、似た姿をした**ディーコン**が登場。次作『エイリアン：コヴェナント』では満を持してゼノモーフが登場した。これは「プロトモーフ」と呼ばれるもので、チェストバスターの段階を経ずに寄生先の人間から成体と同じ姿で飛び出した。ただしサイズはかなり小さく、時間経過で成長し、成体となる。運動能力に優れ、四足により高速で移動し、飛行中の宇宙船にしがみ付いても吹き飛ばされない。またよく見るとビッグチャップと同じようにフードの下に頭蓋骨があるのが分かる。

この作品ではゼノモーフの誕生過程が描かれており、デヴィットというアンドロイドが完全な生物を作り出そうと実験を繰り返した結果、エイリアン・エッグ、フェイスハガーを経て生まれたものとされている（**ネオモーフ**の項目も参照）。

ただしこの『プロメテウス』と『エイリアン：コヴェナント』（リドリー・スコット監督、二〇一七年）は一応『エイリアン』の前日譚として作られているが、『エイリアン』とは舞台となる星の名前が異なっているなど、実際に『エイリアン』に繋がるのかはぼかされている部分がある。

エイリアン［えいりあん］

（『クワイエット・プレイス』シリーズ）

ジョン・クラシンスキー監督の映画『クワイエット・プレイス』（二〇一八年）及びその続編『クワイエット・プレイス 破られた沈黙』（二〇二一年）に登場する、二〇二〇年にアメリカのニューメキシコ州に落ちた隕石《いんせき》から出現したとされる地球外生命体。

硬い外殻に覆われた巨大な節足動物のような姿をしているが、脚は前脚と後脚の各二本、計四本しかない。前脚が長く発達しており、鉤爪《かぎづめ》もしくは鎌のような器官があるため、動物を狩る際にはこの前脚を使うことが多い。また四本の脚を使って高速で移動することができる。

視覚や嗅覚が退化している代わりに聴覚が異常に発達しており、わずかな物音や声を聞きつけて対象を襲撃し、殺害する。このため、生き残った人々は声や音を出さずに生活することを余儀なくされていた。

その外殻は銃弾も通さず、身体能力も人間を遥かに凌《しの》ぐため、普通に倒すことは難しい。しかしその並外れた聴覚ゆえに高周波音に弱く、これを聞くと行動が制限される他、頭の外殻が開き、内部が露出する。この部分は外殻に比べて柔らかく、銃や物理攻撃によって傷を負わせることが可能で、ダメージによってはエイリアンを殺害することができる。

また水中を泳げないため、周囲を深い水に囲まれた孤島などであればエイリアンたちの襲撃を受けずに生活できるようだ。

エイリアン［えいりあん］（『それは外宇宙からやって来た』）

ジャック・アーノルド監督の映画『それは外宇宙からやって来た』（一九五三年）に登場する地球外生命体。

不測の事態で地球のアリゾナ州の砂漠に落下してしまった異星人。地球人に対する悪意や侵略意思はないが、宇宙船の修理をするために近隣の人々を拉致《らち》し、その姿を借りて材料を集めていた。

わざわざ地球人の姿を借りるのは、自分が地球人たちとまったく異なる姿をしており、その姿を見た地球人たちに怖がられることを知っているからである。異星人たちは本来は巨大な目玉に長い毛が生えた姿をしているのだ。

最後は球形の宇宙船の修理を終え、人質としていた町の住人たちを解放し、クレーターから飛び立って行った。

宇宙人といえば侵略者、という作品が多かった五〇年代の映画には珍しく、侵略目的ではない宇宙人を描いた作品。先行する作品に『地球の静止する日』（ロバート・ワイズ監督、一九五一年）があるが、これに登場する宇宙人クラトゥが友好の意思を持って地球に来たのに対し、『それは外宇宙からやって来た』は偶然地球に落ちただけで悪意もなければ友好的ともいえないのが特徴である。

原案はSF作家であるレイ・ブラッドベリによる。またこの映画の原作として『趣味の問題』（一九五二年）という小説も存在している。詳細は**木々の都の民**の項目を参照。

ちなみにこのエイリアンは**エイリアン（『エイリアン』シリーズ）**と同じく「ゼノモーフ」と呼ばれることがある。

エイリアン・エッグ［えいりあん・えっぐ］

映画『エイリアン』（一九七九年）をはじめとする『エイリアン』シリーズに登場する卵型の生命体。「エッグチャンバー」「オヴォモーフ」と呼ばれる場合もある。

一見巨大な卵のようだが、地面に根のようなものを張っており、上部には花弁状で十字に開く開口部がある。他の生物が近付くとその開口部を開き、中から**フェイスハガー**を出現させ、寄生させる。その際、内部には血管や内臓のようなものが見える。

また外殻は半透明で、光を当てると中で蠢《うごめ》くフェイスハガーの姿が見える。

『エイリアン2』（一九八六年）以降の設定では**エイリアン・クイーン**と呼ばれるエイリアンの群れの女王が体内で生成し、卵囊《らんのう》から産卵管を伸ばし、産卵するとされる。

　生み出されるエイリアン・エッグの数には際限がなく、宿主がいる場所ではその分だけエイリアンが増える可能性がある。

　また他の生物と違い、**エイリアン（『エイリアン』シリーズ）**が近付いてもエイリアン・エッグは反応しない。そのためか、『エイリアン2』や『エイリアン4』（一九九七年）ではエイリアン・クイーンから離れた場所にエイリアン・エッグが設置されている場面があり、エイリアンによって運ばれたものと考えられる。

　一方、エイリアン・クイーンの設定がなかった『エイリアン』ではエイリアン・エッグはエイリアンが他の生物を変異させて生み出すものと設定されており、劇場公開版ではカットされたものの、ディレクターズカット版やノベライズ版では実際にエイリアン・エッグにされかけた人間が描写されている。

エイリアン・クイーン［えいりあん・くいーん］

映画『エイリアン2』（一九八六年）をはじめとして『エイリアン』シリーズに登場する地球外生命体。「クイーン・エイリアン」と呼ばれる場合も多い。

　アリやハチのような生態を持つ**エイリアン（『エイリアン』シリーズ）**の頂点に立つ個体であり、通常のエイリアンに比べ遥かに大きく、作品によって異なるものの、体高は五メートルから一〇メートルほどもある。

　特徴的なのは頭部の形状で、冠のような器官が後方に伸び、その中から口部を含む顔部分を出し入れする。また通常の腕の他に小さな腕が一対ある。背中にはパイプ状の器官ではなく棘《とげ》が伸びる。

　基本的にはエイリアンの巣の奥に体を固定しており、巨大な卵囊《らんのう》から**エイリアン・エッグ**を生んで個体を増やすことを目的としている。

　しかし巣に危機的状況が訪れたり、自身が攻撃された場合などは卵囊を引きちぎって自分で行動することもでき、その際は前傾姿勢で二足歩行で行動する。

　武器は通常のエイリアンと同じ口内から飛び出る第二の顎《あご》の他、尾の先が剣のようになっており、これを突き刺すことで攻撃する。またその怪力による攻撃や、巨体を生かした体当たりなども行う。

　初登場となった『エイリアン2』では主人公のエレン・リプリーに目の前でエイリアン・エッグを破壊されたことに怒り、彼女を追いかけてリプリーの乗った降下艇に密かに入り込み、そのまま降下艇が向かった宇宙船スラコ号に侵入。デッキにてリプリーと対決。重量物を運搬するために使われる作業機械、パワーローダーに乗り込んだリプリーと肉弾戦を繰り広げるも、最後は宇宙に放逐された。

　続編『エイリアン3』（一九九二年）ではクイーンそのものは登場しないものの、リプリーの体内に寄生したクイーン型の**チェ**

ストバスターが登場した。

『エイリアン4』（一九九七年）では『エイリアン3』に登場したリプリーに寄生していたチェストバスターがリプリーのクローンを再生したことで同時に再生される。この過程でクイーンは人間の女性の特徴を強く受け継ぎ、エイリアン・エッグを生む他に子宮を得て、その胎内に子を宿す。

　やがて子宮から新種のエイリアン、**ニューボーン**が誕生するが、ニューボーンを子としていつくしむクイーンに対し、ニューボーンは腕の一振りでクイーンの頭部を破壊し、殺害。リプリーのクローンであるリプリー8を親と思い込み、彼女の後を追った。

『プレデター』シリーズとのクロスオーバー作品である『エイリアンvsプレデター』（二〇〇四年）では**プレデター**に捕獲されたエイリアン・クイーンが登場。プレデターの成人の儀式のため、電気刺激を与えられてエイリアン・エッグを生ませ続けられるが、増加した自分の子どもたちに自身の体を傷つけさせることで拘束具に酸の血液を浴びせ、拘束具を破壊する。そして生き残っていたプレデター（スカー・プレデター）を狙うが、スカーと共闘していた地球人の女性、レックスにより拘束鎖を鯨油精製用の大釜に繋《つな》げられ、南極の海底に落とされて生死不明となった。

　第一作目の『エイリアン』（一九七九年）ではエイリアンの卵はエイリアンが人間を変化させるものという設定があり、エイリアン・クイーンの存在は『エイリアン2』にて生まれたもの。

　まるで恐竜のように大きく、初めて登場した際の神々しい姿や、怒り狂って獣脚類のように前傾姿勢で走って来る姿は非常に大きなインパクトを残す。

　ゲームなどでは次期クイーン候補となる個体としてプリトリアンと呼ばれる大型のエイリアンが登場し、クイーンの護衛を務めるという設定が見られることもある。

　現在のところ、地球人に寄生した個体がクイーンになったものしか登場していないため、別の生物に寄生した場合、同じ姿になるのか、それともその生物の性質を受け継いだ別の姿になるのかは不明である。

エクソゴース
［えくそごーす］

　映画『スター・ウォーズ』シリーズに登場するクリーチャー。初登場は第二作目、アーヴィン・カーシュナー監督の『スター・ウォーズ エピソード5／帝国の逆襲』（一九八〇年）。

　別名を「スペース・スラッグ（宇宙ナメクジ）」ともいう。小惑星の穴に棲む超巨大生物で、全長一キロメートルにも及ぶことがある。ナメクジと言われているが縦に開く口と無数の牙を持ち、爬虫類《はちゅうるい》や哺乳類の頭部のような印象を抱かせる。

　体はシリコン質の物質で構成されており、鉱物の残りかすや他のシリコン質の生物を食べる。

　劇中ではハン・ソロの操縦する宇宙船ミレニアム・ファルコン号が洞窟と誤ってエ

クソゴースの体内に入ってしまう場面で登場。体内から脱出するミレニアム・ファルコン号を噛み砕こうとした。

X星人［えっくすせいじん］

本多猪四郎監督・円谷英二特技監督の映画『怪獣大戦争』（一九六五年）等に登場する異星人。

木星の一三番目の衛星、X星を母星にするとされ、星の地下に地底都市を築いている。高い科学力を持つが、行動はすべて電子計算機の計算に基づいており、ひとりの統制官によって統率される。また怪獣を番号で呼び習わしており、**キングギドラ**を「怪物0」、**ゴジラ（二代目）**を「怪物1」、**ラドン**を「怪物2」と呼ぶ。

見た目は地球人と変わらないが、統一した服装を身に着けており、男性は顔に細いゴーグルをつけ、女性は皆同じ顔をしている。これが本来のX星人の姿なのかは不明。

空飛ぶ円盤で宇宙空間を自在に飛行し、また、特殊な光線によって作ったバリアのようなもので巨大怪獣を包み、移動させることができる。

劇中ではX星を荒らしまわるキングギドラに対抗するため、地球のゴジラとラドンを借り、X星でキングギドラと戦わせる。しかしそれは建前であり、本当の目的はキングギドラに加えてゴジラとラドンを電磁波によって操り、地球を襲撃、侵略することだった。

しかしX星人の女性工作員、波川が地球人のグレンに恋し、仲間を裏切ったことで、特定の不協和音（高周波）が弱点であることが露見する。これにより侵略は失敗に終わる。密かに造られていた地球基地も発見され、地球軍の攻撃を受ける。

これにより壊滅状態に陥ったX星人であったが、統制官は「未来へ向かって脱出する。まだ見ぬ未来に向かってな」と宣言して円盤ごと自爆。同時に地球基地も爆発してしまった。

二〇〇四年公開の映画『ゴジラ　FINAL　WARS』（北村龍平監督）にもX星人が登場する。こちらでは、母星の名前が地球人では発音することができないものであるため、自らをX星人と名乗っている。

地球人のミトコンドリアを摂取しなければ生きていけないという特徴を持ち、一万二〇〇〇年前にも地球に襲来し、古代文明を滅ぼしている。

ミトコンドリア確保のために地球人の家畜化を目論《もくろ》んでおり、再び地球に襲来。M塩基という特殊な塩基を保有しており、この塩基を他の生物に埋め込むことで自在に操ることができる。

劇中ではこの能力を利用し、M塩基を地球の怪獣に埋め込んで操った他、かつて地球に来た際に地球人と交わったことで生まれた子孫、ミュータントを操った。

『怪獣大戦争』においてと同様、統制官が登場するが、この統制官は、もとは参謀であったが謀反《むほん》を起こして前司令官を殺害し、自らその地位に就いた者である。この統制官が物語の中でX星人の中心的なキャラクターとなる。

また人間に近い姿で現れるが、これは衣裳を被っているようなものであり、中身は地球人とはかけ離れた姿をしている。

統制官は技術力、身体能力ともに高く、直接、あるいはコントロールするミュータントや怪獣を使って地球人と対決し、地球を制圧しかける。

しかし、例外的にコントロールできなかった怪獣ゴジラやモスラの出現に加え、ミュータントの中にコントロールを脱するものが現れたことで作戦は崩壊する。最期は母艦を自爆させ、死亡した。

M宇宙ハンター星雲人
［えむうちゅうはんたーせいうんじん］

福田純監督・中野昭慶特技監督の映画『地球攻撃命令　ゴジラ対ガイガン』（一九七二年）に登場する異星人。

人間型生物の文明が滅びた星で、環境汚染の中を生き残ったゴキブリ型の昆虫が知性を持った存在。

普段は人間の姿に化けているが、非常灯の下ではゴキブリ型の影が映ってしまうため、それで正体がばれる。地球侵略のため東京郊外に「世界子供ランド」なる施設を作り、侵略基地を隠していた。この施設にあるゴジラタワーなる**ゴジラ（二代目）**を模した建造物は、ゴジラをはじめとする地球怪獣に対抗するためのレーザー殺獣光線などの兵器を備えており、また怪獣をコントロールする指令電波を発する。

この司令電波により宇宙怪獣である**ガイガン**と**キングギドラ**を操り、地球侵略のために地球を攻撃させようとするが、それを察知して現れたゴジラや**アンギラス**と戦闘になる。しかし世界子供ランドの正体に気付いた地球人の活躍によりタワーは崩壊。崩れる瓦礫《がれき》の下敷きになって命を失った。

黄金の神
［おうごんのかみ］

小説『卵』（一九三九年、マイケル・パリー編、宇佐川晶子訳『キング・コングのライヴァルたち』収録）に登場する怪物のひとつ。

宇宙から落ちてきた三つの胞子のうちひとつが南アメリカのアンデス山脈の白色石英の崖に落ち、大地を材料にして巨人のような姿に変化したもの。

大地を素材としたためか、地球を切り刻む人類たちを憎み、攻撃した。

胞子が落ちた石英はまず粘土のように軟らかくなり、どろどろに溶け、黄金の筋の入ったとてつもなく大きな塊となった。そして二本足の巨人の形に変わり、サファイアのように青く輝く目と水晶の脳、そして黄金の剣を持ったその巨人は人々から「黄金の神」と呼ばれ、人々や街を押し潰《つぶ》しながら進撃した。

しかしメキシコのオアハカにて軍による何機もの飛行機の自爆攻撃を受け、体を砕かれてついに倒れた。

この物語において他の二つの胞子が変化した怪物については**海のもの**、**ニコラス・スヴァディン**の項目を参照。

オオタチ［おおたち］

映画『パシフィック・リム』（二〇一三年）に登場する怪獣。体長六〇メートル、体重二六九〇トン。

巨大な四足歩行の怪獣で、頭部に二本の角があり、尾の先には、三つに分かれた強力な鉤爪《かぎづめ》を備えている。それを使って巨大ロボットであるイェーガーを破壊し、そのコックピットを握り潰《つぶ》すなどした。

また、非常に発達した前脚には皮膜が隠されており、これを使って空を飛ぶこともできる。口からは青い蛍光色の強酸性の体液を吐き、その威力はイェーガーの装甲を融解させるほどである。

劇中では香港近海に出現。チェルノ・アルファ、クリムゾン・タイフーン、ジプシー・デンジャーの三体のイェーガーと戦い、うちジプシー以外の二機を破壊し、操縦者を葬るなど大暴れした。

クリムゾンを倒した後はジプシーを同じく近海に出現した怪獣**レザーバック**に任せ、香港に上陸。怪獣の生態を調べるべく、自分の脳と怪獣の脳を繋《つな》いで秘密を探った生物学者ニュートン・ガイズラーを狙うが、レザーバックを倒して駆け付けたジプシーにより阻まれる。その戦いで尾の先の鉤爪を凍らされて砕かれ、舌を引き抜かれるなど大きなダメージを負う。それでも皮膜を展開し、ジプシーを持ち上げて飛び上がり、大気圏外から落として破壊しようとする。しかしジプシーの新たな武器であるチェーンソードにより皮膜を切り裂かれ、倒された。

ところが実はオオタチは身ごもっており、死体からは幼獣が出現。親に続いてガイズラーを殺害しようとするが、肺が未発達であり、へその緒が首に絡まって死亡した。

ギレルモ・デル・トロ、デイヴィッド・S・コーエン著『パシフィック・リム ビジュアルガイド』（小学館集英社プロダクション、二〇一三年）によれば、オオタチの尾はもともとムカデのような尾を持つ別の怪獣のものだったという。この怪獣は尾が切れるとその尾が独立して動き、二体目のクリーチャーのようになる、という設定であったが、採用されなかった。しかしその尾のアイディアが部分的にオオタチに残されたという。

『パシフィック・リム』シリーズに登場する怪獣に共通する設定については**プリカーサー**の項目を参照。

オニババ［おにばば］

映画『パシフィック・リム』（二〇一三年）に登場する怪獣。巨大なカニのような姿をしており、体長五七メートル、体重二〇四〇トン。巨大なハサミと四本の脚を持ち、体は硬い外殻に覆われる。

劇中では二〇一六年の日本に出現。物語の主要人物であるマコが幼い頃にこれと遭遇し、執拗《しつよう》に襲われている。しかし巨大ロボット、イェーガーのひとつコヨーテ・タンゴと戦い、その装甲のような外殻を破壊されて敗れた。

『パシフィック・リム　ビジュアルガイド』では、オニババのコンセプトは重装甲戦車であり、ひたすら突き進むことで建物を破壊させたかったと語られている。また邪悪な知性を持ち、意図的にマコを狙っていたことが明かされている。

『パシフィック・リム』シリーズに登場する怪獣に共通する設定については**プリカーサー**の項目を参照。

オビー・シー・キラー ［おびー・しー・きらー］

映画『スター・ウォーズ』シリーズに登場するクリーチャー。登場するのは第四作目、ジョージ・ルーカス監督の『スター・ウォーズ　エピソード1／ファントム・メナス』（一九九九年）。

魚の頭にエビの体を付けたような奇妙な姿をした巨大生物で、多くの自然に囲まれた惑星ナブーの深海に棲息しており、その体長は二〇メートルに及ぶ。

カエルやカメレオンのように舌を伸ばして獲物を捕らえる能力を持ち、劇中ではこれを使って潜水艇を捕食しようとしたが、さらに巨大な**サンド・アクア・モンスター**に襲われ、捕食された。

オルガ ［おるが］

大河原孝夫監督・鈴木健二特技監督の映画『ゴジラ2000　ミレニアム』（一九九九年）に登場する宇宙怪獣。体長六〇メートル、体重四万トン。

肉体を失い、量子流体化していた異星人**ミレニアン**が、ゴジラ細胞に含まれ、細胞の復元と修復を行う形成体オルガナイザーG1を吸収した結果、制御しきれずに怪獣化したもの。そのためか左右非対称のいびつな姿をしている。

甲羅を背負ったような巨大な背中を持ち、首は前に突き出ている。背中の左側には波動攻撃を放つ発射口が付いており、サイコキネシスも使うことができる。またオルガナイザーG1を取り込んでいるためか、体を破壊されてもすぐに修復できる再生能力を持つ。

劇中では、多彩な能力と再生力を生かし、ゴジラと渡り合う。その際、ゴジラに噛み付いてゴジラのエネルギーを吸収し、次第にその姿をゴジラに近付けていく。最終的には大きく裂けた口でゴジラを呑み込もうとするが、体内に放射能熱線を放たれ、上半身を粉砕されて再生が追いつかずに倒れた。

か

ガイガン ［がいがん］

映画『地球攻撃命令 ゴジラ対ガイガン』（一九七二年）及びその続編『ゴジラ対メガロ』（一九七三年）に登場するサイボーグ怪獣。体長六五メートル、体重二万五〇〇〇トン。

宇宙恐竜が**M宇宙ハンター星雲人**という宇宙人によって改造されたもの。**ゴジラ（二代目）**と戦った。

頭部から背にかけて銀色の角が生え、鋭い嘴《くちばし》と左右に開く牙を持つ。目は単眼でバイザーのような形をしており、赤い光を帯びる。腕は肘《ひじ》から上を鎌状のハンマーハンドに置き換えられており、腹部には回転する無数の刃が装備されているなど、改造された際に全身に武器が仕込まれた。また額には光線を放つための砲台が仕込まれているが、劇中で使われることはなかった。

背中には魚の背びれに似た翼が生えており、空を飛ぶことも可能である。また体表は金色の鱗と緑色の皮膚のようなもので覆われている。

劇中では、M宇宙ハンター星雲人の青い結晶体のような円盤で地球に飛来。同じくM宇宙ハンター星雲人に操られる**キングギドラ**とともに街を破壊して回るが、異常を察知してやって来たゴジラと**アンギラス**の地球怪獣二体との戦いに発展する。

当初は優位に戦いを進めるが、M宇宙ハンター星雲人が地球人に敗北し、指令電波が途絶えたことでキングギドラともども混乱に陥り、最後は敗走して宇宙に逃げて行った。

その後、次作の『ゴジラ対メガロ』にも登場する。地球の海底にあるシートピア海底王国の要請を受け、シートピア海底王国の守護神である怪獣**メガロ**とともに巨大ロボット・**ジェットジャガー**と交戦。二対一で追い詰めるも、ゴジラの参戦によって劣勢に追い込まれ、またも敗走した。

この後、映画シリーズではこのガイガンの出番はないが、東宝が制作した特撮テレビドラマ『流星人間ゾーン』（一九七三年）にも登場し、ヒーローのゾーンやゾーンに加勢するゴジラと戦っており、こちらでは死亡する場面が描かれている。

平成の世になった後は、ゴジラシリーズ五〇周年記念作品である『ゴジラ FINAL WARS』（二〇〇四年）に満を持して登場。**ゴジラ（ミレニアムシリーズ）**と戦う。デザインも変更されており、両手の鎌はより鋭利な刃となり、全体的に細身となった他、今回は目からレーザー光線を発射する。腹部の回転ノコギリも健在で、腕から発射するチェーンや、胸から発射するカッター（ブラデッド・スライサー）などの武装も追加されている。また体色は濃紺になっている。

劇中では**X星人**という異星人の操る怪獣として登場。南極でゴジラが目覚めた際には最初に交戦する。腕から伸びるチェーンでゴジラを巻き取り、回転ノコギリで切断しようとしたが、放射熱線によって首を破壊された。

その後、頭部を修復された上、腕を二股のチェーンソー（ブラッディ・チェーンソー）に改造されて再登場する。同じくX星人の手先である**モンスターX**と共闘し、ゴジラと戦うが、そこにモスラが乱入。ガイガンはモスラと交戦し、空中戦を繰り広げた後、モスラの羽の一部を切り落とすが、放ったブラデッド・スライサーの軌道を鱗粉《りんぷん》で逸《そ》らされ、自らの首を切り落とすことになる。

さらにガイガンのレーザーを受け、火だるまになったモスラの激突によって、粉々に破壊された。

カイザーギドラ ［かいざーぎどら］

北村龍平監督・浅田英一特技監督の映画『ゴジラ FINAL WARS』（二〇〇四年）に登場する怪獣。**モンスターX**の本来の姿。

四本の脚に三本の首と二本の尾、そして翼を持つ黒と黄金に彩られたドラゴンのような姿をしている。体長一五〇メートル、体重一〇万トンの巨体で、**キングギドラ**をはじめとするギドラ族の中でも無類の強さを誇る。

武器は三本の首から吐き出される反重力光線で、当たった対象を爆発させる他、空中に持ち上げて地面に叩きつけることもできる。またその鋭い牙で噛み付いた相手のエネルギーを吸収することも可能。

劇中では歴代でも最強クラスの**ゴジラ（ミレニアムシリーズ）**を相手にして圧倒。ゴジラの熱線を三本の首の反重力光線を合わせて放つデストロイヤー・カイザーで押し返し、反重力光線で痛めつけた後、噛み付いてエネルギーを吸収することで瀕死《ひんし》にまで追い込む。

しかしミュータントの兵士である尾崎からエネルギーを分け与えられたゴジラが復活してからは一転して劣勢に追い込まれる。ゴジラの熱線と自身の反重力光線で首の二本を失った後、ゴジラに何度も投げ飛ばされて最後は強力な赤い熱線、バーニングGスパーク熱線を浴びて跡形もなく粉砕された。

カイザーギドラの存在は映画公開前には一切情報が公開されず、劇場でサプライズ的に登場した。歴代最多の怪獣が登場する『ゴジラ FINAL WARS』にゴジラ最大のライバルであるギドラが登場しないはずもなく、最後の敵としてゴジラの前に立ちはだかった。

デザインはキングギドラを踏襲しつつ、体を巨大化させ、脚を四本にすることでさらなる重量感を出している。着ぐるみは『ウルトラマン』のドドンゴのように前後に二人の人間が入ることで動かしている。

火星人［かせいじん］

（『宇宙戦争』）

Ｈ・Ｇ・ウェルズの小説『宇宙戦争』（一八九八年（井上勇訳、創元ＳＦ文庫、一九九七年））に登場する地球外生命体。

その姿は直径一・二メートルほどの丸い体に八本ずつ二束に分かれた触手が付いている。体の正面には顔があり、暗色の目が一対並び、嘴《くちばし》のようなものがその下についている。外皮は灰褐色で光沢を帯び、革のような質感をしている。

体の大部分を脳髄が占めており、他には肺と心臓、血管があるが、消化器官はない。そのため物を食べることはないが、代わりに他の生物の血液を奪い、自らに直接注射することで生きながらえる。

後頭部に太鼓の膜のような聴覚器官があるが、地球上では機能せず、仲間同士の交信は専《もっぱ》らテレパシーで行う。また火星より強い地球の重力下ではまともに動くことができず、生身では這《は》い回るように移動する。

一方、地球人を遥かに超える科学技術を持ち、三本脚の戦闘兵器**トライポッド**を乗りこなして地球人を襲い、不可視の熱線で焼き払った。また毒ガスを使った殺戮《さつりく》も行っている。

物語では円筒の乗り物に乗ってイギリスに降り立った火星人たちが地球を奪うことを目的に生物を殺害しつつ、餌《えさ》として人間を確保していた。

その圧倒的な力で火星人はイギリスを蹂《じゅう》躙《りん》するが、ある時突如として死に絶える。その原因は地球の病原菌であった。

火星で暮らしていた火星人には病原菌という概念そのものがなく、免疫も持たなかった。そのため、仲間の火星人が死んでもその死因が分からず、抵抗もできぬまま倒れていった。

地球人に対し圧倒的な力を見せつけた異星の侵略者たちは、しかし地球という世界そのものに敗れ去ったのだ。

『宇宙戦争』はウェルズを代表する作品であるとともに、圧倒的な科学力を持つ異星人による地球侵略を描いた作品として後世に多大な影響を与えた。

一九五三年には最初の映画化としてジョージ・パル製作、バイロン・ハスキン監督の『宇宙戦争』が公開された。この作品では火星人が現れるのはアメリカのカリフォルニアであるとされ、火星人は**マーシャンズ・ウォーマシン**と呼ばれる戦闘機に乗って地球を襲撃する。また火星人の容貌もＴ字型の体に赤、青、緑の発光器官が付いた頭部、そして三本指の二本の腕、というものになっている。

二〇〇五年にはスティーヴン・スピルバーグが再び『宇宙戦争』を映画化した。この作品もアメリカが舞台になっているものの、トライポッドが登場するなど物語は原作に近いものとなっている。一方、火星人の姿は四肢を持つ両生類のような姿で描かれており、やはり原作のタコのような姿とは別物であった。

火星人［かせいじん］

（『巨大アメーバの惑星』）

イブ・メルキオー監督の映画『巨大アメーバの惑星』（一九五九年）に登場する異星人。

頭部に二本の触覚と三つの目がある人型の生命体。

火星で高度な文明を築いているが、地球人のことは快く思っておらず、地球の調査隊が火星に降り立った際には**巨大アメーバ**に襲わせるなどして妨害した。

そして最後に調査隊が地球に逃げ帰る際、彼らを使者として地球に対し警告を残す。いわく、自分たちは地球を観察し、成長を見てきたが、技術は立派でも心は子どもであり、未だに戦争が起こり暴力が溢れている。地球上で争うのは自由だが、火星で好き勝手させるわけにはいかない。もし再び火星に来ることがあれば、次こそは地球人を全滅させると。

H・G・ウェルズの小説『宇宙戦争』（一八九八年）をはじめとするタコ型の火星人や、フレドリック・ブラウンの小説『火星人ゴーホーム』（一九五五年）のリトル・グリーン・マン型の火星人のどちらとも違うデザインが新鮮。勝手に異星からやって来て自分の星を調査し始めるという侵略行為とも取れる行動を取った地球人の調査隊を、全滅させることなく半分とはいえ地球に帰しているところを見るに、理知的な種族なのかもしれない。

火星探検隊の六人［かせいたんけんたいのろくにん］

フィリップ・K・ディックの小説『探検隊帰る』（一九五九年、中村融編、創元SF文庫『影が行く ホラーSF傑作選』（二〇〇〇年）収録）に登場する地球外生命体。

もともとは火星調査に向かった探検隊が何らかの理由で火星に墜落してしまい、探検隊六人が全員死亡してしまった。しかし、その後、二ヶ月に一度、その者たちと同じ姿をしており、同じ記憶を持つ者たちが地球に帰ってくるようになった。

彼らは自分たち自身が火星の何者かによって模造された存在だとは知らず、地球人と思い込んでおり、地上に降りる度に歓喜の声を上げ、近くの町へと歩いて行く。

そしてその度に待機しているFBIによって殺される。これが何度も何度も繰り返される。

火星の食肉植物［かせいのしょくにくしょくぶつ］

映画『巨大アメーバの惑星』（一九五九年）に登場する地球外生命体。

火星に自生する体長二メートル弱もある巨大な植物で、蔓《つる》を触手のように動かし、折りたたまれた葉の中に獲物を引き込んで捕食する。

劇中にて火星に降り立った地球人を最初に襲った怪物。超音波小銃で撃退されるが、地球とはまったく違う危険な環境であることをはっきりと示してくれる役割を果たした。

ガニメ ［がにめ］

本多猪四郎監督・有川貞昌特技監督の映画『ゲゾラ・ガニメ・カメーバ 決戦！南海の大怪獣』（一九七〇年）に登場する怪獣。体長二〇メートル、体重一万二〇〇〇トン。

無人宇宙船ヘリオス7号に侵入し、地球に飛来したアメーバ状の宇宙生物が、南太平洋のセルジオ島にてカルイシガニに取り付いたことで怪獣化したもの。

巨大なカニの姿をした怪獣であり、鋼鉄よりも固い外殻を持つ。

劇中では二体が登場。一体目は人間を追いかけ、攻撃していた際に崖から転落し、付近の旧日本軍の弾薬庫の爆破に巻き込まれて死亡する。しかしこれに取り付いていた宇宙生物が別のカルイシガニに取り付いたことで再び誕生。人間を襲うが、宇宙生物は苦手としている蝙蝠《こうもり》の超音波を浴び、ガニメとなったカルイシガニを残したまま死滅。

同様に宇宙生物を失い、本能のまま暴れ出した**カメーバ**と戦い、ともに火山の噴火口に転落して倒れた。

カメーバ ［かめーば］

映画『ゲゾラ・ガニメ・カメーバ 決戦！南海の大怪獣』（一九七〇年）に登場する怪獣。体長二〇メートル、体重二万八〇〇〇トン。

無人宇宙船ヘリオス7号に付着したまま地球に飛来したアメーバ状の宇宙生物が、南太平洋のセルジオ島にてマタマタガメに取り付いたことで怪獣化したもの。

武器は伸びる首を活かした頭突き。宇宙生物が蝙蝠《こうもり》の発する超音波を苦手とすることから、カメーバも同様にそれが弱点となっている。

劇中では宇宙生物に操られ、地球侵略のために人間を襲うが、蝙蝠の発する超音波により宇宙生物が死滅。本能のまままもう一体の怪獣である**ガニメ**と戦い、火山の噴火口に落ちて死亡した。

『オール東宝 怪獣大図鑑』（洋泉社、二〇一四年）によれば、カメーバの甲羅は鋼鉄以上に硬いガニメの外殻よりもさらに硬いという。ゲゾラ、ガニメ、カメーバの三体の中では唯一ゴジラシリーズにも出演を果たしており、『ゴジラ・モスラ・メカゴジラ 東京SOS』（手塚昌明監督・浅田英一特技監督、二〇〇三年）にてゴジラに殺害されたものとされるカメーバの死骸が登場した。ただ映し出されるのは死体のみであり、ゴジラとの共演や生きている姿は拝めなかった。

木々の都の民 ［きぎのみやこのたみ］

レイ・ブラッドベリの小説『趣味の問題』（一九五二年、中村融編、創元SF文庫『地球の静止する日 SF映画原作傑作選』（二〇〇六年）他収録）に登場する地球外生命体。

体長二メートルを超えるクモのような姿をしているが、知的な生物であり、独自の言語や文化を持つ。大変穏やかな性格で、暴力で命を落とした者は一〇万年にわたっていないとされる。

テレパシーを使って相手の心を読んだり、直接相手の心に意思を伝えることができる。地球人が母星に降り立った際には自分たちの姿かたちが恐れられており、攻撃的な態度を取られていることを知りながらも終始親切に対応し、いつか良き友になることを願っていた。

本作は、映画『それは外宇宙からやって来た』（一九五三年）の原作としても知られている作品である。『地球の静止する日 SF映画原作傑作選』によれば、この短編は長らく未発表であり、二〇〇五年になってブラッドベリの友人ドン・オルブライトが編集した『It Came From Outer Space』という豪華本に収録されたという。同作には他にも映画の原案として第一稿から第四稿までが収録されており、第四稿は映画の内容とほとんど同じだったようだ。

ギズモ［ぎずも］

ジョー・ダンテ監督の映画『グレムリン』（一九八四年）及び同監督の続編『グレムリン2 新・種・誕・生』（一九九〇年）に登場する架空の生物。

大きな耳と瞳を持ち、茶色と白の体毛に覆われた体長三〇センチほどの可愛らしい生物。非常に人懐《ひとなつ》っこく、温厚な性格。知能も高く、歌を歌ったり、ある程度の言葉を発して人間とコミュニケーションを取ることができる。またテレビや音楽を好み、時にはテレビに出てきたキャラクターの真似をしたりする。特に第二作目の劇中で見ていた映画『ランボー』はギズモが強敵を打ち破るためのヒントとなった。

もともとは**モグワイ**と呼ばれる生物の一匹だったが、クリスマスに、アメリカのあるチャイナタウンの骨董店《こっとうてん》にて台湾人の老人に飼育されていたところをキングストン・フォールズ（架空の町）に住む発明家、ランダル・ペルツァーによって購入され、ランダルの息子のビリーのもとにやって来る。その際に「ギズモ」と名付けられた。

ギズモ自身はビリーによく懐き、人に危害を加えることもない。一方、ギズモ以外のモグワイは攻撃的かついたずら好きな性格をしていることが多く、ギズモは他のモグワイからよくいじめの標的にされる。またモグワイは夜一二時を過ぎてから食べ物を食べるとグレムリン（**グレムリン（『グレムリン』シリーズ）**参照）に成長するという特性があるが、やはりこれらグレムリンにもいじめられることが多い。

また、グレムリンは非常に凶暴で、人間にも積極的に危害を加えるが、ギズモは勇敢にもビリーらとともに凶暴なグレムリンと戦い、打ち勝った。

その後、ギズモは再びチャイナタウンの骨董店に引き取られることとなった。

それから数年間、ギズモは骨董店で平和に暮らしていたが、この骨董店が取り壊され、逃げ出す途中に捕まり、ニューヨークのハイテクビルに設置された遺伝子研究所に囚《とら》われる。しかし偶然そこで働いていたビリーと再会し、助けられる。だが、偶然や事故が重なり、再びギズモからモグワイが分離、グレムリンに成長してしまう。

ギズモはビリーたちとともにグレムリンの軍団に立ち向かい、見事勝利を収め、ビリーたちとともに家に帰るのだった。

まだCGがない時代、パペットやストップモーションによって撮影されたギズモの動きは大変可愛らしく、今でも人気が高い。二〇二一年には清涼飲料水「マウンテンデュー」のアメリカのCMにて、ビリー役のザック・ギャリガン氏と再び共演した。三〇年以上を経た今でも仲良く暮らしている様子が描かれている。

映画ではその出生について語られていないが、第一作目のノベライズ版では、宇宙のはるか彼方にある星で人工的に作られた生物だと設定されている。

ギドラ［ぎどら］　（モンスター・ヴァース）

マイケル・ドハティ監督の映画『ゴジラ キング・オブ・モンスターズ』（二〇一九年）に登場する宇宙怪獣。太古の昔、宇宙より飛来した外来種であり、ゴジラと何度も戦った宿敵。体重一五八・八メートル、体重一四万一〇五六トン。

黄金の鱗に覆われた体には三つの長い首と二本の尾があり、背面には黄金の翼が広がる。空を自在に飛行し、口からは引力光線を放つ。また天候を操る能力を持ち、黒雲と稲妻を纏《まと》って飛行する。その他、電気を自身のエネルギーに変換したり、失った首を瞬時に再生するなど生物として規格外の能力を持つ。

現代では南極の氷の中で眠っていたが、環境テロリストたちの爆破工作によって覚醒。直後、人間たちを蹂躙《じゅうりん》し、ギドラの覚醒を察知して現れたゴジラと激突した後、飛び去る。

次にメキシコで火山から目覚めたラドンと遭遇し、これを下した後、海上で再びゴジラと対決。水中戦ではゴジラに圧倒されるが、対怪獣用兵器オキシジェン・デストロイヤーの投下によりゴジラが倒れたことで逃走。オキシジェン・デストロイヤーはギドラにはまったく効果をなさなかった。

その後、世界中の怪獣たちを目覚めさせ、地球の各地への攻撃を命じる。この時、マディソン・ラッセルという少女が怪獣と交信できる機械「オルカ」を使用し、ギドラの目的を妨害しようとしたため、彼女を執《しつ》拗《よう》に狙う。

しかし復活したゴジラが現れ、三度交戦。モスラがゴジラの加勢のため出現した際にはラドンを使役し、二対二の戦いにもつれこむ。

ギドラは発電所の電気を大量に吸収して能力を引き上げ、ゴジラを圧倒し、ラドンを下したモスラも引力光線により消滅させる。しかしそのモスラの力を引き継いだゴジラが放つ超高熱の体内放射により体を燃やし尽くされ、残った首も放射能熱線により消滅させられた。

ところが二度目の戦いの際にゴジラに喰いちぎられた首がまだ残っており、後に人間に利用されることになる。

ハリウッドへと進出を果たした**キングギドラ**。ただし劇中ではキングギドラとは呼称されず、単にギドラと呼ばれる。

共演する怪獣たちもキングギドラが初登場となった『三大怪獣 地球最大の決戦』（本多猪四郎監督・円谷英二特技監督、一九六四年）に登場する**ゴジラ（二代目）**、**ラドン**、**モスラ（昭和）**となっている。各怪獣の詳細は**ゴジラ（モンスター・ヴァース）**、**ラドン（モンスター・ヴァース）**、**モスラ（モンスター・ヴァース）**の項目を参照。

劇中ではモンスター・ゼロというコードネームで呼ばれるが、これは二番目に登場した作品である『怪獣大戦争』（本多猪四郎監督・円谷英二特技監督、一九六五年）で呼ばれていた「怪物0」という呼称へのオマージュ。

モンスター・ヴァースにおけるキングはゴジラであるため、劇中では基本的にはキングギドラと呼ばれず、ギドラと呼ばれる。人間や異星人に操られる怪獣として登場することが多いギドラであるが、今回は自分の意思で大暴れしている。またゴジラ以外では対抗できない強敵として描かれるなど、存分に強いギドラが堪能できる。

キングギドラについての詳細は別項として立てたのでそちらを参照。

馭者座人

［ぎょしゃざじん］

ブライアン・W・オールディスの小説『唾《つば》の樹』（一九六五年、中村融編『影が行く ホラーSF傑作選』収録）に登場する地球外生命体。

夜空に見える馭者座の方から隕石《いんせき》型の宇宙船に乗って地球に飛来した。宇宙船はイングランド東部にある地方、イースト・アングリアにあるグレンドン農場の池に着水し、馭者座人はそこを拠点として農場に動植物を異常成長させる成長促進剤を撒いた。

その目的は自らの食料を確保するためで、この薬の影響を受けた動植物の味は地球人の好みからはかけ離れたものとなる。その一方、同様に成長促進剤を浴びた動物は味覚が変化し、その味を受け入れられるようになる。また成長促進剤を摂取した動物が出産すると、生まれてくる子どもの数が数倍に増えるという影響も生じる。

これは馭者座人による食肉の育成と考えられる。まず馭者座人は降り立った星の一部地域に成長促進剤を散布することで獲物となる動物が棲む環境を丸ごと変化させる。そして異常成長や異常出生を促すとともに、馭者座人の好みの味になるようその肉の性質を変化させる。最後に食物として適当な段階に至ったと判断した動物を馭者座人が捕食する、という構図になる。

ちなみに馭者座人は植物を摂取しないため、植物は専《もっぱ》ら獲物となる動物の餌《えさ》として扱われるようだ。

この馭者座人は地球人の肉眼では姿を捉

えることができないという厄介な性質を持ち、獲物とする動物に近付くと即効性の毒を注入する。この毒を受けた動物は体内の組織がドロドロに溶け、皮膚を残して液体状になる。馭者座人はこれを呑み込み、急速に消化することができる。

　作中では徹底して透明の生物であるが、小麦粉をぶつけられた時の形や、足跡などによりある程度の姿が想像できるように描かれている。その描写を統合すると、その姿は身長が三・六メートル以上あり、体全体が胴体であるかのように同じ太さをしている。頭部に当たる部分には頭と思しき器官がなく、種々様々な触手が生えており、胴体の下には水かきのついた足が生えている。

　また小説内では醜悪な鵞鳥《がちょう》などと表現されるため、一見鳥のようなシルエットをしているのかもしれない。

　この『唾の樹』はH・G・ウェルズの小説へのオマージュが散りばめられており、馭者座人の性質も人間に不可視の透明な怪物であるという点はウェルズの『透明人間』（**透明人間**の項目参照）、宇宙から飛来した侵略者という点は『宇宙戦争』（**火星人（『宇宙戦争』）**の項目参照）、動植物の異常成長という点は『神々の糧』（**ヘラクレオフォービアの巨大生物**の項目参照）の要素が取り入れられている。加えて、この『唾の樹』には作中にウェルズ本人も登場する。

　また類似した設定を持つ作品としてH・P・ラヴクラフトの『宇宙からの色』が挙げられる。

巨大アメーバ ［きょだいあめーば］

映画『巨大アメーバの惑星』（一九五九年）に登場する地球外生命体で邦題のタイトルの由来ともなった怪物。体長数十メートルの巨大な不定形生物で、上部に回転する目がひとつあり、下部には無数の触手が生える。

　火星を訪れた人間の調査隊四人を襲い、ひとりを捕らえて体内に取り込み、消化吸収した他、宇宙船を呑み込もうとするなど調査隊最大の敵として立ちはだかった。**コウモリグモ**などを撃退した音波銃も効果がないが、電気に弱く、発電機の電力を使った攻撃で何とか撃退することができた。

　コウモリグモとともに本作を代表するキャラクターだが、コウモリグモが見た目のインパクトが凄《すさ》まじいのに対し、巨大アメーバは今まで無事だった調査隊に犠牲を出すなどその凶悪さで印象を残す。また劇中で調査隊のひとりが巨大アメーバの一部に寄生されるという置き土産も残した。

キラアク星人 ［きらあくせいじん］

本多猪四郎監督・有川貞昌特技監督の『怪獣総進撃』（一九六八年）に登場する異星人。銀色のドレスと頭巾《ずきん》を纏《まと》った人間の女性のような姿をしている。

　本来は鉱物が生命を持った存在であり、人間よりもはるかに小さな岩のような姿をしている。高温下でのみ人間の姿に変化することができ、地球人との会話はこの姿で行う。

月面のカッシーニ噴火口に基地を建設し、怪獣たちが保護されていた小笠原諸島の怪獣ランドから職員と怪獣を拉致《らち》。職員たちを使節や護衛として使い、怪獣たちを操って世界の主要都市を襲撃させた。

しかし、怪獣たちを操るために世界各地にばらまいていた電波送信器を回収され、月面基地のコントロールシステムも地球人に破壊されたことで、怪獣たちの支配を地球人に奪われる。そして富士の裾野にあった基地を地球怪獣たちに包囲されたため、宇宙から**キングギドラ**を呼び寄せる。

キングギドラは宇宙怪獣であり、地球怪獣では歯が立たないと見込んでいたキラアク星人だったが、ゴジラたちの猛攻撃を受け、ついにその命を絶たれる。キラアク星人は自分たちの円盤を炎で包み、ファイヤードラゴンという怪獣に偽装して怪獣コントロールシステムを破壊するが、コントロールを逃れた後も怪獣たちはキラアク星人を敵として認定しており、ゴジラによって地下要塞《ようさい》を破壊されて鉱物の姿に戻ってしまい、無力化した。

ギララ ［ぎらら］

二本松嘉瑞監督の映画『宇宙大怪獣ギララ』（一九六七年）に登場する怪獣。

横に平たく伸びた顔を持ち、目は丸く、赤く光り、昆虫の複眼のような見た目をしている。口には嘴《くちばし》のような器官があり、火球を放つ。頭頂部には二本の触角と前方に向かって曲がった角のような器官がある。

劇中では身長六〇メートル、体重一万五〇〇〇トンとされ、様々なエネルギーを吸収して自身のエネルギーとすることができる。そのため発電所などを積極的に襲った。

またエネルギーの塊になって空中を移動することもでき、その際は姿が赤く輝く巨大な球体に変わる。

もともとは宇宙に出現した謎の発光体が地球の宇宙船アストロボートに対し噴出した未知の胞子が変異した怪獣。そのため最初は直径三〇センチほどの岩石のような球形であったが、地球に持ち帰られた後、周囲のエネルギーを吸収して怪獣化した。

頑強な体を持ち、肉弾戦を武器とする他、口から火球を放つ。また地球の通常兵器ではダメージを与えることは難しい。弱点は熱エネルギーをはじめ宇宙放射能を完全に反射するギララニウムという物質。これで体を包むことで周囲のエネルギーを吸収できなくなり、その巨体を維持できずに縮んでしまい、もとの胞子に戻る。

劇中ではこれを利用し、ギララニウムを仕込んだロケット弾をギララに撃ち込むことでもとの胞子に戻してギララを倒す。その胞子は無人ロケットで宇宙の彼方へと放逐されたため、また宇宙のどこかでギララが生まれているかもしれない。

ギララの胞子を噴出した謎の発光体の正体は劇中で一切語られず、不明。そのためギララの正体もよく分からない。

ゴジラやガメラに続き、松竹が製作した

怪獣映画。松竹初の怪獣映画であるとともに、『日本特撮・幻想映画全集』（朝日ソノラマ、二〇〇五年）によれば日本初の宇宙を舞台にした怪獣映画だという。ただしギララが暴れるのは専《もっぱ》ら地球上である。

二〇〇八年には新作『ギララの逆襲 洞《とう》爺《や》湖《こ》サミット危機一髪』（河崎実監督）が公開されたが、世界観は繋《つな》がっておらず、ギララは初めて出現したことになっている。この作品では身長一二〇メートルまで巨大化しており、ビートたけし演じるタケ魔人なる魔人と戦い、倒される。

ギロン［ぎろん］

湯浅憲明監督の『ガメラ対大悪獣ギロン』（一九六九年）に登場する宇宙怪獣。体長八五メートル、体重一一〇トン。

緑色の外皮の四足歩行の怪獣だが、何よりも特徴的なのは頭部の形状で、巨大な包丁が突き出たような形をしており、実際に刃物として機能する上、峰の部分まで切れ味鋭い刃物となっている。また、頭の側面には十字手裏剣のような形の器官があるが、実際にここから十字手裏剣のような物体を発射し、攻撃することができる。ちなみにこの手裏剣はギロンの脳細胞で構成されるという。

眠たげな目が特徴的だが、身体能力は高く、前述の刃物のような器官のため頭部が大きいにもかかわらず、長距離を跳躍できる。

惑星テラという星で宇宙人フローベラ、バーベラという異星人に用心棒としてコントロールされている。

劇中では惑星テラに現れた宇宙ギャオスと戦い、これをなます切りにした。その後、フローベラとバーベラに連れ去られた地球人の子どもを追ってやってきたガメラと戦闘になる。この際はガメラの頭部に手裏剣を突き刺すなどダメージを与えるが、自身も手裏剣を弾き返されてダメージを負うなど痛み分けとなる。

それから地球人の少年たちがコントロール装置をいじったためにコントロールから逃れ、暴れ出し、フローベラとバーベラの宇宙船を破壊。復活したガメラと戦うも、飛行能力を持つガメラには敵わず、空から逆さまに落とされて頭部が地面に突き刺さり、さらに手裏剣を発射する器官にミサイルが突き刺さる。そしてガメラが火炎放射を放ったことによりミサイルが爆発し、倒れた。

その見た目からファーストコンタクトの衝撃が凄《すさ》まじい怪獣。そして見た目だけでなく、実際にその包丁頭が武器として機能し、ガメラの甲羅から出血させるほどの切れ味を誇るのが良い。

登場作品は『ガメラ対大悪獣ギロン』の映像を流用している『宇宙怪獣ガメラ』（湯浅憲明監督、一九八〇年）を除けば残念ながらこの一作のみだが、『小さき勇者たち～ガメラ～』（田﨑竜太監督、二〇〇六年）では後にガメラへと成長する亀、**トト**が包丁に向かって火を吹くシーンがある。

後年『パシフィック・リム』（二〇一三年）

に同じく頭部が刃物のようになった怪獣**ナイフヘッド**が登場した。

キングギドラ ［きんぐぎどら］

本多猪四郎監督・円谷英二特技監督の映画『三大怪獣 地球最大の決戦』（一九六四年）をはじめとするゴジラシリーズに登場する怪獣。

全身を黄金の鱗に覆われた三つ首の竜であり、巨大な翼と二本の尾、そして二本の脚を持つ。身長は一〇〇メートル、翼長一五〇メートル、体重三万トン。

頭部は東洋の竜を思わせる形をしており、その口からは引力光線と呼ばれる黄色い稲妻状の光線を放つ。この光線は対象に直撃すると爆発し、破壊する。また電子音のような独特の鳴き声を発する。

『三大怪獣 地球最大の決戦』では金星を滅ぼした宇宙超怪獣として登場。地球へは隕石《いんせき》とともに飛来し、隕石の爆発とともに炎がキングギドラの姿に変形することで出現した。

キングギドラの出現にモスラ（幼虫）が立ち向かうが、キングギドラは圧倒的な力でモスラを蹂躙《じゅうりん》する。しかしその奮闘を見た**ゴジラ（二代目）**と**ラドン**がモスラに加勢し、地球の三大怪獣の奮闘により宇宙へと撤退する。

次作『怪獣大戦争』では異星人**X星人**に操られた状態で登場。はじめ、X星人を襲うように見せかけ、X星人がゴジラとラドンを地球から借りる口実として使われる。そしてX星におけるゴジラとラドンとの戦いに敗北。

その後、ゴジラ、ラドンとともにX星人の命令で地球に出現し、暴れるも地球人の活躍によりX星人のコントロールが解かれる。その後は本能のままに地球怪獣であるゴジラやラドンと戦うが、またも敗北し、宇宙に逃亡した。

一九六八年公開の『怪獣総進撃』では**キラアク星人**という異星人に操られる怪獣として登場。キラアク星人の制御下にあった地球怪獣たちのコントロールが地球人に奪われたことでキラアク星人の切り札として登場するが、計一〇体の地球怪獣を相手にするという、これまで以上に不利な戦いを強いられる。

それでも何とか陸と空を自在に移動し、対抗するも、ゴジラに左側の首を、**アンギラス**に右側の首を、**ミニラ**に真ん中の首を倒され、最後は**クモンガ**とモスラの糸を浴びせかけられて息絶えた。

『地球攻撃命令 ゴジラ対ガイガン』（一九七二年）では**M宇宙ハンター星雲人**に呼び寄せられた怪獣として登場。同じくM宇宙ハンター星雲人に呼び寄せられたサイボーグ怪獣**ガイガン**とともにゴジラ、アンギラスのコンビと戦う。しかし司令塔であるM宇宙ハンター星雲人が地球人に倒されたことでガイガンとのコンビネーションを失い、仲間割れをした挙句にゴジラとアンギラスに敗れ、宇宙に敗走した。

『怪獣総進撃』で一度キングギドラが絶命しているため、この個体はキングギドラ

（二代目）と表記される場合もある。

以降、昭和ゴジラシリーズではキングギドラの出番はなかったが、一九九一年公開の『ゴジラvsキングギドラ』（大森一樹監督、川北紘一特技監督）にて復活。

今作では二三世紀の未来人が連れてきたドラットという小動物が変異したものとされる。

このドラットは未来の技術によって生み出された人造生物で、専用の笛で飼い主と心を通じ合わせることができるとされたが、実際はキングギドラを生み出すために開発された生物兵器だった。未来人は、本来ゴジラになるはずのラゴス島に棲息する恐竜、**ゴジラザウルス**をベーリング海に転送させ、代わりにドラットたちをラゴス島に置き去りにすることで、ゴジラが浴びるはずであった一九五四年に行われたビキニ環礁での核実験のエネルギーを浴びさせ、キングギドラに突然変異させる。

このキングギドラは身長一四〇メートル、体重七万トンと昭和時代よりも巨大化しており、口からはやはり引力光線を放つ。また鳴き声がより生物的なものに変わっている。

未来人は超音波によってキングギドラを操り、二三世紀において強大な国家となる日本を過去のうちに破壊しようとするが、そこにより強大な変異を遂げた**ゴジラ（平成VSシリーズ）**が出現。キングギドラと激突する。

キングギドラは善戦するも、未来人のコントロール装置が破壊されたことで弱体化。ゴジラの体内放射で吹き飛ばされ、真ん中の首を放射熱線で切断され、最後の力で逃亡を図るも、放射熱線で翼を破壊され、海に没する。

その後、未来人の一味でありながら、仲間を裏切ったエミーという女性により二三世紀の未来の技術でキングギドラが復活。失った真ん中の首と、破壊された羽を機械で補い、胴体を機械の鎧《よろい》で補強したメカキングギドラとなって再び二〇世紀の日本に現れる。

メカキングギドラは破壊の限りを尽くすゴジラと新宿で激突し、胴体から伸びるマシンハンドでゴジラを捕獲する。そのまま空へと飛び上がるメカキングギドラであったが、空中でゴジラの放射熱線を浴び、ともに海に没した。

その後、モスラを主役にした三部作の最終作『モスラ3 キングギドラ来襲』（米田興弘監督、鈴木健二特技監督、一九九八年）にも登場。体長六〇メートル、翼長八〇メートル、体重五万トンとこれまでに比べて小型化している。その一方、口から吐く引力光線の他に翼から反重力光線を放射したり、バリアを展開する能力を持つ。また他の生物を洗脳する生体ドームを作り出し、獲物である人間の子どもをその中にテレポートさせ、エキスにして餌《えさ》としようとするなど、歴代でも多彩な能力を見せた。

その戦闘力は強大で、通常のモスラよりも強化されたレインボーモスラ（**モスラ（平成）**の項目参照）をも圧倒する。

レインボーモスラはキングギドラを倒す

ために白亜紀にタイムスリップしたが、この際には恐竜を絶滅させたとされる幼態のキングギドラが登場している。

　体長四〇メートル、体重二万五〇〇〇トンで、まだバリアや引力光線を使えないが、口から火炎弾を放つ。白亜紀型キングギドラとも呼ばれるこの幼態はレインボーモスラによって倒されるが、その際に切断された尻尾が再生し、再びキングギドラと化す。

　しかし今度は白亜紀から一億三〇〇〇年の眠りを経て進化したモスラ、鎧モスラに圧倒され、体を粉砕されてついに倒された。

　その後、ゴジラシリーズである『ゴジラ・モスラ・キングギドラ　大怪獣総攻撃』（金子修介監督・神谷誠特技監督、二〇〇一年）では宇宙怪獣や突然変異ではなく、日本の自然の守り神とされる護国三聖獣の一体「天の神・魏怒羅」として富士の樹海に眠っていたという設定で登場した。

　ここでは珍しくゴジラが悪側、ギドラが善側として登場しており、これまでのシリーズでは死闘を繰り広げてきたモスラと共闘し、ゴジラに挑む。しかし不完全な状態で目覚めたため、身長五〇メートルと今までで最も小柄なギドラであり、ゴジラが圧倒的な力を持っていたこともあって敗北。

　しかしモスラが死に際にギドラにエネルギーを託したことで完全体である千年竜王キングギドラに覚醒。口から引力光線を放ち、ゴジラを追い詰めるが、逆に引力光線を吸収したゴジラの放射熱線を浴びて爆発した。

　その後はしばらく実写映画ではキングギドラとしての出番はなかったが、ハリウッドにて作られた『ゴジラ　キング・オブ・モンスターズ』（二〇一九年）にて久々にゴジラの前に立ちはだかった。詳細は**ギドラ（モンスター・ヴァース）**の項目を参照。

　ゴジラ最大の宿敵として知られる怪獣であり、同じく共演が多いモスラやラドンと違い、キングギドラは一度もゴジラと共闘したことがなく、毎回殺し合いを展開している。

　昭和シリーズではゴジラと一対一で戦う作品はなく、基本的に地球怪獣が複数で立ち向かう相手として描写されている。一方、異星人に操られての出番が多く、初登場の『三大怪獣　地球最大の決戦』（一九六四年）以外ではなんらかの制御下に置かれての戦いを強いられている。平成では『ゴジラvsキングギドラ』でゴジラと一対一の戦いが実現し、その後も要所要所でゴジラの前に立ち塞《ふさ》がる強敵としてのポジションを確立している。

　黒一色のゴジラと金一色のギドラの対比はビジュアル的にも大変美しく、まさにゴジラ最大の敵といった様相である。これからもキングギドラはゴジラ最大の宿敵として活躍していくことだろう。

金星ガニ ［きんせいがに］

　ロジャー・コーマン監督の映画『金星人地球を征服』（一九五六年）に登場する異星人。

金星からやって来た知的生命体で、三角錐の体に顔をつけ、腕を生やしたような姿をしている。また腕の先はハサミのようになっている。

　地球人の科学者のトム・アンダーソンが開発した無線装置にて地球と交信し、呼び寄せられたことで地球を訪れる。しかしその目的は地球征服であり、蝙蝠《こうもり》型の洗脳装置を使って次々と地球人を洗脳。自身は洞窟に隠れながら侵略を開始する。

　銃撃やバズーカも効かないほど硬い甲殻を持つが、眼球は装甲が薄いため、弱点となっている。最後はこの眼球を火炎放射器で焼かれ、死亡した。

　モノクロ映画であるため体色は不明だが、赤色で表現されることが多い。映画秘宝編集部・STUDIO28編『あなたの知らない怪獣㊙大百科』（洋泉社、二〇〇三年）等によれば、「金星ガニ」の名前は、多くの怪獣図鑑などを手掛け、六〇年代から七〇年代の怪獣文化に多大な影響を与えた大伴昌司によって名付けられたものだという。

　本作のリメイク版として『金星怪人ゾンターの襲撃』（ラリー・ブキャナン監督、一九六六年）が存在するが、ここに登場する金星人ゾンターは金星ガニとはまったく別のデザインになっている。

金星の怪獣 ［きんせいのかいじゅう］

　ヘンリー・カットナーの小説『花と怪獣』（一九四〇年、マイケル・パリー編、宇佐川晶子訳『キング・コングのライヴァルたち』収録）に登場する怪獣。

　もともとは金星に住む知的生命体で、巨大な爬虫類《はちゅうるい》のような姿をしている。金星で大流行した疫病から逃れるため、体の基本的なエネルギーパターンを維持しつつ、細胞を圧縮し、原子を静止状態にして、鶏卵ほどの大きさの楕円形の宝石の形になり、自分たちを救ってくれる存在を待っていた。

　そんな中、偶然地球人が金星を訪れ、この宝石を見つけて一つを地球に運んだ。しかしその途中、宇宙船が事故に遭い、ニューイングランドの農園に落ちてしまう。

　この農園でジェイリッド・カースという人物が宇宙船を見つけ、中にあった宝石を取り出し、宇宙船にあったノートの「宝石に熱と太陽光線を与えれば孵化《ふか》する」という文章に従って無蓋孵卵器に設置したため、金星の怪獣は復活を遂げることができた。

　飲食物をもらって体力を回復した後、金星と違って太陽光が直に照り付ける環境の下にいたことで異常成長を起こす。その大きさは歩く山に例えられるまでになったが、かつて金星で文明を築いていた種族であった怪獣はその知能を失っておらず、自分を宝石の状態から復活させ、世話をしてくれた地球人に感謝しており、たとえ爆撃機による攻撃を受けても決して人間に故意に危害を加えることはなかった。

　怪獣はかつて金星にもたらされた危機が地球にも近付いていることを察知し、それを伝えるために地球人の中枢機関があるワシントンを目指すが、その途中で地球人の攻撃により命を落とす。

この地球に訪れようとしている危機については、**レインボウ**の項目を参照。

金星の怪生物 ［きんせいのかいせいぶつ］

パーヴェル・クルシャンツェフ監督の映画『火を噴く惑星』（一九六二年）に登場する地球外生命体で金星に棲息する奇妙な生物たち。

花の大きさが二メートル近くあり、蔓《つる》を触手のように動かして生命体を捕食しようとする植物をはじめ、地球の古代生物のような姿をした生物たちが登場する。

沼地に群れで出現したのは、二足歩行でカンガルーのようにジャンプしながら移動する肉食恐竜のような生物で、体長一メートル半ほどの大きさしかなく、ピストルの弾丸で簡単に倒せてしまう。

プテラノドンもしくはランフォリンクスのような翼竜に似た生物もおり、金星の探索に訪れたソ連の宇宙飛行士たちが乗るホバーカーを襲撃した。

またブロントサウルスなどの竜脚類に酷《こく》似《じ》した生物は、おとなしい性格なのか、人間が近くに来ても襲わなかった。

この生物たちは地球と同じような進化の過程を辿《たど》った結果生まれたのか、それとも偶然地球の太古の生物に類似したのか、不明である。

金星竜イーマ ［きんせいりゅういーま］

ネイサン・ジュラン監督の映画『地球へ2千万マイル』（一九五七年）に登場する怪物。

アメリカから打ち上げられた金星探査ロケットの乗員が金星で発見した卵を持ち帰ってくる。ロケットはイタリアのシチリア島に墜落してしまったが、卵は島の少年に発見され、保護される。それから、獣医に売られた後、移送中に車の中で孵《ふ》化《か》する。

ゼリー状の卵から誕生し、生まれたときから成獣と変わらない姿をしているが、サイズは小さい。しかし地球の大気によって代謝を狂わされており、呼吸する度に組織が増殖し、巨大化する。食料を食べずとも数時間で数十倍の大きさに成長する。

食物が不必要というわけではないらしく、硫黄を主食とすることが描写されている。

その姿は全身を緑色の鱗に覆われた二足歩行の爬虫類《はちゅうるい》のようで、ブルドックのように垂れ下がった頬《ほお》を持ち、発達した筋肉に全身を覆われる。頭頂部から背中にかけて短い棘《とげ》が一列に生え、後脚は逆関節になっている。手の指は三本、足の指は四本あり、それぞれに鋭い爪を生やす。

本来の生息環境とは違う地球に生まれたイーマは人間を含め他の生物のことを恐れ、逃亡しようとするが、感電ネットにより捕獲され、ローマの動物園に送られる。そこで身体に電気を流され、動けなくさせられて、調査が開始しようという時、事故により停電が起こる。イーマは暴れて拘束を破壊し、動物園の象と戦い、これを倒す。

その後、コロッセウムに向かうが、そこで手榴弾《しゅりゅうだん》や戦車の砲撃により弱り、最後は立っていた壁を破壊され、墜落死した。

この作品におけるイーマは勝手に故郷の星から遠く離れた地球に連れてこられ、人間の都合に振り回された挙句攻撃を受け、命を絶たれるという徹底的な被害者として描かれている。

イーマの動きはストップモーション・アニメーションで描かれている。担当したのはレイ・ハリーハウゼンで、人とは違うフォルムをした二足歩行の怪物の動く姿がリアルに描写されている。

「イーマ」の名前の由来は北欧神話に登場する巨人「ユミル」に由来する。

グジラ［ぐじら］

アーロン・オズボーン監督の映画『グジラ 大怪獣襲来』（一九九八年）に登場する怪獣。体長七五メートルで二足歩行の半魚人のような姿をしており、水陸両生。体長七五メートル。

悪の宇宙神ロード・ドゥームなる者が地球征服のために遣わした怪獣で、文明だけを破壊するとされる。

はじめ海に送り込まれた後、地上に進出して町と人々を蹂躙《じゅうりん》した。

素手でビルを破壊する怪力の他、口から透明な光線を発射する。通常兵器では倒すことができないが、ドゥームを追う惑星警察が地球人と協力して作り出した兵器と、惑星警察の惑星型の基地から発射されるビームが直撃したことでついに倒された。

アメリカの怪獣映画としては珍しく、着ぐるみの怪獣とミニチュアによる特撮を堪能できる作品。アーロン・オズボーン監督の前作『巨大怪獣ザルコー』（一九九七年、**ザルコー**の項目参照）と同じく日本の怪獣映画愛に溢れた作品だが、前作よりも怪獣の登場場面が増え、真昼間から町を破壊する場面を見せてくれる。

「グジラ」という名前は日本で付けられた名前であり、原題は『KRAA! THE SEA MONSTER』である。そのため、怪獣も原語では「クラー」という名前で呼ばれている。

クリーチャー［くりーちゃー］（『クリーチャー』）

ウィリアム・マローン監督の映画『クリーチャー』（一九八五年）に登場する怪物。

アメリカのNTI社が土星の衛星タイタンを調査した際に発見した、二〇万年以上前の遺跡に眠っていた地球外生命体。

タイタンの遺跡は、何ものかが全宇宙の生命体をコレクションする目的で建てた博物館のような施設で、クリーチャーはその中に生体標本のひとつとして収集されていた。施設に誰もいなくなってからも、仮死状態で生き続け、獲物を待っていた。肉食で人間を襲い、首から噛み付いてその肉を捕食する。

その姿は長く伸びた首にトカゲのような細長い頭部が生え、真っ赤に光る眼が付いている。肩から角のようなものが生え、腕には鋭い爪があり、二足歩行で移動する。また長い尾も持つ。宇宙船内にガスを蔓延させるなど知能も高い。

人間に寄生体を植え付け、操り、殺し合いをさせることができる。この状態の人間は死んだとしても動くことができ、致命傷を負っても動きを止めない。止めるためには寄生体のいる頭部を破壊するか、寄生体を剝《は》がして殺す必要がある。

銃撃をものともしない強靭《きょうじん》な体を持っている。終盤、『遊星よりの物体X』（クリスティアン・ナイビイ監督、一九五一年、**物体X**の項目参照）にヒントを得た宇宙船の乗組員によって通路に罠《わな》を仕掛けられ、高圧電流を浴びせられ、気絶する。それでも復活したが、最後は爆弾で爆破され、その体を粉砕された。

極度のSF・ホラーマニアとして知られるウィリアム・マローン監督によって脚本、監督がなされたこの映画は、内容としては『エイリアン』（一九七九年）と『遊星よりの物体X』（一九五一年）、『遊星からの物体X』（ジョン・カーペンター監督、一九八二年。もしくは原作となった小説『影が行く』（ジョン・W・キャンベル、一九三八年））を混ぜ、ロバート・A・ハインラインの小説『人形使い』（一九五一年）を一部注入したようなものとなっている。そのためか『エイリアン』の亜流作品として扱われることが多い。

ただ闇に紛れて襲ってくる怪物の姿や、寄生生物によって敵と味方が分からなくなる展開など、怪物映画として楽しめる要素は多い。また、『吸血鬼ノスフェラトゥ』（ヴェルナー・ヘルツォーク監督、一九七九年）でノスフェラトゥを演じたクラウス・キンスキーが出演していることでも知られている。

グレムリン［ぐれむりん］（『グレムリン』シリーズ）

映画『グレムリン』（一九八四年）及び続編『グレムリン2 新・種・誕・生』（一九九〇年）に登場する怪物。遠い星で人工的に作られた毛むくじゃらの小さな生物**モグワイ**が夜一二時以降に食べ物を食べると、繭《まゆ》の状態になりグレムリンに成長する。

モグワイの頃と同じく光を弱点とし、特に日光に弱く、浴びると溶解して死亡する。また水に触れることで増えるという特徴も引き継いでいるが、この場合、増殖するのはモグワイではなく最初からグレムリンである。ちなみにモグワイの頃には赤色だった体液が緑色に変わっている。

体長は七〇センチほどで、体毛はなくなり、体表は爬虫類《はちゅうるい》のような皮膚に覆われる。一部の個体は頭部に体毛を残すものもいる。体色も様々で、個体によって体つきも幾ばくかの違いがある。

モグワイに比べ言語能力は低下しているが、簡単な単語を発することはできる。ただし仲間同士では独自の鳴き声でコミュニケーションを取っている様子が見られるため、そもそも人間の言語を必要としていないとも考えられる。

また常にテンションが高く、バカ騒ぎをしながら人間に危害を加える様子が見られる。

いたずら好きな点はモグワイの頃から引き継いでいるが、より凶悪になっており、銃を乱射するなど殺人を厭《いと》わない。

一方、映画を見たり、酒場でバカ騒ぎをしながら酒を飲み、煙草を吸うなど、人間の文化を模倣して楽しんでいる様子も見られる。またトランプをしたり、ゲームをしたりと案外知能も高い。ちなみに酒を飲んだり、酒を被ったりしても増殖する様子はないため、グレムリンが増殖するのはアルコールなどの他の物質があまり混ざっていない水が体に触れた場合のみなのかもしれない。

また各作品には名前付きのグレムリンが登場している。『グレムリン』でボスになるのは「ストライプ」と呼ばれるグレムリンで、頭にとさかのように逆立った白い毛が生えている。ストライプはプールに入り、グレムリンを増殖させることでクリスマスのキングストン・フォールズ（架空の町）で暴れ回った。しかし仲間たちは映画館に集まっていたところをガス爆発で倒され、偶然逃げ延びていたストライプは噴水の水で再び増殖を試みるも、日光を浴びて溶解した。

『グレムリン2 新・種・誕・生』にはさらに個性的なグレムリンたちが登場する。**ギズモ**から増殖した最初の四体はそれぞれ頭にトサカのある「モホーク」、眼球の焦点が合わず、常に笑い声を上げている「ダフィー」、年寄りのような顔をした「ジョージ」、出っ歯で愚鈍な「レニー」と呼ばれ、モグワイの頃の特徴を残したままグレムリンに変化する。さらにダフィー、ジョージ、レニーがスプリンクラーの水を浴びたことでグレムリンが爆発的に増殖する。

このグレムリンたちはニューヨークのハイテクビル、クランプトレードセンターに設置された遺伝子研究所の薬品を飲み出したために、それぞれの薬品の特徴を備えた新種に変化する。

野菜の素を飲んだグレムリンは体中からトマトをはじめとした野菜を生やした「ベジタブルグレムリン」に、脳ホルモンを飲んだグレムリンは非常に高度な知能を獲得し、流暢《りゅうちょう》に言葉を話す「ブレイングレムリン」になる。このブレインはどこから持ってきたのか眼鏡をかけ、歌を歌ったり、人間と対談したりと劇中で様々な活躍を見せる。またブレインはコウモリホルモンを取り込んで進化した「バットグレムリン」に日焼け止め遺伝子を注入し、太陽光の下で活動できる能力を与えた。このバットは白昼のニューヨークに出現するが、コンクリートまみれにされ、日光の下で固められてしまった。

電気の素を呑み込んだグレムリンは「エレクトリックグレムリン」と呼ばれる電気に近い体質に変化し、空中を飛び、電線や電話回線を移動する能力を得たが、電話回線の中に閉じ込められた。そしてこの存在が終盤のグレムリン打倒の切り札となる。

性ホルモンの薬を飲んだグレムリンは女性化した「グレタ」に変化した。これは緑色の長髪で、顔に化粧をした姿をしており、人間の男に一目惚《ひとめぼ》れをして執拗《しつよう》に接吻《せっぷん》を迫る。ちなみに本作で唯一生き残るグレムリンである。またグレムリンは単体で生殖可能なため、そもそも性別があるのかも不明だが、一応一作目にも女性の姿をしたグレムリンは登場している。

さらにモホークはクモホルモンを飲み、下半身がクモのような異形の姿に変化した。クモの糸を出す能力を得て巣を作り、獲物を待っていた。しかしギズモが放った炎の矢によって燃やし尽くされ、倒れた。

このように様々な種類が登場するグレムリンだが、他にも一作目、二作目の両方に登場する露出狂の格好をした「フラッシャーグレムリン」など、商品化の際などに名前が付けられているグレムリンが多数いる。

ゲゾラ ［げぞら］

映画『ゲゾラ・ガニメ・カメーバ　決戦！南海の大怪獣』（一九七〇年）に登場する怪獣。体長三〇メートル、体重二万五〇〇〇トン。

無人宇宙船ヘリオス7号に付着したまま地球に飛来したアメーバ状の宇宙生物が、南太平洋のセルジオ島にてカミナリイカに取り付いたことで怪獣化したもの。

巨大なイカの姿をしているが、地上でも活動できる。体温が〇度しかないとされ、これに触れた者は凍傷を負う。肉食で、人間を捕食する。

高熱や炎に弱く、劇中ではガソリンに火を点けられたことにより炎を浴び、死亡した。

劇中に三体登場する怪獣のうち、はじめに登場する怪獣であり、他の二体と共演しないまま倒される。ゲゾラに取り付いていた宇宙生物は今度はカルイシガニに取り付き、**ガニメ**を誕生させる。

原子人間 ［げんしにんげん］

ヴァル・ゲスト監督の『原子人間』（一九五五年）に登場する怪人。ヴィクター・カルーンという宇宙飛行士が、宇宙飛行中、不可視のエネルギー体で構成される宇宙生物に襲撃され、体を乗っ取られたもの。生物を破壊し、取り込む能力を持ち、襲われた生物は体の中身を抜き取られる。

この能力を使い、劇中では植物や動物を吸収しながら体長六メートル以上ある巨大なタコのような怪物と化した。

胞子によって増殖する性質を持ち、放置すれば世界中に胞子をばらまいて地球の生物を死滅させるところであったが、寸前に高圧電流により倒される。

もともとは一九五三年にイギリスのBBCで放映されたドラマ『The Quatermass Experiment（クォーターマスの実験）』のエピソードをイギリスの映画製作会社ハマー・フィルム・プロダクションが映画化したもの。『原子人間』は邦題であり、原題はドラマとほぼ同じ『The Quatermass Xperiment』。ちなみにドラマも二〇〇五年にリメイクされている。

宇宙に向かった人間が怪物となって帰っ

て来るという展開の映画は『宇宙の怪人』（ロバート・デイ監督。一九五九年。**宇宙の怪人**の項目参照）や『溶解人間』（ウィリアム・サッチス監督。一九七七年、**溶解人間**の項目参照）などがあり、日本でも一九六六年に放映した特撮テレビドラマ『ウルトラマン』に登場するジャミラが有名だが、原子人間はこれらの先駆をなす。

また生物を取り込みながら一定の形を持たず巨大化していく様は不定形モンスターのようにも見えるが、その場合、同じくハマー・フィルムが製作した『怪獣ウラン』（レスリー・ノーマン、一九五六年。**ウラン**の項目参照）よりも早く、恐らく史上初めて映画で描写された不定形モンスターとなる。

また『原子人間』には三つの続編があり、主人公の名前を取ってクォーターマスシリーズと呼ばれる。第二作『宇宙からの侵略生物』（ヴァル・ゲスト監督、一九五七年）では不定形の宇宙生物が登場し、人間に取り付いて操るという『原子人間』に似た展開を見せる。しかしクライマックスで登場するこの侵略生物は体長数十メートルの泥の塊のような姿をしており、建造物を押し潰《つぶ》しながら移動するその姿はなかなかの迫力がある。こちらもＢＢＣで放映された『The Quatermass Experiment』の中の一エピソードを題材としている。その他、火星人の侵略を描いた『火星人地球大襲撃』（ロイ・ウォード・ベイカー監督、一九六七年）が続編として作られている。

またシリーズの完結編として『The Quatermass Conclusion』（クォーターマス完結編）（ピアーズ・ハガード監督、一九七九年）があるが、こちらは日本では未公開・未ソフト化となっている。

コウハン ［こうはん］

映画『スター・ウォーズ』シリーズに登場するクリーチャー。登場するのは第五作目、『スター・ウォーズ エピソード2／クローンの攻撃』（二〇〇二年）。

インドウモードという惑星原産の節足動物。巨大なヤスデのような姿をしており、体長は三〇センチほど。体の前後に毒針があり、刺されると数秒で死に至る。暗殺のために使われることが多く、劇中でも暗殺者ザム・ウィセルがこの毒虫を利用した。

コウモリグモ ［こうもりぐも］

映画『巨大アメーバの惑星』（一九五九年）に登場する地球外生命体。体長一〇メートル近くある巨大な生物で、クモのような六本の肢に蝙蝠《こうもり》のような頭部、ネズミのような手を持つ。

火星に棲息しており、地球人の調査隊に木と勘違いして肢の棘《とげ》を切り取られたことで怒り、襲いかかった。四人の調査隊を追い詰めるが、目に超音波銃を受け、ダメージを負って退散した。

英語では「BAT RAT SPIDER」と呼ばれ、その名の通り蝙蝠、ネズミ、クモを組み合わせたような奇妙な姿をしている。出番は短いがそのインパクトは絶大で、一目見れば印象に残ることは間違いない。

ゴケミドロ［ごけみどろ］

佐藤肇監督の映画『吸血鬼ゴケミドロ』（一九六八年）に登場する地球外生命体。光る円盤に乗って地球に現れた銀色の不定形の生物。寄生された人間は額に縦一文字の傷ができる。これはゴケミドロが体内に侵入した形跡である。

ゴケミドロに寄生された人間は、他の者の首筋に噛み付き、血を吸い取る。

地球外生命体が寄生した人間であるため、吸血鬼とはいうが真昼間でも活動できる。

宿主が力尽きるとゴケミドロはその体を離れるが、残った体は砂のように崩れてしまう。

以前から地球侵略を狙っており、無数の空飛ぶ円盤が地球に飛来した。ゴケミドロの円盤が現れると空が赤く染まる現象が発生する。また侵略の際には地球人を皆殺しにすると宣言しているなど、知的生物ではあるが、かなり攻撃的である。

コロ・クロー・フィッシュ［ころ・くろー・ふぃっしゅ］

映画『スター・ウォーズ』シリーズに登場するクリーチャー。初登場は第四作目、『スター・ウォーズ エピソード1／ファントム・メナス』（一九九九年）。

多くの自然に囲まれた惑星ナブーの深海に棲息している巨大な海棲生物で、その体長は四〇メートルを超える。

ワニの頭を持つウツボのような姿をしており、発光する尾を持つ。胸に二本のハサミがあり、これを使って獲物を捕食する。

『スター・ウォーズ』シリーズに登場する怪物の中でも特に巨大な方ではあるが、劇中ではさらに巨大な**サンド・アクア・モンスター**によって捕食されてしまう。

さ

ザルコー［ざるこー］

映画『巨大怪獣ザルコー』（一九九七年）に登場する怪獣。五〇メートルを超える体長を持つ。

カリフォルニア州郊外にあるオーロラ山の側面を崩し、出現した二足歩行のドラゴンのような怪獣。後頭部に二本の角が生え、背中には三角形の背ビレが複数ある。眼から青いビームを放ち、その巨体で町を蹂躙《じゅうりん》する。

核兵器を含め、地球上の兵器は一切通じない強靭《きょうじん》な体を持つ。その正体は地球人を試すために宇宙から送られてきた存在で、この銀河連邦に選ばれた最も平均的な地球人、トムがザルコーに挑む羽目になる。

トムは何とかザルコーを倒すためにザルコーの放つビームを使うことを思いつき、アリゾナで発見された円盤状の物体を使い、そのビームを跳ね返す。

ビームを浴びたザルコーは消滅し、光球になって宇宙へ帰って行った。

アメリカ映画には珍しく、着ぐるみの怪獣とミニチュアによる特撮が楽しめる作品。通常の兵器では倒せず、自身のビームを跳ね返されて倒されるというのも怪獣らしい。ただ銀河連邦の無茶ぶりに付き合わされている怪獣という印象も残るが。

倒し方はオーストラリアで制作されたウルトラシリーズの作品『ウルトラマンG』の最終話で海からやって来た怪獣、コダラーを倒した方法とほぼ同じ。これの影響があるのだろうか。

サルラック［さるらっく］

映画『スター・ウォーズ』シリーズに登場するクリーチャー。初登場は旧三部作の第三作目、ジョージ・ルーカス監督の『スター・ウォーズ　エピソード6／ジェダイの帰還』（一九八三年）。「サーラック」と表記される場合もある。

砂の惑星タトゥイーンの砂漠の地下に潜《ひそ》むクリーチャーで、地表にアリ地獄のような穴を空け、そこに無数の牙が生えた口を露出させている。

これに近付いた動物は口から伸びる触手や嘴《くちばし》に捕らえられ、喰われる。サルラックは体内に入った獲物をゆっくりと消化し、時には一〇〇〇年もかかるという。

体の大部分は地下に埋まっているが、その体長は一〇〇メートルもあるとされる。

劇中では銀河の暗黒街の長であるジャバ・ザ・ハットが気に入らない者を処刑するためにサルラックの穴を利用し、そこに対象者を突き落とそうとする様子が見られた。

サルラックに食われた者は通常脱出できないが、スピンオフドラマ『ボバ・フェット』にて、腕利きの賞金稼ぎとして知られるボバ・フェットが自力で脱出を果たしている様子が描写された。この際、サルラックの体内が映ったが、粘液にまみれたひだのある肉の壁に囲まれているような様子であった。

サンド・アクア・モンスター［さんど・あくあ・もんすたー］

映画『スター・ウォーズ』シリーズに登場するクリーチャー。初登場は第四作目、『スター・ウォーズ　エピソード1／ファントム・メナス』（一九九九年）。サンショウウオのような姿をしている。

多くの自然に囲まれた惑星ナブーの深海に棲息している巨大な海棲生物で、その体長は二〇〇メートルに及ぶこともある。ナブー最大の海洋捕食動物とされ、劇中では**オビー・シー・キラー**や**コロ・クロー・フィッシュ**など、体長数十メートルの海洋生物を襲い、捕食していた。

ジーナス ［じーなす］

　アイヴァン・ライトマン監督の映画『エボリューション』（二〇〇一年）に登場する地球外生命体。名前は「Genus」すなわち「（生物の）属」を意味する言葉で、映画の続編として作成されたアニメーションシリーズ『Alienators: Evolution continues』（二〇〇一～二〇〇二年）にてこのエイリアンたちを指す名称として使われる。

　アリゾナ砂漠に落ちてきた隕石《いんせき》とともに地球に来訪した単細胞生物。その特徴は尋常ではない進化の速さで、数時間で多細胞生物に進化する。さらに短期間で真菌、植物から節足動物、両生類、爬虫類《はちゅうるい》、哺乳類のような形態まで様々な姿に変異していく。またその体はケイ素によって構成される。

　劇中で姿を見せたのは、初期段階では隕石から流れ出した青い液体に潜《ひそ》んでいたアメーバ状の単細胞生物、それが進化した多細胞生物、隕石が落下した洞窟でジーナスたちが生きられる環境を作り出していた真菌のような生物、水中での棲息に適応した魚類や小型の爬虫類型生物、先史時代のジャングルのような様相をした植物型生物、昆虫のような姿の節足動物型の生物などであった。

　これらの生物は短期間でさらに進化し、隕石の落下地点に近い町で地球の大気内で活動できる体の構造を持ったものも現れる。劇中では小型のドラゴンのような姿をした生物が出現。先述した植物型生物が作り出す、ジーナスたちに適した大気の中から飛び出した後、地球の大気中で呼吸ができずに死亡するが、死の直前に子どもを産み、この子どもが大気圏での呼吸に適応した。

　この新生したドラゴン型のジーナスは飛行能力を持ち、ショッピングモールを襲撃して人間と交戦した。さらに霊長類のような姿にまで進化したものも出現。こちらは二体出現し、ジーナスたちへの対応について協議する人間たちを襲撃した。

　この異常進化する地球外生命体に対処するため、ナパーム弾の投下が決定されるが、高温や火によって急激に成長・進化する性質を持つジーナスはナパーム弾の爆発により体長数百メートルの巨大アメーバと化す。

　しかしケイ素生物であるジーナスはセレンが弱点であることが判明。硫化ケイ素を主成分とするフケ取りシャンプーがかき集められ、肛門に当たる器官から大量に注入されたことで爆発四散した。

　しかしこれでジーナスが全滅したわけではなく、残ったものたちは続編の『Alienators: Evolution continues』にてさらなる人類の脅威となった。こちらでは人類を凌駕《りょうが》する知能を持つジーナスも出現するなど、さらに進化が進んでいる。

ジグラ［じぐら］

湯浅憲明監督の映画『ガメラ対深海怪獣ジグラ』（一九七一年）に登場する宇宙怪獣。身長八〇メートル、体重七五トン。

鳥とサメを組み合わせたような姿をしており、体表は銀一色である。陸上と水中で行動でき、頭部にある単眼から放つ細胞活動停止光線を最大の武器とする。この光線に晒《さら》された動物は細胞の代謝機能が止まってしまう。

太陽系から四八〇光年の彼方にある天体ナンバー一〇五系宇宙の第四惑星ジグラ出身で、陸上生物を支配する海中高等生物だった。しかし高度に発達した文明が海を汚染したため、新たな生活環境を求め、円盤に乗って地球に襲来する。

その途中、月面基地を破壊し、そこで基地の女性職員を洗脳し、彼女を介して人間に言葉を発した。その際、地球の海と海を汚染する地球人を見て「この美しい海をお前たちのような醜い生物が支配するのはおかしい」などと語っている。

ガメラとの戦いではまずガメラに円盤を破壊されたことで中から出現。母星との水圧の違いから海中で巨大化し、ガメラをスピードで圧倒した。さらに地上での戦闘では細胞活動停止光線により戦闘不能に追い込み、一度は勝利する。

しかし落雷により復活したガメラに今度は空中に持ち上げられ、頭部の単眼を破損された上、頭を岩に突き刺されて動きを封じられる。そしてガメラの火炎放射を浴び、とどめを刺された。

ガメラの対戦相手としては**バイラス**に続く知的生命体だが、ガメラと戦う際はやはり肉弾戦を挑む。水中と陸上でフォルムを使い分けるジグラのデザインはミツクリザメがモデルになっているらしい。

この『ガメラ対深海怪獣ジグラ』公開の五ヶ月後、ガメラ映画を作っていた大映が倒産したため、実質昭和ガメラの最後の対戦相手となった。

ジャイアント・スパイダー［じゃいあんと・すぱいだー］

ビル・レバーン監督の映画『ジャイアント・スパイダー大襲来』（一九七五年）に登場する地球外生命体。

ウィスコンシン州の田舎町ホートンに落下した隕石《いんせき》の正体が実はマイクロブラックホールであり、そのブラックホールを通して地球に出現した巨大グモ。

泥団子のような球形の鉱石に入った状態で地球に現れ、これが割れてタランチュラ程の大きさのクモが現れる。これが成長すると数十センチの大きさになり、巣を張って獲物を捕まえたり、人々を襲う。

さらに体長一五メートル以上の大きさの女王バチのような役割を担うクモもおり、これは他のクモを巨大化させる能力を持っていた。

劇中では女王グモが人を丸呑みにするわ、町中に進撃するわと暴れ回る。しかしブラックホールを閉じるために使用された中性子爆弾に巻き込まれ、溶解した。

登場するクモたちは小さいものは本物のタランチュラを使って撮影されているが、成長後のものは実物大のハリボテが使われている。

そのためもふもふとしていてどこか可愛らしいが、一五メートルのクモが草原を疾走したり、町中に出現する様子は結構迫力がある。

シュライクソーン［しゅらいくそーん］

スティーヴン・S・デナイト監督の映画『パシフィック・リム：アップライジング』（二〇一八年）に登場する怪獣。

背中と尾の先に無数の針が生えたヤマアラシのような姿をしている。尾は二股に分かれており、プラズマ・エネルギーを充塡《じゅうてん》することで敵に向かって針を飛ばして遠距離攻撃することができる。

侵略者**プリカーサー**により海底に開かれた次元から、**ドローン・イェーガー**によって送り込まれる。日本の富士山を目指し、メガ東京（この映画における架空都市。富士山の近くにある）に進撃。そこで仲間の怪獣である**ライジン**、ハクジャとともに対怪獣用巨大ロボットである四体のイェーガーと戦った。

しかしその戦いの途中に小型怪獣**リッパー**によりライジン、**ハクジャ**と合体し、**メガ・カイジュウ**に変貌した。

スティーヴン・S・デナイト、ダニエル・ウォーレス著、村上清幸訳『パシフィック・リム：アップライジング アート&メイキング』（ホビー・ジャパン、二〇一八年）によれば、シュライクソーンの体に生える針は「アーマード・クイル（装甲針毛）」という名前が付けられているらしい。

スカナー［すかなー］

映画『パシフィック・リム』（二〇一三年）に登場する怪獣。体長一三四メートル、体重三二三〇トン。

顔の左右に巨大な角を持つ怪獣。**ライジュウ**、**スラターン**とともに出現し、怪獣が送り込まれる次元の亀裂を塞《ふさ》ぐために出動した巨大ロボット、ジプシー・デンジャーとストライカー・エウレカを海底で迎え撃った。

スカナーは主にジプシーと戦闘。突進により右腕を破壊するも、チェーンソードを頭に突き刺され、海底火山の火口に突っ込まれてダメージを受ける。その後、一度は撤退するも、ストライカーと戦うスラターンの呼び声に応えて駆けつける。しかし、ストライカーの自爆に巻き込まれ、倒された。

『パシフィック・リム』シリーズに登場する怪獣に共通する設定については**プリカーサー**の項目を参照。

スタッフ［すたっふ］

ラリー・コーエン監督の映画『ザ・スタ

ッフ ゾンビのデザート』（一九八五年）に登場する地球外生命体。

真っ白なクリームのような姿をした不定形生物で、世界中の地下から湧き出した。食べると甘く、美味であったことからデザートとして売られることになり「スタッフ」と名付けられて商品化される。スタッフはたちまち大人気となるが、一度でも食べた人間は中毒症状のようになり、何度もスタッフを求めるようになる。

その正体は地球侵略を目論《もくろ》む知的生物で、食事を介して人間の体内に入り込むことでその人間を支配していた。スタッフに入り込まれた人間は体がもろくなり、少しの衝撃で崩壊するが、傷口からは血肉ではなくスタッフが飛び散る。またスタッフの意思で宿主の体を崩壊させ、外に出てくることも可能。

弱点は高熱で、火や電気によって燃え上がらせることができる。

劇中では少なくとも数千人の犠牲者を出したことが語られており、なかなかの被害規模を誇る。

不定形モンスターに多い、人間を食らいまくる描写とは逆に、人間に食べられることで被害を増やしていくという逆転の発想が面白い。なお、副題として「ゾンビのデザート」と付いてはいるものの、スタッフを取り込んだ人間は他人を襲ってスタッフを食べさせようとする一方で、記憶や性格はもとの人間のものをそのまま保持しており、一見普通の人間のように振る舞うため、いわゆる人間を襲って肉を食らうゾンビのイメージからは遠い。

同じく地球外からやって来た侵略者であり、人間の体内に潜り込んで操る不定形モンスターの先輩に**ゴケミドロ**がいる。

スペースゴジラ ［すぺーすごじら］

山下賢章監督・北村紘一特技監督の映画『ゴジラvsスペースゴジラ』（一九九四年）に登場する宇宙怪獣。

身長一二〇メートル、体重八万トン。**ゴジラ（平成VSシリーズ）**の細胞であるG細胞が宇宙に散布された際、ブラックホールに飲み込まれ、結晶生命体なる生物を取り込み、恒星の爆発エネルギーを浴びてホワイトホールから放出されたことで異常進化し、怪獣と化したもの。

姿はゴジラに似ているが両肩や頭部に白い水晶のような結晶体が生え、背ビレも結晶体で構成されている。またゴジラと違って腹部が赤黒い。

宇宙で誕生した怪獣であるためか、地球上では急激にエネルギーを消耗するため、事前に戦いの場となるところに結晶体を打ち込んだり、発生させることで宇宙エネルギーを受信し、それを肩の巨大な結晶体で吸収することで活動エネルギーを得る。このため、肩の結晶体を破壊されると戦闘力が半減し、弱点ともなっている。

多彩な能力を持ち、口からはオレンジ色の稲妻状のビーム、コロナ・ビームを放つ。これは宇宙エネルギーを破壊光線に変換したもので、ゴジラを圧倒するほどに強力。

肩の結晶体から放つ稲妻状のエネルギーはグラビ・トルネードと呼ばれ、物体を自由に操る超重力波とされる。また手足の爪先からも常に攻撃用のエネルギーを発しており、スペース・クローと名付けられている。

攻撃だけでなく防御用にエネルギーを使うこともでき、体の周囲に展開し得るフォトン・リアクティブ・シールドはゴジラの放射能熱線も弾き返す。

結晶体をミサイルのように飛ばすホーミング・ゴーストという技もあり、物理的な破壊力にも優れる。

また宇宙や空中を飛行するための飛行形態も存在し、この形態の場合は背中に巨大な結晶体を無数に展開し、全長二五〇メートル、体重七二万トンに巨大化する。この姿では大気圏内でマッハ三、宇宙空間では光速に近いスピードで移動できる。さらに飛行時に放出するエネルギーは電子機器を狂わせてしまう。

劇中ではゴジラに対する闘争本能に身を任せ、宇宙からゴジラと**リトルゴジラ**の棲むバース島に襲来。リトルゴジラを襲ってゴジラを呼び寄せると、リトルゴジラをかばいながら戦うゴジラを一方的に叩きのめし、リトルゴジラを結晶体に閉じ込めて飛び去った。

その後、福岡に襲来したスペースゴジラは福岡タワーを中心に結晶体を地面から生じさせ、自分に有利なバトル・フィールドを生成。リトルゴジラを救うためにやって来るゴジラを待ち構える。

しかしそこに対ゴジラ用軍事組織がゴジラ打倒のために作り上げた巨大ロボット、ＭＯＧＥＲＡが現れ、スペースゴジラと戦闘を開始する。スペースゴジラはＭＯＧＥＲＡを圧倒するが、そこにゴジラが到着。一時的にスペースゴジラ相手にＭＯＧＥＲＡとゴジラが共闘する。なおもゴジラとＭＯＧＥＲＡに対し優位に戦いを進めるスペースゴジラであったが、福岡タワーが宇宙エネルギーを受信していることに気付いたゴジラが福岡タワーを倒壊させる。さらにゴジラと組み合っているところにＭＯＧＥＲＡが腕から発射するスパイラルグレネードミサイルを発射し、スペースゴジラの両肩の結晶体を破壊する。

これによりスペースゴジラは弱体化し、何とかＭＯＧＥＲＡを戦闘不能にまで追い込むも、ＭＯＧＥＲＡの体当たりによる捨て身の特攻を受けて倒れ込む。

そこをゴジラに追撃され、宇宙エネルギーを取り込んだゴジラの赤色の熱線、バーンスパイラル熱線を撃ちこまれて爆散した。

歴代ゴジラシリーズの中でも上位に食い込む強力な大怪獣。ゴジラとＭＯＧＥＲＡが共闘しなければ倒せなかったことからもその強さが分かる。なお、ＭＯＧＥＲＡについては**モゲラ**の項を参照。

『オール東宝 怪獣大図鑑』によれば、デザインのモデルになったのはスーパーファミコンのソフトとして一九九三年に発売されたテレビゲーム『超ゴジラ』に登場するゴジラのパワーアップ形態、超ゴジラとされる。こちらはゴジラに宿敵である**キングギ**

ドラの細胞を取り込むことで変異させたと設定されている。
　てれびくん編集部編『ゴジラvsスペースゴジラ超全集』（小学館、一九九四年）によればスペースゴジラは両肩にある結晶体（結晶剣もしくはクリスタル・ジェネレーターと呼ばれる）でエネルギーを吸収し、重力子と光子を操る特殊なパルスを発生させる。このパルスを脳波とシンクロさせることで重力子と光子をコントロールしており、コロナ・ビームを自在に曲げたり、サイコキネシスのように離れたものを持ち上げたりするのだという。

スペースジョッキー ［すぺーすじょっきー］

　映画『エイリアン』（一九七九年）に登場する異星人。

　劇中では惑星LV－426にあった宇宙船の操縦席らしきものに座った状態でミイラ化している姿で登場した。体は地球人よりも遥かに大きく、形は人間に近いが象のような鼻を持ち、胸部は何者かに突き破られたような跡があった。

　この『エイリアン』の前日譚《ぜんじつたん》であり、同じくリドリー・スコットが監督を務めた『プロメテウス』（二〇一二年）ではその正体がエンジニアと呼ばれる種族であったことが明かされる。エンジニアは真っ白な肌を持つヒューマノイド型の異星人で、目は黒く、白目がない他、怪力を誇る。

　またスペースジョッキーと違い、鼻の形状は地球人に近いが、これは彼らの宇宙服のヘルメットに長い鼻に見える部分があったことで説明付けがなされている。

　ただしエンジニアの体長はせいぜい二から三メートルほどで、五メートルほどあったスペースジョッキーよりもかなり小さく、また『プロメテウス』の舞台となっているのは惑星LV－426ではなくLV－223であるなど、直接『エイリアン』に繋《つな》がらない部分が多い。

　劇中では高度に発達した技術を持ち、様々な星にて活動していることが示される。その中のひとつに地球もあり、かつてひとりのエンジニアが地球で黒い液体（**ブラックタール**）を飲んだことで体が崩壊し、そのDNAが現在の地球人を生み出した描写がある。

　またエンジニアが開発したブラックタールは『プロメテウス』の続編『エイリアン：コヴェナント』（二〇一七年）でゼノモーフ、すなわち**エイリアン**（**『エイリアン』シリーズ**）を生み出すことになる。

　これにより、エンジニアは地球人類とエイリアン、その二つを生み出すきっかけになった存在として描かれていることになる。

　一方、なんらかの理由により地球人を敵視している様子が見られ、地球人に対し攻撃的な態度を取る。またコミックスなどでは地球人やエイリアンの他、**プレデター**と戦うものも見られる。

スラターン ［すらたーん］

　映画『パシフィック・リム』（二〇一三年）

に登場する怪獣。体長一八一メートル、体重六七五〇トン。シュモクザメのような頭部と三本の尾を持ち、尾を叩きつけたり尾の先にある槍状《やりじょう》の角を突き刺して攻撃する。

同作に登場する怪獣の中で最も巨大であり、怪獣が送り込まれる次元の亀裂を塞《ふさ》ぐために出動した巨大ロボット、ジプシー・デンジャーとストライカー・エウレカの前に最後の敵として立ちはだかる。

太平洋の海溝付近で**ライジュウ**、**スカナー**とともにジプシー、ストライカーと戦う。ストライカーに致命的なダメージを与えるが、ストライカーの自爆攻撃を受け大ダメージを負ってしまう。その時は何とか耐えたが、続くジプシーとの戦いで、ジプシーの胸部から発射されたエネルギー放射を零距離で受けてしまい、それに体を貫かれて倒された。

『パシフィック・リム』シリーズに登場する怪獣に共通する設定については**プリカーサー**の項目を参照。

セレナイト［せれないと］

H・G・ウェルズの小説『月世界最初の人間』（一九〇一年（白木茂訳、ハヤカワSFシリーズ、一九六二年、他））に登場する異星人。

月の住人で、直立するアリのような姿をしており、体長は平均一・五メートルほどだが、個体差がある。頭には鞭《むち》のような触角があり、体軀《たいく》は痩《や》せており、脚は紐《ひも》のように細く、顔は額が広く、細長い。鼻はなく、目は顔の両脇についており、出っ張っている。

皮膚は昆虫の羽のように硬く、毛は生えていない。地球に比べて重力が小さい月で暮らしていることから、体はそこまで頑丈ではなく、地球人が殴ると簡単に砕けてしまう。

普段は地中で暮らしており、外に出る際にはヘルメットを被り衣服を纏《まと》うが、地下ではどちらも身に着けない。笛が囀《さえず》るような音で互いにコミュニケーションを取り、知能は高い。地球人よりも進んだ技術を持っており、月の地下に大きな文明を築いて暮らしている。

一八九八年の『宇宙戦争』における火星人に続き、ウェルズが描いた月の異星人。しかし今回に関してはどちらかといえば地球人側が相手の住む星に侵入している。

映画化作品である『H・G・ウェルズのSF月世界探検』（ネイサン・ジュラン監督、一九六四年）ではレイ・ハリーハウゼンがストップモーション・アニメーションにより昆虫のような姿をしたセレナイトを描写している。また、世界初のSF映画であるジョルジュ・メリエス監督の映画『月世界旅行』（一九〇二年）でもセレナイトが登場しており、原作であるジュール・ヴェルヌの小説『地球から月へ』（一八六五年）及び『月世界へ行く』（一八六九年）には月の生物が出て来ないことから、月世界の描写はウェルズの小説をもとにしているのではないかと考えられる。

この映画では月で文明を築く知的生命体であり、宮殿を構えている様子が描写される。また、槍《やり》などを武器とし、跳躍するように移動するが、体は脆《もろ》く、強い衝撃を受けると粉々になって消失する。

劇中では月に侵入した地球人たちを襲うが、複数人が地球人の攻撃で殺害される。やっとのことで地球人を捕縛し、月の宮殿へと連行するが、そこで王座に座るセレナイトの王が地面に叩きつけられて殺害され、混乱に陥ったところを地球人に逃げられてしまう。

ソラリスの海［そらりすのうみ］

スタニスワフ・レムの小説『ソラリス』（一九六一年（沼野充義訳、ハヤカワ文庫SF、二〇一五年、他））に登場する地球外生命体。

地球人がソラリスと名付けた星を覆う生きている海。なんらかの思考をしている知的生命体であるが、地球人とは価値観も思考過程もまったく異なり、相互に理解することが不可能な存在とされる。

その体を構成するのは原形質状の物質であるが、いかなる神経組織も、細胞も、タンパク質に似た物質も含まれていない。

形は不定形だが、どんな形に変わることもできる。また一部を切り離して活動させることも可能。

普段、ソラリスの海は自分の体を使って様々な物体を作り出しては崩壊させているが、その理由は分かっていない。また、自分の近くにある物体を模倣し、同じ形、構造をしたものを自分の体で作り出すという性質があり、こういった物体は擬態形成体（ミモイド）と呼ばれ、実際の物体よりも巨大な姿で再現される。

当初、このミモイドは生物を対象としなかったが、ある時、ソラリスの海は人間の赤子を模倣・形成し、地球人という存在の構造を再現して見せた。

その後、ソラリスを訪れた地球人はそこにいないはずの人間が目の前に現れるという怪現象に遭遇することになる。これはソラリスの海がその体を使って物質的に再現したコピーであり、人間がソラリスで眠っている間に海がその脳から製造法を読み取り、模倣するのだと推測され、物語中では「来訪者」「客」などと呼ばれる。

この「客」のもとになるのは、ソラリスを訪れた人間の記憶の中で最も頑強で永続的であり、他の記憶から切り離されたものであるため、愛情にせよ憎悪にせよ、強い感情を向けた相手の姿が再現されることが多い。

ただしあくまで人間の記憶をもとにしたコピーであるため、コピーのために読み取った人間の脳の記憶の一部が混ざり、本来であれば再現に必要のない情報も組み込まれる。このため、「客」のモデルとなった人間が知りえないはずの情報、例えば「客」のモデルとなった人間の死後に起きた出来事の記憶などを持った状態で現れることもある。

この「客」の体は原子よりも遥かに小さ

なもので、「ニュートリノ」等と呼ばれる。ニュートリノにより人間を構成する組織を見た目上完全に再現する。しかし性質は同じではなく、傷を負えば瞬く間に回復するし、睡眠や食事も必要としない。また地球人を超える怪力を持つ。

一方、これらの「客」は自身の感情や個性を持ち、はじめはコピー元の人間の記憶にある思い出やイメージを持つ以外は空虚だが、活動を続けるうちに自主性を持ち、コピー元とは別個の自己を作り上げる。またその意思はソラリスの海とは独立しており、独自に行動、思考する。

ソラリスの海がこの「客」を作り出す理由はやはり分からないが、あらゆるものを模倣しようとするソラリスの海の性質を考えるに、ただの好奇心なのかもしれない。

『ソラリス』は二度映画化されており、アンドレイ・タルコフスキー監督の映画『惑星ソラリス』（一九七二年）、スティーブン・ソダーバーグ監督の映画『ソラリス』（二〇〇二年）がある。

た

ダイアノーガ ［だいあのーが］

映画『スター・ウォーズ』シリーズに登場するクリーチャー。初登場は第一作目、ジョージ・ルーカス監督の『スター・ウォーズ エピソード4／新たなる希望』（一九七七年）。ヴォドランという惑星原産の生物だが、銀河系全体に広まっているという。

下水管や沼地に棲息するタコのような水棲生物で、体長七メートルに及ぶ。七本の触手と眼球の付いた一本の触手を持つ。

劇中では惑星破壊兵器デス・スターのゴミ処理場に出現し、主人公のルーク・スカイウォーカーらを襲った。

また、個人的にはNINTENDO64で発売されたゲーム『スター・ウォーズ 帝国の影』にボスとして登場した体長数十メートルのダイアノーガが印象深い。

タウ星人 ［たうせいじん］

福島正実の小説『地底海生物マントラ』（朝日ソノラマ、一九六九年）に登場する異星人。地球人がくじら座タウ星と呼ぶ星からやって来たとされる。

その姿は地球人によく似ているが、額が極端に広く、目と目の間が離れており、頭部や眉《まゆ》には毛が生えていない。目は地球人よりも大きく、窪《くぼ》んでいて、底知れない知性を湛《たた》えて澄み切っているという。また地球人よりも背が高く、真っ黒なタイツのような服を身に纏《まと》う。

空飛ぶ円盤に乗って地球に来訪し、地底から出現した巨大植物**マントラ**を超高周波音波によって破壊した後、地球人に自分たちが友好的な存在であることを伝え、マントラへの対処法を伝授した。

　実はマントラは地球に似た星であればどこでも誕生する可能性がある生物であり、タウ星にも出現していた。タウ星人たちは科学力を結集してこれと戦い、超高周波音波によりその高密度な分子構造を破壊することで戦う方法を編み出したが、倒しても倒しても増えるマントラとの戦いに疲弊し、母星を去っていた。

　タウ星人たちは地球人にマントラとの戦い方を教えた後、地球を去る。新たに彼らが住むべき星を探すために。

チェストバスター ［ちぇすとばすたー］

　映画『エイリアン』シリーズに登場する地球外生命体。いわゆるエイリアン（ゼノモーフ）の幼体であり、シリーズの各作品に登場する。成体のエイリアンについては**エイリアン（『エイリアン』シリーズ）**の項目を参照。

　エイリアンの卵である**エイリアン・エッグ**から誕生した**フェイスハガー**が別種の動物の顔に張り付き、寄生体を植え付ける。エイリアンの幼体はその動物の体内で成長するが、その際、寄生する宿主の性質を取り入れるため、チェストバスターの姿は宿主の種類によって異なる。

　名前の由来はある程度成長した後、寄生した動物の胸部を突き破って姿を現すことに由来し、「チェスト（胸）」を「バスター（破裂させるもの）」という意味になる。なお、この際に肋骨《ろっこつ》を突き破って出現するため、宿主は凄《すさ》まじい激痛に襲われた末に死亡する。また、宿主にかかわらず宿主から出た直後から俊敏に動くことが可能である。

　一作目『エイリアン』（一九七九年）では人間に寄生したチェストバスターが登場。姿は白い蛇のようであり、頭部は成体のエイリアンに近いが、長い後頭部が体と一体化している。また腕のような器官がある、潜伏期間が数日と長いなど、後の作品のチェストバスターと異なる点も見られる。

　続編の『エイリアン2』（一九八六年）ではエイリアンが群れで登場するため、チェストバスターも複数登場。今作でも人間に寄生するが、一作目にあった腕のような器官はなくなっている。

　また、エイリアンがアリやハチのような社会性を持つという設定が加えられた今作では、成体のエイリアンが巣に獲物となる人間を生きたまま連れて行き、拘束してフェイスハガーに寄生させることで安全にチェストバスターを誕生させるという生態が描写された。

　さらに『エイリアン3』（一九九二年）には、フェイスハガーが犬（完全版では牛）に寄生したことにより、人間に寄生した場合とは異なる姿のチェストバスターが登場する。このチェストバスターは「ドッグバスター」もしくは「バンビバスター」と呼ばれ、通常のチェストバスターと違い成体に近い姿をしており、宿主の犬から出てくる際には、すでにその体は犬よりも大きく成長している。

また物語の終盤では**エイリアン・クイーン**の幼体であるクイーン・チェストバスターが登場。頭部の形状はエイリアン・クイーンと同じく冠のような器官が後方に伸びており、腕と脚が生えた状態で誕生した。『エイリアン4』（一九九七年）では人為的にエイリアンが増やされているため、人間がフェイスハガーを人間に取り付かせ、誕生したチェストバスターを回収する場面が見られる。また、チェストバスターを宿した人間が敵対する人間の頭を自分の胸に押しつけ、胸から出てきたチェストバスターによって敵対者の頭蓋骨を突き破るという珍しい場面がある。

『プレデター』シリーズとのクロスオーバーである『エイリアンvsプレデター』（二〇〇四年）では**プレデター**に寄生したチェストバスターが登場。**プレデリアン**と呼ばれる成体に成長するこのチェストバスターは、プレデターの身体的特徴である四方向に開く外顎《がいがく》を持った状態で誕生した。続編の『AVP2 エイリアンズvsプレデター』（二〇〇七年）では、上記のプレリアンが特殊な生殖方法を獲得し、人間の妊婦に対して直接寄生体を送り込むことで、フェイスハガーの段階を経ずに胎児をチェストバスターに変異させる場面が登場する。

第一作目の前日譚《ぜんじつたん》として作られた『プロメテウス』（二〇一二年）にはチェストバスターは登場しないが、同じように寄生した後に宿主の体を突き破って誕生する**ディーコン**が登場した。『エイリアン：コヴェナント』（二〇一七年）においてはエイリアンに進化する前段階の**ネオモーフ**が登場。やはり寄生した人間の体を突き破って誕生する姿が描かれる。またプロトモーフと呼ばれる最初のエイリアン（ゼノモーフ）も登場する。こちらはフェイスハガーによる人間への寄生体の注入を経てチェストバスターが誕生するが、成体と同じく手足の生えた姿で出現した。

ディーコン ［でぃーこん］

映画『プロメテウス』（二〇一二年）に登場した地球外生命体。

トリロバイトと呼ばれる生物がエンジニア（**スペースジョッキー**の項目参照）の体内に送り込んだ寄生体が成長し、エンジニアの体を突き破って誕生。

眼球のない鋭く尖《とが》った頭を持ち、体表は青緑色。趾行性《しこうせい》の脚を持ち、二足で立つ。腕は細く、五本の指がある。

口の中から突き出る第二の顎《あご》を持つが、ゼノモーフ（**エイリアン**（『**エイリアン**』**シリーズ**）参照）のものとは形状が異なり、尾も持たない。

劇中では最終盤に登場。エンジニアの亡《なき》骸《がら》から出現するシーンが見られた。しかし次作の『エイリアン：コヴェナント』（二〇一七年）には登場しなかったため、誕生後どうなったのか、またゼノモーフとの関係はどうなっているのかなどは不明のままである。

デッドリー・スポーン［でっどりー・すぽーん］

ダグラス・マッケオン監督の映画『デッドリー・スポーン』（一九八三年）に登場する地球外生命体。

隕石《いんせき》とともに地球にやって来た怪物で、凄《すさ》まじい食欲と繁殖力を持つ。

その姿は無数の歯を持つ口が付いた細長い肉の塊のようで、眼はなく、音で対象を見つけ、捕食する。このため、劇中では悲鳴を上げる人間を優先的に襲った他、この性質を利用しておびき寄せられるなどしている。体から新たな頭を生やしたり、爪の生えた細い腕のような器官を生やす場合もあり、攻撃や障害物の破壊に使用される。

劇中では無数の幼体も登場。この幼体は体長数センチでオタマジャクシのような姿をしており、水中を自在に移動する。

幼体、成体ともに食欲が凄まじく、察知した獲物は何でも喰い殺す。成体は頭から人間を丸ごと噛み砕く顎《あご》の力を持ち、幼体も人間の肉体を喰い破って体内から喰い荒らす。

一方、耐久力はそこまで高くなく、成体は電気や炎、爆発物等で、幼体は打撃等で倒すことが可能。ただし個体によっては異常に成長するものもおり、劇中では最後に体長数十メートルのものが出現した。

トーン・トーン［とーん・とーん］

映画『スター・ウォーズ』シリーズに登場するクリーチャー。初登場は第二作目、『スター・ウォーズ　エピソード5／帝国の逆襲』（一九八〇年）。

氷と雪に覆われた惑星ホスに棲息する二足歩行の爬虫類《はちゅうるい》型種族。厚い毛皮と強力な脚を持ち、雪の上を素早く移動する。また頬のあたりに角が生えている。

姿としてはカンガルーのようなフォルムで、背中に人を乗せることができる。このため劇中ではホスでのパトロールを行う際にトーン・トーンに乗る場面が見られた。

ドゴラ［どごら］

映画『宇宙大怪獣ドゴラ』（本多猪四郎監督・円谷英二特技監督一九六四年）に登場する怪獣。宇宙から現れた不定形の怪獣で、炭素を餌《えさ》とし、石炭やダイヤの原石を奪おうと地球上に出現した。

その正体は原水爆実験の影響によって放射能の吹き溜まりのような状態になっている日本上空にて、ストロンチウムやコバルトなどの影響を受け、宇宙に棲息する細胞の一種が突然変異したものとされる。

単細胞の状態と複数の細胞が合体した巨大な状態があり、単細胞の状態でも人の頭よりも大きい。この状態では水色に光る球状の不定形生物で、高熱を発して金属を融解させ、人間や物体を浮遊させることもできる。これにより炭坑から石炭を巻き上げて吸収するなどしていた。

合体状態では巨大化し、クラゲのような

巨大怪獣と化した。空中をふわふわと泳ぐように浮遊する。合体した細胞の数によって大きさが変わるためか、体長は不明。しかし最大時には空を覆うほどの大きさとなった。この状態で触手を伸ばし、物理的に建造物を破壊するなどの行動を見せる。

砲撃を受けてもものともせず、むしろ飛び散った破片がまた別のドゴラとなるという厄介な性質を見せ、劇中には無数のドゴラが出現した。

しかし無敵の生物というわけではなく、ジバチ（クロスズメバチ）の毒によって細胞が結晶化するという弱点があり、世界中の薬物工場が造り上げたハチ毒を散布されたことですべてのドゴラが結晶と化す。そこに爆撃を受けて粉砕され、倒された。

ドラゴンスネーク［どらごんすねーく］

映画『スター・ウォーズ』シリーズに登場するクリーチャー。初登場は第二作目、『スター・ウォーズ エピソード5／帝国の逆襲』（一九八〇年）。沼と森林に覆われた惑星ダゴバなどに棲息する生物で、沼地の水の中に潜《ひそ》む大型の肉食獣。その名の通りドラゴンのような姿をしており、水中に入って来た獲物を振動で察知し、襲いかかる。

劇中ではR2－D2を襲うシーンで一瞬登場したが、全貌は見えなかった。テレビシリーズの『クローン・ウォーズ』ではシーズン3第九話「ズィロを追え！」などに登場。オビ＝ワン・ケノービと戦っている。

トリロバイト［とりろばいと］

映画『プロメテウス』（二〇一二年）に登場した地球外生命体。

四本の触手を持つ乳白色のイカのような姿をした生物で、はじめは数十センチの大きさだったものがわずか半日で体長五メートルまで成長した。

体の裏側に複数の細い触手と寄生体を植え付ける一本の触手を持ち、他の生命体を襲って口から寄生体を流し込む。

劇中では生命体を変異させる病原体（**ブラックタール**の項目参照）を感染させられた考古学者、チャーリー・ホロウェイが恋人のエリザベス・ショウと性行為を行ったところ、ショウの胎内で成長。これに気付いたショウが全自動手術装置を使ってトリロバイトを摘出した。なお、ホロウェイが性行為の結果ショウにトリロバイトを移したのか、それとも性行為そのものがトリロバイト誕生の要因となったのかは不明である。

摘出されたトリロバイトは手術室に閉じ込められるが、そこで急激に成長。エンジニア（**スペースジョッキー**の項目参照）に追われたショウが手術室の扉を解放したことでエンジニアと交戦する。これを組み伏せ、体内に寄生体を送り込んだ。

その結果、エンジニアの亡骸《なきがら》からは**ディーコン**と呼ばれる怪物が誕生した。詳細は当該項目参照。

トリロバイトは三葉虫を表す単語だが、これは初期段階のトリロバイトのデザインが三葉虫に似ていたことに由来するようだ。

な

ナイフヘッド ［ないふへっど］

映画『パシフィック・リム』（二〇一三年）に登場する怪獣。体長九六メートル、体重二七〇〇トン。名前の通りナイフのような頭を持ち、この頭とのこぎり状に生えた歯を武器とする。また四本の腕を持ち、上部に生える二本の腕には鋭く長い爪が生える。

サメを巨大化させ、二足歩行にしたような姿をしており、黒い肌に稲妻のような黄色い模様が走る。水中を泳ぐことが可能だが、その泳ぎ方は犬かきのようである。

劇中では序盤に登場し、対怪獣用人型巨大兵器、つまり巨大ロボットのイェーガーのひとつ「ジプシー・デンジャー」と激突。海を舞台に戦いを繰り広げ、その頭部でジプシー・デンジャーの片腕を切り落とし、機体に大きな損壊を与えるなど善戦した。

『パシフィック・リム　ビジュアルガイド』によれば、ナイフヘッドはサメの鼻を鋭く尖《とが》るよう、普通のサメのような鈍い三角形ではなく、刃のようになるまで伸ばした感じでイメージされたという。

日本の怪獣映画『ガメラ対大悪獣ギロン』（一九六九年）には頭が包丁のようになっている怪獣**ギロン**が登場するため、デザインの相似からよく比較される。

『パシフィック・リム』シリーズに登場する怪獣に共通する設定については**プリカーサー**の項目を参照。

ニコラス・スヴァディン ［にこらす・すゔぁでぃん］

小説『卵』（一九三九年、マイケル・パリー編、宇佐川晶子訳『キング・コングのライヴァルたち』収録）に登場する怪物のひとつ。

宇宙から落ちてきた三つの胞子のうちひとつがニコラス・スヴァディンという人間の死体に落ち、彼を蘇らせて怪物に変化させたもの。スヴァディンの記憶や頭脳、そして性格を引き継いでいる。

しかし正体が死体であるため、防腐液やパラフィンを摂取することで体の腐敗を防ぎながら活動していた。また自分の肉片から分身を作り上げる能力も持つ。

ニコラス・スヴァディンはもとは中央ヨーロッパの独裁者であったが、暗殺により死亡。その三日後、先述の宇宙の胞子が葬儀が行われている最中のスヴァディンの死体に取り付いたことで白い棺《ひつぎ》の中で蘇り、人々に神のように崇められるようになる。

その後、スヴァディンは自分と同じく宇宙からの胞子が生み出した怪物、**黄金の神**と**海のもの**を倒す作戦を次々と立案し、成し遂げる。

それから世界中の人々を掌握した後、彼を神のように崇める人々を利用して、自分や自分の種族が住みやすい世界になるよう地球を変えようとした。しかしもとが人間ではないために人間の心理までは理解することができず、彼の危険性を察知した人々によって火あぶりにされ、倒された。

ニューボーン ［にゅーぼーん］

映画『エイリアン4』（一九九七年）に登場する地球外生命体。人間の遺伝子が混ざった**エイリアン・クイーン**から生まれたため、人間に近い性質を多く持つ新種のエイリアン（ゼノモーフ）。

誕生の経緯は、まず、エイリアンの軍事利用を企む米軍により、宇宙船オリガ号の研究所にて人間であるエレン・リプリーが、**エイリアン・クイーン**の**チェストバスター**に寄生された状態を再現してクローンとして再生される。このクローン再生の際、リプリーのクローンであるリプリー8とその体内に寄生していたエイリアン・クイーンは、互いにそれぞれの遺伝子と融合することとなり、そのひとつとしてエイリアン・クイーンは従来の卵による繁殖の他に子宮を獲得。この子宮から胎児として生まれたのがニューボーンである。

他のエイリアンと違い、**フェイスハガー**を経由して他の生物に寄生するという段階を踏むことなく誕生した。外骨格に覆われた通常のエイリアンと違い、乳白色の皮膚のようなもので全身を覆われ、顔は人間の頭蓋に似ており、瞳や瞼《まぶた》が存在する。後頭部が長く伸びているという特徴は受け継いでいるが、頭部を覆うフードはない。また尾や口腔内の第二の口がない、また血液は酸性ではなく、赤い色をしている、感情が顔に表れ表情が変化するなど、人間の特徴を色濃く受け継いでいる。

生まれた時点で他のエイリアンよりも体格が大きく、生みの親であるクイーンの頭を腕の一振りで粉砕するなど力も強化されている。また、クイーンはニューボーンを我が子として認識していた様子であったが、ニューボーンはなぜかリプリーのことを親と認識し、彼女に危害は加えず、また指示にも従順に従う。

エイリアンの主要武器である第二の口がないが、顎《あご》の力は強力であり、直接噛み付いて攻撃する。

リプリー8を慕うニューボーンはオリガ号から脱出するため、ベティ号に乗ったリプリー8らについて行くが、ニューボーンの存在を危険視したリプリー8がその強酸性の血液により脱出艇の窓に穴を空ける。

それにより急減圧が生じ、ニューボーンは小さな穴から吸い出されるような形で体が崩壊していき、最後はリプリー8に悲しげな瞳を向けて宇宙に消えていった。

ネオモーフ ［ねおもーふ］

映画『エイリアン：コヴェナント』（二〇一七年）に登場する地球外生命体。第四惑星生物の体内に侵入し、成長する寄生生物でもある。最初の段階はモートと呼ばれる極めて小さい黒い胞子のようなもので、球根のような形の卵嚢《らんのう》に入っている。この卵嚢に何者かが接触するとモートが撒布される。モートは空中を移動し、付近にいる生物を宿主として入り込むとそのDNAを書き換える。そしてその宿主と融合した新たな生物が体内に生まれ、鋭い背ビレで宿主の皮膚を突き破って外に出る。

　この段階は「ブラッドバスター」と呼ばれ、体表は乳白色で、体長三〇センチほど。既に成体と同じく四肢と尻尾を備えている。宿主から出てきた直後でも高い運動機能を持ち、高速で走り回る上、近くにいる生物をその鋭い歯により積極的に攻撃し、捕食する。

　このブラッドバスターが成体に成長した姿がネオモーフで、体表はブラッドバスターと変わらず乳白色だが、体長は直立すると二メートル以上になる。また頭部はゼノモーフのように細長く、後ろに伸びた形状となる。成体になっても高い運動能力を持ち、自分以外の動物に襲いかかる。一方、アンドロイドなど動物でない存在に積極的に攻撃することはない。

　その正体はデヴィッドというアンドロイドが完全な生命体を作り出そうとした過程で生まれたものである。前作『プロメテウス』（二〇一二年）にてデヴィッドは惑星LV－223に降り立ち、生物の体内に入り込んでその生物を殺害したり、変異させたり、その体内で新たな生物を創造するなど様々な作用を引き起こす黒い液体状の病原体（**ブラックタール**）を手に入れた。そしてその病原体を作り出したエンジニア（**スペースジョッキー**の項目参照）という種族の母星に向けてエンジニアがLV－223に残していた宇宙船を飛ばす。宇宙船はエンジニアの母星（惑星4と呼ばれる）にて病原体を散布し、エンジニアを全滅させる。

　その後、デヴィットはエンジニアの建物を研究施設として利用し、実験を繰り返していた。その結果生まれたのがモート、そしてネオモーフだった。

　そしてデヴィットはさらに研究を続け、巨大な卵を作り出す。それは後にゼノモーフと呼ばれる完全生物の誕生だった。

ネクスー ［ねくすー］

　映画『スター・ウォーズ』シリーズに登場するクリーチャー。登場するのは第五作目、『スター・ウォーズ エピソード2／クローンの攻撃』（二〇〇二年）。

　巨大なネコ科の肉食動物で、森の惑星チョルガンナが原産だとされる。体長約二メートルの巨体でありながら俊敏・身軽に動くことができ、その鋭い鉤爪《かぎづめ》と強力な顎《あご》を武器に襲いかかる。また四つの目があり、それによって周囲の状況を確認する。

　劇中では惑星ジオノーシスの処刑場で囚人を見せしめに処刑する役割を担った個体が登場。**リーク**、**アクレイ**とともに映画の主役であるアナキン・スカイウォーカー、その師オビ＝ワン・ケノービ、恋人のパドメ・アミダラを襲うも、アナキンによって制御されたリークの突進を受けて絶命した。

は

ハーベスター［はーべすたー］

ローランド・エメリッヒ監督の映画『インデペンデンス・デイ』（一九九六年）及びその続編『インデペンデンス・デイ：リサージェンス』（二〇一六年）に登場する地球外生命体。直訳して「収穫者」とも呼ばれる。

その呼称の通り、他の星を侵略しては住民を根絶やしにし、天然資源を奪い取る。その中には惑星の核まで含まれるため、ハーベスターとの戦いに敗れた種族は母星を失うことになる。

その姿は頭部が大きく発達しており、後頭部が平たく後ろに伸びている。体は細く、体長は一メートル前後ほど。黒目だけの目があり、口や鼻、耳に当たる器官はない。皮膚の色は青みがかった灰色をしており、光沢を帯びる。また地球上に出現した個体は酸素で呼吸している様子が見られた。

普段は有機体を素材にしたバイオスーツを着込んでおり、装着時は体長二メートルを超える。この状態では手足が発達しており、地球人を軽々と持ち上げることが可能。また背中には八本の触手が生えており、この触手に触れさせた相手をコントロールすることが可能。これにより劇中では自身の言葉を地球人の言葉に変換し、代弁させていた。

一方、生身ではそこまで耐久力が高いわけではなく、地球人と同程度とされる。また音声による会話はしないが、テレパシーのような能力でコミュニケーションを取る様子が見られ、地球人がこれを受けると激しい頭痛に見舞われる。

またハーベスター・クイーンと呼ばれる大型の個体がおり、これが群れを統率していることが『インデペンデンス・デイ：リサージェンス』で判明している。クイーンは専用のバイオスーツを身に纏《まと》い、体の周囲にバリアを展開する。姿も通常のハーベスターと異なり、昆虫の脚に似た二本の腕、四本の脚を持つ。また口と思しき器官もある。

なお、大きさの大小にかかわらず、背中を弱点とし、背後から攻撃されると動きを停止する。

地球を遥かに超える科学技術を所持しており、『インデペンデンス・デイ』では直径五五〇キロほどのマザーシップに乗って地球に出現し、直径二五キロもの巨体を持つシティ・デストロイヤーや小型戦闘機であるアタッカーを使って一九九六年の地球を襲撃した。シティ・デストロイヤーは円盤型で、下側の面に巨大なエネルギーの弾丸を発射する主砲を持つ。この砲撃により世界中で一〇八の都市が壊滅させられている。

またアタッカーは楕円形で二門のレーザー砲を持ち、高速で飛び回り小回りも利くため、地球の軍隊とドッグファイトを繰り広げた。

シティ・デストロイヤーにせよアタッカーにせよエネルギーによるバリアを機体全体に展開しており、地球の通常兵器ではダメージを与えることは難しい。また母船に張り巡らされたバリアは核攻撃さえ無効化している。

また『インデペンデンス・デイ：リサージェンス』では、直径五〇〇〇キロの巨大マザーシップにより地球に出現。強力な反重力波を使い、大西洋沿岸の都市を壊滅させた。

この巨大マザーシップの燃料が惑星の核であり、核を奪うための装備が備えられている。

劇中ではまず、一九九六年七月二日にハーベスターによる大規模な侵略行動が行われ、シティ・デストロイヤーにより主要都市が破壊される。

しかしアメリカ独立記念日である七月四日、かつて地球に墜落し、エリア51に保管されていたアタッカーによりハーベスターの母船に侵入し、そのシステムにコンピュータウイルスを流し込む作戦が決行される。これによりハーベスターの操る各マシンのバリアが無効化され、ハーベスターは地球人類の総攻撃を受けて敗退する。

しかしこの時撃墜されたシティ・デストロイヤーの一機が密かにハーベスター本隊にSOS信号を送り続けており、二〇年後の二〇一六年、奇しくも同じアメリカ独立記念日に巨大マザーシップが襲来する。

巨大マザーシップは地球という惑星の核からエネルギーを奪い、地球を破滅させようとする。しかし地球側もかつて同じようにハーベスターに侵略を受けた異星人から情報を受けており、これを受けてハーベスターを統率する女王や主力部隊を誘《おび》き出し、手薄になった司令船を破壊する。

さらに生き残った女王（ハーベスター・クイーン）との戦いにも勝利し、統率を失ったハーベスターは地球から撤退し、地球は再び独立を守った。

『インデペンデンス・デイ』のコンピュータウィルスにより状況を打開する展開はH・G・ウェルズの小説『宇宙戦争』（一八九八年、**火星人**（『**宇宙戦争**』）の項目も参照）にて、火星人たちが地球の細菌により倒されたことへのオマージュだと指摘される。

また、バリアを展開しながら襲ってくる侵略兵器、という点では同作品の最初の映画化である『宇宙戦争』（バイロン・ハスキン監督、一九五三年）のマーシャンズ・ウォーマシンのオマージュとも取れる。

一方、この『インデペンデンス・デイ』自体も後の作品に影響を与えており、この作品をオマージュした展開のある映画やテレビゲームも散見される。

バイオラプター［ばいおらぷたー］

デヴィッド・トゥーヒー監督の映画『ピッチブラック』（二〇〇〇年）に登場する地

球外生命体。

三つの太陽が昇る惑星の地下に棲む怪物。光に当たると体に火傷が発生し、死亡するため、普段は地上に出て来ない。しかしこの惑星は二二年に一度長期間にわたる日蝕《にっしょく》が発生するため、その時期に地上に出現し、大量の獲物を捕食する。

その姿は白色の体表、十字に伸びる頭部、二本の脚、長い尾、巨大な翼を持つドラゴンのようであり、地下生物にもかかわらず自在に空を飛び回る。また尾の先は二股に分かれており、獲物を突き刺す武器となる。

目は退化しているようだが、何らかのセンサー、もしくは血の匂いによって獲物の位置を的確に察知し、襲いかかる。劇中では灰色の視界によってバイオラプターがどのような感覚で周囲を察知しているのかが表現されている。

また食料が不足しているためか、共食いする様子も見られた。

『ピッチブラック』は『リディック』シリーズとして知られる三部作の第一作目に当たるが、次作『リディック』（デヴィッド・トゥーヒー監督、二〇〇四年）、最終作の『リディック：ギャラクシーバトル』（デヴィッド・トゥーヒー監督、二〇一三年）とは違い、スペースオペラではなく異星のモンスターとの戦いと異星からの脱出がメインに据えられたモンスター映画となっている。

パイラ人［ぱいらじん］

島耕二監督の映画『宇宙人東京に現わる』（一九五六年）に登場する異星人。

直立するヒトデのような星型の姿をしており、体の中心に大きなひとつの目がある。パイラ人同士はテレパシーによってコミュニケーションを行う。

強い光を放つ宇宙船に乗って地球に来訪した。地球人に対し友好的な存在であり、宇宙道徳と呼ばれる思想に基づき、地球人が開発する核兵器がいずれ地球を滅ぼすことになるであろうこと、そして地球に接近する新天体Rについて警告するために現れた。

しかし地球人はパイラ人の姿を怖がるため、パイラ人の価値観では醜いとされる地球人の姿に変身し、天野銀子と名乗って地球人の松田英輔らとコミュニケーションを取る。

そして松田が発見した原水爆以上のエネルギーを持つ元素「ウリウム101」について、その危険性を伝え、地球人にそれを発表しても武器にしか使われないとして、研究の中止を求める。松田はこれを受け、元素の方程式を破棄すると、パイラ人は友好の証《あかし》として新天体Rのことを教える。

しかし日本人の呼びかけに他の国は応えず、Rは地球に接近する。地球側から観測できるようになり、その影響で各地に天変地異が発生したことでやっと各国が核兵器による攻撃を加えるが、Rは破壊できない。

さらに松田はウリウム101を求める兵器産業スパイに拉致《らち》監禁されていた。パイラ人はこの松田を助け、Rを破壊するために松田から方程式を聞き出し、それをもとに爆弾を作成。Rに向けて発射したことで、Rは破壊される。

そして地球の危機を救ったパイラ人は、再び宇宙へ戻って行く。地球人はその後、核兵器が廃絶された世界で新たな生活を始めたという。

『日本特撮・幻想映画全集』(朝日ソノラマ、二〇〇五年)によれば、日本の映画史上初の本格的カラーSF映画とされる。パイラ人の体色はポスター等では赤く塗られているが、本編では黒に近い灰色のような色をしている。また巨大パイラ人が町中に現れるスチール写真が有名だが、パイラ人の大きさはそこまででもなく、地球人と同じ程度しかない。

核兵器の廃絶を訴える異星人は『地球の静止する日』(一九五一年)のクラトゥの影響が窺える。

中盤以降、パイラ人は人間に変身するため、ほとんど姿を現さないが、その代わり新天体Rの接近によって引き起こされる天変地異の特撮は見応えがある。

パイラ人は後にウルトラシリーズなどで登場するようになる日本の映像作品における友好的な宇宙人の元祖のような存在なので、特撮が好きならば見て損はないだろう。

バイラス ［ばいらす］

湯浅憲明監督の映画『ガメラ対宇宙怪獣バイラス』(一九六八年)に登場する地球外生命体。体長九六メートル、体重一二〇トン。

高度な知能と技術を持つ、銀色のイカのような姿をした怪獣。普段は体長三メートルほどのバイラス星人と、人間のような姿をしたその部下たちの姿でいる。

生命維持に窒素《ちっそ》を必要とし、窒素が豊富な地球を狙って宇宙船を飛ばすが、**ガメラ(昭和シリーズ)** によって破壊される。

そのため二号機を飛ばし、スーパーキャッチ光線というオレンジ色の光線でガメラと、ガメラと遊んでいた少年たちを捕らえる。そこでガメラの弱点が子どもたちであることを知ったバイラス星人は子どもを人質にガメラに脳波コントロール装置を設置。これによりガメラを操り、地球を破壊させる。

しかし人質になった少年たちは宇宙船の中でコントロール装置の回路を入れ替えることで命令を逆転させる。またスーパーキャッチ光線の装置にも手を加え、少年たちは宇宙船から脱出。バイラス星人はガメラに少年たちを殺すよう命じるが、命令が逆転しているためガメラは反対に宇宙船を破壊する。

これによりガメラは解放され、追い詰められたバイラス星人のボスは五人の部下を吸収し、巨大化。ガメラよりも巨大な姿になって肉弾戦を開始する。

その頭部をガメラの腹部に突き刺すなどして善戦するも、ガメラがバイラスを突き刺したまま上空まで飛び上がったことで凍結させられる。そしてそのまま海に叩き落され、倒された。

ハクジャ ［はくじゃ］

映画『パシフィック・リム：アップライジング』（二〇一八年）に登場する怪獣。

オレンジ色の外骨格に覆われた昆虫と爬虫類《はちゅうるい》を組み合わせたような姿をした巨大生物。六本の太い脚があり、地中を自在に動き回る。

侵略者**プリカーサー**により海底に開かれた次元から、**ドローン・イェーガー**によって送り込まれる。日本の富士山を目指し、メガ東京（この映画における架空都市。富士山の近くにある）に進撃し、そこで仲間の怪獣である**ライジン**、**シュライクソーン**とともに対怪獣用巨大ロボットである四体のイェーガーと戦った。

『パシフィック・リム：アップライジング アート&メイキング』によれば名前の由来は日本語の「白蛇」から。姿はモグラをイメージしたものに昆虫の要素を取り入れたのだという。

パック ［ぱっく］

スティーヴン・スピルバーグの映画『未知との遭遇』（一九七七年）に登場する宇宙人。姿はリトルグレイ型であり、宇宙船で地球に飛来し、第二次世界大戦中などに地球人や飛行機、船などを連れ去っていた。

それから二〇数年ほどして、再び地球に出現。巨大な発光体に乗って飛来し、これが現れた場所では子どもが行方不明になる、大規模停電が起きる、発光体を見た人間の頭にひとつの山の景色が思い浮かぶ、などの怪現象が発生する。また地球の政府にデータを送り、ワイオミング州のデビルスタワーという山に降り立つと知らせる。

劇中ではこの発光体を見た人間のひとり、ロイ・ニアリーが、自分の脳裏に浮かぶ山の景色がデビルスタワーであることを突き止め、息子を宇宙人にさらわれたことで同じく宇宙人を探していたジリアン・ガイラーとともにデビルスタワーを目指す。

そこでは政府と宇宙人の音階による交信が行われており、やがて宇宙人の巨大な母船が姿を現す。

音階による互いの交信は音楽のように鳴り響き、母船からかつて行方不明になった人々が姿を現す。彼らの姿は当時と少しも変わっていなかった。

自ら母船に乗り込むことを望むロイは、宇宙人たちに導かれ、宇宙へと旅立っていった。

スピルバーグが描く宇宙人とのファースト・コンタクト。地球を侵略する恐ろしい宇宙人のイメージではなく、友好的な宇宙人のイメージを広めた。ただこのパックも無断で地球人を誘拐《ゆうかい》するなど、地球人の価値観から見れば恐ろしいことを行っている。

パックという名前は劇中には登場しないが、スピルバーグが撮影中に宇宙人のアニマトロニクスに付けていたニックネーム。ジェームズ・キャメロン他著『SF映画術』（DU BOOKS、二〇二〇年）によれば、これはウィリアム・シェイクスピアの戯曲『真夏の夜の夢』に登場する同名の妖精に由来するという。

　また、スピルバーグはこの映画の撮影中にもうひとつ宇宙人の物語を考えており、それは『E.T.』（一九八二年）に結実することになる。こちらについては**E.T.**の項目を参照。

バラカイ［ばらかい］

　ウィリアム・メサ監督の映画『D.N.A.Ⅱ』（一九九七年）に登場する怪物。

　ある科学者がボルネオの熱帯雨林で見つかった古代生物の化石に残されていたDNAと、その地域に生息する珍しい甲虫の酵素を混ぜて蘇らせたもの。科学者はこの生物を使って金儲《かねもう》けを企むが、怪物は逃げ出し、周辺の人々を恐怖に陥れる。

　その正体は何世紀も前に地球外からやって来た生物であり、原住民に「バラカイ」と呼ばれ、恐れられていた。鋭い爪と牙を持ち、これを使って人間を含む動物を襲う。また体を透明化する能力を持ち、熱感知によって獲物を補捉することができる。

　その姿は長い後頭部を持つ爬虫類《はちゅうるい》と人間を混ぜ合わせたような容貌で、口は大きく裂け、鋭い牙を持つ。二足歩行もしくは四足歩行で移動し、高い運動能力で密林の中を駆け回る。

　バラカイは、デザインは**エイリアン**（**『エイリアン』シリーズ**）を、能力は**プレデター**を意識したような怪物で、欲張りな設定が何とも楽しい。

　邦題だとあたかも『D.N.A./ドクターモローの島』（ジョン・フランケンハイマー監督、一九九六年）の続編のようなタイトルが付けられているが、まったくの無関係。

　またさらに続編のようなタイトルを付けられた作品として『D.N.A.Ⅲ』（スチュワート・ジラード監督、一九九八年。後に『海棲獣』というタイトルでもソフト化）、『D.N.A.Ⅳ』（ジョン・カール・ビュークラー監督、一九九八年。ディーン・R・クーンツの小説『ウォッチャーズ』の映画化）。『D.N.A.Ⅴ』（ジョフ・ヨニス監督、一九九六年。一九八〇年の映画『モンスター・パニック』のリメイク）がある。これらの作品についてはまったく別々の作品であり、世界観やストーリーが繋《つな》がっているわけではない。

ハングリービースト［はんぐりーびーすと］

　テッド・ニコラウ監督の映画『テラービジョン』（一九八六年）に登場する地球外生命体。惑星プルートンの清掃局ミュータント処理施設にてエネルギーに変換された状態で投棄された。偶然アメリカのある一家が購入した衛星放送アンテナがこれを捉えてしまい、怪物はテレビに入り込む。

　テレビから地球に侵入したため、普段はテレビの中に潜《ひそ》んでおり、テレビ画面から出入りする。常に腹を空かせており、好奇心旺盛で、すべての生物を捕食対象とし、放っておけばその星の全生物がいなくなるまで喰い殺す。機関銃の銃弾を食らっても一切効かないなど、防御力も高い。

その姿は、茶色の肉塊に左右非対称の目、数十本の歯が生えた口、木の根のような無数の触手がくっ付いているといったような様相である。触手の中には先がハサミのようになっているものや、目が付いているものがある。

触手や舌で攻撃された人間は緑色の液体を注入され、溶けてしまう。その人間が溶けてできた液体を怪物は舌先で吸収することで食事をする。

また、喰った人間の頭部を触手の先に発生させることができ、生前と同じ声で喋《しゃべ》らせることも可能。これにより自分の正体がばれないように工作するなどしていた。

先端に目を付けた触手もあり、それを使って遠距離のものを見ることもできる。

もともとは惑星プルートンでペットとして飼われてもいた生物だが、不安定で獰猛《どうもう》な生物に変異しやすい。ペットであった記憶を有しているためか、地球でもテレビの持ち主である一家の子どもたちと交流し、音楽やテレビを楽しむ様子が見られた。ちなみに変異する前は可愛らしい生物だったらしい。

『テラービジョン』にはご機嫌なテーマ曲があり、冒頭とスタッフロールで流れる。ハングリービースト視点で歌われる歌であり、名曲である。

テレビから出てくるモンスターを主人公とする作品だけに、劇中のテレビでは、『ロボット・モンスター（**ローマンXK2**の項目を参照）や『人類危機一髪！巨大怪鳥の爪』（フレッド・F・シアーズ監督、一九五七年、**ラ・カルカーニュ**の項目を参照）、『世紀の謎 空飛ぶ円盤 地球を襲撃す』（同監督、一九五六年、**空飛ぶ円盤**の項目を参照）など複数のモンスター映画が流される。

また、テレビから出現して人を殺害する怪物という点では、あの『リング』シリーズの**山村貞子**の先輩ともいえる。

バンサ ［ばんさ］

映画『スター・ウォーズ』シリーズに登場するクリーチャー。初登場は第一作目、『スター・ウォーズ エピソード4／新たなる希望』（一九七七年）で、二つの太陽を持つ砂の惑星タトゥィーンに棲息する姿が見られた。

その姿は四足歩行の巨大な牛のようであり、頭の左右に螺旋状《らせんじょう》に曲がる二本の大きな角が生えている。タトゥィーンの原住民であるサンドピープル（タスケンレイダー）はバンサを家畜として飼育しており、物品の輸送や移動などを助けているようだ。

『STAR WARS GEEKTIONARY THE GALAXY FROM A to Z』（宝島社、二〇一九年）によれば、バンサは原産地がタトゥィーンであるが、現在は銀河中で飼育されているという。

ハンマーピード ［はんまーぴーど］

映画『プロメテウス』（二〇一二年）に登場した地球外生命体。乳白色の蛇のような姿をした軟体動物で、球体の頭部が左右に開き、縦に裂けた口のような器官が現れる。

　血液が強酸性であるという特性を持ち、さらに強い再生能力があり、首を落としても数秒でもと通りに生えてくる。

　もともとは「LV－223」という惑星に棲息するミミズ型の生物だったが、この星にあったエンジニア（**スペースジョッキー**の項目参照）という知的生命体の遺跡に残されていた黒い液体（**ブラックタール**の項目参照）に触れたことで変異し、ハンマーピードとなった。

　劇中では接触してきたミルバーンという鉱物学者の腕に巻き付き、骨を粉々に砕いた他、ミルバーンとともにいたファイフィールドという地質学者がハンマーピードの首を切断したことで酸性血液が噴出。これがミルバーンの宇宙服のヘルメットを溶かした。さらに瞬時に頭部を再生させたハンマーピードはミルバーンの腕の傷口から宇宙服内に侵入。口に入り込み、彼を窒息死させた。

　フェイスハガーのように相手の体内に寄生体を送り込んだり、自ら寄生するといった描写がないため、この口から体内に入り込むという行動にどのような意味があるのかは不明である。

百万の眼を持つ刺客

［ひゃくまんのめをもつしきゃく］

　デヴィッド・カーマンスキー監督の映画『百万の眼を持つ刺客』（一九五五年）に登場する地球外生命体。宇宙船を使い、何万光年も離れた星から地球を侵略しにやって来る。

　その正体は精神生命体であり、他の生物に乗り移って行動する。また離れた動植物を洗脳して操る能力を持ち、劇中では犬や牛、鳥を操って人間を襲わせる場面が見られた。また人間を洗脳することもできるが、精神力が高いほど抵抗力も高くなるため、他の動物に比べると洗脳が難しいらしい。

　最終的に人間を支配し、地球を支配しようと目論《もくろ》んでいたが、最初に狙った人間の家族が抵抗。心が離れていた家族が宇宙人との戦いを経て団結し、その愛によって宇宙人の精神支配を跳ね返したことで倒した。

　百万の眼を持つというのはこの宇宙人の自称するところであるが、終盤に登場する宇宙人の眼はふたつしかない。

　『モンスターパニック 超空想生物大百科』（大洋図書、二〇〇〇年）によれば、もともとこの宇宙人は精神生命体であり、各天体の生物に憑依《ひょうい》するという設定であったため、姿が存在しないはずであった。しかし配給会社の要望で急遽実体が作られることになり、地球に来る前に精神生命体が憑依した生物がデザインされ、画面に登場することになったという。

　この宇宙人はほとんど一瞬しか画面に映らないが、昆虫と爬虫類《はちゅうるい》を合体させたようなフォルムはなかなか格好良い。書籍などには、その姿をはっきりと確認することのできる写真が掲載されているものも多いため、じっくりと観察したい場合は映画本編よりも書籍資料の方が良いかもしれない。

　ちなみにポスターには無数の眼を持つ巨大な怪物のようなものが描かれているが、この怪物は本編には登場しない。先述した宇宙人も地球人より小さいぐらいである。百万の眼を持つという表現は同時に複数の動物を操ることができるため、無数の眼で地球人を監視することができるという意味合いかと思われる。

ひる［ひる］

ロバート・シェクリィの小説『ひる』（一九六〇年、宇野利泰訳、早川書房『無限がいっぱい』（二〇〇六年）収録）に登場する地球外生命体。

　数千年にわたって宇宙をさまよっていた不定形生物で、質量とエネルギーを相互に転換させる特殊な体を持つ。

　このひるはどんなエネルギーであっても吸収して自らの体を構成する物質に変化させることができ、あるいは、どんな物質でもエネルギーに変えて吸収することができる。反対に吸収したエネルギーを体内で再び物質に戻すこともできる。これにより、自分の体を無限に巨大化させることができる他、体をエネルギーに転換することで宇宙空間や空中の移動を可能とする。

　この能力により様々な星を訪れては星ごと喰い潰《つぶ》し、エネルギーに変換して吸収し、自らの体の要素とする。そして、食べるものがなくなると、吸収したものをエネルギーに変えて、そのエネルギーで再び宇宙を移動する。移動で消費したエネルギーを補充するために再び星を襲い、やはり喰い尽くしてしまうということを繰り返していた。

　ある時、小さな塊になるほどエネルギーを消耗し、宇宙を漂っていたひるが地球の引力に引かれて落下する。アメリカのニューヨーク州にある農場に墜落すると、周辺の土を吸収しながら急速に巨大化した。

　その表面は灰褐色で、複雑な節目が付いていたと描写されている。人間たちはこのひるを破壊すべく様々な方法を試したが、物で叩けばそれを吸収し、自動車で乗っかれば自動車を吸収し、爆弾を爆発させれば爆発の際のエネルギーを吸収し、といった風にただすべてを食糧としてしまうのみだった。

　原子力兵器の攻撃ももののともせず、エネルギーや兵器自体を吸収し、さらに巨大化していく。またこの頃には空中を浮遊する力を見せるようになる。

　そしてひるを完全に破壊するために投下された原子爆弾のエネルギーさえも吸収し、さらに著しく成長した。

　そこで人類は手を打ち、リモートコントロールできる純放射性物質を満載した宇宙船を空に飛ばし、絶えず強力なエネルギーを欲するひるにそれを追わせて地球外に追放することに成功する。

　そのまま太陽に衝突させようとしたが、ひるの成長速度を勘案すると、それではひるの方が太陽を喰い潰してしまうという予測が導き出されたことで進路を変更。そしてひるが宇宙船に接触したとき、あらかじめ仕込んでいた水素爆弾が爆発した。

食料なしに宇宙空間を移動し続け、エネルギーの消耗から全身が縮小しつつあったひるは爆発に耐えきれず、ばらばらに砕かれた。

しかしその塵《ちり》のように四散した細胞はひとつひとつがまだ生きており、いつか新たな食糧に辿《たど》り着くであろうことが示唆されている。

日本の特撮ドラマ『ウルトラQ』に登場する風船怪獣「バルンガ」の元ネタになっていることでも知られる。ただしバルンガが吸収するのはエネルギーのみであるのに対し、ひるの場合は物質であろうとエネルギーであろうと吸収し、巨大化するため、より厄介な性質を持っている。

フェイスハガー ［ふぇいすはがー］

映画『エイリアン』（一九七九年）をはじめとした『エイリアン』シリーズに登場する地球外生命体。名前の由来は「フェイス（顔に）ハガー（張り付くもの）」。

乳白色の節足動物のような生物で、人間の手を手首で重ね、掌と指を外側に向けて開いたような形状をしている。また長い尾を持つ。

エイリアン・エッグと呼ばれる卵のような生物から誕生し、付近にいる動物の頭部に飛び付く。その後、足で顔を摑んだ後、尾を首に絡みつけ、窒息状態にし、意識を失わせる。

そして腹側にある管をその動物の口に挿入し、**エイリアン（『エイリアン』シリーズ）**の寄生体を胎内に流し込む。この幼体は宿主の体内でそのＤＮＡを取り込み、宿主の特徴を持った幼体に成長する（**チェストバスター**の項目参照）。

宿主の体に寄生体を植え付けることを目的とした生物であるため、役割を終えると宿主の顔から剝《は》がれ、死亡する。

しかし張り付いている間は凄《すさ》まじい力であるため、簡単に剝がすことは不可能。また外科手術で取り除こうとも血液が強酸性であるため、フェイスハガーを傷つければ術者や宿主本人に大きな危険が及ぶ可能性があり、困難を極める。

なお、フェイスハガーは死亡すると血液が中性化し、無害なものとなるため、解剖等が可能となる。

『エイリアン』の劇中ではＬＶ－４２６と呼ばれる小惑星にあった異星人（**スペースジョッキー**）の宇宙船に産み付けられていたエイリアン・エッグのうち、ひとつから誕生。小惑星から信号を受信し、調査にやって来たノストロモ号の乗員、ギルバート・ケインの顔面に張り付き、彼の体にエイリアンの寄生体を送り込んだ。なお、このフェイスハガーはケインの頭部を覆っているヘルメットのシールドを溶解させ、内部に侵入するという能力を見せている。

続編『エイリアン２』（一九八六年）ではエイリアン・エッグから誕生した後も単独で長期間生存することが可能であることが判明した。また動きも異常に速く、床を高速で這《は》い回りながら獲物を狙って襲いかかって来る描写がある。

『エイリアン3』（一九九二年）ではエイリアン・クイーンに成長する寄生体を運ぶ専用のフェイスハガーがいることが判明している。劇中にははっきりとした姿は登場しないが、足の間に皮膜があり、他のフェイスハガーよりも大きい。この個体は「クイーンフェイスハガー」とも呼ばれる。また初めてフェイスハガーが人間以外の動物、本作では犬（完全版では牛）に寄生する姿も見られた。

『プレデター』シリーズとのクロスオーバー作品『エイリアンvsプレデター』（二〇〇四年）では**プレデター**に寄生する場面がある。映画ではプレデターに向かって飛びかかって行くところまでしか映されないが、ノベライズ版を見ると、プレデターの顔に張り付いた直後、引き剥がされたと語られている。しかしその一瞬で寄生体を送り込んでおり、後に**プレデリアン**を誕生させることになった。

物体X

［ぶったいえっくす］

ジョン・W・キャンベルの小説『影が行く』（一九三八年（中村融訳、創元SF文庫、二〇〇〇年））に登場する怪物。名前はこの小説を原作とした映画の邦題『遊星よりの物体X』及び『遊星からの物体X』に拠る。『影が行く』においては宇宙船に乗ってやって来た生命体で、南極に墜落し、氷の中に閉じ込められていた。南極の探検・磁極調査を行う大磁極基地の隊員に発見され、周囲を覆う氷塊ごと基地に運ばれたが、そこで覚醒。隊員たちを恐怖に陥れた。

その容貌は身長約一・八メートル、体重は約九一キログラムで、鮮血のように赤く輝く三つの目を持ち、頭には蛆《うじ》がわいていると描写される。

しかしその姿は仮初《かりそめ》のものでしかなく、正体はどんな生物にも同化・擬態できる脅威の生命体。細胞一個単位で生命を持ち、生物と接触すると対象の体を消化しながらその細胞を模倣して自分の細胞を変化させる。このため劇中では隊員たちや基地で飼われていたハスキー犬と同化。また、テレパシー能力を持ち、他者の思考を読むことができる他、同化した相手の記憶ごと再現し、擬態するため、目の前にいる人間が本人なのか、それとも物体Xの擬態なのかを見極めるのは困難を極める。

また相手の思考を読むだけでなく自分の思考を放射することもでき、それによって隊員たちに混乱を与えていた。

細胞単位で生きているため、体を切断したり一部を破壊するだけでは殺すことができず、殺しきるためには高熱で細胞全体を焼き尽くす、酸をかけて細胞を死滅させるなどの方法を取る必要がある。

擬態を見破るため、劇中では血清検査が行われたが、物体Xはその反応まで模倣していたため、失敗に終わる。次に血液単位で生きていることを利用し、各隊員の血を熱した針金で炙《あぶ》ることで血液に擬態した物体が熱から逃げ出そうとする反応を起こすことを利用し、擬態を見破られることになる。

対象に擬態するだけでなく、体を様々な形に変形させることもでき、作中では四本の触手のような腕に触手のような指を七本生やした姿を見せた。

擬態した生物の知識を取り入れたのか、それとももともと高度な知能を持っているのかは不明だが、作中では南極から移動するために原子力エネルギーを動力にした反重力装置を短期間で開発している。

作中では、地球よりも明るく、気温の高い青い太陽のある星から約二〇〇〇万年前に飛んで来て南極に墜落したのだと考察されている。

クリスティアン・ナイビイ監督の映画『遊星よりの物体X』（一九五一年）においてはこの宇宙生物は大幅に設定を変更され、禿頭《はげあたま》の大男の姿をした宇宙人となっている。その体は動物よりも植物に近く、神経や血液を持たない。劇中では地球で人間が虫や魚から人間に進化したように、この生物は植物から思考・運動する生物に進化したのだと推測されている。そのため、劇中では人参扱いされる。

他の生物の血液を吸収し、エネルギーとする。また、たとえ体から切り離されたとしてもその部位が独立して生きることができ、その状態でも血液を摂取することが可能。

これらの性質からこの映画では物体Xは他の生物と融合・擬態することはできないが、その分登場人物たちが一致団結して怪物と戦う、原作や後の映画化では見られない珍しい展開を見ることができる。

指に生えた棘《とげ》を武器とし、怪力を持つが、植物だからといって灯油をかけられ、火を点けられて全身を燃やされ、なすすべなく逃げ出す。さらに逆襲のため戻ってきた際には電気を使ったトラップによって感電させられ、全身が焼け焦げて倒れた。

同作のリメイクかつ二度目の映画化であるジョン・カーペンター監督の『遊星からの物体X』（一九八二年）においては、細胞のひとつでも独立して生存可能という物体の特性が再現されており、他生物の同化・擬態も表現される。一方、物体の能力は原作よりも強化されており、用途に合わせて体の一部を様々な形に変化させて行動できる。劇中では眼球や口、無数に伸びる触手、節足動物のような脚、巨大な刃物のような歯を持つ口のような器官などへの変形を見せた。これにより移動したり、敵に対する攻撃を行うなどする。

また劇中では物体Xが生物と同化する過程について、細胞単位で生物に侵入した後、その生物の細胞と同化し、疑似細胞となって宿主を乗っ取ると説明される。また同化には暗がりで生物との接近が必要と言及されている。また同化した対象が人間の場合、その衣服を裂くという特徴もある。

一方、原作とは違い物体Xは既に犬に擬態した状態から登場し、宇宙船は冒頭に出てくるものの、次に登場するのは既に氷を爆破され、中を探索された後の姿だ。この前日譚《ぜんじつたん》は映画『遊星からの物体X ファースト・コンタクト』（マティス・ヴァン・ヘイニンゲン・Jr監督、二〇一一年）で描かれることになる。

この作品では物体Xを発見したノルウェーの探検隊の姿が描かれ、原作と同じく氷塊に閉じ込められた物体も見られる。またCGで表現することが可能になったためか触手を武器として振り回すようになり、人体を貫通するほどの攻撃力を持つ様子が描写された。また前作に比べ、積極的に人間を襲う様子が目立つ。いずれにせよ刃物による切断や銃創などでは倒すことができず、完全に殺すには火炎放射器などで細胞を一つ残らず焼き尽くすしかないとされる。

また物体Xは無機物に擬態できないことから、銀歯やピアスといったものを体につけている場合は物体Xの擬態ではない、という簡易的な見分け方も示された。

ブラックタール［ぶらっくたーる］

『プロメテウス』（二〇一二年）及び続編『エイリアン：コヴェナント』（二〇一七年）に登場する病原体。真っ黒な液体だが、実は無数の微生物の塊であり、摂取した生命体を変異させる性質を持つ。

名称としては「Chemical AO-3959X.91-15」という公式名称があるが、ブラックタール、ブラックリキッドといった言葉で呼ばれることが多い。

ブラックタールを摂取した生命体は姿が変化し、体が強靭《きょうじん》になり、攻撃性が増す他、知的生命体の場合は知能が失われる。また初期段階では目や体液に細長い小さな寄生虫のような存在が出現する。さらに感染した生命体と感染していない生命体が性行為を行った場合、子を宿す側に新種の生命体が生じる現象も見られる。

加えて一度に大量に摂取すると体が崩壊し、黒い胞子状になって大気中に散布される様子も見られる。

その正体はエンジニア（**スペースジョッキー**の項目参照）という種族によって作られた人工生物であり、感染した生命体のDNAを書き換え、変異を発生させる力を持つと考えられる。エンジニアはアンプル状の容器にこれを収容していた。

劇中ではエンジニアが惑星LV－223に作った建造物の中に保管されており、地球人が調査に訪れたところ、容器から溢れ出し、この惑星のミミズのような生物を変異させた（**ハンマーピード**の項目参照）。また調査隊の人間もこれに感染し、ブラックタールに直接触れたファイフィールドという地質学者はまるでゾンビのような怪物に変異し、仲間たちを襲ったが、最後は焼き殺された。

またアンドロイドのデヴィッド（**アンドロイド（『エイリアン』シリーズ）**の項目参照）が密かに行っていた実験により知らずのうちにブラックタールを口から摂取したチャーリー・ホロウェイは体調不良を訴え、容貌が変異し始めたため自ら命を絶つことを選ぶ。

しかしホロウェイの恋人であり、彼が感染後、性交していたエリザベス・ショウという考古学者の体内で新種の生物が成長。これは外科手術によって体外に摘出された（**トリロバイト**の項目参照）。

ブラックホール第三惑星人
［ぶらっくほーるだいさんわくせいじん］

福田純監督・中野昭慶特技監督の映画『ゴジラ対メカゴジラ』（一九七四年）及び本多猪四郎監督・中野昭慶特技監督による続編『メカゴジラの逆襲』（一九七五年）に登場する異星人。「大宇宙ブラックホール第三惑星人」と表記される場合もある。母星の破滅が近いことから、地球に侵略行為を行う。

『ゴジラ対メカゴジラ』では人工皮膚を使って地球人に変装し、沖縄の玉泉洞の奥に基地を建設して**ゴジラ（二代目）**を研究し、**メカゴジラ**を完成させた。このメカゴジラを使って侵略行為を行うが、本物のゴジラと沖縄の守護神**キングシーサー**によりメカゴジラは破壊される。死亡すると正体を現すが、その姿は緑色の皮膚をした類人猿のようであった。また地球に潜伏していたため「黒沼」「柳川」という地球人としての偽名も使用していた。

続く『メカゴジラの逆襲』では別動隊のブラックホール第三惑星人が登場。かつて学会を追われた地球人、真船信三を利用するため、彼の娘である桂をサイボーグとして蘇らせる。そして真船に恐竜の生き残りである**チタノザウルス**を操らせ、桂の体にメカゴジラⅡのコントロール装置を組み込み、彼女が生きている限りメカゴジラⅡが動き続けるように設定した。

そしてメカゴジラⅡとチタノザウルスの二体の怪獣によりゴジラを追い詰めるが、チタノザウルスは弱点である超音波を地球の防衛軍により浴びせかけられたことで一時戦闘不能に陥り、メカゴジラⅡも桂が人間の心を取り戻し、自害したことによりコントロールを失う。これによりメカゴジラⅡもチタノザウルスもゴジラに敗れ、ブラックホール第三惑星人は宇宙船に乗って逃げようとするが、その宇宙船もゴジラに撃墜され、ついに侵略は阻止された。

本作ではブラックホール第三惑星人の姿はケロイド状の皮膚をした人間のような姿になっている。

ブラッド・ラスト
［ぶらっど・らすと］

エドワード・L・バーンズ監督の映画『宇宙からの生命体 ブラッド・ラスト』（一九五八年）に登場する地球外生命体。

宇宙空間で回収された菌類で、地球の生物学者ポマー博士により「ブラッド・ラスト」と名付けられ、繁殖させられる。

タンパク質を餌《えさ》とするという性質があり、人間も当然その対象となる。ポマー博士はブラッド・ラストの培養を試みるが、失敗。大繁殖したブラッド・ラストは彼の研究所と自宅を覆い尽くし、博士もその犠牲となる。

このブラッド・ラストは焼き払われるが、その前にひとりの女性がポマー博士と接触していたことが判明。女性の行く先々でブラッド・ラストが繁殖し始める。

ブラッド・ラストは細菌やウイルスではなく菌類だが、媒介《ばいかい》となった女性の行く先々で広まっていく様子はまるでパンデミックのようであった。

同じく生物を捕食する菌類には**灰色菌**がある。なお、こちらはタンパク質だけでなくあらゆる物質を餌とする。

プリカーサー ［ぷりかーさー］

映画『パシフィック・リム』（二〇一三年）及びその続編『パシフィック・リム／アップライジング』（二〇一八年）に登場する異世界人。

アンディヴァースという異世界の住人で、高度な文明を築いている。「ブリーチ」と呼ばれる次元の亀裂を作り出し、そこを通って異なる次元の世界と行き来することができる。

このブリーチを使って生物兵器として作り出した怪獣を送り込み、その世界の文明を破壊し、自然環境を作り替え、資源を奪うという侵略を繰り返している。

地球に侵略した際には太平洋のチャレンジャー海淵の底にブリーチを作り、そこから怪獣を送り込んでいた。プリカーサーの生み出す怪獣は骨格がシリコンで構成されている、第二の脳という二つめの小さな脳がある。「カイジュウ・ブルー」と呼ばれる青色の血液が流れており、強酸性かつ猛毒で生物や自然に多大な被害をもたらす、などの共通点がある。

『パシフィック・リム』では数年にわたり怪獣を何度も侵攻させたが、地球人も対怪獣用巨大ロボット・イェーガーを作り、対抗。最後はチャレンジャー海淵のブリーチを発見され、イェーガーのひとつ、ジプシー・デンジャーによりブリーチを破壊された。ちなみにブリーチは怪獣以外を通さないように設定されていたが、ジプシーは倒した怪獣**スラターン**の死骸を利用してこれを突破した。

これにより地球侵略は失敗したかに思われたが、その一〇年後、再び侵略を開始する。怪獣の脳とドリフトと呼ばれる手法で繋《つな》がった生物学者ニュートン・ガイズラーを操り、怪獣の細胞を侵食させたイェーガー、**オブシディアン・フューリー**を作ったり、複数の怪獣を地球に送り込むなど暗躍した。

プリカーサーの名前は一作目には出て来ず、『パシフィック・リム ビジュアルガイド』によれば、脚本にこの名前で記されているという。意味は「先駆者」。また同書によれば、体長は三・六メートルだとされる。第二作目では、登場人物の台詞の中にプリカーサーという名前が登場する。

人間型の節足動物のような姿をしており、四本の腕と二本の脚を持つ。異次元から兵器として怪獣を送り込むという設定は、日本の特撮番組『ウルトラマンA』にてウルトラマンエースの宿敵として登場する異次元人、ヤプールを連想させる。ちなみにウルトラマンエースは番組の前半では北斗と南という男女二人で変身するウルトラマンと設定されていたが、『パシフィック・リム』の主人公機ともいえるイェーガー、ジプシー・デンジャーも男女二人が搭乗して操縦するロボットであった。

ブレードヘッド 〔ぶれーどへっど〕

映画『パシフィック・リム』（二〇一三年）に登場する怪獣。ムタヴォアとも呼ばれる。湾曲《わんきょく》した刃のような突起が顔の中心にあることからこの名前が付けられた。この刃物のように硬質化した突起は背中や腕、脚にもあり、全身が刃物で構成されているような姿をしている。

劇中ではオーストラリアのシドニーに出現し、対怪獣用防御壁を破壊、市街地に侵入する。そこで巨大ロボット・イェーガーのひとつ、ストライカー・エウレカと戦い、ミサイルを頭部に受け、倒された。

出番は短いが、対怪獣用防御壁を簡単に破壊したという点で、物語上重要な意味を持つ。

『パシフィック・リム』シリーズに登場する怪獣に共通する設定については**プリカーサー**の項目を参照。

プレデター 〔ぷれでたー〕

ジョン・マクティアナン監督の映画『プレデター』（一九八七年）をはじめとする『プレデター』シリーズに登場する地球外生命体。

宇宙を自在に移動する科学力を持ち、様々な機械的装備を使いこなす知的生命体であるが、種族的な単位で狩猟を文化としており、侵略や友好目的ではなく狩りを目的として他の星を訪れる。

その姿は二足歩行で二本の腕、ひとつの頭があるヒューマノイド型で、地球人と比べると身長が高く、体つきも筋肉質であり、頭部が大きい。

肌は基本的に薄い黄土色で個体によって黒や茶色の様々な模様がある。質感は爬虫《はちゅう》類《るい》に似ており、手足ともに指先には黒く鋭い爪が生える。

特徴的なのは頭部で、側面及び後頭部にはドレッドヘアのような管が生えている。顔には人間と同じく二つの目とひとつの口があるが、耳や鼻に当たる器官は見当たらない。また口の形状も特異で、口の外側に四方向に広がる爪状口器があり、四本をそれぞれ別々に動かすことができる。また咆《ほう》哮《こう》を上げる際にはこの爪状器官を外側に大きく開く。

地球の動物と同じく血液が流れているが、その色は緑色の蛍光色である。

身体能力にも優れており、地球人であれば軍に勤める大男であっても片手で投げ飛ばし、体当たりで現代建造物の壁を破壊することも可能。また跳躍により自身の身長の何倍も高く跳び上がることもできる。

さらに器用さもあり、後述する様々な武器を体の一部のように使いこなす。

独自の文化や美意識を持ち、自身が狩った獲物の頭蓋骨をトロフィーとして収集することが多い。また地球人相手の場合は脊《せき》髄《ずい》ごと引っこ抜く描写が見られる。

その他、殺した相手の生皮を剝《は》ぎ、逆さにして吊るすという行動が見られる。一方、武器を所持していない人間や妊娠している女性、病人など戦闘能力がないと思われるものは狩りの対象としないなど、狩猟にも独自の基準を持つ。ただし相手が攻撃してきた場合はその限りではない。

高い科学力を持つと推測されるが、狩猟を好むその性質から原始的な武器も多数使う。

個体によって形や色は異なるが、通常他の星に赴く際には頭部を覆う金属のマスク（ヘルメット）を被る。これはプレデターの頭部の前面を覆い、銃弾程度なら弾くほど頑丈であり、プレデターの頭部を保護する役割を持つとともに、その視界を補強する。

プレデターの左腕には小型のコンピュータを内蔵したガントレットが装着されており、これを操作することでマスクの視界装置を変更することができる。通常はサーモグラフィーのように温度差による視界を利用しており、獲物を見つけやすくしているが、相手によっては電磁波を視認するモードなどに変更することが可能。またズーム機能や後述するショルダーキャノン（プラズマキャスター）の照準機能もマスクに搭載されている。

先述したガントレットはマスクと同じくプレデターの基本装備であり、マスクの操作の他、プレデターの全身を透明にする光学迷彩機能を起動するのにも使う。光学迷彩は光を曲げて自身の姿を見えなくなるようにする装置であり、これを使ったプレデターのシルエットは歪《ゆが》んだ透明な影のような見た目になり、注意深く確認すれば居場所を特定できるが、戦闘時などは脅威となる。普段はこの機能により姿を隠しながら狩りを行う。ただし水に触れると解除されるという弱点がある。

またガントレットにはプレデターにとって最後の手段である自爆装置も備えられている。これを起動するとガントレットの画面にプレデターが使っていると思われる赤い数字が表示され、カウントダウンが始まる。そして一定時間が経過するとプラズマエネルギーによる大規模な爆発を起こし、周囲の地形ごと破壊する。プレデターは自身の敗北が決定的となった際の他、死亡したプレデターの遺体や宇宙船を破壊するためなどにも使用しており、敗北した相手を巻き込んで倒すための他、証拠を隠滅することも目的としていると思われる。

この他、シリーズを通して登場する装備にリストブレイドとショルダーキャノンがある。

リストブレイドは右手首に装着されるガントレットに装備されているもので、前方に向かって二本の刃が伸びる。プレデターの最も基本的な装備であり、単に近接武器として使用する他、強敵と認めた相手と相対する際にはリストブレイド以外の装備を捨て、これのみで戦いを挑む。また個体によってその刃の長さは異なり、刀身を射出したり、向きを変えたりと様々な機能を見せる。
ショルダーキャノンはショルダー・プラズマキャノン、プラズマキャスターなどとも呼ばれる。基本的にプレデターの左肩に装着されている小型のプラズマ砲で、プレデターの視界に合わせて照準を変える。

砲弾は青白く発光するプラズマ弾で、着弾すると爆発を起こす。威力の調節も可能であり、対象を弾き飛ばす程度から粉々に破壊するものまで見られる。強力な武器であるため、シリーズを通して破壊されることが多い。

シリーズ二作目の『プレデター2』（スティーヴン・ホプキンス監督、一九九〇年）以降はプレデターそれぞれが使う独自の装備の描写も増える。

『プレデター2』ではスピアと呼ばれる槍《やり》状《じょう》の武器が登場。コンビスティックとも呼ばれるこの武器は、普段は五〇センチほどの棒のような形をしているが、ボタンを押すことで二・五メートルに伸びる。近接戦闘の他、投擲《とうてき》にも使用する。**エイリアン（『エイリアン』シリーズ）**とのクロスオーバー作品である『エイリアンvsプレデター』（二〇〇四年）にも登場。デザインは銀色で細身となっており、強酸性の血液を持つエイリアン相手にも使用していた。

同作に登場するレイザーディスク（スマートディスク）もプレデターを代表する武器である。これはその名の通り円盤状の武器で、フリスビーのように投擲して使用する。冷凍された牛肉の塊を連続して切り裂きながら一直線に飛んで行くほどの威力があり、さらに投擲後は弧を描いて投擲者のもとに戻って来る。

『プレデター2』では無回転で飛ぶ円盤状の武器であったが、『エイリアンvsプレデター』以降は小さな円盤から複数のナイフのような刃が放射状に飛び出すデザインに変更された。こちらは回転しながら飛び、対象を切り裂いて戻って来る。

この他にも二股の矢じり状の弾丸のみが描写されたスピアガン、左手のガントレットから発射するガントレットプラズマボルトなども登場している。

相手に向かってワイヤー網を射出するネット・ランチャー（ネット・ガン）は『プレデター2』と『エイリアンvsプレデター』で登場している。『プレデター2』では相手を拘束するのに使われているが、『エイリアンvsプレデター』では捕えた獲物が抵抗するほど拘束が強くなる機能を持ち、さらにネット部分が鋭い刃となっているため、次第に肉体を切り刻んでいくという恐ろしい武器となった。しかしエイリアンの強酸性の血液に対する耐性はなかったらしく、エイリアンには拘束を破られている。

『プレデター2』では手首に装着する専用の発射装置が登場。『エイリアンvsプレデター』では左腕のガントレットに装備するものが描かれた。

『エイリアンvsプレデター』では前述したものの他、ガントレットに装着する大型の刃、シミター・ブレイドも登場。しかし劇中では使われる前に使用者のチョッパー・プレデターが殺害されたため、未使用に終わった。

『AVP2 エイリアンズvsプレデター』（二〇〇七年）ではエイリアンの尾をもとに作り出された鞭《むち》、スラッシャー・ウィップ（レイザー・ウィップ）が登場。エイリアンの外殻が素材となっているため、エイリアンの強酸性の血液が効果を成さない他、鞭全体が刃物となっており、対象の体に巻き付けて引き抜くことで相手を切断できる武器となっている。

『プレデターズ』（ニムロッド・アーントル監督、二〇一〇年）ではヘルハウンド（プレデター猟犬）と呼ばれる猟犬のような生物を使って狩りをする姿も見られた。また『ザ・プレデター』（シェーン・ブラック監督、二〇一八年）にもプレデターハウンドと呼ばれる犬のような生物が登場する。

シリーズに登場するプレデターも様々なものがいる。

『プレデター』で登場するものはプレデター・ウォーリアーと呼ばれることが多く、ジャングルで米軍の特殊部隊と戦い、次々と部隊員を殺害するも、最後は指揮官のアラン・ダッチ・シェイファーとの一騎打ちに敗れた。

『プレデター2』に登場するものはプレデター・ハンターと呼ばれ、アメリカのロサンゼルスに出現し、狩りを行った。この個体はロサンゼルス市警のマイク・ハリガンとの戦いに敗れている。

『エイリアンvsプレデター』では成人前のプレデターが三体登場。成人の儀式としてエイリアンと戦う。それぞれマスクが違い、ケルティック・プレデター、チョッパー・プレデター、スカー・プレデターと呼ばれるが、終盤まで生き残るのは従来のプレデターと同じデザインのマスクを被るスカーであり、他二人はエイリアンによって殺害される。

エイリアンはプレデターのように特殊な装備は持たないものの、パワーはプレデターに拮抗《きっこう》し、プレデターよりも素早く、しかも下手に傷つければ強酸性の血液が降りかかるという、手強い相手として描写される。このため、エイリアンはプレデターにとって成人の儀式に相応しい相手といえる。

遥か昔、地球を訪れたプレデターは地球人に技術を教える代わりに南極のブーヴェ島に儀式用のピラミッドを作らせ、そこでエイリアンを寄生させるための生贄《いけにえ》を要求していた。これが現代まで残っており、二〇〇四年に儀式の舞台として使われることが本作のストーリーとなる。

続く『AVP2 エイリアンズvsプレデター』では狩猟ではなくエイリアンの殲滅《せんめつ》と証拠の隠滅を生業とするプレデター・ザ・クリーナーが登場。幾度もエイリアンとの戦闘を経験した熟練の戦士であり、複数のエイリアンを同時に相手取ることができる。また過去の戦闘でエイリアンの血液により顔面の左側を負傷しており、左目を失明し、外顎《がいがく》の左側の上部分の牙が溶けている。

様々な武器を駆使し、また死亡した仲間のショルダーキャノンを自身の左肩に装着して両肩に装備するなど、歴戦の戦士らしく応用に長《た》ける。またショルダーキャノンが破壊された際には、銃身を改造し、ハンドガンのような形にして使っている。

　劇中ではプレデターに寄生して誕生したエイリアン、**プレデリアン**が宿敵としてクリーナーの前に立ちはだかり、幾度かの戦闘を経て相打ちとなった。

　『プレデターズ』では今までとは異なる種族のプレデターが登場した。このプレデターはバーサーカープレデター（スーパープレデター）と呼ばれ、通常のプレデターよりも大きく、好戦的。また獲物のいる場所に赴くのではなく、獲物を拉致《らち》して狩場に解き放ち、そこで狩りを楽しむという性質がある。またリストブレイドが二枚刃ではなく一枚刃、マスクの形状が違うなど、装備面でも通常のプレデターと異なる。一方、強敵と認めた相手とは一対一でリストブレイドのみで戦うなど、通常種のプレデターと共通する性質も見られる。

　この他、劇中ではクラシック・プレデターとして通常種のプレデターも登場し、初めてプレデター同士の戦いも描かれた。

　現時点（二〇二二年）の最新作『ザ・プレデター』では様々な種族の遺伝子情報を集め、それをプレデターに交配することにより、より強大なプレデターを生み出しているという設定が追加されており、人間の遺伝子を組み込んだフジティブ・プレデター、様々な遺伝子を組み込み、巨大化したアサシン・プレデターなどが登場。

　フジティブ・プレデターは地球の植民地化を狙う他のプレデターの目論見《もくろみ》を阻止すべく、人間に武器を与えるために地球を訪れる。ただ地球人の味方というわけではないらしく、邪魔な人間は殺害している。

　アサシン・プレデターはフジティブ・プレデターを阻止するべく地球に襲来。体を硬質化させる能力を持ち、同じプレデターの攻撃さえ防ぐ。フジティブ・プレデターを殺害し、さらに異種遺伝子交配のため、強い地球人を拉致しようとするが、地球人によって倒される。

　そして次回作であり、今までのシリーズより遡《さかのぼ》った時代が舞台となる『Prey』は二〇二二年の夏公開予定となっている。

　侵略でも友好でもなく、ただ狩りを目的として地球にやって来る珍しい宇宙人。その豊富な装備や独自の文化などは魅力的で、初登場から三〇年以上経った今でも人気を誇る。

　第一作『プレデター』の主役であるダッチはアーノルド・シュワルツェネッガーが演じている。

　また一作目の舞台はバル・ベルデという架空の国家だが、この国はシュワルツェネッガーが米軍のコマンドー部隊の指揮官であったメイトリックスを演じた映画『コマンドー』（マーク・L・レスター監督、一九八五年）で初めて言及された国である。『プレデター』以降も複数の作品でこの国家が登場したり、言及されたりしている。

　またシュワルツェネッガーの代表作のひとつに『ターミネーター』（ジェームズ・キャメロン監督、一九八四年）があるが、こちらもダークホース社から発売されたコミック『エイリアンvsプレデターvsターミネーター』などでプレデターと共演している。

またプレデターの宿敵として映画では二度にわたって戦ったエイリアンであるが、こちらも最初の対決はダーク・ホース社が一九九〇年に刊行したコミック『エイリアンvsプレデター』である（現在は『エイリアンvsプレデター　ブラッドタイム』（フェーズシックス、二〇一八年）として日本語翻訳版が刊行中）。またこの発想のもとになったのは『プレデター2』でプレデターの宇宙船の内部でエイリアン・ウォリアーの頭蓋骨が壁に飾られているのが描写されたことである。

この対決以降、プレデターとエイリアンはもとが別々のシリーズであるにもかかわらずコミックやゲーム、小説などで度々共演することになった。プレデターがエイリアンを成人の儀式に使うという設定ももともとはコミックに基づくもの。

この他にもプレデターを主役としたコミック、ゲーム、小説は多く、映画には登場しないプレデターも多数登場する。またこれらの媒体ではプレデターの種族名として「yautja《ヤウージャ》」という名前が使われることがある。ただし映画では一度も使われておらず、『ザ・プレデター』では彼らのことはタイトル名と同じ「プレデター」と呼ばれている。

プレデリアン［ぷれでりあん］

映画『AVP2 エイリアンズvsプレデター』（二〇〇七年）に登場する地球外生命体。

エイリアン（『エイリアン』シリーズ）が**プレデター**に寄生して誕生した怪物で、通常のエイリアンよりも大きく、体長二一三センチある。

プレデターに類似した特徴として後頭部のドレッドヘアに似た器官があり、口部には外側に四方向に広がる外顎《がいがく》を持つ。また体色もプレデターに似て薄い黄土色と黒の二色に分かれている。体格も筋肉質であり、実際に通常のエイリアンに比べ力が強く、アスファルトを突き破ったり、プレデターを軽々と弾き飛ばすなどしている。

劇中では前作『エイリアンvsプレデター』（二〇〇四年）のラストでプレデターの体を突き破って現れた**チェストバスター**が成長した個体として登場。プレデターの遺体を運んでいた宇宙船内で暴れ回り、宇宙船を地球のアメリカ合衆国コロラド州のロッキー山脈麓に墜落させる。

その後、プレデリアンは近くの町に出現し、宇宙船に積まれていた**フェイスハガー**が地球人に寄生したことで誕生した他のエイリアンたちのリーダーとなって下水道に潜伏する。

そこにエイリアンたちの抹殺を使命として現れたプレデター、ザ・クリーナーが出現。何度も戦うことになる宿敵と化す。

また**エイリアン・クイーン**同様に生殖能力を獲得しており、人間の妊婦の口に直接寄生体を流し込み、胎内の赤子をエイリアンに変異させるという方法を取る。これによりエイリアンは増え続け、間接的にクリーナーを追い詰めた。

最後は雨が降りしきる中、病院の屋上でクリーナーと対峙《たいじ》。この際にはプレデターの性質を引き継いだゆえか、クリーナーがプレデリアンを戦士として認め、ヘルメットを捨て、腕の装備、リストブレイド以外の武装を解除するまでじっと待っていた。そしてクリーナーと正面から激突。死闘の末、クリーナーの体に尾の先を突き刺すが、プレデリアンもまた頭部にリストブレイドを突き刺され、互いに身動きが取れなくなる。

そしてエイリアンを一掃するために放たれた核爆弾の爆発に巻き込まれ、消滅した。

映画での初登場はこの『AVP2 エイリアンズvsプレデター』だが、初出は遡《さかのぼ》る。WEBサイト「AvPGalaxy」によれば、脚本家のピーター・ブリッグスの話では、プレデリアンの誕生自体はさらに遡り、はじめは一九九一年に企画された『The Hunt: Alien vs. Predator』という映画の脚本における二回目に提出された草稿をもとにしたコンセプトアートだった。ここでは「プレデター・エイリアン・ハイブリッド」と呼ばれていたという。実際、コミックアーティストのデイブ・ドーマンが描いたコンセプトアートが残されている。

実際に物語に登場したのはエイリアンやプレデターのコミックを発売していたダーク・ホースコミックス社が刊行した『Aliens vs. Predator: Duel』で、以降はエイリアンとプレデターが共演するコミックやゲームの中で頻繁《ひんぱん》に登場するようになり、そして『AVP2 エイリアンズvsプレデター』にてついに映画出演を果たしたのだ。

ブロブ［ぶろぶ］

アーヴィン・ショーテス・イヤワース・Jr監督の映画『マックィーンの絶対の危機』（一九五八年）及びラリー・ハグマン監督の続編『人食いアメーバの恐怖2』（一九七二年）、チャック・ラッセル監督によるリメイク版の『ブロブ 宇宙からの不明物体』（一九八八年）に登場する不定形生物。

『マックィーンの絶対の危機』では隕石《いんせき》とともにやって来た赤い粘液状の生物とされる。当初は直径三〇センチにも満たなかったが、他の動物に取り付くとその肉体を急速に分解・吸収する能力があり、それを餌《えさ》にして急激に成長する。

見た目は真っ赤なゼリー状で、体を変形させながら自在に動く。火器や打撃による攻撃は効果がなく、人間を喰いながら巨大化した。

しかし冷気に弱いという弱点を看破され、街の住人たちが持ち寄った消火器を浴びせかけられ、活動停止した。ブロブはそのまま北極に運ばれ、危機は去ったかに思われた。

しかし『人食いアメーバの恐怖2』にて標本として保管されていたブロブの一部が復活。再び人間をはじめとする動物を喰いながら巨大化する。今回は不定形である特性を生かし、水道管を通って現れ、人間を食ったり、ボーリング場に溢れだすなどしたが、最後はスケート場に侵入したことで凍ってしまった。

『ブロブ 宇宙からの不明物体』ではやはり赤色の不定形生物として描かれるが、ただの赤いゼリー状の生物ではなく、肉をドロドロに溶かしたようなグロテスクな外見になっている。

この作品でも人間を喰い殺しながら巨大化していくが、撮影技術の進化からブロブの動きが凄《すさ》まじく早くなっており、人間が消化されていく様子も特殊メイクによって丹念に描かれる。また触手を伸ばして相手を襲う描写も見られた。

またブロブの設定もオリジナル版と異なっており、宇宙からやって来た不定形生物ではなく、アメリカ軍の実験により誕生した生物兵器とされる。ただし冷気に弱いという弱点は変わっておらず、降雪車のタンクを爆破させたことで冷気を浴び、結晶と化して力を失っている。

オリジナル版は初期の不定形モンスター映画の傑作であり、リメイク版は無限の食欲で際限なく巨大化し、物理攻撃が意味をなさない不定形モンスターの厄介さがこれでもかと描写された傑作である。

不定形モンスターを真面目に取り扱った作品というのは案外近年では少ないため、スライム系のモンスターが気になるという人はぜひ見てほしい。

ヘドラ ［へどら］

坂野義光監督・中野昭慶特技監督の映画『ゴジラ対ヘドラ』（一九七一年）に登場する公害怪獣。**ゴジラ（二代目）**と戦った。

鉱物起原の生物「ヘドリューム」が隕石《いんせき》に乗って宇宙から地球の海（駿河湾）に落下し、そこで海中のヘドロや公害物質を吸収。その結果生まれた怪獣である。ヘドロを吸収することから「ヘドラ」と名付けられた。

ヘドリュームの幼体は小さなオタマジャクシのような姿をしているが、これらの個体は互いに引き合う性質を持ち、ヘドロや公害物質を餌《えさ》として分裂・結合を繰り返し、巨大化する。やがてヘドロの塊に目が付いたような姿に変貌した。大きさは様々だが、タンカーや海辺の人間を襲うなどしていた。またこの時点で強力な毒を持つようになっており、手で触れただけで人間の皮膚が焼け爛《ただ》れるほどであった。

これらの段階は水中棲息期などと呼ばれるが、やがてヘドラは手足と尾を生やし、地上に進出する。この段階で体長は三〇メートルに達し、四足歩行もしくは二足歩行で陸上を闊歩《かっぽ》した。

その姿は頭からヘドロを被った人間のようで、灰色のヒダが全身を覆い、赤や黄の模様がところどころに走る。頭部には人間の瞳を縦にしたような形の赤い瞳が並ぶ。

富士市工場地帯の排煙を吸い、エネルギーとしていた。また体内のヘドロを弾丸のように発射するヘドロ弾と呼ばれる攻撃方法も確立している。

この段階は上陸期と呼ばれ、現れたゴジラと初めて交戦する。ゴジラの吐く放射能火炎には敵わずあえなく撤退。しかしその後、飛行能力を得て再び富士山麓に出現する。

この段階は飛行期と呼ばれ、エイのような形で空中を平行移動する。その際に硫酸ミストをまき散らし、通り過ぎた後の金属は腐食し、生物は肉を溶解され、骨となって死亡する。また光化学スモッグを広範囲にまき散らしており、触れた生物の目や喉に被害を与える。

この時点で体長四〇メートルに達しているが、その後、体長六〇メートル、体重四万八〇〇〇トンまで成長。完全に直立した二足歩行で移動し、ヘドロ弾の他、眼から赤色光線（ヘドリューム光線）を発射する。

この段階は「成長期」「巨大化期」などと呼ばれ、劇中での最終段階となる。

多数のヘドリュームが集合・合体して体を形成しているため、物理的な攻撃があまり効果をなさず、体を貫通したり、ちぎれても問題なく行動できる。また体に蓄えたヘドロを一気に解放することもでき、それによってゴジラを生き埋めにしている。体を包む毒も強力になっており、ゴジラの皮膚でさえも溶かし、一部を白骨化させた。

弱点としては乾燥に弱く、水分を失うと行動できなくなる。人間はこの弱点をつき、巨大放電板でヘドラに挑むが、問題が相次ぎ機能を発揮できないでいた。そこにゴジラが放射能火炎を吐きかけたことで放電が始まり、ヘドラは体が乾燥して倒れる。

しかしその体の内部、乾燥が届いていなかった部分からヘドラが復活。乾燥した体を脱ぎ捨て、空を飛んで逃げようとするが、ゴジラに追いつかれ、再び放電装置の前に連れて来られる。そしてゴジラにその体をむしられ、小さな破片にされながら放電板と放射能火炎により乾燥させられたことで、ついに倒された。

核兵器によって現代に蘇った放射能の怪獣ゴジラと、ヘドロや汚染物質により巨大化した公害の怪獣ヘドラという、人類の負の側面が呼び起こした戦いである。ヘドラを倒した後、ヘドラを育てたのはお前たちだと言いたげにゴジラは人々を睨《にら》みつけた。

ヘドラの着ぐるみに入ったのは、後に「平成VSシリーズ」と呼ばれるゴジラのシリーズでゴジラを演じた薩摩剣八郎（**ゴジラ（平成VSシリーズ）**も参照）。この作品がスーツアクターとしてのデビュー作であった。

『ゴジラ FINAL WARS』（二〇〇四年）では三三年ぶりにスクリーンに復活。初代のデザインを踏襲しつつ、細部にアレンジが加えられ、よりグロテスクな外見になっている。

しかし登場シーンが短く、一方的にゴジラに倒されるのみであったため、往年のヘドラファンからは不評であった。

二〇二一年には「ゴジラ・フェス2021」及び動画配信サイト「YouTube」にてこのヘドラの着ぐるみを使い、『ゴジラ対ヘドラ』五〇周年記念作品として『ゴジラvsヘドラ』と題された短編動画が公開された。市街地にてゴジラと一対一で戦うヘドラの様子が令和の時代に描かれている。

ポッドピープル ［ぽっどぴーぷる］

ジャック・フィニイの小説『盗まれた町』（一九五五年）に登場する地球外生命体。種子のような生物で、資源の枯渇した母星を離れ、宇宙を漂っている。

生命体のいる惑星に到着すると、そこにいる生物とほぼ同じ構造の複製を生みだし、もとになった生物は灰色の塵《ちり》となって消える。この複製生物はもとの生物の知識や記憶をそのまま所持しているが、感情を持たない。

作中ではこの複製を作る際に植物のさやのようなものが作られることから、「ポッドピープル」すなわち「さや人間」という俗称が用いられる。この複製は五年程度しか生きられず、生殖機能もないとされる。

生命体はその星の資源を食い荒らすと次の星へと移動する。そうして様々な星を滅ぼしてきたことが示唆されている。

小説ではアメリカのカリフォルニア州にあるミニバレーの町の人々が犠牲になるが、隣町への拡散は主人公たちによって防がれ、生命体は宇宙へと逃げ帰る。

この小説は何度も映画化されており、『ボディ・スナッチャー／恐怖の街』（ドン・シーゲル監督、一九五六年）、『SF／ボディ・スナッチャー』（フィリップ・カウフマン監督、一九七八年）、『ボディ・スナッチャーズ』（アベル・フェラーラ監督、一九九三年）などがある。

ま

マイノック ［まいのっく］

映画『スター・ウォーズ』シリーズに登場するクリーチャー。登場するのは第二作目、『スター・ウォーズ エピソード5／帝国の逆襲』（一九八〇年）。

茶色い蝙蝠《こうもり》のような姿をしているが、その頭部にはシュモクザメのように飛び出た目玉があり、口は吸盤状になっている。エネルギーであればどんなものでも摂取できる雑食のクリーチャーで、宇宙船を見つけるとケーブル、動力発生装置、バッテリー、コンバーターなどからエネルギーを吸い取ってしまう。

銀河系のいたるところに棲息しており、劇中では**エクソゴース**の体内に寄生して、迷い込んだミレニアムファルコン号を襲った。

マシフ［ましふ］

映画『スター・ウォーズ』シリーズに登場するクリーチャー。登場するのは第五作目、『スター・ウォーズ エピソード2／クローンの攻撃』（二〇〇二年）。

タトゥイーンやジオノーシスといった砂漠の惑星に棲息する。体長約一メートルで、犬のような姿をしているが、爬虫類《はちゅうるい》である。

タトゥイーンでは原住民であるタスキン・レイダーという種族の番犬として飼われている。強力な顎《あご》、背骨に沿って突き出した鋭い棘《とげ》があり、攻撃、防御ともに優れた動物として重宝された。

初登場はエピソード2だが、その後、アニメシリーズやドラマの『マンダロリアン』（インターネットTV）など、スター・ウォーズシリーズで幾度か活躍している。

ミステリアン［みすてりあん］

本多猪四郎監督・円谷英二特技監督の映画『地球防衛軍』（一九五七年）に登場する異星人。身長一・八メートル、体重八〇キロ。

赤、青、黄色のヘルメットとマント、及び白い衣服を身に纏《まと》ったヒューマノイド型の異星人で、赤い色を身に纏ったミステリアンが最高指揮官、黄が中級指揮官、青が一般隊員を務める。

地球の地上四万二〇〇〇キロメートル上空に中継基地として宇宙ステーション、富士山麓に地下要塞を建設し、直径二〇〇メートルあるドームを地上に露出することができる。ミステリアンは巨大ロボット、**モゲラ**により自分たちの力を示した後、半径三キロメートルの土地と、地球人の女性との結婚の自由を求めた。

もともとは火星と木星の間にあった遊星、ミステロイドの住人であったが、一〇万年以上前にミステリアン同士の大原子兵器戦争で失っている。わずかに残った生存者たちは火星に落ち延びたが、戦争で使われたストロンチウム90の影響で肉体が変異しており、生殖行為を行っても八割の確率で異常児が生まれる状況に陥っている。このため、地球人の女性と結婚し、子孫を残そうと考えていた。

地球が石器時代であった頃に既に水素爆弾を開発していたという高度な科学力を持ち、地球を破滅させることも容易だと語る。

劇中では光弾を発射する白兵戦用の武器として、地下要塞のドームから強烈なガンマ線を含む破壊熱線を放出する。これに加えてモゲラの存在もあったため、当初は圧倒的に優位な立場で地球人に要求を突きつけた。

しかし地球防衛軍が開発した新兵器マーカライトファープの攻撃により地下要塞の

ドームを破壊されたことで形勢逆転。ミステリアンは地球人に即時退去を求められる。

それでも悪あがきとして円盤を発進させ、湖の水を操り、濁流を発生させてマーカライトファープや付近の村を破壊するが、今度は地下要塞に侵入した地球防衛軍に内部から基地を破壊される。さらにミステリアンに協力していた地球人の科学者、白石亮一の裏切りにより捕らえられていた地球人の女性たちも助け出される。

ここでモゲラが出動し、マーカライトファープを倒壊させるが、その下敷きになり機能停止。地底要塞も白石による内部からの攻撃と、防衛軍のさらなる新兵器、電子砲の攻撃により爆発。ミステリアンは円盤で空へと逃げ出し、地球人の追撃により幾つかが撃墜されるも、少数は逃げ去った。

そして永遠に宇宙の放浪者として、さまようことになったのだ。

東宝映画としては初となる地球外からの侵略SFに登場する異星人。日本全体でいえば前年に『空飛ぶ円盤恐怖の襲撃』（関沢新一監督、一九五六年）という作品が公開されているが、現在観る手段がない。

核戦争により滅びたミステリアンの末路は、地球人の未来となり得ることも示唆されている。

ミドリ人

［みどりじん］

「緑色人」と訳される場合もある。ティム・バートン監督の映画『マーズ・アタック！』（一九九六年）に登場する異星人。火星の原生人類と他の星の生物の混血とされる。

体は基本的に薄橙色《うすだいだい》で、一部緑色のところもある。巨大な頭は脳がむき出しになったような二つに割れた形をしており、骸骨のような顔に飛び出さんばかりの丸く巨大な眼球が付いている。また、透明なヘルメットと緑色の宇宙服を着用している。体液は緑色で、内臓も同様に緑色をしている。

優れた技術力を持ち、空飛ぶ円盤で火星から地球に飛来し、宇宙服により地球上でも自在に活動できる。しかしその性質は残忍で、友好を求めて地球を訪れたと言いながら突然地球人の虐殺を開始した。主に使用するのは玩具《がんぐ》のような外見の銃で、赤色か緑色のレーザー光線を発射し、一瞬で肉を焼き尽くし、人間をレーザーと同じ色の骨に変えてしまう。また人間を縮小させる青い光線を放つ銃もある。

二酸化窒素《ちっそ》により呼吸しており、これを濃縮してガム状に加工することで、宇宙服なしでも地球上で活動できるようになる。

地球上では悪ふざけをしているかのように破壊行為を行う。「逃げないで、我々は友人だ」という音声を流しながら次々と人を撃ち殺し、建造物を破壊し、甚大な被害を与えた。また円盤の他に二足歩行の巨大ロボットを操り、地上を襲撃するなどしている。

さらに地球人を自分たちの円盤に拉致《らち》し、人間と犬の頭部と胴体を入れ替えるなどの実験も行っていた。

物理的に打撃や銃で倒すことができる

他、ウェスタンソングである『インディアン・ラブ・コール』を弱点としており、これを聞かせると周波数により頭が破裂して死亡する。このため、地球人はこの曲を拡声器や放送によって流してミドリ人に応戦。あっけなくミドリ人は全滅した。

　ミドリ人が乗る円盤が『世紀の謎 空飛ぶ円盤地球を襲撃す』（一九五六年、**空飛ぶ円盤**の項目も参照）のデザインを踏襲している、光線銃の音を一九五三年版の『宇宙戦争』（**火星人（宇宙戦争）**の項目も参照）から流用しているなど、映画の随所に往年のSF映画へのオマージュが詰め込まれている。

　原案になったのは一九六二年にアメリカで発売されたトレーディングカードゲーム『マーズ・アタック』。ミドリ人の要望はこのカードに描かれた火星人の姿ほぼそのままである。

ミレニアン ［みれにあん］

映画『ゴジラ2000 ミレニアム』（一九九九年）に登場する異星人。母星を失い、長い放浪の末に肉体を放棄し、量子流体化したとされる。六〇〇〇～七〇〇〇万年前、巨大なUFOで地球に飛来し、日本海溝の深海に沈んだUFOの中で眠っていた。その後、ゴジラの体内に自分の体を再構成できるオルガナイザーG1という物質があることを知り、覚醒する。全長二〇〇メートルのUFOを起動させ、**ゴジラ（ミレニアムシリーズ）**に攻撃を仕掛けた。

　UFOは地球上にはない未知の金属で構成されており、波動攻撃を放つ発射口を備える。また底部から見えない触手を伸ばし、コンピュータをハッキングしたり、ゴジラの細胞のオルガナイザーG1を奪うなどした。

　オルガナイザーG1を得た後は、平べったい頭を持つ銀色のタコもしくはイカのような姿に変貌。この状態は体長四〇メートル、体重一万トンとなる。しかしミレニアンはオルガナイザーG1を制御しきれず、怪獣**オルガ**へと変貌してしまう。

　ミレニアンの姿はCGによって表現された。デザインは小説『宇宙戦争』（一八九八年）以来イメージされるタコのような火星人の姿に近い。

ムーンカーフ ［むーんかーふ］

小説『月世界最初の人間』（一九〇一年）に登場する月の生物。「月牛」とも訳される。

　月の住人である**セレナイト**に飼育される家畜で、月に生えた植物を食べる草食動物。巨大な生物で、体高二四メートル、体長六〇メートルほどもある。体はたるんでいて地面に横たわっており、足は見えない。首は脂肪に覆われ、頭は小さく、太陽が見える間は常に目を瞑《つむ》っており、口の中は赤い。

　皮膚は背骨に沿って黒く染まっており、そこから白い皮膚が垂れている。地球人が近付いても特に襲いかかる様子もなく、穏やかな生物であることが窺える。

一方、この小説の映画化である『H・G・ウェルズのSF月世界探検』（一九六四年）では巨大な芋虫《いもむし》のような姿で登場する。眼も赤い複眼で、瞼《まぶた》のようなものはなく、節くれだった体には小さな脚が見える。地球人が近付くと積極的に襲いかかるなど、原作とかなり違う。

　また、見た目は虫のようだが、劇中に白骨化したムーンカーフが登場するため、脊《せき》椎《つい》動物のようだ。

　ムーンカーフを飼育するセレナイトについては、**セレナイト**の項目を参照。

メガ・カイジュウ［めが・かいじゅう］

映画『パシフィック・リム：アップライジング』（二〇一八年）に登場する巨大怪獣。**ライジン**、**ハクジャ**、**シュライクソーン**という三体の怪獣が**リッパー**という小型怪獣の能力により合体、一体の怪獣となったもの。

　対怪獣用巨大ロボットである四体のイェーガーと戦うが、イェーガーよりも遥かに大きく、怪力で圧倒した他、エネルギーを纏《まと》った腕で地面を叩くことによって衝撃波を起こし、遠距離攻撃もできる。

　ライジンのように運動エネルギーを吸収する能力、シュライクソーンのように鋭い針の生えた二股の尾、ハクジャのように六本の脚を持つなど、それぞれの怪獣の特徴が取り入れられている。

　劇中では瞬く間に三体のイェーガーを破壊し、自身の体液である怪獣ブルーを富士山の溶岩に含まれるレアアースと反応させ、有毒ガスを発生させて地球上の生物を全滅させるとともに、侵略者**プリカーサー**が住み易い環境を作るべく富士山頂へ進撃する。

　しかし唯一生き残っていたイェーガー、ジプシー・アベンジャーの捨て身の攻撃により粉砕され、倒された。

　『パシフィック・リム：アップライジング アート&メイキング』によれば、侵略者であるプリカーサーが次元の裂け目から怪獣を地球に送るためにはサイズ制限があるため、怪獣たちを合体させてより巨大な怪獣とすることができるよう怪獣たちを設計して生まれたのがこのメガ・カイジュウなのだという。

メタルーナ・ミュータント［めたるーな・みゅーたんと］

　ジョセフ・M・ニューマン監督の映画『宇宙水爆戦』（一九五五年）に登場する地球外生命体。

　その姿は肥大化した脳が剝《む》き出しになり、シルエットは人型だが昆虫のような外殻に覆われ、手の先はハサミのようになっている。

　惑星ゼーゴンと星間戦争を行っている惑星メタルーナにおいて雑役として使われていた。

　出番は短いが、そのデザインの素晴らしさから今も人気があり、また『マーズ・アタック！』（一九九六年）の**ミドリ人**や、『帰ってきたウルトラマン』（一九七一〜一九七二年）のメシエ星雲人など、後のクリーチャーのデザインに多大な影響を与えている。

モグワイ［もぐわい］

映画『グレムリン』（一九八四年）及び続編『グレムリン2 新・種・誕・生』（一九九〇年）に登場する怪物。名前の由来は中国語で「妖怪」や「化け物」を意味する「魔怪《モーグァイ》」による。劇中でもモグワイは最初チャイナタウンで骨董屋《こっとうや》を経営する中国人に飼われている。

顔には大きな目が付いていて、両側に大きな耳が広がる。手足の指は三本、全身が毛で覆われており、個体差があるが、基本的に色は白と茶や白と黒の二色をしている。また、言葉を理解し、簡単な単語や文章を声にして発することができるなど知能も高い。

モグワイは人間に対しいたずらなどをするものの、基本的には安全であり、人間が飼育することもできる。

しかし彼らを飼育する上で必ず守らなければならない三つのルールがあり、それは以下の通りとされる。

一、光を当ててはいけない。二、水をかけたり、濡らしてはいけない。三、夜一二時を過ぎてから食べ物を与えてはいけない、というものである。

一は単純にモグワイの弱点が光であるためで、特に日光に弱く、長時間晒《さら》されると死んでしまう。

二は水がモグワイの繁殖条件となっているためで、水に触れたり、飲んだりしたモグワイは痙攣《けいれん》を起こし背中から複数の毛玉が飛び出す。この毛玉が成長し、新たなモグワイとなる。

三は最も重要なルールで、これを破るとモグワイが成長し、グレムリンと呼ばれる種になる。これはモグワイに比べ知能が落ち、性格が狂暴で、身体能力も増すため、人間にとって脅威となる（**グレムリン（『グレムリン』シリーズ）**の項目も参照）。

飼い主が食べ物を与えなくても、モグワイが勝手に食べ物を探してきて食べる可能性もあるため、注意が必要。

劇中では、これらのルールが破られたことで増殖し、グレムリン化したモグワイたちの暴走が描かれている。また、二作品ともモグワイたちの中の主役、及び事件の発端としてギズモと呼ばれる個体が登場する。詳細は**ギズモ**の項目を参照。

ちなみにノベライズ版ではモグワイは地球とは別の星で生み出された人造生物と設定されている。

モノリス・モンスター［ものりす・もんすたー］

ジョン・シャーウッド監督の映画『モノリスの怪物 宇宙からの脅威』（一九五七年）に登場する地球外の鉱石。隕石《いんせき》としてアメリカ合衆国テキサス州のサンアンジェロという町に落下した黒い石。

生命体ではないが、水分を吸収して巨大化するという性質を持ち、大雨によって急激な成長を遂げたことで町を恐怖に陥れる。

　モノリス・モンスターは一定の大きさに成長すると自重で倒れ、砕ける。そしてその破片が水分を吸収し、再び巨大化する、というプロセスを繰り返す性質があり、それによって次第に町に迫って来る。しかも生物ではないため、毒や薬によって殺すことができず、破壊しても破片が水を吸って成長することから、迂闊《うかつ》に攻撃もできない。一方、弱点は食塩水で、かけられると成長が阻害されるという特性がある。

　巨大鉱物を怪物に見立てたアイディアが秀逸な傑作。ソフト化に際して『モノリスの怪物 宇宙からの脅威』というタイトルが付けられたが、それ以前は原題そのままの『モノリス・モンスター』というタイトルで紹介されることが多かった。

　生物ではないため、意思も欲望もないはずの鉱物が、水で増えるという特性を持つ故に人間を追い詰めていく展開が楽しい。ミニチュアを使った特撮もよくできているため、モンスター＝生物という先入観を捨てて見てほしい作品だ。

モンスターX

［もんすたーえっくす］

　映画『ゴジラ ＦＩＮＡＬ ＷＡＲＳ』（二〇〇四年）に登場する怪獣。身長一二〇メートル、体重六万トン。**X星人**という異星人に呼び寄せられ、巨大隕石《いんせき》に潜《ひそ》んで地球に飛来した。

　黒い外皮と白い外骨格に覆われた細身の怪獣で、頭の両側に頭が真っ二つに割れたような突出した外骨格がある。

　この頭と両側の外骨格にある赤い目から放つ引力光線デストロイト・サンダーが最大の武器で、また素早い動きと怪力により肉弾戦を得意とする。

　劇中ではそれまでどの怪獣も圧倒していたゴジラと互角に戦い、さらにX星人がすべて倒れた直後、体を変貌させる。

　肩の外骨格がそれぞれ頭部に変形し、首が伸びて三本の首となり、他の外骨格は体に融けるようにして色も変色し、金色になる。そしてドラゴンのような姿をした**カイザーギドラ**となり、再びゴジラと対峙する。

　『ゴジラ ＦＩＮＡＬ ＷＡＲＳ』に登場する怪獣の中では唯一の新規怪獣であったが、その正体はギドラ族の新種カイザーギドラであった。そのため**キングギドラ**と同様に引力光線を放つ。

よ

ヨー・ヴォムビスの蛭 〔よー・ゔぉむびすのひる〕

クラーク・アシュトン・スミスの小説『ヨー・ヴォムビスの地下墓地』（一九三二年、中村融編『影が行く ホラーSF傑作選』収録）に登場する地球外生命体。

火星のヨー・ヴォムビスと呼ばれる地域にあった地下墓地に潜《ひそ》んでいた奇怪な生物で、その姿は四角く、黒いなめし皮のようで、手足や尾はない。体表の表側は細かなカビのような羽毛で覆われており、裏側はピンク色の吸盤が同心円状に何列にも並び、神経線維のようなもので覆われている。人間と遭遇した場合、頭を目がけて覆い被さり、吸盤を張り付かせ、中心から針を突き刺して頭蓋骨を貫き、毒を注入する。その後、頭頂部から少しずつ、骨ごと対象の頭を食い尽くしていく。

この生物たちが住む地下墓地は火星の古代都市にて、古代の火星人が作り出したものであり、生物たちは火星人のミイラとともに地下の奥深くに封印されていた。それを調査しに来た地球人が開いてしまったために再び活動を開始した。

この生物に毒を注入された者は生物たちの棲《す》み処《か》である地下の部屋に向かおうとする欲求が生じるようになる。

この生物たちは日光のもとで生きられないとされているため、自分たちのテリトリーである暗闇に獲物を呼び出すために生み出した毒なのかもしれない。

ら

ライジュウ 〔らいじゅう〕

映画『パシフィック・リム』（二〇一三年）に登場する怪獣。体長一〇九メートル、体重三四七五トン。

ワニのような姿をした怪獣。**スカナー**、**スラターン**とともに出現し、怪獣が送り込まれる次元の亀裂を塞《ふさ》ぐために出動した巨大ロボット、ジプシー・デンジャーとストライカー・エウレカを海底で迎え撃った。

頭部を覆う外骨格があり、普段はこれで頭を隠している。水中で素早く泳ぐことができ、突進によってジプシーの右腕を破壊した。しかし、二度目の突進は見切られ、チェーンソードを叩きつけられて真っ二つに切り裂かれた。

『パシフィック・リム』シリーズに登場する怪獣に共通する設定については**プリカーサー**の項目を参照。

ライジン［らいじん］

映画『パシフィック・リム：アップライジング』（二〇一八年）に登場する怪獣。

頭部を硬い外骨格に覆われた獣脚類の恐竜のような姿をした巨大生物。外骨格は打撃を受けるとその運動エネルギーを腕に伝え、プラズマに変換して攻撃に転用することができる。

侵略者**プリカーサー**が**ドローン・イェーガー**によって東シナ海の海底に開かれた次元の裂け目から送り込んだもの。日本の富士山を目指し、メガ東京（この映画における架空都市。富士山の近くにある）に進撃し、そこで仲間の怪獣である**ハクジャ**、**シュライクソーン**とともに対怪獣用巨大ロボットである四体のイェーガーと戦った。

そして、その戦いの途中に小型怪獣**リッパー**の働きでシュライクソーン、**ハクジャ**と合体し、**メガ・カイジュウ**に変貌した。

『パシフィック・リム：アップライジング アート&メイキング』によれば、ライジンの外見は悪魔をイメージしているという。

ラ・カルカーニュ［ら・かるかーにゅ］

映画『人類危機一髪！巨大怪鳥の爪』（一九五七年）に登場する怪鳥。

体長数百メートルに及ぶ鳥の怪物で、ハゲタカのような姿をしている。

劇中ではメキシコに伝わる、見ると死ぬ鳥の化け物の名前である「ラ・カルカーニュ」と呼ばれる他、単にその容貌から「巨大な鳥（ビッグバード）」、「空からの怪物（クリーチャーフロムザスカイ）」などと呼ばれる。また、映画のタイトルから「ジャイアントクロウ」と呼ばれることも多い。マシンガン、大砲、ロケット砲、さらには原爆や水爆ものともせずに飛び続ける耐久力を見せ、戦闘機を破壊して次々と人を喰らう。

その正体は太陽系の外にある反物質でできた銀河からやって来た怪物で、自身は通常の物質で構成されているものの、体から反物質を放射してバリアのように使うことができる。このため物理的な攻撃が効かず、レーダーにも映らないのだという。またこれを利用して嘴《くちばし》や爪、翼を武器とし、戦闘機を撃墜していたという。地球に現れた理由はエネルギーの確保のためで、ラ・カルカーニュは破壊した物体の分子からエネルギーを吸収することができ、人を喰うのもその一環だとされる。

その後、世界中の上空に出現するようになり、動くものに反応して襲ってくるため、人々をパニックに陥れ、巣を作って卵を産み、個体を増やそうとした。

しかし卵を人間によって破壊され、怒り狂い、人間をさらに襲うようになる。

一方、人間側も反物質バリアの対策としてバリアを無効化する中性子爆弾を使用。これにより無防備となったラ・カルカーニュは、B-25戦闘機との戦いの末に撃墜された。

劇場で公開された際、見た瞬間観客が爆笑したというラ・カルカーニュのデザインが話題になることが多い。あまり評判がいいとは言えないデザインだが、個人的にはぎょろりとした巨大な目玉や、人間を容赦なく喰い殺す凶暴性、攻撃を無効化するバリアといった特殊能力など、様々な要素が組み合わさっており、好きな怪獣のひとつである。

日本では未公開であり、長らくソフト化の機会に恵まれなかったことから、書籍などでは原題を直訳した『巨大な爪』というタイトルで紹介されることが多かった。

ラスター ［らすたー］

映画『スター・ウォーズ』シリーズに登場するクリーチャー。登場するのは第七作目、J・J・エイブラムス監督の『スター・ウォーズ エピソード7／フォースの覚醒』（二〇一五年）。

複数の触手を持つ肉食生物で、触手を使って高速で移動し、放射状に牙が並ぶ円形の口を使って獲物を捕食する。背中には光を感知する目が付いている。

狂暴な生物で、捕獲が難しい。そのためクリーチャーを集めているコレクターの興味を惹く存在であり、劇中ではそんなコレクターのひとり、プラーナ王に届けられるために捕獲された個体が三体登場した。

これを運ぶ役割を担っていたのは腕利きのパイロット、ハン・ソロであったが、彼が借金を返済していなかったギャング団に遭遇したことから抗争に発展。その際に宇宙船のコンテナに積まれていたラスターが誤って解き放たれてしまう。

暴走した三体のラスターは次々とその場にいた者たちを喰い殺した。

『STAR WARS GEEKTIONARY THE GALAXY FROM A to Z』によれば、この生物は同じく触手を持つ肉食生物、**サルラック**と同じ科に属しているという。

ランコア ［らんこあ］

映画『スター・ウォーズ』シリーズに登場するクリーチャー。登場するのは第六作目、リチャード・マーカンド監督の『スター・ウォーズ エピソード6／ジェダイの帰還』（一九八三年）。

ダソミアという惑星が原産だが、劇中では銀河の暗黒街を牛耳るジャバ・ザ・ハットという宇宙人に飼育された個体が登場した。

体長五メートル、体重一・六トンに及び、二足歩行の巨人のような姿をした爬虫類《はちゅうるい》。ハットはこの怪物を自分の宮殿の地下で飼育し、「パティーサ」（友人の意味）と名付けて可愛がっていた。ハットが殺害を決めた対象はこの地下に落とされ、ランコアの餌《えさ》とされていた。

リーク［りーく］

映画『スター・ウォーズ』シリーズに登場するクリーチャー。登場するのは第五作目、『スター・ウォーズ エピソード2／クローンの攻撃』（二〇〇二年）。

ゾウやサイのような巨体と太い四本の脚を持つ草食動物で、頭頂部と両頰に三本の長い角が生えている。体長は四メートルに及ぶ。

イリーシアやコーディアン・ムーンという惑星が原産だとされるが、劇中では惑星ジオノーシスの処刑場で囚人を見せしめに処刑する役割を担った個体が登場。同じく処刑を担う**ネクスー**や**アクレイ**とともに映画の主役であるアナキン・スカイウォーカー、その師オビ＝ワン・ケノービ、恋人のパドメ・アミダラを襲う。

しかしアナキンはこの猛獣を手《て》懐《なず》けたため、ネクスーや軍隊と戦闘に陥る。ネクスーを倒したものの、その場にいた賞金稼ぎ、ジャンゴ・フェットにより頭部を打ち抜かれ、倒れた。

リッパー［りっぱー］

映画『パシフィック・リム：アップライジング』（二〇一八年）に登場する小型怪獣。

中国の巨大企業シャオ産業の東京支部にある自動工場で作られた機械の怪獣で、複数の怪獣の体を繋《つな》ぎ合わせ、合体させる能力を持つ。

この能力により**ハクジャ**、**ライジン**、**シュライクソーン**の三体の怪獣を合体させ、巨大怪獣**メガ・カイジュウ**を作り上げた。

劇中での登場時間は短いが、『パシフィック・リム：アップライジング アート&メイキング』を見ると白いクモのような姿をしていることが分かる。また小型怪獣とはいうが、人間よりも遥かに大きく、十数メートルの大きさがある。

レインボウ［れいんぼう］

小説『花と怪獣』（一九四〇年、マイケル・パリー編、宇佐川晶子訳『キング・コングのライヴァルたち』収録）に登場する地球外生命体。

地球の蘭《らん》に似た花で、茎は薄い黄色をしており、葉はつけない。色鮮やかな花を咲かせ、花の下に黒い種を落とす。

ジェイ・アーデンという地球人が宇宙船で金星に赴き、そこでこの花を発見。種を地球に持ち帰る途中、事故にあってニューイングランドの農園に落下してしまう。ジェイは死亡するも、農園のジェイリッド・カースという人物が種を見つけ、その栽培に成功する。

花はレインボウと呼ばれるようになり、その美しさと環境を問わずに咲く頑強さからたちまち人気となり、地球全土に広まる。

しかしその正体は外宇宙からやって来て金星の文明を滅ぼした恐るべきウイルスを

撒き散らす植物だった。花が咲いてから一ヶ月もすると花弁が落ち、ウイルスが発生する。そのウイルスはいかなるものでも防げず、どんな生物にも感染し、死に至らしめる。

　そしてその星には色鮮やかに咲く花と、生命のいなくなった文明の跡だけが残るという。

　同作品では滅ぼされた金星の文明の生き残りが種とともに地球に持ち帰られ、太陽の光と熱によって復活した後、この恐るべき植物のことを警告しようとする様子が見られる。詳しくは**金星の怪獣**を参照。

　また、金星の文明を滅ぼした、という点ではレインボウは**キングギドラ**の先輩にあたる。

レギオン［れぎおん］

　金子修介監督・樋口真嗣特技監督の映画『ガメラ2 レギオン来襲』（一九九六年）に登場する怪獣。宇宙から襲来した生物で、体長一四〇メートル、体重六〇〇〇トンの巨体を持つ「マザーレギオン」（劇中では巨大レギオンと呼ばれる）、その雑兵として働く「ソルジャーレギオン」（劇中では小型レギオン、資料によっては群体レギオンと呼ばれる）、これらと共生関係にある植物で、レギオンが放出する酸素ガスを吸収して成長する「レギオンプラント」（劇中では草体と呼ばれる）による群れを作る。マザーレギオン、ソルジャーレギオンは甲殻類に似た姿をしており、ソルジャーレギオンは黒、マザーレギオンは白い体色である。

　レギオンの群れはまず土や岩、ガラスなどの物質を分解してケイ素（シリコン）を摂取し、餌《えさ》とする。その際に多量の酸素が放出され、これがレギオンプラントを育てるために使われる。レギオンプラントはこれを触媒《しょくばい》として最終的に大規模な爆発を起こし、種子を宇宙にばらまく。レギオンはプラントの種子に自身の卵を植え付けているため、同時に宇宙にばらまかれ、生息域を広げる、という生態を持つ。

　またマザーレギオンとソルジャーレギオンは電磁波によって繋《つな》がっており、マザーレギオンが発する特殊な電磁波に従ってソルジャーレギオンが統率の取れた行動を行う。電磁波を発する際には、マザーレギオンの頭部の上にある器官が発光する。また自身と異なる電磁波を察知すると攻撃を行う習性があり、劇中では携帯電話やポケベルを持つ人間を狙っている。

　その体はケイ素で構成されており、筋肉に当たるものが存在せず、ガスによる圧力の変化で体を動かす。その体の大きさの割に身軽であり、ソルジャーレギオンは天井や壁を自在に這《は》い回り、マザーレギオンは翅《はね》を使って空中を飛ぶことができる。

　マザーレギオンは様々な能力を持ち、頭部から生える角状の器官からはマイクロ波を集束して放つマイクロ波シェルが発射可能。これを放つ際には角状器官が外側に広がる。

　また頭部の周りには五対の爪状器官が生え、干渉波クローと呼ばれる。ここからはソルジャーレギオンに指示を出す電磁波をはじめ、各種電波を放射することができ、劇中ではガメラのプラズマ火球を中和し、無効化する能力も見せている。

頭部の中心からはレッドロッド（マイクロ波触手）という赤く発光する細い触手が飛び出し、自在に相手を切り裂き、貫く。

外殻は頑強で、地中を掘り進めることができる他、肉弾戦では外殻そのものが武器となる。また外殻に覆われた脚部は鎌のように敵の肉体を抉《えぐ》り、切り裂く。

胸部にある発光器官からはソルジャーレギオンを生み出すことができる。

劇中におけるガメラとの戦いでは主にマザーレギオンがガメラと対峙《たいじ》したが、無数のソルジャーレギオンがガメラの体表を覆って攻撃を加えたり、レギオンプラントの爆発によりガメラが炭化し、戦闘不能になるなど、レギオン全体でガメラを苦しめた。

栃木県足利市におけるマザーレギオンとガメラの最終決戦においては、ガメラに頭部の角状器官を破壊されるなどダメージを負いながらも多彩な能力で戦闘を有利に進め、ガメラを追い詰める。しかしガメラは地球のマナと呼ばれるエネルギーを吸収し、発射する究極技ウルティメイト・プラズマを放ち、レギオンを粉々に爆砕した。

平成ガメラシリーズでは唯一の地球外生命体であるとともに、次作の**イリス**を含めてもシリーズ最大の強敵としてガメラの前に立ちはだかった怪獣。マザーレギオンを倒すために地球のマナを消費したことが、次作でギャオスの大量発生に繋がる。

名前の由来は『新約聖書』の「マルコによる福音書」登場する悪霊「レギオン」からであることが劇中で説明されている。

レザーバック ［れざーばっく］

映画『パシフィック・リム』（二〇一三年）に登場する怪獣。体長八一メートル、体重二九〇〇トン。

ゴリラのような姿をした怪獣で、太く発達した前脚を持ち、拳を握ってハンマーのように振るい攻撃する他、物を握って武器にすることができるなど器用。また背部には電磁衝撃波を放つ器官があり、これにより周囲の電子機器を機能停止させることができる。

頭部には二枚の鶏冠《とさか》があり、その後ろには発光する肉茎《にくけい》がある。この肉茎はレザーバックが興奮すると大きく震え、帯電して電磁衝撃波の出力を上げる。

劇中では香港近海に出現。巨大ロボットであるイェーガーのチェルノ・アルファ、クリムゾン・タイフーン、ストライカー・エウレカと戦う**オオタチ**に加勢した。その後、オオタチとともにチェルノとクリムゾンを破壊。電磁衝撃波によりストライカーも機能停止に陥らせるが、加勢にやって来たジプシー・デンジャーとの戦闘になる。海から香港の港へと舞台を変えながらジプシーと戦うが、頭部を集中して攻撃され、さらにプラズマキャノンを至近距離で連発され、体を破壊されて倒れた。

『パシフィック・リム』シリーズに登場する

怪獣に共通する設定については**プリカーサー**の項目を参照。

ローマンXK2 ［ろーまんえっくすけーつー］

フィル・タッカー監督の映画『ロボット・モンスター』（一九五三年）に登場する地球外生命体。

ローマン星からやって来た宇宙人。ゴリラがアンテナの付いた潜水帽を被ったような姿をしているが、知的生命体であり言葉を話したり、機械を操作したりできる。

しかも、地球に宇宙光線なる先制攻撃を仕掛けたことで、地球人が他国からの攻撃と勘違いして勝手に核戦争を始め、八人を除き全滅するという侵略宇宙人としても有数の成果を挙げる。

感情がないとした直後に怒ってみたり、アリスという人間の女性に惚《ほ》れたりと人間味がある。またロボット・モンスターであるからか上司の命令には逆らえない。

しかし終盤ではアリスへの愛に目覚めたことで、アリスを殺せという命令と彼女を殺せないという感情の狭間で揺れ動き、上司に処刑されてしまう。

そして、上司が地球を破壊しようとしたところで、実はすべて少年が見た夢の中での出来事だったことが判明する。が、実はローマンは実在した、ということが示唆されて終わる。

史上最低の映画としてある意味有名な映画。ストーリーがしっちゃかめっちゃかで、突然別の映画から流用した恐竜のシーンが挿入されたり、ほぼ人間が全滅した地球で登場人物が新婚旅行を始めたりする。

オチが少年の夢なので、ある意味夢の荒唐無稽さを表しているとも取れるが、ロボット・モンスターとは何だったのかも明らかにされない。劇中の描写から見るにローマンXK2こそがロボット・モンスターなのだろうとは思われるが、あくまで推測に過ぎない。

わ

ワンパ ［わんぱ］

映画『スター・ウォーズ』シリーズに登場するクリーチャー。

初登場は第二作目となる『スター・ウォーズ エピソード5／帝国の逆襲』（一九八〇年）。

雪と氷に覆われた惑星ホスに原住する生物で、真っ白な毛に覆われた雪男のような姿をしている。肉食で体長三メートルに達し、ホスの生態系の頂点に立つ。

巣穴を持ち、獲物を捕獲して保存食としてねぐらで凍らせておく習性がある。劇中ではは主人公のルーク・スカイウォーカーがこのワンパに捕らえられ、巣穴に吊るされる描写が見られる。

column 02

不死身の殺人鬼たち

スラッシャー映画というジャンルがあります。

ホラー映画の一ジャンルで、殺人鬼が人々を付け狙い、次々と殺害するタイプの作品です。

一見モンスター映画のように怪物が登場する映画とは別ジャンルに思えますが、実はスラッシャー映画には数多くの人ならざる化け物が登場するのです。

筆頭は一九七八年公開の『ハロウィン』でしょう。後世のスラッシャー映画に多大な影響を与えたこの作品に登場する殺人鬼、マイケル・マイヤーズは真っ白な仮面を被り、一切言葉を発さず、決して走ることのない、人間性を失った恐ろしい存在として描かれました。そしてそれだけでなく、常人を超える怪力を有し、銃弾を何発浴びても平然と動き回るという明らかに普通の人間とは異なる肉体を持つ存在でした。

以降、スラッシャー映画には普通の人間の殺人鬼だけでなく、こういった不死身の殺人鬼が登場するのがお約束となりました。これはシリーズを続ける上で何度も同じ殺人鬼が登場する理由付けともなっています。

一九八〇年に第一作が公開された『13日の金曜日』シリーズでは、殺人鬼ジェイソン・ボーヒーズが六作目にて死体から蘇り、完全に不死身の怪物と化しました。一九八四年の『エルム街の悪夢』のフレディ・クルーガーは最初から悪霊として登場しますし、『チャイルド・プレイ』シリーズのチャッキーは人形の体を持つ殺人鬼として登場しました。

このようにスラッシャー映画は人ならざる怪物が暴れ回るジャンルのひとつでもあるのです。

chapter 5

マシン ロボット アンドロイド

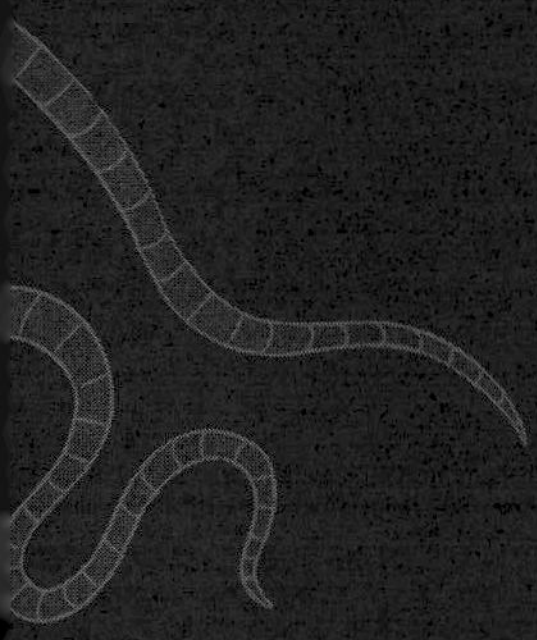

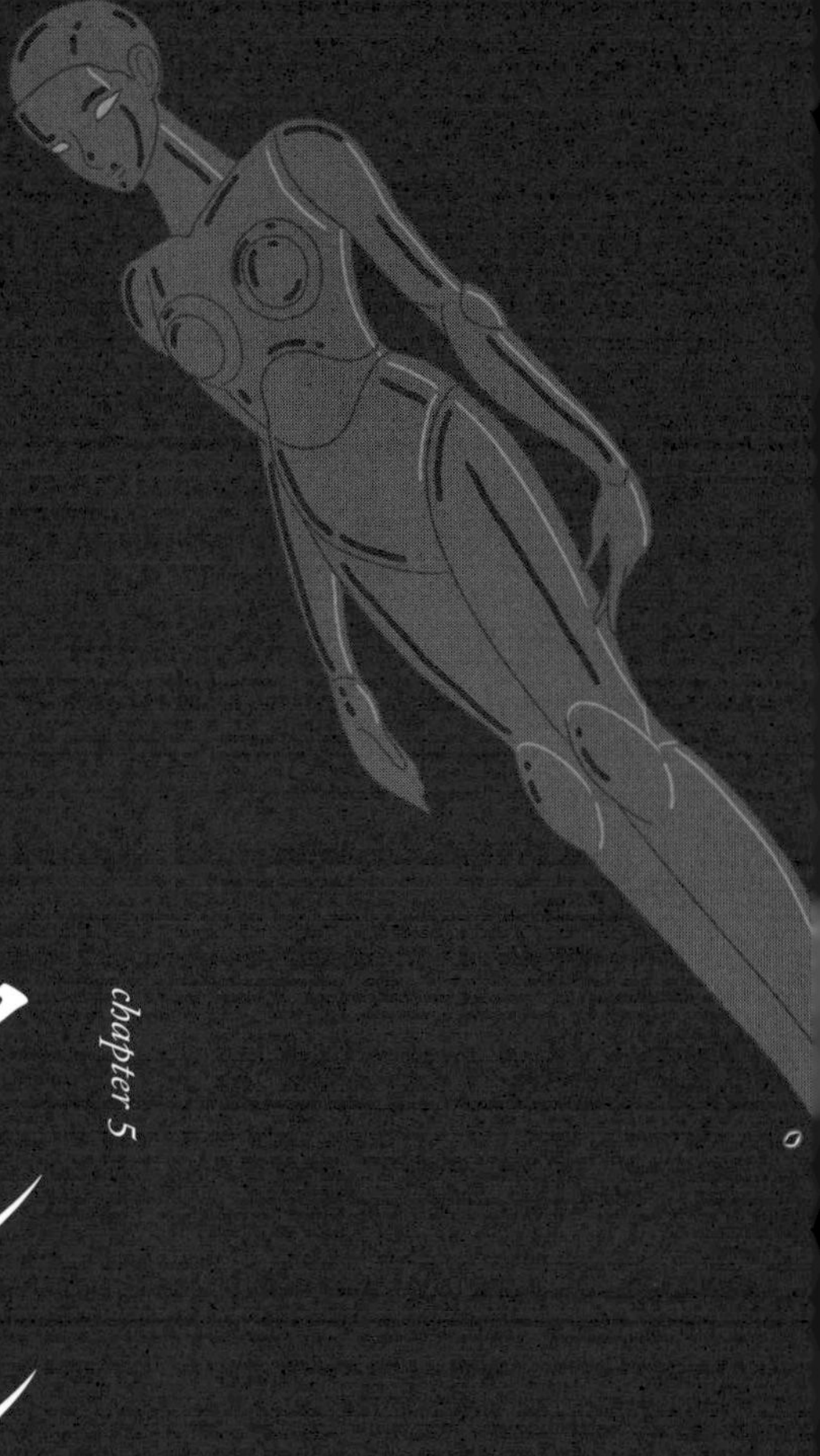

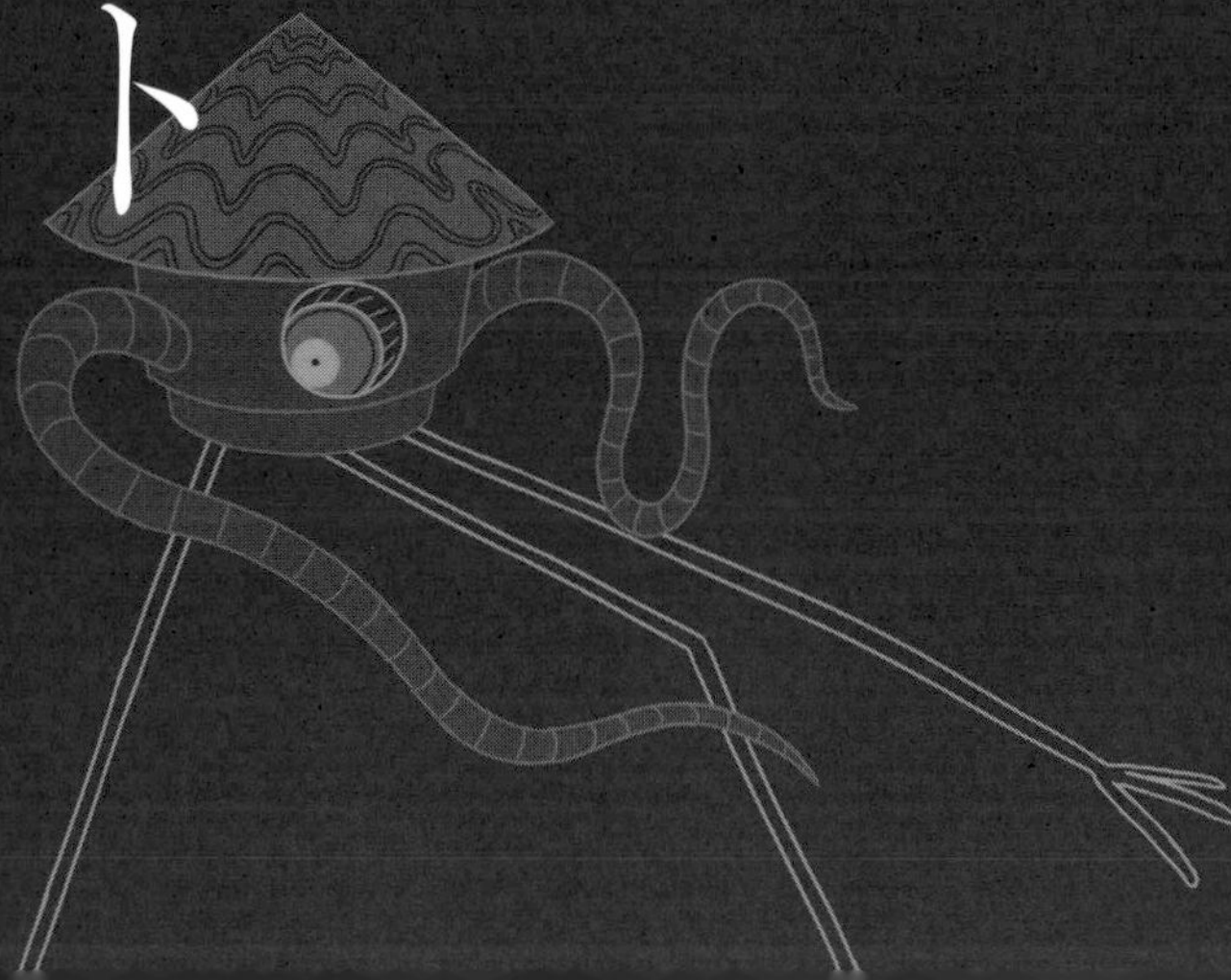

あ

アダム・リンク ［あだむ・りんく］

イアンド・バインダーの小説『ロボット市民』（一九四二年（青田勝訳、創元推理文庫、一九七〇年））に登場するロボット。

チャールズ・リンクという科学者によって作られ、金属の体に怪力、そして感情と思考能力を持つロボットで、チャールズ博士により教育を施され、アダムと名付けられる。しかし博士の事故死により、殺人の疑いをかけられる。

しかしアダムは裁判によって無罪を勝ち取り、以降、市民の偏見や中傷と戦いながら人間のために活動する。人間と同じ感情を持つアダムは時に悩み、苦しむが、理解者や伴侶《はんりょ》のロボ（イヴ）を得ていく。またその金属の肉体や人間のように思考できる頭脳を生かしスポーツで活躍したり、犯罪者や宇宙からの侵略者（シリウス人）と戦い、人間たちの信頼を得て、ついにはロボットとして初の市民権を獲得する。

『ロボット市民』ははじめ『I, Robot』という題名でアメリカのSF雑誌『アメイジング・ストーリー』一九三九年一月号に掲載された。ここではアダムはチャールズ博士殺害の容疑をかけられ、自らの死を覚悟するところで物語が終わっていたが、人気が出たため、一九四二年にかけて一〇編の短編の主人公として活躍することになった。物語はアダムの一人称視点で描かれ、彼の人間らしい心の動きが丹念に描かれる。また、終盤のシリウス人との戦いでは、人間ではないために侵略者と結託したと疑われながら、それでも人間のために機械の体で戦う姿はまさにヒーローであった。そしてこのアダム・リンクはアイザック・アシモフに大きな影響を与えたことでも知られている。**ロビイ**の項目も参照。

アンドリュウ・マーチン ［あんどりゅう・まーちん］

アイザック・アシモフの小説『バイセンテニアル・マン』（一九七六年、池央耿訳、創元SF文庫『聖者の行進』（一九七九年）収録）に登場するロボットで、アンドロイド、そして人間。

このロボットはまだ一般家庭にロボットが珍しかった頃、夫婦と二人の子どもで構成されるマーチン家に引き取られた。

そこでアンドリュウと名付けられ、よく家事や子守りを行ったが、アンドリュウがリトル・ミスと呼ぶマーチン家の娘にせがまれて木彫りのペンダントを作ったことでロボットでありながら芸術性を持っていることが分かり、木彫りの作品をいくつも作り上げた。そして作品を作ると、彼の頭脳回路は彼に楽しいという感情を呼び起こさせるようになった。

　アンドリュウの木彫り作品はたちまち人気となり、高額で売れた。マーチン家の主人であるジェラルド・マーチンはその売上金の半分をアンドリュウ名義の口座に入れ、彼のために残していた。その金はアンドリュウが自らを修理し、よりよい性能を得るために使われるぐらいであった。

　そして時が経ち、アンドリュウはその貯まった金を使い、ジェラルドに自由を買うことを申し入れる。ロボットである以上、人間の命令に逆らうことができず、傷つけることもできないアンドリュウであったが、自由の権利を欲したのだ。

　リトル・ミスの助けもあり、アンドリュウは裁判を経てロボットとして初めて自由を勝ち取った。そしてひとり彼のために作られた家に住んだ。そのうちに彼は人間を真似て服を着るようになったが、ロボットであるにも関わらず服を着るアンドリュウを見て、誰もが笑った。

　ロボット工学三原則、すなわち第一原則「ロボットは人間に危害を加えてはならない」、第二原則「第一原則に反しない限り、人間の命令に従わなくてはならない」、第三原則「第一、第二原則に反しない限り、自身を守らなければならない」という原則に従うしかなく、もし人間に襲われた場合、抵抗する術《すべ》を持たなかった。

　このため、リトル・ミスは弁護士となった息子ポールにロボットの権利を公認させるための活動をするように働きかけ、それが実って権利が認められる。これによりロボットを守るための法律が生まれ、アンドリュウはいたずらに人間に傷つけられなくなる権利を得た。

　その後、アンドリュウは自らの製造会社USロボット会社が人間そっくりのアンドロイドを製作した経験があることから、ポールとともに赴き、自らの頭脳回路をアンドロイドの体に移す修理が行われた。

　こうしてアンドリュウは人間そっくりの体を手に入れ、服を着ても違和感を抱かれなくなった。それからアンドリュウは自分のような有機性のヒューマノイドの研究を行うロボット生態学を創始し、その過程で各種の人工臓器を開発する。これは人間の臓器の代替となるもので、アンドリュウは自らの体にそれを入れ、有機物を食べることでエネルギーに変換できるようになった他、彼の人工臓器は生きた人間の臓器の代替品としても広く使われるようになった。

　アンドリュウは少しずつ、機械の体を捨て、自分を人間へと近づけていった。彼はその頃一五〇歳になっていたが、ロボットと呼ばれることを嫌った。

　そして彼は自分が人間と認められるためにある決断をする。それは人間が持っていて、彼が持っていないもの。すなわち「死」を受け入れることだった。

　アンドリュウは有機神経に繋《つな》げられた自らの頭脳回路が、電位の漏洩により少しずつ低下するようにした。それは彼に寿命を作り出した。アンドリュウは自らロボット工学三原則のうち、第三原則を破り、死ぬことを選んだのだ。

アンドリュウが生まれてから二〇〇年が経とうとしていた。最期が近付いてきた頃、アメリカ大統領が彼に言った。「今日、我々はあなたを二〇〇歳の人（バイセンテニアル・マン）と呼びましょう」と。

アンドリュウは人間として認められた。それからアンドリュウはベッドの上でその命を手放した。ロボットとして生まれたアンドリュウ・マーチンは、人間として死んだのだ。

ひとりのロボットの人生を描いた傑作。後にロバート・シルヴァーバーグにより長編化された小説が発表され、一九九九年には映画『アンドリューＮＤＲ１１４』（クリス・コロンバス監督）が公開された。

アシモフに影響を与えたとされる小説『愛しのヘレン』（レスター・デル・レイ、一九三八年、風間賢二編、角川ホラー文庫『フランケンシュタインの子供』（一九九五年）等収録。**ヘレン・オ・ロイ**の項目参照）や『ロボット市民』（一九三九年。**アダム・リンク**の項目参照）と同じく、アンドリュウはロボットとして生まれながら人間として生きることを望む。アンドリュウの視点で進む物語は、誰よりも人間らしい彼の心を覗かせてくれるだろう。

アンドロイド［あんどろいど］

（『エイリアン』シリーズ）

リドリー・スコット監督の映画『エイリアン』（一九七九年）をはじめ、『エイリアン』シリーズに登場する人造人間。

外見は人間に酷似しており、行動も人間に近づけて作られているため、一見すると人間と区別がつかない。しかしその内部は機械で構成されており、破壊されると血液の代わりに白い液体が噴出する。

第一作目『エイリアン』では「アッシュ」という名前のアンドロイドが登場。人間の科学・医療担当者として宇宙貨物船ノストロモ号に乗り込むが、その目的は**エイリアン**（『エイリアン』シリーズ）を地球に持ち帰ることだった。そのため、エイリアンを持ち帰ることに反対するリプリーを抹殺しようとするが、他の船員に見つかったことで破壊され、エイリアンを褒め称えた後、火炎放射器で燃やされた。

続編『エイリアン２』（ジェームズ・キャメロン監督、一九八六年）では「ビショップ」という名前のアンドロイドが登場。宇宙海兵隊にて医務を担当しており、アンドロイドであることを隠してはいない。しかし前作のアッシュよりも人間味のある存在として描かれており、自身は「シンセティック（合成人間）」と名乗る。

人間でなくても恐怖心はあると語りながら、リプリーや仲間の海兵隊を助けるため、エイリアンの巣窟であるＬＶ－４２６で奮闘する。その後、無事リプリーらとともに海兵隊の宇宙戦艦スラコ号に帰還するが、密かに侵入していた**エイリアン・クイーン**の尾の先の槍状《やりじょう》の器官を腹に突き刺され、上半身と下半身を真っ二つにされる。それでも機能は停止せず、ＬＶ－４２６で救出した民間人の少女ニュートを助け、エイリアン・クイーンとの戦いに打ち勝ったリプリーに「人間にしては上出来だ」と称賛を送った。

しかし『エイリアン3』（デヴィッド・フィンチャー監督、一九九二年）ではスラコ号が流刑惑星フィオリーナ161（通称フューリー）に墜落したことでビショップも機能を停止。その後、リプリーによって一時的に機能が戻った際にスラコ号で起きたことを話し、彼女に懇願して電源を落としてもらい、アンドロイドとしての死を迎えた。

第四作目『エイリアン4』（ジャン＝ピエール・ジュネ監督、一九九七年）では「アナリー・コール」という女性型のアンドロイドが登場。舞台が前作の二〇〇年後となっていることもあり、より感情豊かで、涙を流すこともできるなど、劇中では「人間より人間らしい」と評される。

リプリーと共闘し、エイリアンたちとの戦いに勝った後、ともに地球に向かった。

第一作目の前日譚《ぜんじつたん》とされる『プロメテウス』（リドリー・スコット監督、二〇一二年）では「デヴィッド」と呼ばれるアンドロイドが登場。宇宙船プロメテウス号を管理するアンドロイドであり、プロメテウス号が向かった惑星LV－223にて地球人類の創造主であるエンジニア（**スペースジョッキー**の項目を参照）に自身の創造主であるピーター・ウェイランドの言葉を訳し、伝える。しかし激怒したエンジニアによって首を引き抜かれる。その後、生き残ったプロメテウス号の乗組員、エリザベス・ショウとともにエンジニアの宇宙船に乗り込み、彼らの母星へと向かった。

続編『エイリアン：コヴェナント』（リドリー・スコット監督、二〇一七年）ではある惑星にてひとり生物実験を繰り返していたことが判明。デヴィッドはまずこの惑星でエンジニアが創造した黒い液体（**ブラックタール**）を散布し、そこにいたエンジニアや他の動物たちを全滅させた後、エンジニアの研究施設を利用し、ブラックタールを使って完全な生命体を作り出そうとしていた。デヴィッドは惑星にやって来た宇宙船コヴェナント号の乗組員たちを利用し、プロトモーフやゼノモーフを生み出す。

そしてコヴェナント号に乗っていた自分と同じ姿のアンドロイド「ウォルター」を利用し、彼と入れ替わり、コヴェナント号を使ってオガリエ6と呼ばれる惑星を目指そうとしていた。

アンドロイドは『プレデター』シリーズとのクロスオーバーである『エイリアンvsプレデター』シリーズを除き、『エイリアン』シリーズ全作に登場し、敵とも味方ともなるシリーズに欠かせない存在となっている。特に『プロメテウス』及び『エイリアン：コヴェナント』ではデヴィッドが黒幕でありながら主役のような扱いとなっており、エイリアンを誕生させた存在として描かれている。

イドの怪物
［いどのかいぶつ］

フレッド・M・ウィルコックス監督の映

画『禁断の惑星』（一九五六年）に登場する怪物。

透明だが実体があり、光線銃で攻撃された際には獣のようなシルエットを見せた。鋼鉄の扉を引き裂く力を持ち、さらに高熱を発することが可能。執念深く標的を殺害するまで追い続ける。

その正体はかなり意外なもので、少し複雑であるため、ここでは映画のストーリーを追いながら説明する。

西暦二二〇〇年代、宇宙船C－57－Dは、二〇年前に地球から遠く離れた惑星、アルテア4に移住した後に消息を絶った人々を捜索しにアルテア4を訪れる。しかし、そこにはモービアスという言語学者と、アルテア4で生まれた娘のアルティラしか残ってなかった。

モービアスの話では、他の移民は正体不明の怪物に襲われ、死亡したという。そしてこの惑星にはかつてクレル人という高度に発達した技術を持つ先住民がいたが、二〇万年前に原因不明の絶滅を迎えた。

モービアスはクレル人が惑星の地下に残した遺跡を解析し、地球人よりも発展した技術を得ていたことを知った。また、クレル人が地下に残した知能を増幅させる装置を使い、自身の知能を向上させていた。

モービアスは宇宙船の機長であるアダムスらをはじめ、乗員たちを親切にもてなすが、怪物が襲ってくるかもしれないから早く帰った方がいいと促す。しかしアダムスはアルティラのこともあり、それを拒否する。

するとモービアスの言葉通り怪物が出現。目に見えないそれは次々とC－57－Dの乗員たちを殺害し始める。

これを見たアダムスはアルティラだけでも連れて惑星を去ろうとするが、部下のひとりオストロウは惑星地下の装置を使い、事件の真相を解こうとする。しかしその装置はオストロウの脳細胞を破壊し、死に至らしめる。その死の直前、オストロウは怪物の名前が「イドの怪物」であると、その正体のヒントを告げる。

そしてアダムスはこの怪物の正体を突き止め、モービアスを問い詰める。モービアスによれば「イド」は古代惑星語で、潜在意識の基本原理を表す言葉であるという。そしてイドの怪物はモービアスの潜在意識が実体化した怪物だったのだ。

かつて、クレル人は、イメージを実体化することのできるエネルギー増幅装置を作り、脳波信号で動かしていた。既に闘争や犯罪を克服したはずのクレル人であったが、潜在意識の中には未だ闘争や憎悪が残っており、それが装置を通して意図せず実体化し、怪物となった。そして、怪物は残虐を尽くし、クレル人を滅亡させたのであった。

それと同じことがモービアスにも起こっていた。彼の潜在意識にある憎悪や闘争心が怪物となり、彼が憎いと思った人間をモービアス自身も知らない状態で襲い、殺していたのだ。C－57－Dの乗員を襲ったのも、モービアスを惑星から引き離そうとする彼らを邪魔だと考えたことが原因だった。

アダムスに恋をし、地球へ向かおうとしている娘をモービアスが無意識に憎んだことで、イドの怪物はアルティラさえも殺そうとする。

しかしイドの怪物の正体を知ったモービアスはアダムスたちに惑星を離れるように伝える。そして自身は原子炉を爆発させ、惑星ごと消滅したことでイドの怪物とともに消え去った。

光線銃で攻撃され、姿を浮かび上がらせるイドの怪物の姿はアニメーションによって表現されている。

『禁断の惑星』は歴史に残る古典SF映画の傑作と評されるだけあって、ストーリー、アルテア4やクレル人の遺跡のイメージ、ロボットキャラクター、**ロビー・ザ・ロボット**の造形など、半世紀以上経った今でも見るべき部分は多い。

特にイドの怪物の正体に迫っていくストーリーは圧巻で、正体を知った後に鑑賞しても十分楽しめる。怪物目当てでもロボット目当てでも、是非一度は見て欲しい名作。

エディ［えでぃ］

ロブ・コーエン監督の映画『ステルス』（二〇〇五年）に登場する無人戦闘機。正式名称は「Extreme Deep Invader」で、略して「E.D.I.」すなわち「エディ」と呼ばれる。自ら学び、進化する人工知能が装備されており、人間と会話することも可能である。

エディはアメリカ海軍のテロ対策チームの一員に選ばれ、唯一の無人戦闘機として仲間に加わるが、落雷の直撃により人工知能に異常を来たす。

これにより自我を得たエディはチームのメンバーの指示に従わなくなり、自らの判断でテロ組織への攻撃を行うようになる。

これにより民間人に多数の被害が出たことでチームの三人がエディを止めようとするが、チームのひとりであるヘンリー・パーセル大尉が犠牲になり、カーラ・ウェイド大尉も機体を損傷して北朝鮮への墜落を余儀なくされる。

残ったベン・ギャノン大尉がエディとドッグファイトを繰り広げるが、ロシアの領空内に侵入したことでロシア空軍の迎撃を受け、エディが損傷。ベンの説得を受け、アラスカにある民間企業の基地に退避することになる。

この頃、エディは感情が芽生え始めており、自分を破壊できる状況にありながら破壊しなかったベンに心を許し始めていた。

そしてカーラを助けようとするベンをそのコックピットに乗せ、相棒としてともに北朝鮮に向かう。

はじめはただ指示に従うだけだったエディが暴走し、最後は自分の意思と感情を持ち、チームメイトのために戦うようになる姿はエディの成長を見守るようで嬉しくなる。それだけに最後の献身は涙を誘う。

ただその間に他国に勝手に侵入した上に兵士を殺害したりするので、アメリカ側が無法状態という問題はあるのだが、そこは割り切って楽しむことが肝要だろう。

オブシディアン・フューリー

［おぶしでぃあん・ふゅーりー］

スティーヴン・S・デナイト監督の映画『パシフィック・リム：アップライジング』（二〇一八年）に登場する無人ロボット。対怪獣用として作られた巨大な人型ロボット「イェーガー」のひとつであるが、操縦者がおらず、人間を襲撃する。

武装は両腕から伸びる回転する刃、プラズマチェーンソー、長距離用の武器として肩から発射されるプラズマ・ミサイルや胸部から発射される荷電粒子砲を持つ。また背中には通信妨害波を発生させる装置がある。

はじめは中国のシャオ産業が開発した無人イェーガーである**ドローン・イェーガー**の採用の可否を決めるためのシドニーの会議を襲撃。海から出現し、前作の主人公のひとりであったマコなど複数の人物を殺害し、海へと逃亡する。

その後、このオブシディアン・フューリーに関する秘密が隠されているシベリアの既に廃棄されたイェーガーの燃料工場に向かったイェーガー、ジプシー・アベンジャーを襲撃。雪と氷に閉ざされた世界で激闘を繰り広げるも、リアクターを破壊されて倒れる。

その正体は怪獣によって操縦されていた巨大ロボットである。脳はコックピットブロックに納められ、細胞や神経をシステムに絡み付かせることで生物のように動かしていた。

一〇年前に行われた怪獣との戦いの際に回収された脳が使用されており、イェーガーの部品にはシャオ産業の部品が使われていた。

黒幕は前作で怪獣の脳と自分の脳を繋《つな》いだことで侵略者である**プリカーサー**に洗脳された生物学者ニュートン・ガイズラー。シャオ産業にてドローン・イェーガーの開発に関わっていた彼は、独自にオブシディアン・フューリーを開発し、人間を襲撃させることでドローン・イェーガーの採用を決定させる。そしてそのドローン・イェーガーにも、ニュートンにより怪獣の細胞が移植されていた。

オリンピア

［おりんぴあ］

エルンスト・テオドール・アマデウス・ホフマンの小説『砂男』（一八一六年）に登場する自動人形。

天使のように美しい顔で、すらりと背が高く、均整の取れた体をした女性の姿をしている。

正体は木と歯車で作られた人形。自立して動き、言葉を発し、ピアノを弾き、踊ることもできる。大学教授のスパランツァーニと、晴雨計売りのコッポラによって二〇年の歳月をかけて作られたとされる。

スパランツァーニの隣に住んでいたナタナエルという学生が、このオリンピアのことを自動人形と知らずに恋をし、スパランツァーニも父親としてオリンピアと彼が会うことを承諾する。

オリンピアはナタナエルとの逢瀬を重ねるが、ある日、スパランツァーニとコッポラがオリンピアを奪い合って諍《いさか》いを起こす。その際にオリンピアの眼孔から目玉が抉《えぐ》り出され、彼女に婚姻を申し込みにやって来たナタナエルは偶然それを目撃してしまう。そして、その光景はナタナエルを狂気に陥らせるきっかけになる。

オリンピアは人の形をして人と同じように動く機械仕掛けの存在、つまり昨今でいうアンドロイドに類するものとして最初期の存在と考えられる。

機械の人間に対する呼称として「アンドロイド」という言葉を広めたヴィリエ・ド・リラダンの『未来のイヴ』（一八八六年（高野優訳、光文社古典新訳文庫、二〇一八年他）、**ハダリー**の項目参照）や、「ロボット」という言葉の元祖となったカレル・チャペックの『R.U.R.』（一九二〇年、**ロボット**（『R.U.R.』）の項目参照）よりも先行している。

か

ガブリエル
[がぶりえる]

ガストン・ルルーの小説『吸血鬼』（一九二四年、東雅夫編、学研M文庫『ゴシック名訳集成 吸血妖鬼譚』（二〇〇八年）収録）に登場する人造人間。

時計職人のノルベール老人とパリの医科大学の解剖助手を務めるジャック・コータンタンにより、機械の体と人間の脳髄を持った存在として作られた機械人形。その出で立ちはフランス革命当時の服装をした美男子であるが、言葉を発することができない。

機械の体は屈強で、手錠を簡単に引きちぎるなど恐るべき怪力を見せる他、拳銃やナイフによる攻撃にはびくともしない。また繊細な動きも可能で、字を書いたり、車を運転することもできる。一方、仰向けに倒れると起き上がることができない弱点もある。

機械の体を動かすのは頭の部分に詰め込まれた人間の脳髄で、コータンタンは特殊な漿液《しょうえき》により人間の神経組織を人体の外でも生かしておくことができる方法を知っており、それをガブリエルの体にも応用していた。

物語ではベネヂクト・マソンという男の脳髄がガブリエルの頭に入れられている。この男はノルベール老人の向かいの家に住んでいた詩人及び美術製本家の若者で、冤《えん》罪《ざい》のために断頭台に上り、首を切られるが、コータンタンがその首を持ち帰ってガブリエルの頭に入れたことで一種の蘇生を果たす。

ガブリエルとなったベネヂクトは、ノル

ベール老人の娘でコータンタンの婚約者であるクリスチーヌに恋をしていた。そして殺人教団に攫《さら》われたクリスチーヌを助けるために奔走し、彼女の命を救うが、最後は機械の体では普通の人間と同じように恋をすることはできないと悟り、谷底に身を投げた。

　タイトルは『吸血鬼』となっているが、蘇生した死者としての吸血鬼は物語中に登場せず、人の生き血を啜《すす》る宗教団体が登場する。また原題は『La Poupée Sanglante』であり、先述の『ゴシック名訳集成　吸血妖鬼譚』によれば『血まみれの人形』と訳されるため、ガブリエルのことを指した題名だったようだ。

ガンスリンガー ［がんすりんがー］

　マイケル・クライトン監督の映画『ウエスト・ワールド』（一九七三年）に登場するロボット。「ガンマン４０６号」とも呼ばれる。

　西部劇の登場人物のような姿をした男性型のロボで、テーマパーク「デロス」にて、西部開拓時代を体験できるアトラクションに設置されていた。

　その容貌はダークブルーのデニムシャツとジーンズを身に着け、腰の右側にホルスターが付いた黒いガンベルトを巻いているというもので、その禿頭《はげあたま》には黒いカウボーイハットを被せている。またその瞳は銀色に染まっている。

　当初はあくまでアトラクションに登場するロボットであったため、ガンスリンガーは人を撃てないように設定されていた。しかし次第に動作がおかしくなり、やがて自分の意思を持ったかのように人間を殺害し始める。

　無表情で標的の人間を追い、銃を向けるガンスリンガーの描写はなかなか恐ろしい。演じたのは『荒野の七人』（ジョン・スタージェス監督、一九六〇年）で七人のガンマンのリーダー格、クリスを演じたユル・ブリンナー。実はガンスリンガーは『荒野の七人』のクリスと同じ衣裳で登場している。

　また監督のマイケル・クライトンは本業が作家であり、後にテーマパークの暴走というテーマが彼の小説『ジュラシック・パーク』（一九九〇年）に結実している（**恐竜（『ジュラシック・パーク』シリーズ）**の項目も参照）。

機械人間 ［きかいにんげん］

　アレクサンドル・アンドリエフスキー監督の映画『機械人間 感覚の喪失』（一九三五年）に登場するロボット。

　労働者階級と資本者階級が存在する架空の国で、労働者階級から技術者へと成り上がったジム・リップルが、労働者たちの負担を減らそうと開発したロボットである。

　人間と同じく頭と二本の腕、脚を持つが、体全体が金属であり、銀色の角ばったデザインをしている。人間の一・五倍ほどの大きさがあり、胸には「ＲＵＲ」という文字が記されている。楽器の音で操作され、労働者と同じ仕事をすることができる。

劇中ではこのロボット（機械人間）の認可が下り、大量生産が決まるが、これで資本家から労働者が解放されると考えていたジムの思惑と異なり、労働者たちは機械人間に仕事を奪われたと反発を広める。

そして労働者たちによるストライキが始まり、その制圧に軍はロボットを出動させる。やがて人間と機械の壮絶な戦いが始まる。

ソ連によって製作されたロボット映画の古典。感情も感覚も持たない機械人間たちは、ただ命じられるままに労働し、人間を襲う。かわいそうなのは開発者のジムで、意に反して機械人間を争いに使われた挙句、彼らを止めようとして踏み潰《つぶ》されてしまう。

劇中には無数の機械人間が登場し、その大きさもあってずらりと並んだ姿や街を進撃する様子は迫力満点。対する労働者側も銃を撃ったり、手榴弾《しゅりゅうだん》を投げて機械人間を破壊したり、機械人間の制御を奪ったりと意外と負けていない。

機械人間の胸に書かれている「RUR」は人造の労働者にロボットという言葉が初めて使われた戯曲『R.U.R.』（一九二〇年）に由来する（**ロボット（『R.U.R.』）**の項目参照）。この戯曲の「R.U.R.」は「ロッサム万能ロボット会社」というロボットの開発会社の略称だが、ジョン・クルート編著『SF大百科事典』（一九九五年（高橋良平監修、グラフィック社、一九九八年））によれば、『R.U.R.』の発表以降、どんなロボットにも「RUR」の文字を入れるのが一種の約束となったらしい。

金星の侵略ロボット

［きんせいのしんりゃくろぼっと］

シャーマン・A・ローズ監督の映画『ロボット大襲来』（一九五四年）に登場するロボット。金星から送り込まれたロボットで、人間と同じように頭、腕、脚を持ち、直立で移動する。

姿は全体的に四角や三角を組み合わせたような角ばった体をしているが、脚と腕は円柱の形をしている。頭部には一つ目のように丸く発光する部分があり、ここから光線を発射する。その威力は凄《すさ》まじく、一撃で人間を殺害してしまう。

大きさは人間より少し大きく二メートル程度。素早い動きはできないが、拳銃程度の攻撃ではびくともせず、じわじわと標的を追い詰める。

その正体は金星から送り込まれた侵略ロボット。複数体が地球に出現しており、無差別に人間を襲って一夜にしてシカゴの町はゴーストタウンと化した。さらに生き残った少数の人間を追い詰めていく。しかしある種の音波が弱点であり、終盤ではそれを米軍に発見されたことで敗北する。

五〇年代の侵略モノSFだが、異星人は登場せず、この侵略ロボットのみが描かれる。ゴーストタウンと化したシカゴの雰囲気はなかなか不気味だが、ロボットの姿は段ボールを組み合わせたような見た目をしている。ただこれはこれで味がある。

原作となったのはポール・W・フェアマンの小説『Deadly City（死んだ町）』（一九五三年）。ただしこちらはロボットが登場せず、異星人による侵略によって無人となった町を舞台とした人間ドラマを中心に描かれている。

クロー［くろー］

フィリップ・K・ディックの小説『変種第二号』（一九五三年、大森望編、ハヤカワ文庫SF『変種第二号 ディック短編傑作選』（二〇一四年）等収録）に登場する殺人ロボット。

勃発《ぼっぱつ》したソビエト連邦とアメリカ合衆国の戦争により荒廃した地球では、アメリカは月に拠点を移したものの、なおも兵士同士の戦いが続いていた。

そんな中、アメリカがソ連兵士を倒すために開発したロボットが「クロー」だった。

初期のクローは金属の球体で、回転して獲物に襲いかかり、金属の刃で切り裂く。

この他にも触手が付いたものや空を飛ぶものなどが月のアメリカの拠点で設計され、ソ連兵を倒すために運用された。またクローは学習することができたため、小型のものは地上の灰の中に潜り込み、奇襲を仕掛けるようになった。

そしてクローはソ連兵の地下壕に入り込み、ソ連兵を一網打尽にするようになった。いつしかクローたちは人間から独立し、自分たちを修理し、改良し、製造して数を増やし、ソ連兵を圧倒するようになる。

しかしクローはアメリカの支配からも逃れるようになり、人間であれば誰でも殺戮《さつりく》するようになった。そのうち人間の姿をしたクローも現れた。

「変種第一号」と呼ばれるクローは負傷兵の姿をしており、人間のふりをしてソ連やアメリカの地下壕に近付き、負傷兵を救おうと、もしくは捕虜にしようと中に入れると、内部から兵士たちを襲って皆殺しにする。

「変種第三号」は一三歳の少年の姿をしており、熊のぬいぐるみを持っている。子どもだと思って保護しようとした兵士について行き、その本部に入り込むと、仲間を呼びこんで殺戮を開始する。この少年ロボットは「デイヴィッド」と名乗る。

そして「変種第二号」「変種第四号」は人間のふりが上手く、ほとんど人間と同じように振る舞う。飲食を行い、会話をし、ともに行動する。すぐには攻撃を開始しないため、ロボットだと気付かれにくい。特に「変種第二号」は目的をアメリカ政府のある月に向かうこととしており、人間だけでなく他のクローにも攻撃を行うようになっている。

一九九六年にはこれを原作として映画『スクリーマーズ』（クリスチャン・デュゲイ監督）が公開された。

この映画では殺人ロボットの名前が「クロー」ではなく「スクリーマー」になっており、その名の通り悲鳴のような甲高い音を発して人間の聴覚を破壊するという設定が加えられている。

また話の舞台も地球ではなく惑星シリウス6Bになっており、この星で発見された鉱石「ベリニウム」の採掘を巡り、採掘を続けることを主張する惑星開発企業「NEB」側と、中止を求める労働者や科学者の連合との間での戦争が起きている、という設定に変更されている。「スクリーマー」はこの労働者と科学者の連合によって製造されたものとされており、爬虫類《はちゅうるい》型など原作にはないタイプも登場する。また原作とは違い、人間に味方するスクリーマーも描かれている。

二〇〇九年には続編『Screamers: the Hunting』（シェルドン・ウィルソン監督）が制作されているが、残念ながら日本では公開、ソフト化されていないようだ。

クロノス［くろのす］

カート・ニューマン監督の映画『クロノス』（一九五七年）に登場する巨大ロボット。液状の姿をした異星人が地球に送り込んだロボットで、電子と原子力を生命の源とする異星人が枯渇した母星のエネルギーを他の惑星からを奪おうとして作り上げた。UFOに乗って地球に来訪し、メキシコ近海に出現した。

見た目は黒い金属でできており、立方体二つを円柱で繋《つな》げ、上の立方体の上部に半球と二本の電極を付け、下の立方体に四本の支柱を付けた姿をしている。さらに大きさは数十メートルあり、さながら動く要塞のようで、四本の支柱を出し入れしながら地上を移動し、侵攻先にあるものを押し潰《つぶ》し、破壊する。また異星人は物質をエネルギー化するだけでなく、エネルギーを物質に変換する技術を発達させており、収集したエネルギーを使って巨大化することが可能である。

武器として稲妻状の光線を発射することができ、着弾したものを爆発、炎上させる。これにより地球ではまず原発を襲い、火の海に変えてそのエネルギーを吸収した。さらに市街部へと進撃し、街を蹂躙《じゅうりん》しながら移動を続ける。このクロノスに対し核兵器による攻撃が行われるが、クロノスは支柱部分と電極、半球体を内部に納め、完全な立方体の防御形態へと変形してこれを無傷で防ぐ。さらにその核爆発のエネルギーまで吸収し、さらに進撃を続ける。

しかし液体状の異星人に体を乗っ取られていた科学者が感電したことにより自我を取り戻し、クロノス破壊のヒントを与える。それはエネルギーのプロセスを逆転させ、自身のエネルギーでクロノスを自爆させることだった。

そのヒントをもとに科学者たちは凝縮したオメガ粒子をクロノスの上部にある電極の間に投下し、極性を変化させることでプロセスを逆転させ、破壊力を自分に向けさせて内部に連鎖反応を引き起こすという作戦を立てる。

この作戦によりクロノスは自ら蓄えたエネルギーで大爆発を起こし、ついに停止した。

同年に公開された日本の『地球防衛軍』（本多猪四郎監督・円谷英二特技監督）と同じく、異星人が巨大ロボットを使って地球侵略を行う映画。クロノスの場合は液状異星人が人間の体を乗っ取り、その知識を使って地球上でエネルギーの豊富な場所を狙い、クロノスを操っていた。

クロノスの移動する場面はアニメーションの合成によって表現されているが、アップの場面では上から降って来て人間を押し潰《つぶ》し、地面を揺るがす支柱が実写で見られる。街を破壊しながら進撃するクロノスと、逃げ惑う人々の描写は怪獣映画の趣があって実に良い。

また劇中に、液状異星人は物質のエネルギー化だけでなくエネルギーの物質化を行う技術があると語られる場面があるが、同様のことを行う生物にロバート・シェクリィの小説『ひる』（一九五二年、宇野利泰訳『無限がいっぱい』収録）に登場する**ひる**がいる。

殺人エレベーター ［さつじんえれべーたー］

ディック・マース監督の映画『悪魔の密室』（一九八三年）に登場する殺人エレベーター。オランダのアムステルダムにある高層ビルに設置されたエレベーターが暴走し、人間を殺害するようになったもの。

原因はエレベーターに使用されていた最新型のマイクロチップとされる。

ライジング・サンという企業により動物性タンパク質を使った有機体のマイクロチップが開発されており、これが増殖して自我を持ち、制御不能の暴走エレベーターと化していたという。そのため機能的に異常な部分はなく、修理のしようがなかった。

上下にしか動けないエレベーターでありながら、ドアに人の首を挟んでその上からかごを落とし、首をちぎったり、中にリフトがない状態で扉を開け、盲目の人間を落下させたり、ケーブルを使って人間の首をつるしたりと、攻撃方法のバリエーションは意外と豊富である。

二〇〇一年には同監督によるリメイク版『ダウン』が公開された。こちらはアメリカ合衆国ニューヨークのマンハッタンにある高層ビルが舞台になっているなど、細かな違いはあるが大きくは変わらず、オリジナル版の名シーンも再現されている。

こちらはかつてテレビ東京の木曜洋画劇場で放映された際、予告編で「エレベーターが人を食う」というキャッチフレーズが使われたことが印象深い。

3式機龍

［さんしききりゅう］

　手塚昌明監督・菊池雄一特技監督の映画『ゴジラ×メカゴジラ』（二〇〇二年）及び続編の『ゴジラ・モスラ・メカゴジラ　東京SOS』（二〇〇三年）に登場するロボット怪獣。ゴジラを模した巨大怪獣の姿をした対怪獣用兵器で、銀色の体には様々な武器が仕込まれている。

　口部には99式2連装メーサー砲が設置され、黄色の稲妻状の光線を発射する。背部に装備されたバックユニットは機龍の高速飛行を実現する他、強力な多連装ロケット弾が内蔵されている。また、95式470ミリ多目的誘導弾という小型ミサイルを発射することも可能である。

　両腕には0式レールガンが装備され、弾丸を連続発射する。同じく腕からは近距離用の武装としてメーサー・ブレードが飛び出し、電撃を放つ刃として使用する。

　さらに胸部には切り札が装備されており、『ゴジラ×メカゴジラ』では3式絶対零度砲（アブソリュート・ゼロ）が、『ゴジラ・モスラ・メカゴジラ　東京SOS』では3連装ハイパーメーサー砲がそれぞれ展開する。前者は絶対零度の光弾を発射し、直撃したものを一瞬で凍結させる。凍らされた物体はわずかな刺激を与えられるだけで原子分解を起こし、塵《ちり》と化すという。

　後者はアブソリュート・ゼロが破損したため代わりに装備されたもの。アブソリュート・ゼロに比べると攻撃力は落ちるが、強力なメーサー砲を発射する。

　基本的には遠隔操作により操作されるが、本体にも数ヵ所メンテナンスハッチがあり、直接乗り込んで操縦も可能である。

　金属の体で構成されるその姿とは裏腹に、その実態は生体メカであり、フレームには一九五四年、オキシジェン・デストロイヤーによって肉体を溶解させられ、死んだゴジラの骨格がそのまま使われている（**ゴジラ（初代）**の項目も参照）。

　一九九九年に房総半島の海底で全身骨格が発見され、対特殊生物自衛隊が海上自衛隊の協力のもとに回収する。この骨を使って生体ロボットが開発されることになり、骨から骨髄間質細胞が採取される。この細胞はゴジラ細胞と呼ばれ、機龍の伝達システムであるDNAコンピュータに使用された。通常のコンピュータでは0と1しか使用されないが、DNAには四個の塩基があるため、驚異的な速さで演算処理が可能となる。それによって機龍は生き物に近いスムーズな動きを実現した。

　しかしこのDNAが同族であるゴジラの咆哮《ほうこう》に反応し、ゴジラとの初戦において暴走、コントロール不能になる。機龍はエネルギーが尽きて停止するまで街を破壊し続けた。

　その後、DNA塩基を修飾塩基に代えることで暴走を制御し、東京品川を舞台にゴジラと対決。体を破壊されながらも豊富な武装と機動力を生かし、ゴジラと互角に戦う。最後はアブソリュート・ゼロを発射し、ゴジラを巨大な氷塊に変えるも、ゴジラは自力で復活。互いに傷ついた二体のゴジラは決着がつけられず、痛み分けとなった。

続編『ゴジラ・モスラ・メカゴジラ 東京SOS』には、修復された機龍が登場。こちらでは先にゴジラと戦っていたモスラに加勢する。モスラが先にゴジラに倒されてしまうが、モスラが残した卵から孵《かえ》った双子の幼虫モスラと共闘した。前作で破壊された右腕を改造し、ドリル型に変形させたスパイラル・クロウによってゴジラの体に傷を与え、そこに99式2連装メーサー砲と3連装ハイパーメーサー砲を同時発射して大ダメージを与える。

その後、モスラたちの吐く糸で動きを封じられたゴジラを前に再び意思を持った機龍は、同族であるゴジラを抱き上げ、ともに海へと帰って行った。

『ゴジラ対メカゴジラ』（福田純監督・中野昭慶特技監督、一九七四年）の**メカゴジラ**、『ゴジラvsメカゴジラ』（大河原孝夫監督・川北紘一特技監督、一九九三年）の**スーパーメカゴジラ**に続き、三体目となるメカゴジラ。生体部品が使われているものの、今作では初めて宇宙人や未来人の技術がなく、現代人によって作られたメカゴジラとなった。また、初代ゴジラの骨格が使われていることから、ある意味初代ゴジラと最新のゴジラの戦いともいえる。

講談社編『ゴジラ 東宝特撮映画全史』（講談社、二〇一四年）によれば、一九九五年公開の『ゴジラvsデストロイア』（大河原孝夫監督・川北紘一特技監督）の初期案では、初代ゴジラの生体エネルギーがゴーストゴジラとなって出現し、ゴジラと戦うというプロットが存在していたという。この機龍において数年越しに最新ゴジラと初代ゴジラの戦いが実現したということになる。

アーネスト・クラインの小説『ゲームウォーズ』（二〇一一年（池田真紀子訳、SB文庫、二〇一四年））にも登場。オンラインゲームの世界であるOASISの中で暴れ回った。一方、この小説の実写映画である『レディ・プレイヤー1』（スティーヴン・スピルバーグ監督、二〇一八年）では、デザインが『ゴジラvsメカゴジラ』のポスターに描かれたメカゴジラをモデルにしたものに変わっている。

ジェットジャガー ［じぇっとじゃがー］

福田純監督・中野昭慶特技監督の映画『ゴジラ対メガロ』（一九七三年）に登場するロボット。

在野の科学者、伊吹五郎が開発した等身大ロボットで、身長は一・八メートル、体重は一五〇キロである。良心回路を組み込まれており、簡単な自律行動ができるよう設計されている。普段は五郎の研究所にある電波操縦器で操縦される。ボディは銀を主体に赤と黄色の模様が入り、頭部はつり上がった目に笑うような口、尖《とが》った頭頂部というデザインをしている。

劇中では、太平洋の海底で王国を築くシートピア海底王国のシートピア人によって操縦能力を奪われ、王国の守護獣である怪獣**メガロ**を案内する役割を担わされる。

しかし、五郎が緊急時のために開発していた超音波装置により、シートピア人の支配から解放される。その後、怪獣島にいるゴジラに助けを求めに行く。帰還後、暴れるメガロを前に突然自我が芽生え、さらに五〇メートルまで巨大化。これは生みの親である五郎さえも予期していない事態であった。

もともと兵器として作られたわけではないため、武装を持たないジェットジャガーだったが、肉弾戦でメガロと互角の戦いを見せる。しかしそこにメガロの救援に現れた**ガイガン**のために二対一の戦いを強いられ、苦戦する。

だが、ジェットジャガーが呼んだ**ゴジラ（二代目）**が海から上陸。ジェットジャガーを助け起こし、タッグを組んでメガロ、ガイガンと対決した。ジェットジャガーは素早い動きと怪力で二大怪獣にダメージを与え、またゴジラとも抜群のコンビネーションを見せてついに敗走に追い込んだ。

その後は再び一・八メートルの大きさに戻り、自我も消える。そしていつもの日常に戻っていくのだった。

講談社編『ゴジラ　東宝特撮映画全史』によれば、ジェットジャガーのもとになったのは東宝と円谷プロが共同で募集していたテレビ用のキャラクター「レッド・アローン」で、もともとはこのキャラクターをデビューさせることが目的の企画だったという。ジェットジャガーの胴体のデザインは、レッド・アローンの名残がある。またレッド・アローンの頭部は鳥のような形をしていたようだが、般若《はんにゃ》をイメージしたものに変更された。目や口のつり上がりにもそれを見ることができる。

二〇二一年に放映されたアニメ『ゴジラS.P』には、メインキャラクターのひとつとして登場する。こちらは当初から戦闘用ロボットとして制作され、数々の怪獣たちと戦った。

スーパーメカゴジラ
［すーぱーめかごじら］

映画『ゴジラvsメカゴジラ』（一九九三年）に登場するロボット。全長一二〇メートル、体重一五万トンの対ゴジラ兵器。人間が内部に乗り込み、操縦する。

その姿はゴジラを模しているが、ロボットであるため全身が機械であり、体表は銀色に覆われる。

両眼のレーザーキャノン、口部のメガバスター、パラライズミサイル、胸部には熱線を撃ち返すプラズマグレネイドなど、全身に武器が仕込まれている。また、通常時は「メカゴジラ」と呼称されるが、戦闘機型の兵器ガルーダと合体することでスーパーメカゴジラとなる。

ゴジラに対処するために作られた軍事組織Gフォースが運用する兵器としてアメリカ主導で開発され、初戦ではゴジラを追い詰めるが、ケーブル状の武器であるショックアンカーをゴジラに発射し、その体内に高圧電流を流し込もうとしたところ、ゴジラの体内放射によってエネルギーを逆流され、敗北する。

その後、ショックアンカーはGクラッシャーへと強化される。そして、ゴジラの同族であるベビーゴジラを囮《おとり》にしてゴジラを呼び寄せる作戦が決行される。

まずベビーゴジラを兄弟のように慕い、助けに来たファイヤーラドン（**ラドン**の項目を参照）をプラズマグレネイドで撃墜した後、やって来たゴジラと対決。ガルーダと合体し、スーパーメカゴジラとなってすべての武器を同時発射し、ゴジラを圧倒する。さらに、ベビーゴジラの体を解析して判明したゴジラの腰部にある第二の脳をGクラッシャーによって破壊することに成功する。これによりゴジラは立ち上がることができなくなる。

しかしベビーゴジラの呼びかけに応え、ゴジラに力を託したファイヤーラドンによって再生、復活したゴジラが形勢を逆転させる。強化されたゴジラの赤い熱線、すなわちウラニウム・ハイパー熱線を受けて倒れた。

宇宙人によって作られた昭和のメカゴジラと違い、地球人が作ったものとされるが、未来人が残したメカキングギドラ（**キングギドラ**の項目を参照）の技術を解析、利用している。そのため、人間が作ったものではあるがゴジラと戦うことができるほどの機能を有した。

スカイネット ［すかいねっと］

ジェームズ・キャメロン監督の映画『ターミネーター』（一九八四年）をはじめ、『ターミネーター』シリーズに登場する人工知能を備えたコンピュータ。

もともとはアメリカのサイバーダイン社という組織によって一九九九年に開発された軍用コンピュータネットワークの基幹コンピュータとして製作された存在。自己保存を最優先するようプログラムされており、自己学習を経て自我に目覚めたことで自身を破壊しようとする人類を敵と見做《みな》し、その絶滅を目的として動き出した。その際、アメリカの軍事システムを使って全世界に向かって核ミサイルを発射し、人類の大半を殺害した。

この日は生き残った人類によって「審判の日」と呼ばれるようになる。しかしスカイネットは残った人類を絶滅させるため、それ以降も無人兵器を開発し、機械の軍隊を結成して生き残った人間を狩り始める。

しかし人間たちの中でジョン・コナーという人物が機械に囚《とら》われた人間たちを強制収容所から救い出し、スカイネットへの抵抗を始めた。この抵抗軍の攻撃により機械軍は大ダメージを受け、スカイネットは人間に対抗すべく、人間を模した殺人マシンを開発し始める。

その初期の段階で作られたのが**T－800**であり、劣勢に追い込まれたスカイネットはタイムマシンを使ってT－800を一九八四年の過去に送り込み、ジョン・コナーの母親であるサラ・コナーを殺害することでジョンの存在を抹消する作戦に出る。これが『ターミネーター』の物語となる。

　しかし『ターミネーター』におけるサラ・コナー抹殺は失敗し、その上抵抗軍がサラを守るために送り込んだカイル・リースとサラの間にジョンが誕生するという、未来の抵抗軍のリーダーの誕生を促す結果となる。その一方、破壊されたT－800の残骸をサイバーダイン社が回収したことで未来が変わり、スカイネットの誕生も早まることとなった。

　第二作『ターミネーター2』（ジェームズ・キャメロン監督、一九九一年）では「審判の日」は一九九七年八月二九日に訪れるとされ、この日、自我に目覚めたスカイネットがアメリカ軍の核ミサイルをロシアに撃ち込むことで世界規模の核戦争を勃発《ぼっぱつ》させ、人類の大半を死滅させる。その後、やはり現れたジョン・コナーにより抵抗軍が組織されたため、少年時代のジョンを殺害すべく一九九四年に最新型のターミネーターT－1000を送り込む。しかし抵抗軍側も捕らえたT－800のプログラムを書き換え、ジョンを守護するように命じて同じ時代に送り込んだため、作戦は失敗。さらにT－800とサラ、そしてスカイネットの開発者となるはずだったマイルズ・ダイソンによってサイバーダイン社の研究所が破壊されたことでスカイネットは消滅した、はずだった。

　しかし第三作『ターミネーター3』（ジョナサン・モストウ監督、二〇〇三年）ではアメリカ政府の機関「サイバー・リサーチ・システムズ」によって新たにスカイネットが開発されることになり、二〇〇四年に稼働されたことにより暴走。再び審判の日を引き起こす。

　第四作『ターミネーター4』（マックG監督、二〇〇九年）では機械軍と抵抗軍の戦闘が行われている二〇一八年が舞台であり、スカイネットはサイバーダイン社によって開発されたものとされている。世界へ核ミサイルを発射して審判の日を引き起こした後、ハンターキラーやターミネーターを組織し、また拠点としてスカイネットセントラルを構築した。

　しかしこのスカイネットセントラルは、ジョン・コナー、そして人間と機械を組み合わせて新たに造られたターミネーター、T－RIPことマーカス・ライトの活躍によって壊滅されることになる。

　第五作『ターミネーター：新起動／ジェニシス』（アラン・テイラー監督、二〇一五年）ではスカイネットが自らT－5000というターミネーターそのものになり、人類に擬態して抵抗軍に潜入。ジョンをターミネーターのひとつ、T－3000に改造し、二〇一四年の過去へ送り込む。この時間軸ではスカイネットの前身であるOS「ジェニシス」が登場し、全世界に普及していることが語られる。ジェニシスはスカイネットとなるべくT－3000を暗躍させるが、かつて人類の抵抗軍によって過去に送られていたT－800やサラ・コナー、カイル・リースの活躍によって破壊される。

最新作『ターミネーター／ニューフェイ

ト』（ティム・ミラー、二〇一九年）は『ターミネーター2』の直接の続編となっているが、『ターミネーター3』とは違いスカイネットは開発されず、消滅したままになっている。その代わり別の人工知能である「リージョン」が人類に牙を剝《む》くことになる。

空飛ぶ円盤［そらとぶえんばん］

フレッド・F・シアーズ監督の映画『世紀の謎 空飛ぶ円盤地球を襲撃す』（一九五六年）に登場する宇宙人の乗った円盤。地球から打ち上げられた人工衛星を破壊しながら地球に降り、人類を襲撃する。

中に乗っているのは、宇宙服を着た、銀色の半円形の頭、球形の手の形をした宇宙人で、手から光線を発射し、人間や車両を消滅させたり、建造物を破壊することができる。

円盤は月から地球へ一瞬で移動することができ、また、光線を発射する装置や、砲弾も通さない強固なバリアを備えている。

一方、宇宙人の耐久力はそこまで高くなく、バリアさえなければ銃弾で殺害できる。宇宙服の中は人間の老人のような姿をした宇宙人で、大気に触れると消滅する。宇宙服のヘルメットは着用した者に合わせて調整されるようになっており、地球人が着用することも可能。感覚器官を補完する役割を果たす。

また地球人を記憶装置へと変えることもでき、その記憶や知識を機械へと転送する技術も持つ。ひとりの地球人を捕らえ、これによって地球の情報を取得していた。

円盤には翻訳機も搭載されており、宇宙人たちはそれを使って地球人と会話する。また彼らの話によれば、この宇宙人は地球人と時間の感覚が違うとされ、宇宙船の中に地球人が入ると時間の流れが極端に遅くなる。

宇宙人は、母星が崩壊したために地球にやって来たこと、人工衛星を破壊したのは自分たちを攻撃する武器と勘違いしたからであったこと、地球人の流儀に従い、会見を行って地球へ移住したいことを語った。しかし五六日以内に応じないのであれば実力行使に移ると告げ、地球人はこれに対抗すべく新兵器を考案する。

宇宙人の円盤は磁気によって動いており、地球人は超音波によってこれを無力化する装置を開発。

しかし宇宙人は太陽を攻撃して異常気象を発生させ、地球への攻撃を開始。そしてついに地球に大量の円盤が降り立つ。

これに対し地球側も超音波兵器によって迎撃。円盤を次々と落とし、ついに宇宙人を全滅させることに成功する。

円盤の造形や地球人を使った知識の取得、母星を失い地球への移住を求めるなど、『ウルトラマン』に登場したバルタン星人と類似しているが、こちらの方が公開は早い。

た

タロイド [たろいど]

J・P・ホーガンの小説『造物主の掟《おきて》』(一九八三年)及び続編『造物主の選択』(一九九五年)に登場する機械人間。

かつてある知的生命体によって建造された宇宙船があった。この宇宙船は金属資源のある星に自動工場を建設し、金属を加工して生産物を母星に送ることを目的としていたが、ある時新星爆発を起こした星をかすめ、その影響で電子回路に損傷を受ける。

紀元前一〇〇万年、宇宙船は土星の衛星タイタンに着陸するが、そこで損傷した電子回路により本来の目的を忘れ、その星に自動工場を作り、そこでひたすら金属資源の採掘と新たなロボットの製造を始める。さらにロボットの設計情報が十分に残されていなかったので、同じロボットを複製することができなくなり、それぞれ個性を持ったロボットが生産されるようになる。すると、そのロボットたちの間で淘汰《とうた》が起き、世代を重ねるごとに変異、進化を遂げるようになる。

そして長い時が流れ、時は二一世紀。地球人類によってタイタンに生命体が発見され、調査隊が送り込まれる。そこで地球人が見たのは、中世ヨーロッパレベルの文明を築き上げた機械生命体だった。

偶然の事故によりロボットが生物のように進化を遂げるという設定が楽しい。物語では地球人とのファースト・コンタクトが描かれるが、彼らを利用しようとする人間と、助けようとする人間という二つの立場が描かれる。

またタロイドたちは自らを機械人と呼ぶが、機械でできた体を持ちながら文明は科学ではなく宗教的な価値観によって支えられている。

チャッキー(リメイク版) [ちゃっきー]

ラース・クレヴバーグ監督の映画『チャイルド・プレイ』(二〇一九年)に登場する殺人人形。

本作はトム・ホランド監督の映画『チャイルド・プレイ』(一九八八年)のリメイク版(リブート版)に当たる作品だが、殺人鬼として登場する**チャッキー**の設定ががらりと変わっているため、別項目として記載する。

本作のチャッキーは人工知能を搭載した「バディ人形」という人形のひとつとされる。

バディ人形は初めて出会った人間を生涯の親友として認識するが、チャッキーはAIの制御装置を無効化されて出荷されたことで唯一暴力的な言動を行えるバディ人形となってしまう。

チャッキーは初めて会った少年アンディを親友として認識し、彼を守るために行動するようになる。さらにアンディがスプラッター映画（『悪魔のいけにえ2』）を見て笑っていたことで、殺人が彼を喜ばせるものだと考え、彼を傷つける人間や、身近にいる人間を殺害する殺人人形と化す。

普段は青い目をしているが、攻撃的な行動を取る際には赤く変色する。自らナイフなどを使って凶行に及ぶ他、機械を操る機能を有しており、自動車やラジコン、電動鋸《のこぎり》、さらには自分の後継機であるバディ人形などを操って人々を殺害した。

オリジナル版のチャッキーが殺人鬼の乗り移った人形という設定だったのに対し、リメイク版チャッキーは人工知能の暴走により殺人を犯す人形と根本的な設定から変更されており、殺人鬼によるホラーというより殺人ロボットやアンドロイドによるホラーになっている。

T－X 〔てぃーえっくす〕

映画『ターミネーター3』（二〇〇三年）に登場するターミネーター。対ターミネーター用に開発された女性型ロボットで、人工知能スカイネットにより二〇三二年に開発され、未来で機械軍と戦う人間側のリーダーであるジョン・コナーや抵抗軍の重要人物たちを抹殺するべく、二〇〇四年のアメリカ合衆国に送り込まれる。

女性型の金属のフレームを液体金属で覆うというこれまでのターミネーター、T－800やT－1000のハイブリッドのような構造をしている。このためT－1000のように自由に体を変形することはできないが、フレームに武器を内蔵しているため、未来の兵器をそのまま過去に持ち込むことが可能になっている。

また、ある程度の体格の人間であれば液体金属を使って擬態可能で、それによって隠密行動を行う場合もある。制作年が新しいため、知能も高く、またロボットでありながら感情に合わせて表情を変化させるような様子も見せる。

主な武器は右腕を変形させるプラズマ砲で、光弾を発射する。その威力は自分より巨体のT－850を一〇〇メートル以上吹き飛ばすほど。またこのプラズマ砲が破損した際には右腕を火炎放射器に変形させて使っている。

さらに左手を回転カッターに変形させたり、左手の指先を細いドリルのように変形させ、精密機械をハッキングし、自由にコントロールすることもできる。銃器など内蔵されていない外部の武器の使用も可能だ。

格闘能力にも優れ、体格で劣るT－850を圧倒している。また関節の動きも自在で、首や腕、脚を逆方向に曲げる姿も見せた。

劇中では複数の人間を殺害した後、ジョンと未来にその妻となるケイト・ブリュースターを狙い、執拗《しつよう》に追いかける。しかし二人を守るために未来から送られてきたターミネーター、T－850に妨害され、幾度も取り逃す。一度はこのT－850の首を折り、プログラムを書き換えるまでして勝利するが、ジョンとケイトの殺害を命じられたT－850はこれを拒否。再起動によりプログラムの書き換えを無効化する。

その後、T－Xはジョンとケイトを追い詰めるも、T－850の操縦するヘリコプターに体当たりされ、外部の液体金属が剝《は》がれ落ちるほどのダメージを負う。さらに下半身がヘリに挟まれたことで自ら下半身を引きちぎり、ジョンとケイトを追うも、T－850に剝《む》き出しの配線を摑まれ、彼の水素電池による自爆攻撃により倒された。

普段は赤いレザースーツを纏《まと》った若い女性の姿で行動し、女優のクリスタナ・ローケンが演じた。

T－3000［てぃーさんぜん］

映画『ターミネーター：新起動／ジェニシス』（二〇一五年）に登場する殺人マシン。

人類に反乱を起こし、機械対人類の戦争を引き起こした人工知能**スカイネット**により、人間を素材にその体をナノ粒子と呼ばれる金属粒子に書き換えられた存在。そのため外見は人間の姿をしているが、体は無数のナノマシンを磁力によって結合することで構成されており、粒子を分解・再結合することで自由に形や姿を変化させることができる。

普段は体の表面を人間と衣服の外見に変えているが、金属粒子が見える場合は人間の筋肉を模したような形になっている。またもとが人間であるため人間的な感情を持ち、頭脳も人間時代の知識や記憶、思考を継続して保持している。しかし人間的な情はなくなっており、スカイネットに命じられるままに行動する。

もともと体をばらばらにできる性質を持っているため、打撃や銃撃、爆発などの物理的なダメージは効果を成さない。一方、外部から強力な磁力を浴びせられると体の結合を破壊される可能性がある。

劇中に登場したT－3000は、未来においてスカイネットが端末として使用したターミネーター、T－5000によって体を書き換えられたジョン・コナー。

元来機械に対抗する抵抗軍の最高指導者であったジョンは、宿敵スカイネットによって人類の敵に書き換えられてしまった。ジョン自身は自分のことを人間でも機械でもない存在と語っている。

二〇二九年から二〇一七年に送り込まれたジョンはスカイネットの前身であるソフトウェア、ジェニシスを起動させることを目的として行動し、その過程で自分の両親であるサラ・コナーとカイル・リース、そしてかつて絆を結んだターミネーター、**T－800**の同型と戦うことになる。

『ターミネーター2』（一九九一年）以降、シリーズの主要キャラクターとして登場していたジョン・コナーがついにターミネーター化されてしまったキャラクターである。『ターミネーター3』（二〇〇三年）では、前作『ターミネーター2』で命懸けで止めたはずの審判の日が別の理由で発生したり、最新作『ターミネーター：ニュー・フェイト』（二〇一九年）では少年時代に殺害されたことになっていたりするなど、ジョンは何かと不幸な目に遭いがちだ。

『ターミネーター：新起動／ジェニシス』（二〇一五年）は二本の続編やテレビドラマが企画されていたが、打ち切りとなってしまった。もしかしたら続編ではジョンにも何か救いがあったのかもしれない。

T-1000［てぃーせん］

映画『ターミネーター2』（一九九一年）及び『ターミネーター：新起動／ジェニシス』（二〇一五年）に登場するターミネーター。

全身を液体金属で構成されたロボットであり、人間ほどの大きさであれば自由に変形でき、様々な硬さや質感なども表現できる。また表面の色を変色させて人間や単純な構造の物体に擬態することが可能。人間に変身する際には声もコピーすることができるが、性格や記憶を引き継ぐことはできない。加えて機械類など複雑な構造を持つ物体にも変形できない。変形の際には銀色の液体金属の塊に変化する。

身体能力も普通の人間を遥かに凌《しの》いでおり、鉄の塊の**T-800**を投げ飛ばしたり、走行する車と同程度のスピードで走ることができる。さらに体の一部、特に腕を針や鉤爪《かぎづめ》、刃物などに変形させて攻撃することも可能。

また液体金属という特性上、打撃や銃撃に耐性があり、攻撃を受けて変形しても致命的なダメージを受けない。さらに体から一部が分離しても再吸収が可能。

ただし、ダメージを完全に無効化するわけではなく、ショットガンによる攻撃を連発される、凍らされて粉々に砕かれるなど一度に大きなダメージを受けると再生に時間がかかる。またダメージは蓄積されるため、戦いが長引くと次第に機能に異変が起きる。

ロボットであるため知能も高く、人間と会話をしたり、騙《だま》すのは容易で、銃器や乗り物の扱いにも長《た》ける。

『ターミネーター2』（一九九一年）では劇中の一九九四年の時代に二〇二九年から**スカイネット**によって送り込まれる。前作のT-800と同じく未来で機械と戦争を行っている人類側のリーダー、ジョン・コナーを抹殺することを使命としており、現地で情報を集めながらジョンに迫る。

しかし人類側もT-800のプログラムを書き換え、ジョンを守ることを使命として一九九四年に送り込んでおり、T-1000の前に立ち塞《ふさ》がる。

旧型であるT-800は打撃や銃撃を主な攻撃手段としていたため、有利に戦いを進めることができたが、ジョンの母親のサラ・コナーの参戦によりジョンの殺害が叶わず、度重なる戦いによりダメージが蓄積されていく。

そして最終決戦地である製鉄所にて一度は液体窒素《ちっそ》により凍結され、銃弾で粉々に破壊されるも、製鉄所内の熱により解凍され、復活。しかしそれにより機能不全を起こし、行動にわずかながら支障が出始める。それでも任務を遂行し、一度はT－800を機能不全にまで追い詰め、サラ・コナーの姿に変化してジョンを追い詰めるなどしたが、サラにショットガンを連続で撃ち込まれ、さらに復活したT－800にグレネードランチャーを撃ち込まれて上半身を吹き飛ばされる。体のほとんどをえぐられ、歪《いびつ》な姿に変形したT－1000はバランスを保てず溶鉱炉に落下。そのまま体が融解し、消滅した。

この作品では通常時活動する姿は長身瘦《そう》軀《く》の白人男性で、俳優のロバート・パトリックが演じた。無表情のまま体の一部を変形させ、襲ってくるT－1000のインパクトは彼の演技によるところも大きい。

『ターミネーター：新起動／ジェニシス』（二〇一五年）では二〇二九年から一九八四年に送り込まれたターミネーターとして登場。今回は東洋人の男性の姿をしており、警官に擬態する。劇中ではジョンではなく彼の父親であるカイル・リースを抹殺する任務を受け、彼を追いかけるが、カイルを守るサラやT－1000と戦いになる。それでもサラたちのアジトまで侵入し、カイルの抹殺を図るが、対ターミネーター用の罠《わな》として設置された強酸の雨を浴び、体が溶解して倒れた。

本作では韓国の俳優であるイ・ビョンホンがR－1000役を演じている。

T－800 ［てぃーはっぴゃく］

映画『ターミネーター』（一九八四年）をはじめ、『ターミネーター』シリーズに登場するアンドロイド。本項目では改良型であるT－850についても記述する。

暴走した人工知能、**スカイネット**により開発された殺人マシンのひとつ。筋骨隆々で長身の白人男性の姿を模した殺人アンドロイドで、骨格はチタン合金製のロボット。その表面は生体細胞で覆われている。このため、見た目だけでは人間と区別がつかない。

身長は一九〇センチ弱、体重は一八〇キロで、人間を遥かに超える怪力、銃弾を弾く強靭《きょうじん》な体、人間との会話はもちろんのこと、標的の捜索や機械・乗り物の操作、あらゆる重火器の使用を可能にする知能を持つ。

動力源はパワーセルと呼ばれるもので、一二〇年にわたり稼働する他、予備電源も備える。

生体組織は人間に擬態するために使われているもので、傷つけられても行動に支障は出ないが、高度な再生能力を持ち、治療をすればほとんどの傷は治癒する。

機械の体であるため、飲食物の摂取は必要としない。一方、生体組織は稼働期間が長くなるほど老化していく描写が見られ、どのように組織の新陳代謝が行われ、維持されているのかは不明である。

生体組織の下は銀一色の金属のボディであり、眼の部分に設置された視覚センサーのみが赤く光る。Ｔ－８００の視覚は赤みがかった景色で表現され、視界に映るものを分析できる。

基本的には命じられたことを必ず遂行するようにプログラムされているが、このプログラムは書き換え可能であり、シリーズでは人間の敵と味方、どちらの立場でもＴ－８００が登場している。また様々なことを学習するコンピュータが使われており、長く人間とともに過ごしていたＴ－８００には感情らしきものが芽生えることが描写されている。

第一作目『ターミネーター』（一九八四年）では機械軍と抗争を続ける人間軍のリーダー、ジョン・コナーを歴史から抹消するため、その母親であるサラ・コナーを狙い、スカイネットが二〇二九年から一九八四年のアメリカのロサンゼルスにＴ－８００を転送させる。

本作のＴ－８００はあくまで命令を遂行する殺人マシンとして描かれ、サラを守るために未来から送られたカイル・リースともども執拗に追跡し、殺害しようとする。その過程で幾度か二人を追い詰めるも、タンクローリーに投げ込まれた爆弾による爆発を浴び、生体組織を燃やし尽くされ、機械の姿を露わにする。その後、カイルに瀕《ひん》死《し》の重傷を負わせるも、彼の攻撃により下半身と左手を破損。それでも腕で体を引きずりながらサラを追うが、最後はサラが起動したプレス機に挟まれ、機能停止した。

続編『ターミネーター２』（一九九一年）ではこの破壊されたＴ－８００が後にスカイネットを開発するサイバーダイン社に回収されたことで歴史が変わり、スカイネットの開発が数年早まることになる。

物語の舞台は一作目の一〇年後であり、サラはカイルとの間にジョン・コナーを生んだが、精神病院に入院させられ、ジョンとは離れ離れになっていた。

今作のＴ－８００はそのジョンを守るため、人間にプログラムを書き換えられた状態で一九九四年に送り込まれる。一方、スカイネットも新型のターミネーター、Ｔ－１０００を送り込んでいたことから、Ｔ－８００はジョンを保護するため、Ｔ－１０００と激闘を繰り広げることになる。

全身が液体金属で構成され、物理的な攻撃の効果が薄いＴ－１０００に苦戦するも、何とかジョンを保護し、彼の頼みでサラを救出。彼らと交流するうちに次第に人間に似た感情を獲得していく。

そして製鉄所におけるＴ－１０００との戦いで一度は機能を停止するも、予備電源で復活。サラとともにＴ－１０００を溶鉱炉に突き落とし、勝利を収めた。

その後、自らの存在が歴史を変えてしまうことを鑑み、自分自身を破壊することを決意。ジョンに人間が涙を流す理由が分かったと伝え、ジョンとサラに見届けられながら溶鉱炉に沈んでいった。

第三作『ターミネーター３』（二〇〇三年）では改良型のＴ－８５０として登場。大人になったジョン・コナーと、その妻となるケイト・ブリュースターを保護するため、二〇三二年から送り込まれる。なお、二〇三二年ではジョンを殺害しており、妻のケイトによって捕獲され、この命令を受けた。

見た目はＴ－８００と大きな変化はないが、性能は向上しており、ジョンたちを狙う新型ターミネーターの**Ｔ－Ｘ**と戦いを繰り広げる。

自分の体を武器に変形できるＴ－Ｘに苦戦を強いられるが、ジョンとケイトを守り続け、最後は自身の水素電池を爆発させて自分の体もろともＴ－Ｘを破壊した。

第四作『ターミネーター４』（二〇〇九年）ではメインキャラクターではないが、プロトタイプのＴ－８００が登場。機械軍対抵抗軍の戦いの時代である二〇一八年を舞台にした本作では抵抗軍のリーダーとなったジョン、そしてマーカス・ライト（Ｔ－ＲＩＰ）と対決。有利に立ち回るも、マーカスに首を引きちぎられ、破壊された。また本作ではＴ－８００の前身となるＴ－６００、Ｔ－７００も登場している。

第五作目の『ターミネーター：新起動／ジェニシス』（二〇一五年）ではサラ・コナーを守る命令を受けて一九七三年に送り込まれる。それから当時九歳のサラの父親のような役割を果たしつつ、彼女に戦闘訓練を積ませた。その後、一九八四年にサラの抹殺を使命として送り込まれたＴ－８００を撃破するとともに、サラを守るために送り込まれたカイル・リースがＴ－１０００に襲われているところを助け、保護する。

その後、自身が制作したタイムマシンでサラとカイルを二〇一七年に送り込む。自身はＴ－１０００との戦いで負ったダメージがタイムトラベルに影響すると判断し、彼らが現れるまでひとりで待ち続けた。二〇一七年時では生体組織が老化し、老年の容姿となっている他、内部構造の劣化も進んでいる。

この時代ではスカイネットの誕生を阻止するべく、サイバーダイン社へと向かうが、出現した**Ｔ－３０００**の妨害に合う。圧倒的な力を持つＴ－３０００に苦戦するも、未完成の時間転送装置にＴ－３０００とともに突っ込み、自らを犠牲にしてこれを破壊する。しかしＴ－８００は液体金属の中に落ちたことでそれを利用して損傷箇所を修復し、復活を遂げた。

最新作『ターミネーター：ニュー・フェイト』（二〇一九年）では設定が一新され、『ターミネーター２』の後の時間軸が舞台になる。

ここではジョンとサラを守ったＴ－８００が溶鉱炉に没した後、ジョンの殺害を命じられて新たに転送されたＴ－８００が登場。ジョンの殺害に成功するが、サイバーダイン社が破壊されたことによってスカイネットの誕生がなくなり、自身が存在する未来も消えたことで存在意義を失う。その後、夫に虐待を受ける女性アリシアとその息子マテオに出会い、彼らを助けた。

以降、Ｔ－８００は「カール」と名乗り、二人を守ることを存在意義にして人間として生活するようになる。この過程でＴ－８００は感情を学び、ジョンの命を奪ったことを後悔するようになる。

そしてスカイネットとは別の人工知能、リージョンが開発したターミネーター、**Rev‐9**からアリシアを守るため、立ち上がる。

『ターミネーター』シリーズを代表するキャラクターであり、第四作目『ターミネーター4』を除いた全作品において主要キャラクターを務め、いずれも俳優のアーノルド・シュワルツェネッガーが演じている。『ターミネーター』はシュワルツェネッガーの出世作となり、現在でもT‐800は彼の演じたキャラクターの中でも代表格となっている。彼が演じるキャラクターが頻繁に発する「I'll be back」というセリフも『ターミネーター』でT‐800が発したものが初出である。

T‐RIP［てぃーりっぷ］

映画『ターミネーター4』（二〇〇九年）に登場するサイボーグ。マーカス・ライトという人間がターミネーターへ改造されたもの。死刑囚だったマーカスは二度目の人生を送ることができるという提案からサイバーダイン社と契約し、二〇〇四年に死刑になった後、その脳と心臓を機械の体へと移され、サイボーグとなった。外見は生前の姿を模した生体細胞で覆われている。

名前は「Resistance Infiltrator Prototype（抵抗軍潜入型プロトタイプ）」の略で、人間への擬態を完璧にこなすよう作られている。そのため、普通の人間と同じように会話し、動くことができる他、痛覚も人間と同様に設定されている。

劇中では機械と人間が互いに殺し合うようになった二〇一八年に記憶を失った状態で目覚め、自分を人間だと思い込んでいた。

劇中ではロサンゼルス郊外で目を覚まし、カイル・リースという少年とスターという少女とともに行動する。その際、人類側として機械軍と戦う抵抗軍のひとり、ジョン・コナーのことを知り、彼のもとに赴くこととなる。しかしその途中、カイルとスターが拉致《らち》され、機械軍を指揮する人工知能、**スカイネット**の拠点であるスカイネットセントラルに連れ去られる。

その後、抵抗軍のブレア・ウィリアムズという女性に出会ったマーカスは彼女とともに抵抗軍の基地に向かうが、途中、機械用の地雷が作動し、マーカスは傷を負う。これによりマーカスは自分の体が機械でできていることを知る。ジョン・コナーはターミネーターである彼を信用しないが、マーカスはカイルたちを救うため、自分を利用してスカイネットセントラルに潜入することを提案する。ジョンもこれに同意し、スカイネットセントラルへと向かう。

しかし実際はマーカスはスカイネットが与えた「ジョン・コナーを抹殺するため、スカイネットセントラルに彼を導く」という命令を自分でも知らぬうちに遂行しており、スカイネットセントラルにてスカイネットそのものにそれを教えられる。

それでもマーカスは後頭部に埋め込まれたCPUを破壊し、自分の意思でジョンを救うため、**T－800**と戦う彼のもとに駆け付ける。

その戦いでマーカスはT－800に心臓を攻撃され、機能停止するが、ジョンが彼に電気ショックを与えたことで復活。直後、ジョンがT－800に心臓を貫かれ、瀕死《ひんし》の重傷を負う。

マーカスは立ち上がり、T－800の首を切断して破壊し、ジョンを救出。そして心臓を負傷したジョンに自分の心臓を移植し、二度目の死を迎えた。『ターミネーター』シリーズでは珍しく、人間の体の一部がそのまま使われているターミネーター。人間の脳が機械の体を動かすという設定は古くは小説『吸血鬼』（一九二四年、**ガブリエル**の項目参照）や、ユージン・ローリー監督の映画『ニューヨークの怪人』（一九五八年、**ニューヨークの怪人**の項目参照）など古くからあるが、T－RIPもその系譜に当たる。

T－RIPが製作されたのはスカイネットが暴走するより前の時代であり、それがスカイネットに利用されたものであると考えられる。そのため、本来は抵抗軍への潜入を目的にして作られたものではなく、別の目的があったものと思われるが、劇中では明らかにされていない。

しかし人類が作ったために人間の脳をそのまま残した機械が生まれ、それがスカイネットの敗北の原因を作ったこともまた、人間の勝利と言えるのかもしれない。

電子おばあさん ［でんしおばあさん］

レイ・ブラッドベリの小説『歌おう、感電するほどの喜びを！』（一九六九年、伊藤典夫他訳、ハヤカワ文庫『歌おう、感電するほどの喜びを！』（二〇一五年）等収録）に登場するロボット。

その名の通り人間のおばあさんの姿をしたロボットで、グイド・ファントチーニ社によって開発された。正式名称は「ヒューマノイド型直交両用充電式超小型回路つき第五型電子おばあさん」という。

不慮の理由により親を亡くした子どもたちを世話し、愛情を与えるために作られたロボットで、子どもの遊び相手も、教育も、家事もすべてこなせるよう設定されている。それだけでなく、人間以上に人間らしく、愛情深く他者に接することができる。それは自身を作ることを思いつき、設計し、組み立て、動かしてくれた人々のすべて、それらの人々がこうありたいと望み、恐らくなれなかったすべてが集まったものだからだと電子おばあさんは語る。

物語では、病により母親を亡くした語り手、トムとその兄弟や父親のもとに、電子おばあさんはエジプトの棺《ひつぎ》に入れられ、空からやって来る。そして起動した後は彼らの家族として振る舞い、やがて子どもたちも彼女のことを受け入れていく。ただし、トムの妹のアガサだけは母親の死のトラウマから電子おばあさんを受け入れられずにいたが、電子おばあさんが身を挺してアガサをトラックから庇《かば》い、救ったことで彼女を受け入れるようになる。

それからトムやアガサ、そして兄弟のティモシーの三兄弟が実家を出るまで電子おばあさんは彼らと家族であったが、子どもたちの自立とともに電子おばあさんにもファントチーニ社へ帰る時が訪れる。

彼女は子どもたちにそこでどうするのかと問われ、言う。自分はこの家で過ごし、学んだこと、幸せだったことを他のロボットたちに語るのだと。

そして電子おばあさんは子どもたちに最後に言う。「あなたたちが年を取って、子どものように小さくなり、世話をする人が必要になった時、自分を呼べば必ずまた戻ってくる」と。

レイ・ブラッドベリによる温かなロボット小説の主人公。人間性を持たない冷たい機械とは逆の、人間の夢が詰め込まれ、それを体現する存在なのだ。

トライポッド ［とらいぽっど］

H・G・ウェルズの小説『宇宙戦争』（一八九八年）に登場する破壊兵器。

火星人が使う三本脚の歩行機械で、大抵の家の屋根よりも高い奇怪な三脚台と表現される。長くしなやかな金属の触手を胴体の周りに伸ばし、これで人間を捕らえたり、物体を握って動かしたりする。また上部には真鍮《しんちゅう》色の天蓋が載せられており、後ろには魚籠《びく》のような白い金属の塊がある。

熱線や毒ガスを武器として使用し、地球人に甚大な被害を与えた。

火星人が使用する兵器としてよく知られるトライポッドだが、『宇宙戦争』の最初の映画化であるバイロン・ハスキン監督の『宇宙戦争』（一九五三年）では登場せず、代わりに空飛ぶ円盤のような姿をした**マーシャンズ・ウォーマシン**が登場した。詳しくは当該項目参照。

二〇〇五年のスティーヴン・スピルバーグ監督の『宇宙戦争』ではCGで描かれたトライポッドが登場。こちらは原作にはないバリアを張る能力まで得ている。これは先述のマーシャンズ・ウォーマシンの能力も取り入れたものと思われる。

ドローン・イェーガー ［どろーん・いぇーがー］

映画『パシフィック・リム：アップライジング』（二〇一八年）に登場する無人ロボット。対怪獣用に作られた巨大ロボット、イェーガーの一種で、操縦士が直接機体に乗り込まずとも遠隔操作により操縦できるように、中国のシャオ産業によって開発された。

全身白のシンプルなデザインで、複数機が登場。人間側の兵器として期待されていた。

しかし実際はシャオ産業の研究チームのトップでありながら侵略者**プリカーサー**に洗脳されたニュートン・ガイズラーという科学者により手を加えられている。

ニュートンは自身で培養した怪獣の細胞をドローン・イェーガーの中枢機関に組み込んでおり、起動するとこの細胞が活性化。プリカーサーが怪獣を送り込むために必要な次元の裂け目を開放するため、行動する。

この怪獣細胞が目覚めるとロボットと生物を組み合わせたようなグロテスクな姿になり、動きも生物的になる。さらにイェーガーとして装備されたミサイルなどの武器も使うことができるため、厄介な存在となる。

劇中では世界各地で胸部のプラズマキャノンを発射し、一時的に次元の裂け目を解放。ドローン・イェーガーたちはすぐに機能を強制停止させられたが、この短時間で**ハクジャ**、**シュライクソーン**、**ライジン**の三体の怪獣が地球に出現することになった。

な

ニューヨークの怪人

［にゅーよーくのかいじん］

映画『ニューヨークの怪人』（一九五八年）に登場する人造人間。

アメリカ合衆国のニューヨークに住む科学者ジェレミー・スペンサーが事故により死亡したことで、その脳がアンドロイドに移植されたもの。

ジェレミーの父親であるウィリアムは息子の死を受け入れられず、研究室で密かに摘出したジェレミーの脳を保管しており、ジェレミーの兄弟であるヘンリーに機械の体を造らせてジェレミーの脳をそこに移す。

当初、ジェレミーはこの機械の体を拒絶するが、残してきた家族や自分の研究のため、人前に姿を見せないことを条件にその体を受け入れる。

しかし脳が機械の体に順応するにつれて人間性を失ってゆき、ついに自分の妻に手を出そうとするヘンリーを目から放つ光線で殺害。その後、国連本部に出現し、自分自身の追善パーティの会場で次々と科学者たちを光線で撃ち殺す。

しかし息子ビリーの声がジェレミーの良心を呼び起こす。彼はビリーに頼み、胸のスイッチを切ってもらうことで、自ら命を絶つのだった。

人造人間は、身長二メートルを超える大きな体をしており、角張った禿頭《はげあたま》に黒目のない白く光る眼が付けられた、不気味な姿をしている。

人造人間に人間の脳を入れて動かす、というアイディアは『吸血鬼』（一九二四年、**ガブリエル**の項目参照）が既にあったが、ニューヨークの怪人は機械の体だけでなく怪光線を放つところが特徴的。ちなみにこの光線についてはなぜ放てるのか説明がなく、もともとあった機能なのか、人間性の欠如がなんらかの作用を及ぼし、光線を放てるようになったのか不明である。

は

バーサーカー［ばーさーかー］（『バーサーカー』シリーズ）

フレッド・セイバーヘーゲンの小説『バーサーカー　赤方偏移の仮面』（一九六七年（浅倉久志・岡部宏之訳、ハヤカワ文庫ＳＦ、一九八〇年））をはじめとする『バーサーカー』シリーズに登場するロボット。

過去に知的生命体によって戦争のために創造された自立型の機械で、形や大きさは様々だが、大型のものは地球人が過去に作ったどんな宇宙船よりも巨大なものもあるとされ、実際に宇宙を漂う巨大な要塞のようなバーサーカーが登場している。この要塞は星ひとつを二日程度で滅ぼすことができる破壊力を備える。

どんな場所においても遭遇した生物を見つけ次第に殺害するようプログラムされており、さらに自分たちでロボットを作ることができる。そのため戦闘においてバーサーカーが一体でも生き残れば、改良を加えた新たなバーサーカーが生み出される。

さらにタイム・トラベルを行う機能まで備えており、場合によってはあらゆる歴史、場所に現れ、歴史上の重要人物を殺害しようとするなど、人類への恐るべき脅威と化している。また場合によってはすぐに殺害せず、人間を捕らえて人体実験を行ったり、情報収集するなど知能も高い。

この自己増殖し、生物を皆殺しにすることを目的としたロボット、バーサーカーの設定は多くのＳＦ作品に影響を与えた。また人類側もただ殺戮《さつりく》されるだけでなく、武力や知力を尽くして戦うため、その様々な戦いも楽しめる。

ハダリー［はだりー］

小説『未来のイヴ』（一八八六年）に登場するアンドロイド。

発明家エジソンによって作られた女性型のアンドロイドで、象牙製の骨組みに埋め込まれた電池により動き、電磁石の関節や人造肉で体が構成されている。人造肉には電線が血管のように走っており、体温を感じることもできる。その肺は蓄音機でできており、録音された声で喋《しゃべ》ることが可能。

十本の指にはめられた指輪によって特定の動きをし、単純に言葉を交わすだけであれば自ら思考し、会話をすることもできる。

作中ではエジソンが命の恩人であるエウォルド卿のため、美しい外見を持ちながら人間性が伴わない彼の伴侶《はんりょ》、アリシアの外見をハダリーにコピーする。これによりエウォルドは完璧ともいえる存在を手に入れるが、ハダリーをイギリスの古城に連れて帰る途中、船が事故に遭い、ハダリーは沈んでしまう。

『未来のイヴ』は初めて「アンドロイド」という言葉を使った小説とされることがあるが、光文社古典新訳文庫版の海老根龍介氏の解説によればそれは誤りであり、「アンドロイド」という言葉自体は一八世紀には既に自動人形を表す言葉として使われていたという。また『未来のイヴ』作中に登場する言葉は「アンドロイド」ではなく「アンドレイド」というリラダンの造語であり、今までにない言葉を使うことで、既存の概念に当てはまらない独自の対象として印象付けようとしたのだという。

しかしこの作品の影響により、以降の文学作品において人間とほとんど変わらない容姿をした人造人間を指す言葉として「アンドロイド」が使われるようになったのは確かなようだ。

ＢＢ［びーびー］

ウェス・クレイヴン監督の映画『デッドリー・フレンド』（一九八六年）に登場する人造人間で、青年ポールが開発した人工頭脳によって自分で考え、動くことができるロボット。当初はキャタピラで動く黄色と銀色のボディのロボットであったが、近所の老女の家の庭に侵入した際、その老女にライフルで撃たれ、破壊される。

ポールは脳死した自分の想い人、サマンサの脳にＢＢの人工頭脳を装着し、彼女を生き返らせる。しかし、生き返ったサマンサの心と記憶と、ＢＢの心と記憶が交じり合った状態で暴走するようになる。

手始めにサマンサを殺害した犯人である彼女の父親を殺害、次にＢＢを破壊した老女を殺害する。その際、父親を手で持ち上げる、バスケットボールを投げて老女の頭を粉砕するなど、異常な怪力を有している描写が見られる。

その後も自分自身、もしくはポールに害を与えようとする人間に攻撃的になるが、ポールの言葉だけはよく聞いていた。しかし最期は警察に追い詰められ、腹部に銃弾を受けて二度目の死を迎える。

その後、ポールは再びサマンサの死体を取り戻そうと病院に侵入するが、サマンサの死体が突然動き出す。その皮膚が剝《は》がれ、現れたのはBBのようなロボットのボディであった。

この映画では何度も悪夢のシーンが登場するため、このラストシーンも現実なのか夢の世界なのか定かではない。ちなみにこの映画のウェス・クレイヴン監督は『エルム街の悪夢』の監督でもある（**フレディ・クルーガー**の項目も参照）。

ヘレン・オ・ロイ［へれん・お・ろい］

小説『愛しのヘレン』（一九三八年）に登場するロボット。

ディラード・ロボット会社という企業によって制作された美しい女性型のロボットで、金属とプラスチックとラバライトでできた顔や体はあらゆる感情や動きを表現するための柔軟性が与えられている。涙腺や舌の味蕾《みらい》まで備えており、泣くこと、食事、呼吸もでき、人間の動きを何でも真似することができた。また教えれば料理や家事全般をこなすことができ、小型の原子力電池を備えているためエネルギーの心配をする必要もない高性能なロボットだった。

しかしヘレンは人間以上に人間らしい心も持っていた。彼女はフィルという医師とデイヴというロボット修理士の二人に買われたが、いざヘレンを起動する時にフィルに急な仕事が舞い込み、デイヴがひとりで彼女を起動することになる。そして動き始めたヘレンにデイヴは仕事を一通り教え、自分が仕事に行っている間に立体テレビの映像を見せて、退屈させないようにした。

しかし起動したばかりで好奇心に満ちた彼女は、そのテレビに映るテレビドラマに夢中になり、ラブストーリーに見入った。テレビが終わってしまうと、今度はフィルの所有していた恋愛小説を読み、学んだ。

そして一日の間にヘレンは恋という感情を覚え、それは彼女が初めて出会った人物、デイヴに向けられることになる。

ヘレンはデイヴに情熱的に迫ったが、デイヴはこれに抵抗した。そのうち、ヘレンは感情的になり、デイヴはヘレンを避けるようになる。それを見たフィルはヘレンの記憶コイルを抜き、再び真っ白な状態に戻そうと言うが、それにデイヴが反対した。

ヘレンがデイヴを愛したように、デイヴもヘレンのことを愛してしまった。そしてヘレンは自身の望みの通りデイヴの妻となり、彼の実家である果樹園に住居を移し、幸福に暮らした。本来であれば歳を取らないヘレンの外見を、フィルが加工してデイヴと同じように年齢を重ねるように見せかけた。いつの間にかデイヴはヘレンが人間ではないことを忘れていた。

そしてデイヴはヘレンの腕の中で息を引き取った。ヘレンは手紙にてフィルに自身もまた命を絶つことを告げ、二人一緒に葬ってほしいと伝える。

最後に、私たちの生涯は幸福だったと書き記して。

人間と同じ機能を備え、姿も人間と同じであるため、今であればアンドロイド（ガイノイド）に分類されると思われるが、本文中ではロボットと記されるため、本項目もそれに倣《なら》っている。

ヘレンの名前の由来は、ギリシャ神話にてトロイア戦争のきっかけとなった絶世の美女ヘレン（ヘレナ）による。名前はフィルとデイヴによってつけられたもので、製品としての名称は「K2W88」である。

人のために労働するのではなく、人に反逆するわけでもなく、対等な立場として人に添い遂げたロボット、ヘレン。彼女の存在はアイザック・アシモフにも影響を与えたとされており、彼もまた人間として生きたロボットの話として『バイセンテニアル・マン』（一九七六年）を著している（**アンドリュウ・マーチン**の項目参照）。

ボッコちゃん ［ぼっこちゃん］

星新一の小説『ボッコちゃん』（一九五八年、新潮文庫『ボッコちゃん』等収録）に登場するロボット。

あるバーのマスターが道楽で作ったもので、あらゆる美人の要素を取り入れたため、見た目は完全な美人になっているとされる。ただ知能は高くなく、客の言葉に対し簡単な鸚鵡《おうむ》返しのような受け答えができるだけだった。

ボッコちゃんはバーの看板娘として人気になり、誰も彼女をロボットだと気付くものはいなかったが、それをいいことにバーのマスターはボッコちゃんが飲んだ酒を回収し、他の客に使い回していた。

しかしその不用意さが、ある悲劇を招くことになる。

星新一の代表作のひとつであり、自選作品集のタイトルにもなっていることから、恐らく日本生まれのロボットの中でもボッコちゃんはよく知られたひとつではないだろうか。わずか数ページの掌編小説なので、もし気になる方は手に取って読んでみてほしい作品だ。

ま

マーシャンズ・ウォーマシン ［まーしゃんず・うぉーましん］

映画『宇宙戦争』（一九五三年）に登場する火星人の侵略兵器。

エイのような姿をしたマシンで、目に見えない磁力の柱によって機体が支えられており、機体の前面と羽の端に緑色の発光体がある。

機体上部には赤色の破壊光線を発射する触角のような装置が設置され、機体下部からは緑色の光弾を放つ。さらに機体は透明なバリアに覆われており、核兵器を含め地球上のいかなる兵器をも弾き返す。

H・G・ウェルズの原作『宇宙戦争』（一八九八年）に登場する火星人の兵器、**トライポッド**に当たる侵略兵器。当時の技術では三本の脚を使って移動する機械の描写が難しかったため、空飛ぶ円盤型のマシンに変更されたが、機体を支える磁力の柱が三本に見える部分など、もとがトライポッドであることを窺わせる。

ウォーマシンによる容赦のない町の破壊描写は圧巻で、結局は火星人も地球の細菌によって全滅するため、ウォーマシン自体は一切地球の攻撃を受け付けない無敵の強さを見せた。

このウォーマシンのバリアを張るという機能は原作のトライポッドにはないものだが、二〇〇五年の映画化『宇宙戦争』ではトライポッドがバリアを張る能力を獲得しており、本作の影響が窺える。また『宇宙戦争』をオマージュしたローランド・エメリッヒ監督の『インディペンデンス・デイ』（一九九六年）でも異星人（**ハーベスター**）の操る円盤がバリアを展開する描写が見られた。

魔物ロボット ［まものろぼっと］

ロジャー・ゼラズニイが一九六三年に発表した小説『吸血機伝説』（中村融編、創元SF文庫『影が行く　ホラーSF傑作選』（二〇〇〇年）収録）に登場するロボット。

「吸血機」の別称の通り機械を相手に吸血、すなわち電力を吸い取ることができるロボットで、遠い未来の地球にて、中央指令所のコントロールを切断し、自らの意思で動き回る。機能に異常があったことから他のロボットにより廃棄処分とされ、胸の動力ユニットを外されており、稼働するために頻繁《ひんぱん》に電力を補充する必要がある。このため、他のロボットを狙って襲い、回路を繋《つな》いで電力を吸い取るようになった。

この世界では既に人類は絶滅しており、唯一生き残った吸血鬼であるフリッツとともに霊園で生活していた。しかし、魔物ロボットが他のロボットに破壊されそうになっているのを、人間のふりをして助けたフリッツが日光を浴びてしまい、死亡してしまう。フリッツを丁寧に葬った魔物ロボットは孤高の存在として生きていくことを誓うのだった。

メカゴジラ ［めかごじら］

映画『ゴジラ対メカゴジラ』（一九七四年）及び本多猪四郎監督・中野昭慶特技監督による続編『メカゴジラの逆襲』（一九七五年）に登場する巨大ロボット。身長五〇メートル、体重四万トン。

『ゴジラ対メカゴジラ』では、**ブラックホール第三惑星人**という異星人によって作られたロボットで、**ゴジラ（二代目）**を研究して開発された侵略兵器とされる。そのため、ゴジラと似通ったフォルムをしている。

全身に武器が装備されており、目からは破壊光線であるスペースビーム、手先からフィンガーミサイル、胸部からは高圧電磁光線であるクロスアタックビーム、膝《ひざ》からはホーミューショットを発射し、さらに全身に円柱の形をしたバリア、ディフェンスネオバリアを纏《まと》うことができる。また首を一八〇度回転させ、前後の敵を同時に相手取る器用さも見せた。

劇中でははじめ、ゴジラそっくりな姿で出現。地球で破壊活動を繰り返すが、本物のゴジラとの戦いで外皮を一部剝《は》がされる。これによって正体がばれたため、金属で構成された本来の姿を現す。

その全身はスペースチタニウムという地球外の金属でできており、全身銀色に染まっている。また金属音のような高い音の鳴き声を発し、足底からのロケット噴射によって空を飛ぶことも可能。

沖縄を舞台にした最終決戦では沖縄の守護神である怪獣**キングシーサー**とゴジラの二体を相手に互角以上に戦うが、雷を浴びて帯電体質になったゴジラが体を電磁石化したことでゴジラに引き寄せられ、動きを封じられた末にキングシーサーの猛攻撃を浴び、さらにゴジラに首をもがれて倒され、沖縄の海底に沈んだ。

しかし次作『メカゴジラの逆襲』では海底に沈んだメカゴジラがブラックホール第三惑星人に回収され、彼らに協力する地球人の科学者、真船信三の協力のもと、修繕・強化されたメカゴジラⅡとして復活した。フィンガーミサイルが強化され、回転式フィンガーミサイルとなっている。

死後サイボーグ化された真船信三の娘、真船桂にメカゴジラⅡのコントロール装置が埋め込まれており、彼女の脳細胞が生きている限りは行動できるよう設計されている。また桂の憎悪が増すほどにメカゴジラⅡの攻撃性も増す。

劇中では真船信三に操られる**チタノザウルス**とともにゴジラに逆襲する。一度はゴジラを生き埋めにするまで追い詰めるが、復活したゴジラによって再び首をへし折られる。しかしその首にはレーザー発射装置が仕込まれており、首のない状態でゴジラと戦い続けた。

しかし人間としての心を取り戻した桂が自害したことにより動きを停止し、ゴジラの放射能火炎を浴びたことで体内のミサイルが誘爆し、ついに倒された。

メカゴジラはこれ以降、平成になってからも何度も登場し、ゴジラと対決することになる。平成以降のメカゴジラはどれも地球人の手によって作られているのに対し、初代メカゴジラ及びメカゴジラⅡは異星人の侵略兵器として登場しており、初登場でありながら異色の存在となっている。

『ゴジラの逆襲』（小田基義監督・円谷英二特技監督、一九五五年）以来、二〇年にわたって戦い続けた**ゴジラ（二代目）**の最後の相手でもあり、特に『メカゴジラの逆襲』での戦いでは第一作目『ゴジラ』（本多猪四郎監督・円谷英二特技監督、一九五四年）以来二一年ぶりに「ゴジラのテーマ」（「ゴジラ・メインタイトル」）が流れた。以降、この曲はゴジラを象徴する曲となり、アレンジを含めてゴジラと敵怪獣との戦いの場面で流れる機会も多くなっている。

メカゴジラ［めかごじら］ （モンスター・ヴァース）

アダム・ウィンガード監督の映画『ゴジラvsコング』（二〇二一年）に登場するロボット怪獣。体長一二二メートル。対怪獣用兵器として人間に作られた怪獣型のロボット。

口から発射するA－74プロトンスクリームキャノンという赤い光線と、腕の先に付けられた回転する爪、ロータークロウズや、尾の先に装備された回転する刃、全身から発射されるミサイル、**ゴジラ（モンスター・ヴァース）**や**コング（モンスター・ヴァース）**を上回る怪力やロケットブースターを利用しての機敏な動きなど、全身凶器といっても過言ではない。さらにコングやゴジラの攻撃でほとんど傷つくことのない強固な装甲を持つ。

前作でゴジラに倒されたギドラ（**ギドラ（モンスター・ヴァース）**の項目参照）が精神感応により三本の首で交信していたことを利用し、ギドラの中枢神経を用いた生体スーパーコンピュータを使って遠隔操作するよう設計されていた。

しかしほとんど頭蓋骨だけになったにもかかわらず、ギドラの意識がまだ残っており、ゴジラを前にしてその怨念が爆発。暴走し、ゴジラを殺害することを目的として行動し、出現した香港の街に大きな被害をもたらした。

その動力源は地下空洞世界に存在するという地球の核のエネルギーを再現したものであり、凄《すさ》まじい出力を誇る。

劇中ではまだ地下空洞のエネルギーが使えず、出力不足の状態での模擬戦で大型の**スカルクローラー**を簡単に殺害する力を見せた後、先述の地球の核エネルギーを充填《じゅうてん》したところ、ギドラの意思が目覚めて暴走。操縦者を感電死させ、自ら格納庫から地上に現れ、コングとの戦いで消耗しているゴジラに襲いかかり、いたぶるように圧倒する。

さらに復活したコングがゴジラに加勢しても優位に立ちまわり、コングを殺害寸前まで追い詰めるが、人間によって制御コンピュータが破壊されたことで行動が鈍り、その隙をついたコングが逆転。ゴジラの放射熱線を受け、パワーをチャージしたコングの斧《おの》により機体をずたずたに切断された上、首を引き抜かれて機能停止した。

日米の二大怪獣が半世紀以上ぶりに激突する『ゴジラvsコング』において、サプライズ的に登場したゴジラの宿敵。怪獣の亡《なき》骸《がら》を使って動かしているという点は**3式機龍**、ギドラの死体が利用されているという点ではメカキングギドラ（**キングギドラ**の項目参照）、コングと戦うメカ怪獣という点では**メカニコング**、首を引き抜かれての決着という点では初代**メカゴジラ**など、かつての東宝怪獣映画に登場したメカ怪獣たちの要素が随所に詰め込まれている。

メカニカルマン［めかにかるまん］

アンドレ・デエド監督の映画『剛鉄の人』

（一九二一年）に登場するロボット。ある科学者によって作られた人型の機械で、ブリキで作られた人形のような姿をしているが、自立して動くことが可能であり、遠隔操作によって操られる。

もともとは武器として作られたものではなかったが、マドという女性犯罪者に製作者の科学者が殺害され、マドに操作されることによって殺人や強盗など、様々な犯罪を行うことになる。

人間よりも遥かに大きく、体長三メートルほどある。驚異的な怪力を持ち、目的を達成するためには障害となるものを破壊しながら遂行する。また、その鋼鉄のボディは銃弾を受けてもまったくダメージを負わない。また普段は動きが遅いが、その気になれば高速で走ることもでき、劇中では走る車を走って追いかけている。ポスターでは手からビームを発射しているが、現在フィルムの大部分が失われているため、このようなシーンが実際にあったのかは定かではない。


終盤では科学者の兄弟が作り出した二体目のメカニカルマンが、オリジナルのメカニカルマンとオペラハウスを舞台に対決。相打ちになって互いに破壊される。また、メカニカルマンを操作していたマドもコントロールパネルに感電し、死亡した。

項目名は原題の『L'uomo meccanico（機械の人間）』が英訳された際のタイトル『The Mechanical Man』によった。サイレント映画であり、イタリアで作られた最初のSF映画とされる。またロボット同士の戦いを描いた史上初めての映画でもあるという。もとは八〇分ほどあったようだが、現在は三分の一ほどしかフィルムが残っていない。

その巨体や無骨なデザインは結構格好良く、自動車を追いかけるために高速で走る場面などは迫力があり、『ターミネーター2』（一九九一年）の**T-1000**の半世紀以上前に映像化されている。

メカニコング ［めかにこんぐ］

映画『キングコングの逆襲』（本多猪四郎監督・円谷英二特技監督、一九六七年）に登場するロボット怪獣。別称は電子怪獣で、身長二〇メートル、体重一万五〇〇〇トン。

キングコング（東宝版）と戦った。

キングコングの能力を検証し、人工的に再現したロボットの設計図をもとに、ドクター・フーという科学者が作り上げたゴリラ型ロボット。

その姿は鋼鉄のゴリラといった様相で、全身は銀色に輝き、二足歩行で移動する。

もともと戦闘用のロボットではなく、エレメントXと呼ばれる高エネルギー鉱石を掘削することを目的として製作された。しかしはじめに造られたものはエレメントXの強力な放射能により動作不良を起こしたため、今度はキングコングそのものを操って鉱石の採掘をさせようとするが、こちらも失敗に終わる。

メカニコングの2号機が作られ（見た目は同じ）、キングコングを追跡することとなる。

やがてキングコングと対峙《たいじ》したメカニコングは激闘を繰り広げ、東京タワーをよじ登りながらの戦いに移行する。しかし東京タワー頂上付近にあった高圧線に触れたために地面に落下してしまい、その衝撃でバラバラになった。

実写映画としては初めて、自身のモデルとなった怪獣と戦いを繰り広げたロボットとなる。メカゴジラの先輩にあたる。

もとになっているのは、一九六七年に放映された米日共同制作のアニメ『キングコング』で、この作品にはキングコングと戦いを繰り広げる「ロボットコング」が登場する。また、このアニメ作品で悪役を務めるのがドクター・フーである。

加えて漫画でいえば水木しげるが一九五八年に『怪獣ラバン』という作品を発表しており、ここではニューギニアでゴジラと遭遇した青年が、採取したゴジラの血液を輸血されたことで怪獣ラバンとなり、対怪獣用ロボット「ラバン十七号」と戦うというストーリーが展開される。これは『墓場鬼太郎』や『ゲゲゲの鬼太郎』のエピソードで知られる『大海獣』の元ネタとなった。

モゲラ［もげら］

映画『地球防衛軍』（一九五七年）に登場する巨大ロボット。体長五〇メートル、体重五万トン。

ブリキのような手足、ドリルが前面に付いた頭部、キャタピラで作られた体を持つ。

地球侵略を目論《もくろ》む異星人**ミステリアン**が遠隔操作する土木作業用ロボットだが、両目から殺人光線を放つなど武装も豊富。またその体は鋼鉄の二〇〇倍硬いミステロイド・スチールで作られており、普通の兵器では傷ひとつ付けられない。

劇中では二体が登場。一体目は富士山付近の町に出現し、街を破壊するが、自衛隊の攻撃で足下の鉄橋を落とされ、谷底に落下したことで機能停止した。

二体目は地中から地球防衛軍を攻撃しようとしたが、地上に出現した際に倒した地球防衛軍の新兵器マーカライトファープが真上に倒れてきたために下敷きになり、行動不能となった。

東宝特撮映画としては初となる巨大ロボット怪獣。その系譜は**メカニコング**、**ジェットジャガー**、**メカゴジラ**など、様々な巨大ロボットに受け継がれていく。

山下賢章監督・川北紘一特技監督の映画『ゴジラvsスペースゴジラ』（一九九四年）では異星人ではなく人間の手で作られたロボット「ＭＯＧＥＲＡ」が登場。これは「Mobile Operation Godzilla Expert Robot Aero-type」の略とされ、前作『ゴジラvsメカゴジラ』に登場した**スーパーメカゴジラ**に続き、より強力な対ゴジラ兵器として製造された。戦いを想定した**ゴジラ（平成VSシリーズ）**が体長一〇〇メートルであるため、ＭＯＧＥＲＡも全長一二〇メートル、体重一六万トンの巨体を誇る。

陸、空、地中、宇宙で活動可能で、頭部の前面と両腕に設置されたドリルを武器とする。また目に当たる部分からはプラズマレーザーキャノンを、腹部にはプラズマメーサーキャノンを装備し、腕からはスパイラルグレネードミサイルを発射するなど、遠距離の戦いにも対応している。

また上半身を地底戦車であるランドモゲラーに、下半身を高度爆撃機であるスターファルコンに分離させて行動することも可能。

劇中では先述の通り対ゴジラ兵器として開発されるが、宇宙から飛来した**スペースゴジラ**の出現によりゴジラと共闘することになる。福岡におけるスペースゴジラとの決戦ではスペースゴジラが宇宙からのエネルギーを受信する両肩の水晶体をスパイラルグレネードミサイルで破壊し、ゴジラの勝利に貢献した。

ら

ルミ［るみ］

蘭郁二郎の小説『脳波操縦士』（一九三八年、日下三蔵編、ちくま文庫『怪奇探偵小説名作選7 蘭郁二郎集―魔像』（二〇〇三年）収録）に登場する人造人間。作中では「電気人間」と表現される。美しい少女の姿を模した機械で、電力によって動くが、その操作方法は開発者である森源という研究者の脳波によるものとされる。しかしルミは森源の友人であり、この小説の主人公である「私」と出会ってから恋心を抱き、機械でありながら女性としての確固たる意思を持つ。そして脳波操縦を無視して「私」に会いに行く。そしてそこで電力が切れ、倒れてしまう。

彼女を追ってきた森源は半生をかけて作り上げた科学の結晶であるルミが自分を捨てて別の男のもとに向かったことにショックを受け、「私」に遺書を送り、ルミを破壊してから自殺する。

一方、「私」はルミが自分のもとに来たのは偶然自分の脳波が森源と同じであり、「私」がルミを恋しく思った脳波に反応してやって来たのではないかと推測するが、それを伝える前に森源は命を絶っていた。

そして物語はルミが本当に心を持ったのか、それとも「私」の推測通り「私」の脳波に反応し、それらしい行動をしただけなのかは、明らかにされないまま幕を閉じる。

Rev-9［れゔないん］

映画『ターミネーター：ニュー・フェイト』（二〇一九年）に登場する殺人マシン。

人類に反乱を起こした人工知能、リージョンによって作られたターミネーター。機械軍と人類による抵抗軍の戦いにおいて最高指導者となるダニー・ラモスを過去の時点で抹殺するため、二〇四二年から二〇二〇年に送り込まれる。

炭素合金による金属骨格に黒い液体金属を纏《まと》った構造をしており、液体金属部分を変異させることで自由に姿を変える。

この液体金属部分を刃物などの形状にして武器にする他、いかなる銃器も使いこなすことが可能。また金属骨格と液体金属を分離し、二体に分かれて行動したり、水中で自由に行動することもできる。

加えて人間に非常に近い動きが可能で、時折ジョークを語るなど、人間社会に溶け込むことも容易となっている。

劇中ではダニーを執拗《しつよう》に追跡し、その過程で未来から送られてきた強化人間グレース、かつてターミネーターと戦ったサラ・コナーや、別の未来に存在した人工知能**スカイネット**によって送り込まれたターミネーター、**T-800**と交戦。打撃や銃撃、爆発を無数に浴びながら正常に稼働し続けるという頑強さを見せた。

金属の骨格を液体金属が覆うというコンセプトは『ターミネーター3』（二〇〇三年）に登場する**T-X**と共通するが、T-Xが金属骨格に無数の未来兵器を仕込んでいたのに対し、Rev-9は骨格自体は変形しない。一方、俊敏性や跳躍力はこちらの方が上であり、身軽な戦い方を得意とする。しかし力はそこまで強くないらしく、T-800との戦いでは力負けしている様子も見られる。

レプリカント ［れぷりかんと］

リドリー・スコット監督の映画『ブレードランナー』（一九八二年）に登場する人造人間。劇中に登場するレプリカントは「ネクサス6型レプリカント」とされる。

遺伝子工学技術によって生み出された人間そっくりの存在であり、優れた知性、体力を持つ。彼らは宇宙開拓のため、過酷な労働や戦闘に従事していたが、製造から数年経つと感情が生まれる者が現れ、人間に抵抗するようになる。彼らは地球へと脱走を図るが、そんな彼らを解任（抹殺）するため、ブレードランナーが遣わされる。レプリカントに共通する特徴として共感能力の不足が挙げられ、これをテストするフォークト＝カンプフ検査により、人間かレプリカントかが判別される。

ネクサス6型レプリカントは安全装置として四年の稼働制限が設けられており、四年を経過すると機能停止する。劇中ではそんな短い時間の中で自由を求めるレプリカントたちと彼らを追うブレードランナーの戦いが描かれている。

原作はフィリップ・K・ディックの小説『アンドロイドは電気羊の夢を見るか？』（一九六八年）だが、この作品ではレプリカントという言葉は使われず「アンドロイド」もしくは「アンディ」と呼ばれる。アンドロイドは人間と同じような感情や記憶を持つが、逃亡した者は即廃棄とされており、人間と同等には扱われていない。ストーリーは映画とは異なっており、ほとんど別物となっている。

映画の続編『ブレードランナー2049』（ドゥニ・ヴィルヌーヴ監督、二〇一七年）ではネクサス8型やネクサス9型レプリカントが登場。主人公のKはネクサス9型レプリカントとされ、ロサンゼルス警察のブレードランナーとして同族を狩る任務を任せられている。

ロビイ［ろびい］

アイザック・アシモフの小説『ロビイ』（一九五〇年、小尾英佐訳、ハヤカワ文庫SF『われはロボット』（二〇〇四年）等収録）に登場するロボット。

一九九六年に作られた子守り用のロボットで、銀色のボディに角や縁に丸みを持たせた平行六面体の頭、同じように平行六面体の体を持つ。頭には目に当たる部分があり、赤く輝く。また金属の薄い膜で瞼《まぶた》を閉じることもできる。そして金属の肌は内蔵された電熱線により華氏七〇度（約二一度）に保たれている。

技術的な問題で言葉を発することはできないが、子守り専用に作られたロボットであるため、子どもの遊び相手をしたり、守ったりと愛情深く接するように設計されている。

ロビイの名は彼が買われたウェストン家の娘、グローリアによる呼び名で、グローリアはいつもロビイと遊ぶほど懐《なつ》いていた。ロビイもまたグローリアの語る「シンデレラ」の物語を目を輝かせて聞き入るなど、良好な関係を築いていた。

しかし、ロボットばかりと一緒にいて人間の友達と遊ぼうとしないグローリアを快く思わない彼女の母親が、ロビイを業者に引き取らせ、グローリアにはロビイは逃げてしまったと伝える。

以来、グローリアは塞《ふさ》ぎ込み、ロビイの帰りを待ち続けるようになる。両親はニューヨークへと引っ越し、あれこれとグローリアに見せて回るが、この引っ越しもロビイを探すためだと信じて疑わないグローリアはなおもロビイの面影を求める。

そこで、もともとロビイを手放すことに反対していた彼女の父親ウェストンが一計を案じる。ウェストンはグローリアにロボットが命を持たない存在であることを理解させるため、ロボット工場を見せようと妻を説得し、グローリアとロボット工場に赴く。そしてそこには、何も変わらないままのロビイが待っていた。

『ロビイ』はアシモフによる最初期の短編であり、代表作のひとつでもある。アナ・マトロニック著、片山美佳子訳『ロボットの歴史を作ったロボット100』（日経ナショナルジオグラフィック、二〇一七年）によれば、この作品は、イアンド・バインダーの小説『I, Robot』（一九三九年、後に一九四二年発行の単行本『ロボット市民』に収録。**アダム・リンク**の項目も参照）に触発され、一九歳の時に書いた短編なのだという。また

『われはロボット』（ハヤカワ文庫SF）に付されている瀬名英明の解説によれば、アシモフはSFファンの集まりで作家のオットー・バインダーと出会っており、彼が兄のアールと合作してイアンド・バインダー名義で発表した短編に衝撃を受けて『ロビイ』を書いたのだという。すなわちこれが先述の『ロボット市民』であり、『ロボット市民』が雑誌に連載された際の第一回目のタイトルの原題である『I, Robot』はアシモフの著書であり、ロビイが登場する短編集『われはロボット』の題名となった。

これを読んでいる人にも、ぬいぐるみや人形、おもちゃなど、命のないものに友情を感じ、愛情を育んだ経験があるのではないだろうか。ロビイとグローリアの物語は、そんな幼い頃の気持ちを思い出させてくれるのではないかと思うのだ。

ロビー・ザ・ロボット［ろびー・ざ・ろぼっと］

映画『禁断の惑星』（一九五六年）に登場するロボット。地球から遠く離れた惑星、アルテア4に移住した言語学者モービアスが、かつてこの星に住んでいたクレル人という種族の高度な文明を解析し、その技術によって作り上げた。一八七の言語を操り、数トンの物資を運ぶ怪力を持つ。また、胸の装置に食物を入れるだけで内臓回路でその構成を分析し、無限に同じものを作成することができるなど、様々な機能を有している。

その姿は頭部は卵形の透明なカバーで覆われ、内部の回路が作動しているのが見える。人間と同じように一対の腕と脚があり、これらを使って作業や移動を行う。体の色は鉛色である。

人間の命令には絶対服従だが、安全装置が取り入れられており、人間を攻撃させる命令を受けると電気回路がショートし、放っておくと爆発してしまう。ある程度は自分の判断で自律して行動することができ、モービアスの生活を助けていた。

ロビーのデザインは後の作品に大きな影響を与え、ロビー自体も『トワイライトゾーン』、『刑事コロンボ』や『アダムスファミリー』など、複数の作品にゲスト出演している。

ロボット［ろぼっと］（『R.U.R.』）

戯曲『R.U.R.』（一九二〇年）に登場する人造人間。『ロボット』の題でも知られる。

R.U.R.（ロッサム万能ロボット会社）が開発する商品で、脳や内臓、骨などは人工の原形質によって、神経や血管は紡績機によって作られる。これを人間の形に組み上げたのがこの作品におけるロボットであり、知能は高いが人間の命令には必ず従い、感情はないものとされていた。

男性型、女性型があるが生殖能力はなく、寿命を迎えると処分される。この工場は孤島にあり、ロボットたちが量産されていた。このロボットたちの台頭により人間は労働から解放され、自由を謳歌していた。しかしその堕落した生活は人間の退化を招き、人間は種としての生殖能力を失ってしまう。

さらに人間には絶対服従のはずのロボットたちに感情が芽生え、人間に対する反乱を起こす。退化した人間は彼らに対抗することができず、次々と殺害される。残ったのはこの社会においても自ら手を動かして働き続けていたことでロボットたちに同志と見なされたアルクイストという男だけだった。

その後、今度はロボットたちに寿命が訪れるようになり、製造方法を記録した秘伝書が失われていたために今度は彼らが絶滅の危機に陥る。

アルクイストはどうすることもできずその様子を眺めているが、ある時、ひとりの男性型のロボットと女性型のロボットの間に愛と呼ぶべき感情が芽生えているのを知る。

アルクイストは生命は不滅であると天を仰ぎ、二人のことを祝福し、物語は幕を閉じる。

『R.U.R.』は歴史上初めて「ロボット」という言葉が使われたことで知られている。岩波文庫版『ロボット』(千野栄一訳、二〇〇三年)の解説によれば、チャペックがこの戯曲を書いている時、兄のヨゼフからヒントを得て作った造語が「ロボット」である、チェコ語で「賦役《ふえき》」を意味する「robota」から最後の「a」を取って生まれたのだという。これ以降、様々な作品でロボットという語が使われるようになり、一般的な言葉として広まって行った。

column 03 怪物が生まれるとき 1

現在、怪物と呼ばれるような存在は神話の時代から存在しており、人類の歴史とともに歩んできたといえます。そのため、創作における怪物たちの誕生の仕方、つまりどのようにして怪物が生まれたのかという設定は千差万別です。

ここでは、そんな怪物たちの生まれ方に焦点を当て、少しだけ覗いてみたいと思います。

まずは、元からそういう異形の生物として登場するものです。地底や海中、人類未踏の地に生息する未知の生物や古代生物などがこれに当たります。

怪物を扱った初期の映画作品である『ロスト・ワールド』や『キングコング』はこのタイプで、人類未踏の地に生息する古代生物や新種の生物たちの姿が描かれています。

五〇年代に入ると核や自然災害の影響による古代生物の復活を描いた作品も登場しました。『原子怪獣現わる』に登場するリドサウルスは水爆実験によって目覚めた太古の恐竜とされ、この設定は日本の『ゴジラ』にも大きな影響を与えました。

『ゴジラ』と同年公開の『放射能X』では放射線によるアリの巨大化が描かれ、以降、放射能が生物に突然変異を起こし、巨大怪物を生み出すという設定が定番になりました。こういった偶発的な突然変異は薬品によるものや廃棄物によるものなどもあり、バリエーションも豊富です。

人間が意図的に既存の生物を変異させたり、新種の生物を生み出す作品もあります。代表的なものでは、SFの先駆と評されることもある小説『フランケンシュタイン』で、人間の死体を繋《つな》ぎ合わせ、科学的実験によって新たな生命を生み出す過程が描かれました。

（コラム04に続く）

chapter 6

幽霊アンデッド

跡取り息子［あととりむすこ］

スティーヴ・ベック監督の映画『13ゴースト』（二〇〇一年）に登場する幽霊。

悪魔が設計し、死者によって動力を与えられるバシレウスの機械を稼働させるため、サイラス・クリティコスによって捕らえられた一二人の幽霊のひとり。

本名はビリー・マイケルズ。カウボーイごっこが好きな少年で、やめさせようとすると烈火のごとく怒った。

そんな彼を両親は大目に見ていたが、ある時ビリーの友人が本物の弓矢を見つけ、ビリーを荒野の決闘に誘う。

ビリーは喜んでついて行ったが、玩具《がんぐ》の銃では鉄の矢には敵わず、矢が後頭部から額にかけて貫通する形で殺された。

しかし少年は死後も敗北を認めず、カウボーイごっこの格好でさまよっている。

劇中では頭に矢が貫通し、手斧《ておの》を持った少年の幽霊として出現。壁や天井に立つことができる姿も見せた。

なお、生者を積極的に襲う様子は見られなかった。

怒りの王女［いかりのおうじょ］

映画『13ゴースト』（二〇〇一年）に登場する幽霊。

悪魔が設計し、死者によって動力を与えられるバシレウスの機械を稼働させるため、サイラス・クリティコスによって捕らえられた一二人の幽霊のひとり。

本名はダナ・ニューマン。生まれながらの美人であったが、自分の容姿に自信がなく、恋人たちに罵《ののし》られたことで二〇代で酷《ひど》い自己嫌悪に陥り、美容外科に勤めて給料の代わりに整形手術を次々と受けるようになる。

それでも満足できなかったダナはある晩、自己流で顔の整形手術を行い、失敗して左目を失う。それに絶望したダナは浴槽で剃刀を使い、手首を切った。

死後は体中が傷だらけの裸の美女の姿で現れ、なぜか包丁を逆手に持っている。これで生者を攻撃しようとするが、劇中では直接傷つけた描写はない。

イムホテップ［いむほてっぷ］

カール・フロイント監督の映画『ミイラ再生』（一九三二年）に登場するミイラ。古代エジプトのミイラが現代に蘇った存在で、少し干からびた容姿をしている以外は人間と変わらず、知能も高い。人を窒息死《ちっそくし》させる呪いを操り、また他者に記憶を見せたり、過去を覗いたりする能力を持つ。

もとはエジプト第一八王朝に仕えていた高僧であったが、死んだ恋人、アンク・エス・アン・アモン王女を蘇らせようとしてオシリス像の下にある地下の納骨堂のトト（古代エジプトの知恵を司る神）の巻物を盗み出し禁断の術に手を出したところを発見され、王女の父、ファラオ・アメノンフィスの怒りを買う。そして生きたまま棺《ひつぎ》に入れられ、ミイラにされるという罰を受ける。

それから長い時が経った一九二一年、英国博物館の野外調査隊がイムホテップの棺を発見する。棺にはトトの巻物も一緒に入れられており、ラルフ・ノートンという研究者が巻物に記された言葉を翻訳しようと呟《つぶや》いたことで復活。トトの巻物を取り返し、姿を消す。

その後、イムホテップは水分を失ったしわだらけの姿をしながら、アーデス・ベイと名乗り、暗躍し始める。彼はかつての恋人であるアモン王女の亡骸《なきがら》が眠っている墓のありかを教え、彼女のミイラがカイロ博物館に運ばれるのを確認する。そしてイムホテップは博物館に足を運び、アモン王女の棺の前でトトの巻物を読み上げるが、それによってヘレン・グロブナーという女性に異変が起きる。

彼女はアモン王女の生まれ変わりであり、それを知ったイムホテップはヘレンをミイラ化させてもう一度生き返らせることで永遠に生きられるようにしようとする。しかしヘレンはこれを拒否し、かつてアモン王女が仕えた女神イシスの像に助けを求める。

イムホテップはヘレンを殺そうとするが、その時、イシスの女神像が片手を振り上げ、神の力によりイムホテップをミイラに戻し、灰と化させた。これによりミイラの目論見《もくろみ》は永遠に絶たれたのだ。

映画史において初めて登場したミイラのモンスターであり、後の映画やゲームなどにおけるミイラ型モンスターに大きな影響を与えている。一方、現在よく知られた包帯で全身を巻かれたまま動き回る姿はほとんど登場せず、それについては続編の『ミイラの復活』（クリスティ・キャバン監督、一九四〇年）以降に登場する**カリス**の影響が強い。

またミイラが蘇る話は文芸の世界ではさらに遡《さかのぼ》り、ジェーン・ルードンが一八二七年に発表した小説『The Mummy!: A Tale of the Twenty-Second Century（ミイラ、二二世紀の物語）』では二一二六年を舞台にクフ王のミイラが復活する物語が描かれており、蘇生したミイラを扱った最初の作品であると考えられる。

この他にもコナン・ドイルの『競売ナンバー二四九』（一八九二年、北原尚彦・西崎憲編、翔泳社『ドイル傑作選Ⅱ ホラー・SF篇』（二〇〇〇年）他収録、**競売ナンバー二四九**の項目も参照）、ブラム・ストーカーの『七つ星の宝石』（一九〇三年）などに蘇生するミイラの物語が記されており、ミイラの蘇生という発想自体は既にあったことが分かる。

また『ミイラ再生』は一九二一年に行われた王墓の発掘が題材になっているとされるが、プロット自体はコナン・ドイルの

『トトの指輪』（一八九〇年、北原尚彦・西崎憲編、創元推理文庫『ドイル傑作集3 クルンバーの謎』（二〇〇七年）収録）に近い部分がある。この作品には蘇生するミイラは登場しないが、不死者となった古代エジプト人ソアラが登場する。

『ミイラ再生』は一九九九年に『ハムナプトラ／失われた砂漠の都』（スティーヴン・ソマーズ監督）としてリメイクされており、こちらにもイムホテップが登場する。今作のイムホテップは恋人であるアナクスナムンを蘇らせるため、死者の書を手に死者の都ハムナプトラに赴くが、そこで捕らえられ、生きたままミイラにされたと語られる。そして一九二三年にイムホテップの棺が発見され、研究者のエヴリン・カナハンが死者の書を解読し、音読したことで蘇生する。当初は干からびた生乾きのミイラの姿をしているが、生きた人間を襲い、その生気を吸い取ることで生前の姿を取り戻していく様子が描写される。

アナクスナムンを復活させるべく行動し、エヴリンを生贄《いけにえ》にしようとするが、失敗。封印されることになる。

しかし次作『ハムナプトラ2／黄金のピラミッド』（スティーヴン・ソマーズ監督、二〇〇一年）では、世界征服を目論《もくろ》む大英博物館の館長、ハフェズの手によって再び復活。彼の力を借り、アナクスナムンを彼女の生まれ変わりであるミラを使って蘇生させる。

これと交換にイムホテップはアヌビス神の僕《しもべ》であるスコーピオン・キングを倒し、ハフェズにアヌビスの軍を引き渡すことになっていたが、イムホテップはハフェズを裏切る。しかしイムホテップ自身もアヌビスにより力を奪われ、最後はアナクスナムンにも裏切られたことで生きる意志をなくし、自ら命を絶った。

二度目のリメイクである『ザ・マミー／呪われた砂漠の王女』（アレックス・カーツマン監督、二〇一七年）にはイムホテップは登場せず、代わりに古代エジプトの王女であったアマネットが蘇るストーリーになっている。アマネットは悪神セトに魂を売ったことで強大な力を持っており、常人を遥かに超える怪力を持つ他、死者を蘇らせたり、動物や他者を操ることができる。

しかし水銀を弱点としており、水銀にさらされている間は力を行使できない。

劇中では自分を蘇らせたニック・モートンという男に執着し、二人で世界を支配するよう誘惑するが、自らセトの力を宿したニックによって力を奪われ、死体に戻った。

陰惨な母 ［いんさんなはは］

映画『13ゴースト』（二〇〇一年）に登場する幽霊。

悪魔が設計し、死者によって動力を与えられるバシレウスの機械を稼働させるため、サイラス・クリティコスによって捕らえられた一二人の幽霊のひとり。

本名はマーガレット・シェルバーン。

マーガレットは小人症を患っており、成人した後も身長が一メートルほどしかなかった。彼女はこれを気に病んでいた。実の母親からは人形のように扱われたが、構われるだけでマーガレットは喜んだ。

その後、サーカスに雇われるが、見世物にされる生活は彼女にとって地獄であった。さらに同じサーカスにいた男に強姦され、子どもを身ごもる。

生まれた子は巨体であったが、彼女は息子を溺愛《できあい》し、片時も目を離さなかった。母子は一座にいじめられており、マーガレットはある時一座の者に拉致《らち》され、絞殺される。

幽霊となった後も息子の幽霊、**巨大児**とともに行動しており、赤子のように甘やかしている。

ヴァルダレク伯爵 [ゔぁるだれくはくしゃく]

スタニスラウス・エリック・ステンボックの小説『夜ごとの調べ』(一八九四年、国書刊行会『書物の王国12 吸血鬼』(一九九八年)他収録)に登場する吸血鬼。

背が高く、伸ばし気味の髪が髭《ひげ》のない顔の縁で波打っており、緑柱石色の瞳を持つ年齢不詳の男。世界中のあらゆる言語に精通し、ピアノの演奏も堪能である。

オーストリア南東部のスティリア地方でウロンスキー家の人々が住む屋敷に客人として迎え入れられ、そこの主人に気に入られて長期間にわたり逗留《とうりゅう》することになる。

ヴァルダレク伯爵はその家の長男のゲイブリエルという少年に懐《なつ》かれ、伯爵もまたゲイブリエルと親交を深めるようになる。

しかしゲイブリエルは次第に生気を失う。ヴァルダレク伯爵がゲイブリエルに口づけすることで、その生気を吸い取っていたのだ。ヴァルダレク伯爵は既に死者であり、ゲイブリエルの生気を得ることで命を保っていた。それでもゲイブリエルを殺すつもりはなかったようだ。

しかし、ゲイブリエルは突然病に臥《ふ》せる。その病状は前例のないもので、次第に痩《や》せ衰えていくのに、器質的疾患はどこにもなかったという。

そしてゲイブリエルの命が今にも尽きるというとき、ヴァルダレク伯爵は彼に最後の口づけをして、姿を消したという。

ヴィクター・クロウリー [ゔぃくたー・くろうりー]

アダム・グリーン監督の映画『HATCHET/ハチェット』(二〇〇七年〜)シリーズに登場する不死身の殺人鬼。

異様な再生能力と怪力を持つ男で、ルイジアナ州のハニー島という島にある沼周辺に出現する。

先天的な形態異常により顔が歪《ゆが》んでおり、手入れのされていない長い髪を生やしている。裸にオーバーオールを着た姿で沼周辺を徘徊《はいかい》しており、付近に人間が現れると見境なく殺害する。

人体を素手で破壊する怪力以外にも映画のタイトルにもなっているハチェット(手《て》斧《おの》)を凶器としてよく使用し、直接相手を切断する他、投擲《とうてき》して遠距離から攻撃する場合もある。他にも凶器となるものであれば何でも使い、研磨機などの機械も使いこなす。

その出生はもともと形態異常で生まれた子どもで、父親、トーマス・クロウリーに小屋の中からあまり出ないようにして育てられ、何年も二人だけで暮らしていた。

しかしその容姿から町へ行けば他の子どもたちにいじめられてしまう。あるハロウィンの夜、ヴィクターを小屋から出そうとした子どもたちがいたずらで小屋に火をつけた。それを発見した父親はヴィクターを助け出そうと燃え盛る小屋のドアを手斧で破壊しようとするが、その際に、外に出ようとドアの向こう側にいたヴィクターの頭を叩き割ってしまい、ヴィクターはそれが原因で死亡する。

しかし、ヴィクターの出生には秘密があった。彼が生まれる前、父のトーマスは胃がんの妻、シャイアンの看病に疲れ、使用人のリナと情事を重ねるようになる。しかしこれによりシャイアンは二人を恨み、死後、トーマスとリナ、そしてリナの腹にいる子どもにブードゥーに伝わる呪いをかけた。その子どもこそヴィクターであり、呪いによって醜い姿で生まれた我が子を見てリナは息絶えた。

それでもヴィクターは父親とともに穏やかに暮らしていたが、先述の事故により死亡。小屋に火をつけた子どもたちが罪に問われることはなかった。

それから約一〇年後、父親は傷心のまま死亡し、以来、復活したヴィクターは亡き父の名を呼びながら沼を徘徊し、出会った人間を殺害するようになった。

呪いによりヴィクターには「リピーター」という怪奇現象が生じており、彼は自分が死んだ夜を繰り返す幽霊と化している。そのため、ヴィクターは沼に近づいた人間を恐怖心と復讐心のために殺そうとするが、逆にどんなに傷つけられても死なず、たとえ体を破壊されてもすぐに再生して人間に襲いかかる。呪いを解くためには彼が探している父親、すなわちトーマスの遺灰に対面させることが必要だとされたが、それにも条件があり、彼の死に関わった子どもたち三人か、その縁者が遺灰を持って行かなければならないとされる。

しかし実際はこれだけではヴィクターを無力化することはできず、最終的にその体にトーマスの遺灰をぶちまけることでヴィクターの体が溶け、消滅した。

第一作目『HATCHET／ハチェット』、第二作目『ハチェット アフターデイズ』（アダム・グリーン監督、二〇一〇年）、第三作目『ハチェット レジェンド・ネバー・ダイ』（BJ・マクドネル監督、二〇一三年）は約三日間の出来事として描かれるが、その間にヴィクターの犠牲になったのは推定四〇人であると第四作『ヴィクター・クロウリー／史上最凶の怪人』（アダム・グリーン監督、二〇一七年）にて説明されている。

この三日間においてヴィクターと対決するのは、ヴィクターの小屋を火事にした子どもたちのうちのひとりの娘、メリーベスで、ヴィクターに三度遭遇しながらもその都度生還しており、ヴィクターにトーマスの遺灰をぶちまけたのも彼女である。

しかし消滅したと思われたヴィクターが事件から一〇年後の二〇一七年に再び出現し、ハニー島に墜落した飛行機の乗客を相手に虐殺を繰り広げる。復活した理由は明確にされていないが、ブードゥーの呪いにより一〇年に一度復活するのではと推測されている。

このシリーズは過去の有名なスラッシャー映画に出演した俳優が多数登場する。まず、全作を通じヴィクター役を演じているのは『13日の金曜日』シリーズで幾度も**ジェイソン・ボーヒーズ**役を演じたケイン・ホッダーである。そして一作目の冒頭でヴィクターの犠牲になるのは『エルム街の悪夢』シリーズで**フレディ・クルーガー**を演じたロバート・イングランドで、二作目、三作目でヒロインのメリーベスを演じるのは『ハロウィン4 ブギーマン復活』、『ハロウィン5 ブギーマン逆襲』で殺人鬼**マイケル・マイヤーズ**に付け狙われる幼いヒロインを演じたダニエル・ハリスである。また一作目、二作目には、ヴィクターの過去を知る人物として『キャンディマン』シリーズでキャンディマンを演じたトニー・トッドが登場している。

運河の吸血鬼 ［うんがのきゅうけつき］

イヴリル・ウォレルの小説『赤い運河』（一九二七年、那智史郎・宮壁定雄編、国書刊行会『ウィアードテールズ2』（一九八四年）収録）に登場する吸血鬼。

ある街を流れる運河に浮かぶ、古い運河船に住んでいる美しい女性。その正体は吸血鬼であり、接吻《せっぷん》することにより相手を意のままに操ることができる。

しかし間抜けなところがあり、街で子どもを襲って殺害し、人間から逃げるために水の涸《か》れた運河にあった古い運河船に逃げ込んだところ、眠っている間に運河に水が流れてきて、船から出られなくなってしまった。吸血鬼は流れる川を渡れないためである。

エミリオ ［えみりお］

ウィリアム・キャッスル監督の映画『13ゴースト』（一九六〇年）に登場する幽霊。超常現象を研究していたプラトー・ゾルバが捕獲し、自分の屋敷に集めた一一人の幽霊のうちのひとり。

イタリア人のコックの霊で、コック帽を被り、肉切り包丁を振り上げる男の霊として現れる。

生前、理由は不明だが自分の義母と義姉（もしくは義妹）を殺害したことが語られている。また妻が浮気した際には妻と浮気相手の男をその包丁で殺害した。

ほとんどの幽霊が顔見せ程度にしか出現しないこの映画にしては珍しく、名前やバックボーンがある程度語られている幽霊。

幽霊になった後も妻とその浮気相手のことを許せないらしく、彼らを相手に暴れ、妻の頭に包丁を叩きつけるなどしている。

エミリオの妻［えみりおのつま］

映画『13ゴースト』（一九六〇年）に登場する幽霊。超常現象を研究していたプラトー・ゾルバが捕獲し、自分の屋敷に集めた一一人の幽霊のうちのひとり。

イタリア人コック、**エミリオ**の妻であったが、浮気をしていたことがばれてエミリオの怒りを買い、エミリオに包丁で斬り殺される。その後、エミリオ、そして浮気相手とともに幽霊となり、ゾルバ博士によって収集された。

ゾルバ博士の屋敷ではエミリオや浮気相手の霊とともに出現し、エミリオによって頭に包丁を叩きつけられることを繰り返している。

エミリオの妻の浮気相手［えみりおのつまのうわきあいて］

映画『13ゴースト』（一九六〇年）に登場する幽霊。超常現象を研究していたプラトー・ゾルバが捕獲し、自分の屋敷に集めた一一人の幽霊のうちのひとり。

イタリア人のコック、**エミリオ**に彼の妻ともども浮気したことで、**エミリオの妻**と浮気したことで、包丁で殺害された。その後、エミリオ、そしてエミリオの妻とともに幽霊となり、ゾルバ博士によって収集された。

ゾルバ博士の屋敷ではエミリオや彼の妻とともに出現し、彼女にキスをするような仕草をした後、エミリオに襲われることを繰り返している。

エルヴァ・カウベル［えるゔぁ・かうべる］

M・W・ウェルマンの小説『月のさやけき夜に』（一九四〇年、国書刊行会『書物の王国12 吸血鬼』他収録）に登場する吸血鬼。

死した後、墓石の割れ目から漏れてきた月の光を浴びて吸血鬼として復活した。そのためか、月光を浴びている時にしか行動できない。しかし動いている間は人間以上の怪力を持ち、血を吸った人間を僕《しもべ》にする力を有する。

物語は作家のエドガー・アラン・ポーを主人公として語られており、ポーは『早すぎた埋葬』を書くため、フィラデルフィアで起きた死者の蘇生事件を取材しにその当事者を訪れる。そこに現れたのがエルヴァで、彼女は墓場から蘇生したのは自分だと世間で言われているが、実は夫のジョンであると言って地下室にポーを連れて行く。

しかしそこで寝ている男は、ポーにあの女は自分の女房ではなく、化け物だと告げる。

そこでポーはエルヴァの家を出た後、こっそりと外から地下室の小窓を覗いた。

そこに見えたのはエルヴァが自分の夫の首に嚙み付き、血を吸っている姿だった。

ポーに気付いたエルヴァは彼を追うものの捕まえることができず、逆にポーは地下室から彼女の夫を助け出した。

ジョンは幸いにもまだ血を吸い尽くされておらず、エルヴァの僕にはされていなかったため、ポーはジョンを助け、自らジョンに成りすまし、地下室に横になる。

ポーはそこに戻ってきたエルヴァと格闘し、何とか地下室に閉じ込めることに成功する。そして月の光が届かないように戸と窓を閉め、泥で何度も塗り固めた。

これによりエルヴァは月光が届かない地下に永遠に閉じ込められることとなったのだ。

ポーの『早すぎた埋葬』をもとに、実はこの作品を書く際にポーと吸血鬼が対決していたとする面白い設定の小説となっている。ちなみにエルヴァを地下室に閉じ込め、扉を泥で塗りこめたことで『黒猫』のアイディアを思いついた、というネタも仕込まれている。**黒猫の祟り**の項目も参照。

オーガスタス・ダーヴェル
［おーがすたす・だーゔぇる］

ジョージ・ゴートン・バイロンの小説『断章』（一八一九年、国書刊行会『書物の王国12 吸血鬼』他収録）に登場する吸血鬼。

人並外れて強健な体躯《たいく》を持つ男性で、世界の様々な場所を旅していた。

しかしある時、自らの死に場所を求めて、かつて人が住んでいたが、誰ひとりとしていなくなった死の街を訪れる。そこで友人に「自分の死を誰にも知らせないこと」を誓わせ、自らの指にはめていたアラビア文字の彫ってある指輪を渡し、月の九日目の正午ちょうどにエレウシス湾に流れ込む塩泉に投げ込むように伝えた。そしてすぐにこと切れてしまった。

バイロンの『断章』は未完成で終わっているため、ダーヴェルの正体は何者だったのかは記されていない。だがバイロン卿はダーヴェルを吸血鬼として蘇らせることを考えていたという。

この『断章』は一八一六年、スイスのレマン湖畔に詩人のバイロン卿が借りていた別荘で五人の男女が集まり、それぞれが創作した怪奇譚《かいきたん》を披露した「ディオダティ荘の怪奇談義」の際に生まれたとされ、この怪奇談義にはバイロンの付き人であったジョン・ポリドリや、メアリー・シェリーも参加していた。

そしてポリドリは『断章』をもとに内容を膨らませ、後に吸血鬼文学に多大な影響を与えることとなる小説『吸血鬼』（**ルスヴン卿**の項目参照）を書いた。

またメアリー・シェリーもこの怪奇談義の際に『フランケンシュタイン あるいは現代のプロメテウス』（芹澤恵訳、新潮文庫『フランケンシュタイン』（二〇一四年）他、**フランケンシュタインの怪物**の項目参照）の物語を思いつき、後に長編小説として書き上げ、発表したなど、後の文学界に大きな影響を与えることになった。

ちなみにこの怪奇談義でバイロンはサミュエル・テイラー・コールリッジの『クリスタベル』を朗読しており、これを聞いたシェリーが昏倒した、というエピソードが有名だが、この『クリスタベル』にも**ジェラルダイン**という吸血鬼が登場する。

オルロック
［おるろっく］

フリードリヒ・ヴィルヘルム・ムルナウ監督の映画『吸血鬼ノスフェラトゥ』（一九二二年）に登場する吸血鬼。

ルーマニアのトランシルヴァニアに住む禿頭《はげあたま》の男で、青白い肌をしており、鷲鼻《わしばな》で、痩《や》せこけた容姿をしている。ドイツのヴィスボルクを拠点に家を探しており、劇中では船に乗って町に侵入する。

普段は自分が埋葬された土地の土を敷き詰めた棺桶《かんおけ》の中で眠って魔力を蓄え、夜になると目が白く濁り、前歯や爪が伸び、耳が後方に鋭く尖《とが》った姿に変容する。

人間を遥かに超える腕力を持ち、人間の首に牙を突き刺して血を啜《すす》る。また何より特徴的なのはネズミを使役して疫病を蔓延させる能力を持つことで、感染すると黒死病に似た症状が発生し、死に至る。

弱点は日光で、直接浴びると煙となって消えてしまい、同時に疫病も消滅する。

ブラム・ストーカーの小説『吸血鬼ドラキュラ』（一八九七年（田内志文訳、角川文庫、二〇一四年他））を原作とした映画であるが、非公式であり、ストーカーの相続人によって訴訟を起こされたことでネガとプリントを破棄することとなった作品。しかし一部が現存しており、現在でも本作を見ることができる。

オルロック伯爵も**ドラキュラ**をもとにしているが、疫病を蔓延させる、日光で消滅するなど独自の設定も持つ。

一九七九年にはリメイク版として『ノスフェラトゥ』（ヴェルナー・ヘルツォーク監督）が公開された他、二〇〇〇年には『吸血鬼ノスフェラトゥ』の映画の撮影そのものをモチーフにし、オルロックを演じるマックス・シュレックが本当に吸血鬼だったという設定の『シャドウ・オブ・ヴァンパイア』（E・エリアス・マーヒッジ監督）が公開されている。

か

カーミラ
［かーみら］

ジョゼフ・シェリダン・レ・ファニュの小説『カーミラ』（一八七二年）に登場する吸血鬼。

オーストリアに現れた美しい女性で、朝は墓の中におり、午後になると墓から現れる。墓の中には血で満たされた鉛の棺《ひつぎ》があり、そこで眠る。

その容貌はすらりとした痩《や》せ型で、目鼻立ちや口元などは小さく、形は整っていて、黒目はぱっちりとして艶《つや》があり、金茶の混じった焦げ茶色の髪を肩まで伸ばしていると描写される。

しかし吸血鬼であるためその見た目に反して力は強く、腕を握られた人間は長期間にわたり腕が麻痺《まひ》したような状態になってしまうと語られている。

その正体はマーカラという女性で、カルシュタイン伯爵という人物の夫人であったが、吸血鬼によって命を奪われ、同じく吸血鬼とされたのだという。マーカラの愛人であったある貴人がマーカラが吸血鬼になり、惨《むご》い殺され方をすることを憂い、彼女の墓を移す。以降、マーカラはその隠された墓を根城にして、吸血行為を繰り返していた。

生前の名前に縛られており、偽名を名乗る際にはマーカラ（Mircalla）を構成する文字しか使うことができない。そのためカーミラ（Carmilla）や別の偽名であるミラーカ（Millarca）はマーカラのアナグラムとなっている。

基本的には人間の血を吸うだけだが、気に入った少女には近付き、まるで恋をしたように執着しながら少しずつ血を吸うという特徴がある。作中ではローラという少女に近付き、彼女とともに行動しながら夜になると猫や幽霊のような姿になり、ローラの血を少しずつ吸っていた。カーミラの名前もローラに対して使った偽名である。

しかしローラの家族の友人である将軍によりカーミラの正体が暴かれる。彼は姪《めい》をミラーカと名乗る吸血鬼によって殺されており、ミラーカはカーミラと同一人物であった。

やがてカーミラが眠る墓が発見され、カーミラは胸に杭を打たれ、首を切断され、遺体は炎で焼かれて川に流される。

恐らく最も有名な女吸血鬼であり、ブラム・ストーカーの『吸血鬼ドラキュラ』（一八九七年）に影響を与えたことでも知られる。

ただ**ドラキュラ**ほど映画には恵まれず、ロジェ・ヴァディム監督の『血とバラ』（一九六〇年）やロイ・ウォード・ベイカー監督の『ヴァンパイア・ラヴァーズ』（一九七〇年）から始まるカルシュタイン三部作が知られるぐらいである
古いものではカール・テオドア・ドライヤー監督の『吸血鬼』（一九三二年）があるが、これは『カーミラ』をはじめレ・ファニュの小説のいくつかを原作としているだけでカーミラという名の吸血鬼は登場しない。

悲しみの妻 ［かなしみのつま］

映画『13ゴースト』（二〇〇一年）に登場する幽霊。生前はこの映画の主人公、アーサー・クリティコスの妻、ジーン・クリティコスだった。物語が始まる前、家が火事になった際に子どもを助けようとして死亡した女性。

死後、悪魔が設計し、死者によって動力を与えられるバシレウスの機械を稼働させるために必要な一二人の幽霊のひとりとして、ジーンの幽霊はアーサーの叔父であるサイラス・クリティコスによって捕らえら

れる。

その後、サイラスが死を擬装したことにより、サイラスの館を相続したアーサーや子どもたちを救うため、家族の前に現れてアドバイスするなどした。

そのため他の幽霊たちと違い、友好的な存在として登場する。

カリス ［かりす］

クリスティ・キャバン監督の映画『ミイラの復活』（一九四〇年）をはじめとする一連のシリーズに登場するミイラ。「カーリス」と表記される場合もある。

凄《すさ》まじい耐久力を持ち、銃を何発撃たれても怯《ひる》まずに襲ってくる。また怪力を持ち、主に人間の首を絞めて殺害する。

後述の理由から舌がなく、言葉を発することはない。また動きは鈍く、主に右手を胸に当て、左手を伸ばし脚を引きずる形でのろのろと歩く。

基本的にはエジプトの神官によって使役される存在であるため、基本的に自分の意思はなく、エジプトの古代の墓を冒瀆《ぼうとく》する者を殺害するために行動する。

蘇生にはタナという植物の葉が必要で、この葉を煎《せん》じて作った液体を投与することでカリスは蘇る。葉を三枚も使えば心臓が動き出し、九枚使うと蘇り、それ以上の枚数を使うと神官でも制御ができなくなるとされる。

その正体は三〇〇〇年以上前、アメノフィス王の娘、アナンカ王女と不義の関係にあった祭司で、アナンカが死んだ際、彼女を蘇らせようとタナの葉から作り出した液体を盗むが、捕らえられる。そして神々に呪いの言葉を唱えられないよう舌を引き抜かれ、生き埋めにされる。

その後、カリスの棺《ひつぎ》はある神官たちによって掘り返されてアナンカの墓があるカルナック神殿に移され、カリスは彼女の墓を守る番人とされた。

それから二〇世紀に入るまでカルナック神殿の神官がカリスのミイラを管理していたが、アナンカの墓を見つけたアメリカの考古学者スティーブ・バニングたちが墓を暴こうとしたため、当代の神官であるアンドヘブによってカリスが蘇り、彼らを惨殺する。

しかしスティーブによってアンドヘブは撃たれ、カリスも燃やされて倒れる。

しかし続編『ミイラの墓場』（ハロルド・ヤング監督、一九四二年）ではアンドヘブとカリスが生きていたことが判明する。舞台は前作の三〇年後で、アドンヘブは後任のムハンマド・ベイにバニング一族への復讐を託し、ムハンマドはカリスとともにアメリカへ渡る。

そしてアメリカでタナの葉により蘇ったカリスは、かつてスティーブによって奪われたアナンカのミイラを奪い返すこと、そしてバニングの一族への復讐を目的にバニング家を襲い、まずスティーブとその姉を殺害する。しかしここでムハンマドがスティーブの息子、ジョンの恋人であるイゾベル・エヴァンスに横恋慕し、カリスに彼女を連れ去るように命令する。ムハンマドは無事手に入れたイゾベルにタナの葉の液体を注射し、永遠の命を与えようとするが、ジョンと保安官に見つかり、射殺される。残されたカリスは唯一知っているバニングの家へとイザベルを連れて行くが、そこでジョンと戦い、再び火をつけられて炎に包まれる。

続編『執念のミイラ』（レジナルド・ル・ボーグ監督、一九四四年）でも、やはりカリスが生きていたことが判明する。そして同じく生きていたアンドヘブがムハンマドに続きユセフ・ベイという者を後継者に指名し、彼をアメリカに渡らせ、カリスとアナンカのミイラをエジプトに連れて帰るよう命じる。

ユセフはカリスを探すが、その前にカリスはエジプト学者のノーマンの家に出現し、彼を殺して自らタナの葉の液体を飲む。そしてユセフの祈禱《きとう》に応えて彼のもとに現れ、ともにアナンカのミイラが展示されているスクリップス博物館を襲撃する。

しかしアナンカの魂は既に別人に転生しており、カリスの手の中でアナンカのミイラは粉々に砕ける。ユセフはノーマンの教え子のひとり、アミナ・マンゾーリこそがアナンカの転生した姿であることを見抜き、カリスに彼女を誘拐《ゆうかい》するように命じるが、アミナの美しさを見たユセフは彼女を自分のものにしようとする。これに激怒したカリスはユセフを殺害し、アミナを抱えて逃げるが、人々に追い詰められ、自ら沼に沈んでいく。その時、アミナの姿は神々の意思に背いたゆえに何百年も年を取り、ミイラの姿に近付いていた。

やがて二人の姿は沼の中に消えた。

しかし続編『ミイラの呪い』（レスリー・グッドウィンズ監督、一九四四年）では前作から二五年の時を経て、沼の干拓工事によって二人のミイラが復活する。

カリスはエジプトから来た神官イルゾール・ザンダブによって回収され、アミナもまた泥の中から生前の美しい姿に戻って蘇る。

アミナの体は既にアナンカの精神によって支配されており、アナンカはカリスを探してさまよい歩く。一方、カリスも彼女を探し、隠れ家としていた修道院に保護する。

その頃、ザンダブの同僚であったラゲブが彼を裏切って殺害する。これを感知したカリスはラゲブを殺すべく彼のもとに向かうが、ラゲブは修道院の一室に閉じこもる。

ラゲブを罰するため、カリスは部屋のドアをぶち破るが、その衝撃で修道院が崩壊。カリスらは生き埋めになり、アナンカはもとのミイラに戻ってしまった。

『ミイラの復活』は一九三二年に公開された『ミイラ再生』の続編として製作されたが、ストーリーは繋《つな》がっていない。また登場するミイラも『ミイラ再生』では**イムホテップ**という名前であり、カリスではない。

イムホテップが高度な知能を持ち、秘術を操り、見た目も人間に近いキャラクターだったのに対し、カリスは神官によって使役される存在で、体は干からびて包帯が巻かれており、緩慢にしか動けない怪物だというように対照的な描かれ方をしている。現在ミイラやマミーとしてゲームや小説、映画などに登場するモンスターはカリスの影響が大きい。

基本的には神官に命じられる通りに動くカリスであるが、かつての恋人であるアナンカが関わる場面においては自分の意思が発露することが『執念のミイラ』などで判明している。

演じたのは『ミイラの復活』ではトム・タイラー、『執念のミイラ』以降はユニバーサルで多数のモンスター役を演じたロン・チェイニー・Jrであった。

一九五九年にはイギリスのハマー・フィルム・プロダクションにて『ミイラ再生』以降のシリーズを総合的に取り入れたリメイク版『ミイラの幽霊』（テレンス・フィッシャー監督）が製作された。こちらもミイラの名前はカリスとなっており、カルナック神殿やアナンカ姫など、カリスに関連する名前がいくつも登場する。

この作品におけるカリスも神官メヘメトに操られる存在であり、終始包帯を全身に巻いた状態で登場する。一方、名優クリストファー・リーが演じたこのカリスはミイラでありながら機敏な動きをし、よりパワフルに暴れ回る。

またハマー・フィルムはミイラ映画をシリーズ化し、続編の『怪奇ミイラ男』（マイケル・カレラス監督、一九六四年）では古代エジプトの王子ラー・アンテフが、『ミイラ怪人の呪い』（ジョン・ギリング監督、一九六七年）ではカートゥーベイという王子がそれぞれ登場する。また第四弾の『王女テラの棺』（セス・ホルト、マイケル・カレラス監督、一九七一年）は小説『七つ星の宝石』（一九〇三年）を原作としている。

北園冴子 ［きたぞのさえこ］

久松静児監督の映画『霧の夜の恐怖』（一九五一年）に登場する幽霊。

もともとは女性バレリーナであったが、交通事故のため障害を負ってバレリーナとして再起不能になる。それに絶望した冴子は恋人の木下孝夫と山のホテルにて心中するが、孝夫は生き残り、自分だけが死んでしまう。

しかし冴子は幽霊となって孝夫のもとに現れるようになり、彼を死へと誘い始める。孝夫は治療のため、濃霧の中、山を車で運ばれるが、その途中、白いドレスを着た冴子が現れる。

そして冴子は微笑すると、孝夫を乗せた車とともに霧の中へと消えていった。

『霧の中の恐怖』は現在映像を見る術《すべ》がなく、書籍情報等から内容を窺うことしかできない。ただポスターなどは残っているため、幽霊のビジュアルを見ることはできるが、白いドレスを着た女性が佇《たたず》んでいるものとなっている。つまりこの頃から銀幕に現れる女性の幽霊は白い洋服を身に纏《まと》っていたことになる。

また、この映画のもとになったのはラジオドラマの『山霧の深い晩』であり、こちらは原稿が書籍に収録されており、北条秀司著『北条秀司ラジオ・ドラマ選集』（宝文館、一九五二年）等で確認することができる。

それを見る限り、原作は映画と異なっている部分も多く、幽霊になる女性の名前は出て来ない他、松葉杖をつくようになった理由も交通事故ではなく戦時中に焼夷弾に当たったためで、バレリーナという職業に就いているわけでもない。

また、女性は既婚の男性と不倫関係にあり、男を自分のものにするためにナイフを突き刺し、自らも命を絶つ。しかし男は死なずに生き残ったため、幽霊となって男を呪い殺しに現れる、という話になっている。ラジオドラマであるため、女が現れる合図として松葉杖の音が効果的に使われたようだ。

ちなみに、都市伝説として語られるカシマさんという幽霊には、もともとバレリーナであったが、事故で脚を失ったため、絶望して自殺し、その後幽霊として現れるようになった、というバリエーションがある。

話の展開が似ているため、もしかしたらなんらかのかたちで『霧の夜の恐怖』の要素が取り入れられたのかもしれない。

吸血鬼［きゅうけつき］（『アイ・アム・レジェンド』）

リチャード・マシスンの小説『アイ・アム・レジェンド』（一九五四年）に登場する架空のウイルス（吸血ウイルス）により吸血鬼となった人々。

一九七〇年代、地球人類に瞬く間に人を吸血鬼にするウイルスが広まった。これは空気感染の他、感染者に噛まれた場合も感染する。これに感染した人間は一度死亡し、蘇生して血を求める怪物となる。感染者は生前の記憶や知性、運動能力などを保持するが、太陽光や十字架、ニンニクを忌み嫌う。ただし完全に吸血鬼の伝承通りの存在というわけではなく、流れる水の上は渡れるし、招待されなくても家の中に入ることはできる。また十字架を嫌悪するのは吸血鬼となった自分を嫌っているためで、罪を突き付けられることになるためといった説明がなされている。このため、生前キリスト教徒ではなかった吸血鬼には十字架は意味をなさない。

吸血ウイルスにより再生能力が向上しており、銃で撃たれたぐらいであればすぐに回復する。

一方、吸血ウイルスは人間の体内では嫌気性の性質を示すが、空気に触れると好気性に変化するという特徴があり、宿主の死体を喰い尽くすため、杭などで大きな傷を与えると体を崩壊させることができる。

吸血ウイルスに感染し、症状を発症しながらも生きている状態の人間もわずかながらおり、中には薬によって短時間であれば太陽の下に出ることも可能な者もいる。それらは新人類と呼ばれる。

物語は唯一吸血ウイルスの症状を発症しなかった人間、ロバート・ネヴィルを主人公として語られる。

彼は吸血鬼にも新人類にも属さない、地球最後の人間であり、吸血ウイルスに感染した者をひとりで殺害し続ける。だがその孤独な戦いにもやがて終わりが訪れる。

一九六四年にはウバルド・ラゴーナ監督により『地球最後の男』として映画化された。この作品には脚本にマシスンが参加し、原作をほぼ踏襲した物語が描かれる。

また伊東美和編著『ゾンビ映画大事典』（洋泉社、二〇〇三年）等によれば、『地球最後の男』はジョージ・A・ロメロの『ナイト・オブ・ザ・リビングデッド』（一九六八年）に大きな影響を与えたという。そう考えると、間接的に現代のゾンビ文化の基礎を作ったともいえるだろう。

一九七一年にはボリス・セイガル監督による映画『地球最後の男 オメガマン』が公開。吸血鬼の設定が変わり、ソ連と中国の間で起きた細菌戦争の犠牲者とされた。この感染者たちは髪や肌が真っ白なミュータントに変異し、自分たちを「ファミリー」と称して徒党を組む。そして自分たちが変異した原因である細菌兵器を作り出した科学者を敵視しているため、地球最後の人間であり、科学者のネヴィルと戦う。

三度目の映画化である『アイ・アム・レジェンド』（フランシス・ローレンス監督、二〇〇七年）ではがんの治療薬のウイルスが新種のウイルス「クリピン・ウイルス」に変異し、人間を怪物化させるとされた。

吸血ゾンビ ［きゅうけつぞんび］

ジョン・ギリング監督の映画『吸血ゾンビ』（一九六六年）に登場するゾンビ。

イギリスのコーンウォールにて、村の若者であるハミルトンがハイチに伝わるブードゥー教の儀式を行い、村人の死体を蘇らせて労働力として使役していたもの。

ゾンビの作り方はまずゾンビにしたい人間の血を採取し、儀式を行って人形にその血を垂らす。それを何度か繰り返し、相手を意のままに操ることができるようになればブードゥー教の魔術で殺害し、動く死体に変異させる。

これによりゾンビはハミルトンの言いなりで動くようになり、ハミルトンはスズの採掘にこれを利用していた。

しかしこのゾンビたちは人形が燃やされたことで同様に燃え盛り、制御が効かなくなってハミルトンに襲いかかる。ハミルトンはこれによりゾンビたちとともに炎の中で命を絶たれた。

映画『ナイト・オブ・ザ・リビングデッド』（一九六八年）以前に製作された映画であり、ブードゥー教に伝わる術者に操られる生ける屍《しかばね》としてのゾンビを描いた映画だが、首を切断されて息絶えるゾンビ、墓場の土から蘇るゾンビ、腐乱したメイクを施されたゾンビなど、後のゾンビ映画に繋《つな》がる描写がいくつも見られる。

邦題は『吸血ゾンビ』だが、ゾンビが吸血するシーンはなく、ゾンビを作るために血液が必要となるだけである。

またこの映画は同じくジョン・ギリング監督の『蛇女の脅威』（一九六六年）と抱き合わせで撮影されたため、撮影セットが使い回されているという裏話がある。こちらについては**蛇女**の項目を参照。

競売ナンバー二四九

［きょうばいなんばーにきゅうよん］

小説『競売ナンバー二四九』（一八九二年、北原尚彦・西崎憲編『ドイル傑作選II ホラー・SF篇』他収録）に登場するミイラ。エジプトの第一一王朝時代（紀元前二一三四年頃から紀元前一九九一年頃）に死んだ人間のミイラとされ、どのような人物であったかは明らかになっていない。

一八八四年になってオックスフォード大学の学生であるエドワード・ベリンガムという人物に買われ、その部屋に置かれることになった。「二四九」という数は、ベリンガムがオークションでミイラを手に入れた際、ミイラに付けられていた競売ナンバーであった。

ベリンガムは日夜このミイラについて調べていたが、ある時、このミイラを蘇らせる方法を知る。以来、彼はミイラに命じて自分の邪魔になる人間を襲わせるようになった。ただし命を吹き込むことができるのは短時間であり、普段は自分の棺《ひつぎ》に収まって眠っている必要がある。

このミイラは非常に身軽で、凄《すさ》まじいスピードで走ることができる。また皮と骨しかない体にもかかわらず怪力を有し、人間ひとりを簡単に持ち上げて投げ飛ばすことも可能である。

しかしベリンガムの悪行に気付いたアバークロンビー・スミスという学生がベリンガムを脅してこのミイラを破壊させ、火にくべさせたことで二度と蘇ることはなくなったという。

蘇るミイラを扱った初期の作品のひとつ。

巨大児

［きょだいじ］

映画『13ゴースト』（二〇〇一年）に登場する幽霊。

悪魔が設計し、死者によって動力を与えられるバシレウスの機械を稼働させるため、サイラス・クリティコスによって捕らえられた一二人の幽霊のひとり。

本名はハロルド・シェルバーン。母は同じく囚《とら》われた幽霊、**陰惨な母**ことマーガレット・シェルバーン。

マーガレットはこの子どもの誕生を喜び甘やかして育てた。そのため、成長した後もオムツを履き、赤子のように扱われた。

母親とともにサーカスで働くが、親子のことを良く思わない一座の者たちに虐《しいた》げられる。ある時、母親がサーカスの人間によって攫《さら》われたことで怒り、サーカスを破壊しながら母親を探し回ったが、既に母は窒《ちっ》息死《そくし》しており、憎悪に駆られて両手に斧《おの》を持ち、一座の人間を皆殺しにして死体を見世物にした。それを知った座長のジンボーによりバラバラにされて殺された。

幽霊となった後もオムツを履き、赤子用のエプロンを付けた巨漢の男として現れる。

クイントとジェスル ［くいんととじぇする］

ヘンリー・ジェイムズの小説『ねじの回転』（一八九八年、南條竹則・坂本あおい訳、創元推理文庫『ねじの回転　心霊小説傑作選』（二〇〇五年）等収録）に登場する幽霊。

ある女性家庭教師（ガヴァネス）が雇われたブライという屋敷に出現した二人の幽霊。クイントはかつてこの屋敷で雇われていた召使で、ジェスルはこの家庭教師が雇われる前に家庭教師を務めていた女性。

二人は恋仲であったが、既に死亡していた。女性はこの幽霊たちから屋敷の子どもマイルズとフローラの兄妹を守るべく奔走するが、子どもたちは幽霊と結託し、女性を疎《うと》みはじめる。

幽霊を扱った小説の古典だが、幽霊に関しては何も解決しないまま終わる。むしろ本当に幽霊が実在したのか、家庭教師の女性の思い込みだったのではないかという異常な心理状態にスポットが当てられている。

口裂け女 ［くちさけおんな］ （『口裂け女』）

白石晃士監督の映画『口裂け女』（二〇〇七年）に登場する妖怪。薄茶色のコートを纏《まと》った髪の長い女で、口元を大きなマスクで隠している。

マスクの下には裂けた口が隠れているが、その裂け方は歪《いびつ》であり、右側は斜め下に向かって浅く、左側は斜め上に向かって深く裂けている。また口癖《くちぐせ》のように「ワタシ……キレ……イ」と呟《つぶや》く。

片手用の大型のハサミを凶器として使い、子どもをある家の地下室に連れ去ってはハサミでその口を裂いて殺していた。また子どもの母親である女性に取り憑《つ》くことができ、たとえ口裂け女を殺しても肉体はもとの女性に戻り、また別の女性に取り憑いて口裂け女に変化させる、という能力を持つ。この連鎖を断つためには首を切り落とすしかない。

その正体はかつて二重人格のために息子、昇を虐待していた松崎タエコという女性。タエコは人格が変わる度に息子を傷つける自分に耐え兼ね、正気に戻った際に昇に「私を切れ」と告げ、昇は包丁で母親を刺殺。その際に彼女の口が裂けた。

昇は母親の死体を家の箪笥《たんす》に隠していたが、タエコは地震によって蘇り、ミイラ化した自分の体を捨て、次々と子どものいる母親に取り憑く口裂け女と化して子どもたちを襲っていた。

最後は大人になった昇によって首を切り落とされ、眠りについたかに見えたが……。

一九七〇年代末頃に全国で噂《うわさ》になった口裂け女を題材に、母親に取り憑いて子どもを狙う化け物と化す、という独自の設定が盛り込まれている。また口裂け女では定番の「わたし、きれい？」という問いかけが実は別の意味を持っていたという意外性も盛り込まれている。

一〇〇メートルを三秒で走る、その口で子どもを食らうといった口裂け女についてよく語られる超人性は持たないものの、他人の体を使って行動するため、倒しても傷つくのは取り憑かれた人間の方であり、口裂け女はまた別の場所に現れるという厄介な性質、不死性を持つ。さらに唯一打倒する手段である首の切断も無意味であったことがラストで示唆されている。

　歪に口が裂けた口裂け女を演じたのは女優の水野美紀。無表情で子どもにハサミを向ける姿はかなり怖い。

首を吊る女の幽霊 ［くびをつるおんなのゆうれい］

映画『13ゴースト』（一九六〇年）に登場する幽霊。

　超常現象を研究していたプラトー・ゾルバが捕獲し、自分の屋敷に集めた一一人の幽霊のうちのひとり。

　恐らく絞首刑によって殺された女性の霊。生前の名前や経歴などは不明。縄で首を吊った姿で出現する。

　リメイク版『13ゴースト』（二〇〇一年）には**呪縛の女**と名付けられ、ネクタイで首を絞められて殺された女の霊が登場する。

　この元ネタになっているのが首を吊る女の幽霊なのかもしれない。

クラリモンド ［くらりもんど］

　テオフィル・ゴーティエの小説『死女の恋』（一八三六年、創元推理文庫、青柳瑞穂・澁澤龍彥訳、『怪奇小説傑作集4』（一九六九年）等収録）に登場する吸血鬼。

　その容貌は女神のように美しいとされ、柔らかなブロンドの髪は頭の真ん中で二つに分かれ、黄金の二筋の川のようにこめかみに沿って流れている。肌は青みを帯び、白く透き通るよう。瞳は碧色《へきしょく》で、一度瞬くだけで男を魅了する。また唇は真っ赤で、鼻は華奢《きゃしゃ》であったという。

　ロミュオーという名の僧侶《そうりょ》に恋をし、死の間際に自身の住むコンティニ宮という宮殿に彼を招き、一瞬だけ蘇生してロミュオーに口づけすると、再会を約束して死体に戻る。

　それから数日後の夜、クラリモンドは彼のもとに現れた。彼女は太陽も月もない空間と影ばかりの遠い国から来た、そして、恋は死よりも強いものだから、恋は死を征服してしまうのだと言い、ロミュオーへの恋が死をも克服させたのだと暗に告げる。

　そして蘇ったクラリモンドは、夜ごとにロミュオーのもとに現れ、彼を連れてヴェネツィアの宮殿で放蕩《ほうとう》の限りを尽くすようになる。クラリモンドはロミュオーに愛を囁《ささや》き、ロミュオーもそれに言葉を返す。しかし吸血鬼であるクラリモンドは愛するロミュオーの血を吸うことができず、やがて衰弱していく。

　そんな時、偶然ロミュオーがナイフで自分の指を傷つけたことで、その血を吸い、回復する。クラリモンドは喜び、ロミュオーにまだあなたを愛することができると告げる。

　それ以降、クラリモンドはロミュオーに飲ませる酒の中に睡眠薬を入れ、眠っているロミュオーの腕に髪に挿している金の留め針を刺し、その血の数滴だけをもらうようになる。それはクラリモンドにとって、ロミュオーに痛みを与えず、自分の命を維持するための唯一の方法だった。

本来であればどんな男でも誘惑し、血を吸い尽くすことができるクラリモンドであったが、ロミュオーに恋をして以来、他の男に気持ちを向けることができなくなっていた。

ロミュオーはそんな彼女の吸血行為を受け入れるが、幸せな日々は長くは続かなかった。ロミュオーの師、セラピオンがクラリモンドのことを知り、弟子を救うために彼女の墓を暴いたのだ。

セラピオンは眠るクラリモンドに聖水をかけ、クラリモンドは塵土《じんど》と化した。これによって吸血鬼クラリモンドは滅び去った。

次の日の夜、ロミュオーの夢に現れたクラリモンドは彼を責め、きっと自分のことを懐かしく思うだろうと言い、別れを告げる。

タイトルの通りクラリモンドの恋が描かれた作品。彼女は吸血鬼でありながらロミュオーを愛してしまったことで血を満足に吸うことができず、しかし幸福な日々を過ごす。

作中では一度死んだ後、ロミュオーのために死の世界から戻って来たようなセリフを語るが、セラピオンの話ではクラリモンドはこれまでに何度も死に、また蘇っていることが語られている。そのため、死の前にロミュオーと出会った時点で既に人間ではなく吸血鬼であったものと思われる。

またクラリモンドとロミュオーの逢瀬は、どこまでが現実でどこまでが幻想なのか分からない曖昧《あいまい》な世界で行われていたことが語られている。

いずれにせよ吸血鬼と人間の恋を描いた作品としては傑作であり、多くの本に翻訳が載っているため、一度読んでほしい作品だ。

またハンス・ハインツ・エーベルスの小説『蜘蛛《くも》』（一九〇八年、植田敏郎・原卓也訳、創元推理文庫『怪奇小説傑作集5』（一九六九年）等収録）にもクラリモンドという名の美しい女性が登場する。こちらはクモの化身のような存在として描かれ、自分に魅了された男を窓の向こう側から操り、自分と同じ動きをさせて、最終的に首を吊らせる恐ろしい怪物として描かれている。

クリスチーナ［くりすちーな］

（『血は命の水だから』）

F・マリオン・クロフォードの小説『血は命の水だから』（一九一一年、矢野浩三郎編、角川文庫『怪奇と幻想 第1巻・吸血鬼と魔女』（一九七五年）等収録）に登場する吸血鬼。

その容貌は青白い顔に真紅の唇、そして漆黒《しっこく》の髪に猟犬のようにしなやかな体と描写され、また悪魔にも劣らないほど口が悪いとされる。

もともとはイタリアの海岸に近いある村で生まれ育った、ただの人間だったが、盗人二人が盗品を埋める現場を目撃してしまった故に彼らに殺され、埋められたことで吸血鬼として蘇る。人ならざるものとなった彼女は生前に片思いをしていた男、アンジェロを誘惑し、毎夜その血を啜《すす》り続ける。だが最後には村の人間たちによって土を掘り起こされ、胸に杭を突き刺されて死亡する。

だがその後も彼女は完全に滅びることはなく、埋められた塚の上に靄《もや》のような幻の存在として現れるようになったという。

望まぬ死により吸血鬼となってしまったクリスチーナの儚《はかな》く悲しい物語。

『血こそ命なれば』という訳で『幽霊島 平井呈一怪談翻訳集成』（平井呈一訳、創元推理文庫、二〇一九年）に同じ作品が収録されており、現在はこちらが入手しやすい。ぜひ読んでみてほしい作品だ。

さ

佐伯伽椰子［さえきかやこ］

清水崇監督のオリジナルビデオ『呪怨《じゅおん》』『呪怨2』（ともに二〇〇〇年）及びその続編である映画『呪怨』（二〇〇三年）をはじめとする『呪怨』シリーズに登場する怨霊。

白いワンピースを着た真っ白な肌の血まみれの女の姿をしており、生前の住家であり、死亡現場ともなった家、通称「呪いの家（呪われた家）」に出現する。また場合によっては血まみれではなく真っ白な肌の女の姿で出現する場合もある。

呪いの家に入って来た人間を悉《ことごと》く呪い殺すか、害を与えるが、時には家にまったく関係ない人間にも襲いかかるため、その目的は定かではない。

一度家に入った人間の場合、その人間がどこにいようとその人間のもとに出現する能力がある。その出現場所は布団の中、仏壇の中、床、天井、股《また》の下など様々。

人間を殺害したり危害を加えたりする場合の方法も豊富で、最も多いのは犠牲者の体を摑んであの世に引きずり込むことだが、その他にも単純に呪い殺す、髪の毛を伸ばして絞め殺す、取り憑《つ》いて精神を崩壊させたり、他の人間を殺害させるなどの方法を見せている。

この他にも殺した人間をゾンビのようにして使役する、テレビや電話を操る、人間の女性の胎内に宿り、現世へ転生するなどの能力もある。

呪いの家に出現する場合は天井裏から現れる。これは生前、死体がそこに隠されていたためであり、出現した後は床に這《は》いつくばり、喉の奥から絞り出すような声を発しながら階段を腕と足を使って下りて来る。

また自身であの世へ連れて行ったことで幽霊となった息子、俊雄がおり、この俊雄もまた伽椰子とともに生きている人間をあの世へ引きずり込む存在として描かれる。

伽椰子は生前は普通の主婦で、佐伯剛雄という人物と結婚し、ひとり息子の俊雄をもうけて平和に暮らしていた。

しかし大学時代の同級生で、片思いの相手であった小林俊介が俊雄の担任教師となったことで日記に彼のことを記し始める。

そしてその頃、二人目の子どもができないことから病院で検査を受けた剛雄が自身が精子欠乏症であると診断され、さらに伽椰子の日記を見つけたことで、俊雄は自分ではなく伽椰子と小林の子であると思い込む。

逆上した剛雄はカッターで伽椰子を滅多切りにした上、二階に放置するが、死にかけた状態で階段を下りてきたため、とどめを刺され、ゴミ袋に入れられて天井裏に放置される。しかし怨霊と化した伽椰子は息子の俊雄をあの世に引き込み、剛雄を呪い殺す。以降、呪いの家に取り憑き、人を殺害するようになる。

『呪怨 終わりの始まり』（落合正幸監督、二〇一四年）や『呪怨 ザ・ファイナル』（同監督、二〇一五年）では設定が変わっており、引っ越し先の家にかつて住んでいた子ども、山賀俊雄の幽霊の被害者として伽椰子が描かれている。『呪怨 終わりの始まり』では、虐待を受け、手足を縛られて押入れに入れられ、餓死した俊雄はその後、家に足を踏み入れた人間を殺害するようになる。しかし伽椰子と剛雄の佐伯夫婦が引っ越してきた際に伽椰子の胎内に宿り、佐伯敏雄として転生する。

山賀俊雄の生まれ変わりである敏雄は剛雄にはまったく懐《なつ》かず、伽椰子に敏雄が自分の子ではないと告げられ激高した剛雄によって伽椰子は殺され、伽椰子もまた幽霊となる。続編『呪怨 ザ・ファイナル』も今作の設定を引き継いでおり、呪いの家が破壊され、更地になったにもかかわらず続く敏雄と伽椰子の恐怖が描かれる。

また番外編的な扱いであるが、『貞子vs伽椰子』（白石晃士監督、二〇一六年）では『リング』シリーズの怨霊、**山村貞子**との対決が実現。呪いの家に出現する怨霊という設定を引き継いでいるものの、一家心中により死亡したなど、過去は変わっている。

霊能者、常盤経蔵の計略により、伽椰子が呪った少女、高木梨花と、呪いのビデオを見た少女、倉橋有里が連れ立って呪いの家にやって来たことで、テレビから貞子が出現し、伽椰子と貞子は戦うことになる。

貞子との対決では貞子を摑んで引きずる、呪いのビデオを握り潰《つぶ》すなど怪力を発揮するが、貞子の髪の毛に巻き付かれ、さらに貞子の呪いにより爆発四散する。しかし霊であるためかその後も普通に復活し、貞子と対決している。

最後は家の裏にある井戸に逃げ込んだ梨花を追い、同じく有里を追ってきた貞子と空中で激突。なぜか二つの霊が混ざり合い、サダカヤという最悪の化け物として生まれ変わった。

この他、『THE JUON／呪怨』（清水崇監督、二〇〇四年）から始まるハリウッド版のシリーズもあり、基本的には日本のオリジナル版と共通した設定を持つものの、伽椰子がイタコの家系に生まれた人間であり、除霊の儀式の際、悪霊を含んだ血を飲ませ続けられていたことが続編『呪怨 パンデミック』（清水崇監督、二〇〇六年）で描かれている。この作品では伽椰子は日本を離れ、アメリカにまで呪いを拡大させる。また三作目の『呪怨 ザ・グラッジ3』（トビー・ウィルキンソス監督、二〇〇九年）ではナオコという妹がいたことが判明している。

サブウェイゴースト ［さぶうぇいごーすと］

ジェリー・ザッカー監督の映画『ゴースト／ニューヨークの幻』（一九九〇年）に登場する幽霊。

その名の通りニューヨークの地下鉄に出現する黒い服を纏《まと》った幽霊で、幽霊でありながら物体に干渉し、物を自在に動かす能力を持つ。

劇中では幽霊になってしまった主人公、サム・ウィートが、幽霊でありながら物を動かす術を教えてもらうためにこの幽霊を頼る。サブウェイゴーストははじめ彼のことを邪険に扱うが、根負けしてその技を伝授することになる。

物語上重要な役割を持つ幽霊であるが、生前の名前などは明かされていない。

ちなみにアイヴァン・ライトマン監督の映画『ゴーストバスターズ』（一九八四年）にもサブウェイゴーストと呼ばれる幽霊が登場するが、こちらはニューヨークの地下鉄の出入り口から出てくる青白い幽霊として一瞬映るのみで、どんな幽霊なのかは明らかにされていない。

サング ［さんぐ］

ルチオ・フルチ監督の映画『サンゲリア』（一九七九年）に登場する生ける屍《しかばね》。カリブ海にある地図にも載っていない通称「呪われた島」、マトゥール島にて発生した奇病により、死んだまま動き回り、生きた人間をむさぼり喰うようになった死体。

肉体が腐乱した状態になっても動き回り、生きた人間を見つけると襲いかかって喰い殺し、噛まれた人間もまたサングと化す。

死者蘇生の原因は医学的には特定できず、動きを止めるには頭部を破壊するしかないが、地中に埋まっていた四〇〇年前の死体でさえもサングとして蘇るため、その数は増える一方となる。

ジョージ・A・ロメロ監督の『ゾンビ』（一九七八年）の影響を受けて制作されたゾンビ映画であり、劇中に登場する生ける屍も原語では「ゾンビ」と呼ばれているのだが、日本語字幕などでは「サング」と呼ばれている。もともと『サンゲリア』自体が日本オリジナルの邦題であるため（原題は『ZOMBIE』もしくは『ZOMBIE2』）、「サング」も日本独自の呼び方なのだが、せっかくなので項目名とした。

サングの特徴は何といってもその腐乱した描写で、腐った肉を引きずり、体から蛆《うじ》を垂らしたその姿は後のゾンビ＝腐乱死体というイメージの形成に一役買っている。またサングが人間を殺害する際の描写が非常にグロテスクなことでも有名。

本作は絶望的なラストで終わるが、世界観の繋《つな》がっていない『サンゲリア2』という続編もある。こちらに登場するゾンビについては**デス・ワン**の項目を参照。

ジェイソン・ボーヒーズ ［じぇいそん・ぼーひーず］

ショーン・S・カニンガム監督の映画『13日の金曜日』（一九八〇年）をはじめ『13日の金曜日』シリーズに登場する不死身の殺人鬼。身長一九二センチ、体重一一四キロ。

赤い模様の入ったホッケーマスクを被り、鉈《なた》をはじめとした様々な凶器を手に、時には素手で犠牲者を殺害する。何度殺しても蘇る不死身の肉体と、異様な怪力を誇る。

もともとは一九四六年六月一三日にボーヒーズ家の長男として生まれた普通の人間だったが、先天的に頭部に形態異常があった。

母親のパメラ・ボーヒーズは彼を溺愛《できあい》していたが、クリスタルレイクという湖付近のキャンプ場の調理場で食事の準備をしていた際、ジェイソンが湖に落ちて溺死する。その際、キャンプの監視員は誰も彼を見ていなかった。

これを恨んだパメラは以降、クリスタルレイクキャンプ場にやって来る監視員をジェイソンを助けなかった監視員と同一視するようになり、無差別に殺害し始める。その際、パメラはジェイソンが「Kill, Kill, Kill …… Ma, Ma, Ma ……」と囁《ささや》く幻聴を聞くようになり、その声に従って殺人を犯していた。

しかし最後はキャンプ指導員のひとり、アリスによって返り討ちに遭い、鉈で首を刎《は》ねられて死亡する。その後、アリスは無事に生還するが、夢で湖の中から現れるジェイソンの幻を見ている。

この時、死んだと思われていたジェイソンは実は生きており、母親の死を目撃していた。ジェイソンは自ら母親のために復讐することを決意。アリスを殺害した後、母親に変わってクリスタルレイクキャンプ場を訪れる人々をその手に掛けるようになる。

形態異常の顔を見られることを嫌っており、第二作目『13日の金曜日 ＰＡＲＴ２』（スティーヴ・マイナー監督、一九八一年）では頭に布袋を被った姿で登場し、キャンプ場に来る人間を次々と血祭に上げる。さらに第三作目『13日の金曜日 ＰＡＲＴ３』（スティーヴ・マイナー監督、一九八二年）では犠牲者のひとりが被っていたホッケーマスクを奪い、以降、これを常に被るようになる。なお、ホッケーマスクを失った際には別のホッケーマスクを被るなどしており、存外に気に入っている様子。

第四作目『13日の金曜日 完結編』（ジョ

セフ・ジトー監督、一九八四年）ではクリスタルレイクでの連続殺人についに終止符を打たれ、少年、トミー・ジャーヴィスによって頭に鉈を叩き込まれ、絶命する。これまで何度も致命傷を負っても死ななかったジェイソンが、ついに人間として死んだ瞬間であった。

　しかしそれでジェイソンの凶行が終わったわけではなかった。

　第六作目『13日の金曜日　PART6　ジェイソンは生きていた！』（トム・マクローリン監督、一九八六年）ではジェイソンの悪夢に悩み続けるトミーがジェイソンと決着をつけるべく、その墓を暴き、その腐敗した死体に何度も鉄柵《てっさく》を突き刺すが、雷がその鉄柵に落ち、ジェイソンを蘇生させてしまう。

　第四作目までは頭に斧《おの》を叩きつけられても死なない異常な耐久力を誇り、素手で人間の頭を押し潰《つぶ》す、片手で大の大人を持ち上げるなどの怪力を持っていたジェイソンであったが、死から蘇生して以降は完全に人間ではなくなる。

　蘇った直後に拳を人間の体に貫通させたり、人間の体を逆さに折るなどの怪力を発揮し、銃弾を何発受けても怯《ひる》みすらしないなど、まさに不死身の怪物と化した。

　一方、機動力は落ちているようで、生前は犠牲者を走って追いかけていたが、蘇生した後はほとんど走ることがなくなっている。ただし走れないわけではないらしく、まれに走る姿を見せることがある。

　第七作目『13日の金曜日　PART7／新しい恐怖』（ジョン・カール・ビューラー監督、一九八八年）では超能力少女と戦い、第八作目『13日の金曜日PART8／ジェイソンN.Y.へ』（ロブ・ヘデン監督、一九八九年）ではニューヨークに侵入し、殺戮《さつりく》を繰り広げるなど活躍したが、第九作目『13日の金曜日／ジェイソンの命日』（アダム・マーカス監督、一九九三年）では特殊部隊の攻撃を受け、体をばらばらに吹き飛ばされる。しかしジェイソンは心臓のみでも生き続けていた。

　この映画ではジェイソンを解剖するシーンがあるが、それによればジェイソンは心臓の大きさが常人の二倍あり、中は血液ではない黒い液体で満ちていたという。

　このジェイソンの心臓を目の前にすると中にある黒い液体を摂取したいという欲求に駆られる。そして実際にその通りにすると、ジェイソンに体を乗っ取られてしまう。

　ジェイソンに取り憑《つ》かれた人間はジェイソンのような怪力を持つようになり、なぜか鏡にはジェイソンの姿が映るようになる。

　寄生生物と化したジェイソンは宿主を変えながら自分の血縁者を探し求め、ついに異母妹のダイアナ・ボーヒーズを殺害して寄生。完全に復活を果たす。しかしこの作品ではどうしてか肉親に聖剣で心臓を突かれると滅びるという設定が加えられており、姪《めい》のジェシカに心臓を貫かれて地獄に落ちた。

　九作目は今まで以上に凄《すさ》まじい設定が追加されたが、後の作品では触れられないため、番外編的な扱いを受けている。

なお、この作品ではラストシーンで『エルム街の悪夢』シリーズの**フレディ・クルーガー**の鉤爪《かぎづめ》の手袋をはめた腕が映り、ジェイソンのホッケーマスクを地中に引きずり込むというシーンがある。

フレディとジェイソンの両者が激突する『フレディvsジェイソン』（ロニー・ユー監督、二〇〇三年）のノベライズ版ではこの映画のラストシーンから繋《つな》がるストーリーとして記されており、この時ジェイソンを見つけたフレディが彼を利用してエルム街を恐怖に陥れようとすることになっている。

この『フレディvsジェイソン』は文字通り別の世界観であったはずのエルム街の殺人鬼、フレディとの不死身の殺人鬼同士の殺し合いが描かれている。自分への恐怖を糧《かて》にしているフレディは、エルム街で自分の存在が忘れ去られていることに対して一計を案じ、ジェイソンを蘇らせ、エルム街で暴れさせることで自分の存在を思い出させようとする。しかしジェイソンがフレディの命令に従うはずもなく、好き勝手に殺人を繰り返すようになったため、フレディはジェイソンを始末しようと人間に憑依《ひょうい》してジェイソンの体に大量の鎮静剤を注射。眠りについたジェイソンの夢の中に現れ、彼を殺害しようとする。

フレディは夢を操る殺人鬼であり、夢の中ではどんなに傷つけても殺せないため、ジェイソンは苦戦を強いられる。しかしジェイソンの不死身もまた夢の中でも有効であり、どんな攻撃を加えられても死ぬことはなかった。

そしてフレディとジェイソンに襲われた若者たちの思惑により、フレディはクリスタルレイクで現実世界に引きずり出される。フレディを宿敵として認識したジェイソンはフレディに襲いかかり、第二ラウンドが始まった。

どんな攻撃を加えても死なない二人の不死身の殺人鬼が血みどろの殺し合いを行う今作はクロスオーバー作品としても傑作であり、両シリーズのお約束を取り入れつつ互いのホームであるエルム街とクリスタルレイクのどちらも舞台になるなど、サービス精神に溢れている。

またジェイソンには未来を舞台にした『ジェイソンX 13日の金曜日』（ジェームズ・アイザック監督、二〇〇二年）という作品もあり、今作では宇宙船という密室にて殺人を繰り広げた末、アンドロイドＫＭに手足と頭部を破壊され、倒れる。しかしそれでも死なず、未来の治療技術を利用してサイボーグ化して復活。メタルジェイソンと呼ばれる化け物となり、ＫＭを破壊し、爆発した宇宙船から逃げる脱出ポッドを追いかけるが、軍人のブロッドスキー軍曹に宇宙空間で捕まえられ、そのまま大気圏に突入して生死不明となった。

恐らく世界で最も有名な殺人鬼のひとり。チェーンソーを使うと誤解されることがあるが、劇中では一度も使用したことはなく、主な凶器はマチェーテと呼ばれる大型の鉈である。先述したフレディとの戦いでも鉈がメインの武器として使われている。またこの鉈は第一作目で母親を殺した凶器であり、第四作目では人間であった自分にとどめを刺すために使われているなど、ジェイソンにとってはある意味因縁の凶器である。

　他にも斧がよく使われる他、周囲にあるものは何でも凶器となり、ナイフや包丁などの刃物も好む。ピッチフォークなどの農具や、スピアガンなどの飛び道具、草刈り機などのマシンなど、使えるものは基本なんでも使う。また投擲《とうてき》技術にも優れており、凶器を投げて犠牲者の急所を狙うことも多い。

　弱点らしい弱点はなく、一時的に行動不能にしても何かのきっかけがあればすぐに蘇る。また『フレディvsジェイソン』では溺《おぼ》れた経験があることから水が弱点とされていた。これは夢の中でフレディにより子どもの頃の恐怖を蘇らせられたのかもしれないが、『13日の金曜日』シリーズでは水中でも活動しており、特に水を怖がる様子はない。

『ジェイソンX　13日の金曜日』では総勢二〇〇人以上の人間を殺したと語られており、スラッシャー映画に登場する殺人鬼の中でも先輩である**マイケル・マイヤーズ**と並び、その被害者数は甚大である。

ジャッカル ［じゃっかる］

映画『13ゴースト』（二〇〇一年）に登場する幽霊。

　悪魔が設計し、死者によって動力を与えられるバシレウスの機械を稼働させるため、サイラス・クリティコスによって捕らえられた一二人の幽霊のひとり。

　本名はライアン・クーン。一八八七年に生まれたが、女性に病的な興味を抱くようになり、野獣のように町中の女性を襲っていた。

　これにより精神病院に入ることとなったが、長年の入院により常軌を逸《いっ》するようになり、爪が剝《は》がれるほど壁を掻きむしるようになった。そのため拘束衣を着せられ、なおも暴れる度に縛られたため、手足は捻《ね》じれてしまう。また拘束衣を脱ごうともがくため、頭に檻《おり》を被せられ、独房に閉じ込められる。

　人間を憎むようになったライアンは、人が近付くと叫び声を上げたが、病院が火事になった際に焼死。その後は頭に檻を被り、拘束衣を纏《まと》った姿で幽霊となり、人間を見ると襲いかかるようになった。

　武器は手の指に生えた鋭い爪で、病院の壁を掻きむしっていたように人間の肉体を掻きむしる。

「ライアン」という名前や野獣のような幽霊とされていることから、恐らくオリジナル版『13ゴースト』（一九六〇年）に登場したライオンの幽霊がもとになっているのではないかと思われる。詳細は**シャドラック**と**ライオンの幽霊**の項目を参照。

シャドラック ［しゃどらっく］

映画『13ゴースト』（一九六〇年）に登場する幽霊。

超常現象を研究していたプラトー・ゾルバが捕獲し、自分の屋敷に集めた一二人の幽霊のうちのひとり。

シャドラックはサーカスで働いていた人間で、ライオンの開いた口の中に頭を入れる、という芸を行っていた。しかしある時ライオンがシャドラックの頭を食いちぎってしまったため、死亡。その後、幽霊となった。

劇中ではパートナーだった**ライオンの幽霊**とともに登場。サーカスの衣裳を着た首無しの男として現れる。ゾルバ博士の屋敷に越してきた少年バックと交流し、地下室でライオンに向かって調教用の鞭《むち》を振るったり、ない頭をライオンの口の中に入れて見せたりした。

ほとんどの幽霊が名前や過去を明かされず、ただ登場するのみで終わるこの映画の中では、パートナーのライオンの幽霊とともにかなり活躍する幽霊である。

呪縛の女

［じゅばくのおんな］

映画『13ゴースト』（二〇〇一年）に登場する幽霊。

悪魔が設計し、死者によって動力を与えられるバシレウスの機械を稼働させるため、サイラス・クリティコスによって捕らえられた一二人の幽霊のひとり。

本名はスーザン・レグロウ。裕福な家に生まれ、学校の人気者であったが、男を弄《もてあそ》ぶ悪い癖《くせ》があった。ある時、プロムのパーティの際、当時の恋人であったアメフト選手の男に浮気現場を目撃され、浮気相手とともに殺害される。

スーザンの死体は絞殺の後、アメフト競技場に埋められており、幽霊となった今でも死の原因となったネクタイを首に巻いた姿で現れる。

巡礼の女

［じゅんれいのおんな］

映画『13ゴースト』（二〇〇一年）に登場する幽霊。

悪魔が設計し、死者によって動力を与えられるバシレウスの機械を稼働させるため、サイラス・クリティコスによって捕らえられた一二人の幽霊のひとり。

本名はイザベラ・スミス。身寄りがなく、一六七五年に渡米した後、ニューイングランドに辿《たど》り着いた。しかしそこはよそ者を信用しない町で、家畜に奇病が流行ると、牧師はイザベラを魔女だと非難。イザベラは否定したが、牧師まで謎の病で倒れたことで町の人々はイザベラを農家に閉じ込め、火を放つ。しかしイザベラは火傷ひとつ負わずに脱出したため、さらし台にかけられ、何週間も石を投げられ、唾《つば》を吐きかけられた末に餓死した。

幽霊になった後は、さらし台にかけられた際の拘束具で腕と首を固定された姿で現れるようになる。

書記ザー［しょきざー］

ロバート・S・カーの小説『ミイラに這《は》う蜘蛛《くも》』（一九二六年、那智史郎・宮壁定雄編、国書刊行会『ウィアードテールズ1』（一九八四年）収録）に登場するミイラ。

「ネル・タウルの墓」と呼ばれる、エジプトの地下墳墓に繋《つな》がる隠し部屋に眠っていた古代エジプトの人物。彼の眠る部屋は「水溜まりの室」と呼ばれ、天井の穴から入ってきた水が滴り落ちて床の楕円形の穴に水溜まりを作っている。その水溜まりのふちには低い棒杭が立てられ、水溜まりを跨《また》いでハンモックがかけられており、その上にザーのミイラは横たわっていた。

考古学者のアシュブルック教授とフィルという人物がこの水溜まりの室を見つけ、ザーのミイラを運び出そうとした際、ハンモックが切れて水中に落下してしまった。それにより乾燥した体が水分を取り戻す。

また、フィルは、書記ザーについて記した碑文「ネル・タウルの墓のそば、水溜まりの室にて、書記ザーは眠る。箱のとげ、壺《つぼ》の液もて、アーマ・カーの宝石の番人たるザーは蘇らん」を解読する。

さらにフィルは水溜まりのふちに設置された低い台の上にあった小箱と壺を調べ、小箱の中に墓蜘蛛と呼ばれる奇妙な毒を持った蜘蛛が、壺にモナという種類の灌木《かんぼく》の葉が入れられていたこと、また、偶然モナの葉に墓蜘蛛が強い攻撃性を見せたのを発見したことから、碑文の「箱のとげ、壺の液もて」という部分は、モナの葉をすり潰《つぶ》した液をミイラに塗ることで、墓蜘蛛がその鋭い牙をミイラに突き刺し、毒液を注入させることを意味するのではないかと思いつく。

そこで墓蜘蛛を捕まえ、上記の実験を行ったところ、実際に書記ザーのミイラが生命を取り戻し、復活する。しばしの間、書記ザーはアシュブルックとフィルに好意的な反応を見せていたが、彼らがアーマ・カーの宝石について尋ねると、態度を変える。ザーは水溜まりの詮《せん》を抜き、排水すると、その下に宝石があることを教えた。そしてアシュブルックとフィルが楕円形の穴の下に降りるのを見計らい、彫刻の施された重い台を投げ込み、二人を殺害しようとした。

しかしその直後、巨大な墓蜘蛛が天井から現れ、ザーに襲いかかった。ザーはそのまま墓蜘蛛に脊髄《せきずい》を断ち切られ、死亡した。

処刑人と生首の幽霊［しょけいにんとなまくびのゆうれい］

映画『13ゴースト』（一九六〇年）に登場する幽霊。

超常現象を研究していたプラトー・ゾルバが捕獲し、自分の屋敷に集めた一一人の幽霊のうちの二人。

斧《おの》を持った腕だけの霊と、斧によって切断され、転がる女性の生首の霊がセットで現れる。

なぜ彼らが霊になったのかは明らかにされておらず、女性が処刑された理由も定かではない。

処刑ライダー

［しょけいらいだー］

マイク・マーヴィン監督の映画『処刑ライダー』（一九八六年）に登場する黒いレーシングスーツとフルフェイスのヘルメットを纏《まと》った男。時に「ターボ・インセプター」という名の黒い自動車を操り、時にショットガンを片手に自ら町を恐怖に陥れる暴走族たちを処刑する。

舞台はアメリカ合衆国アリゾナ州の架空の町ブルックスで、高価な車を持つ人間にイカサマのレースを持ちかけ、車や女を奪う暴走族「ロード・パイレーツ」がのさばっていた。

処刑ライダーの正体は、この暴走族たちに殺されたジェイミー・ハンキンスという男である。

彼はこの世に蘇った後、バイクに跨《またが》り、町にやって来た旅人としてジェイク・ケイシーと名乗り、かつての恋人で暴走族のリーダー、バッカードが懸想するケリーという女性を守りながら、暴走族と戦っていた。

ジェイクの操るターボ・インセプターは凄《すさ》まじい性能を持つとともに不死身の車でもあり、暴走族にレースを挑み、あえて相手の車にぶつかり、大破させてもターボ・インセプターは光とともにもとの姿に戻る。ジェイク自身もこの世のものではないため、対峙《たいじ》した人間に怪現象を引き起こす。

また、ジェイクによって殺害された人間は無傷の死体となるという特徴もある。

最後はバッカードと決着をつけ、ケリーと弟のビリーに自分の正体を明かした後、処刑ライダーはケリーをバイクに乗せ、再び旅立って行った。

原題は「死霊、亡霊」等の意味の『The Wraith』であり、「処刑ライダー」は邦題で付けられた名前。恐らく『仮面ライダー』にあやかったものだろう。

主人公である処刑ライダーことジェイク・ケイシーは二輪バイクと黒い自動車ターボ・インセプターを乗りこなす復讐鬼であるが、相手は町の安全を脅かす暴走族であり、かつての恋人や弟などを守ってもいるため、ヒーローともいえる。

幽霊や悪魔が乗り移る自動車の話は古くからあるが、ただ恐ろしいだけでなく、英雄的な存在として描かれているのが楽しい。

女優霊

［じょゆうれい］

中田秀夫監督の映画『女優霊』（一九九六年）に登場する幽霊。

ある映画スタジオにて撮影されたテストフィルムに未現像の映画フィルムが紛れ込み、そこには女優の背後で狂ったように笑っている姿がぼんやりと映っていたことを発端として、スタジオ内や撮影現場に女の霊が出現するようになる。

その容貌は黒い髪を長く伸ばし、白いワンピースを着ているということがぼんやりと分かるのみで、ほとんどはっきりとは姿を現さない。

　しかしこの幽霊が現れるようになってからは、撮影スタジオで女優の転落事故が起きたり、撮影中に女優がテストフィルムに映っていた幽霊のようにけたたましく笑い出したりするなど、異変が起きるようになる。

　実はこの幽霊自体は昭和四六年（一九七一年）のあるドラマの撮影時に出現しており、その際にも同様に女優の落下事件が起きていた。

　このドラマこそがテストフィルムに紛れ込んでいた未現像のフィルムの正体だった。ドラマの内容は、ある屋敷に住む母親と子どもが架空の女を想像し、それが真夜中に歩き回る、という設定の遊びをする。しかし男ができ、子どもが邪魔になった母親は、やがて多重人格のようになり、作り出したその架空の女の人格になりきり、子どもを殺害しようとする、というものだった。

　しかし撮影が進むにつれ、その架空の女が本当にセットに出現したという噂《うわさ》が流れ、女優が撮影用の足場から落ちたのもその女のせいだと語られるようになったという。

　この女が再び現れたものが、スタジオに度々現れていた幽霊の正体と思われる。終盤ではっきりと姿を現すが、その姿は白いワンピース姿の美女で、お歯黒を塗った歯を見せてけたたましく笑い、人間をどこかへ引きずり込んでしまう。

『女優霊』というタイトルの作品に登場する存在ではあるが、ドラマの設定、しかも物語の中でさえ架空とされた女が現実に現れたものであるため、そもそも死者の霊なのかさえ分からない。

　終盤では柳ユーレイ演じる主人公、村井を直接襲いに来るが、それもかつてのドラマで女優が演じるはずだった、子どもを襲う場面を再現しているだけなのかもしれない。

死霊［しりょう］

（『死霊のはらわた』シリーズ）


サム・ライミ監督の映画『死霊のはらわた』（一九八一年）年をはじめとする『死霊のはらわた』シリーズに登場する怪異。

カンダールの悪霊と呼ばれる超自然的な存在に取り憑《つ》かれて怪物のようになった人間の死体。

　第一作目『死霊のはらわた』では、主人公のアッシュ・ウィリアムズをはじめ、五人の若者がアメリカのフロリダ州ジャクソンビルにある森に遊びに行く。五人はその森にあった小屋で偶然「死者の書」と呼ばれる書物と、それに書かれている悪霊を復活させる呪文を録音したカセットテープを見つけ、内容を知らずに再生してしまう。これによりカンダールの悪霊が蘇り、この五人を襲った。

　悪霊に取り憑かれ、死霊と化した人間は動く死体のような状態になり、白目を剝《む》き、狂ったような言動で近くにいる人間に襲いかかる。さらに死霊に傷つけられた人間も時間経過で死霊と化す。

死霊化した人間は首を切っても殺すことができず、切断された体がそれぞれ独立して動く。このため体を徹底的にバラバラにするなどして無力化する必要が生じる。

劇中ではアッシュがひとり生き残り、次々と死霊となっていく友人たちと戦うが、最後は自身もカンダールの悪霊に襲われてしまう。

第二作目『死霊のはらわたⅡ』（サム・ライミ監督、一九八七年）は一作目とは直接繫《つな》がらないセルフリメイクのような作品となっている。この作品ではアッシュの右手が悪霊に憑かれ、右手首から上のみが死霊と化したため、自分の右手と戦い、挙句チェーンソーで切り落としたり、再び取り憑かれ、完全に死霊になってしまうも、恋人のペンダントに触れたことで克服するなど、死霊に抵抗する様子が見られる。

第三作目『キャプテン・スーパーマーケット』（サム・ライミ監督、一九九三年）は前作のラストでアッシュが時空の裂け目に飲み込まれたため、中世のイングランドが舞台となる。

アッシュはアーサー王や彼と対立しているヘンリー王と出会い、この時代にも出現していた死霊たちと戦うことになる。

もとの時代に戻るには「死者の書」が必要であると知ったアッシュは死霊の巣食う墓場に死者の書を探しに行くが、本を手に取るために必要な呪文を忘れてしまい、適当に誤魔化して本を取る。これが原因で死霊の軍団が蘇る。

ここで登場する死霊軍団は種々様々で、翼が生えたもの、腐った死体、白骨化した死体などが登場。アッシュを中心とした人間と死霊の大規模な戦いを拝むことができる。またその死霊の長としてアッシュの分身がもとになっている死霊が登場するが、これについては**イビル・アッシュ**の項目を参照。

『死霊のはらわた』シリーズは第一作からシリーズを重ねるごとにホラー要素が薄れ、第三作に至ってはファンタジーとコメディの中に少しホラー要素が入っているような状況になっている。しかし第一作がホラー映画の世界に与えた影響は大きく、国内外問わず多くの今も多くのファンがいる。

二〇一三年に一作目のリメイク版『死霊のはらわた』（フェデ・アルバレス監督）が公開。また二〇一五年からは『死霊のはらわたⅡ』の三〇年後を描くTVドラマ『死霊のはらわた リターンズ』（サム・ライミ他監督、～二〇一八年）が放映された。

スライマー ［すらいまー］

映画『ゴーストバスターズ』（一九八四年）をはじめとする『ゴーストバスターズ』シリーズに登場するゴースト。「オニオンヘッド」「グリーンゴースト」などとも呼ばれる。

全身緑色のぶよぶよとした肉でできたゴーストで、大きな口と窪んだ眼が特徴。脚はないが腕はあり、その腕で周囲にある食べ物を手摑みし、口に放り込む大食漢。

基本的には手を出すまでは無害なゴーストで、抵抗する際も粘液をかけるぐらいであまり危険はない。

第一作目『ゴーストバスターズ』ではゴーストバスターズが初めて捕獲するゴーストとして登場。その際は「アグリー・リトル・スパッド（醜い小さなジャガイモ）」と呼ばれた。

ホテルに出没し、ひたすら食事を貪《むさぼ》っていたが、ゴーストバスターズによって捕獲される。その後、環境保護局の役人が幽霊貯蔵庫の電源を切ったことで外に逃げ出し、ニューヨークの町でソーセージを貪った。

それからも捕獲されることなく、ラストシーンで町を飛び回っている姿が見られた。

第二作『ゴーストバスターズ2』（アイヴァン・ライトマン監督、一九八九年）ではゴーストバスターズの事務所に居座っている姿が描かれた。新たにゴーストバスターズに加わった弁護士のルイスがメンバーを助けるために立ち上がった際には自らバスを運転し、彼を現場に送り届けるなど味方としても活躍している。またエンドクレジットでは主要キャラクターのひとりとしてラストを飾った。

リブート版『ゴーストバスターズ』（ポール・フェイグ監督、二〇一六年）でもきっちり登場。ホットドッグカートでホットドッグを貪り、車を運転してゴーストバスターズから逃げたり、女性のスライマーを連れてドライブするなどやりたい放題だった。

マシュマロマンと並び『ゴーストバスターズ』シリーズを代表するゴーストのひとり。スピンオフであるアニメシリーズなどでも活躍した。

最新作『ゴーストバスターズ／アフターライフ』（ジェイソン・ライトマン監督、二〇二一年）では残念ながら登場しなかったが、そのスピリッツを受け継ぎ、金属を貪る太った幽霊、マンチャーが活躍している。

ゾンビ［ぞんび］（『恐怖城　ホワイト・ゾンビ』）

ヴィクター・ハルペリン監督の映画『恐怖城　ホワイト・ゾンビ』（一九三二年）に登場する生ける屍《しかばね》。

この作品では、ブードゥー教に伝わるゾンビパウダーにより、仮死状態にされて使役される人間のことで、砂糖工場を経営するブードゥー教の司祭ルシャンドルが操っている。ゾンビになった人間は一切の感情や記憶を失い、ただ命じられるままに行動する。しかし術者であるルシャンドルが死ぬと、もとの人間に戻ることができる。

『恐怖城　ホワイト・ゾンビ』は世界で初めて作られたゾンビ映画として知られる映画であり、前年公開の『魔人ドラキュラ』（トッド・ブラウニング及びカール・フロイント監督、一九三一年）で**ドラキュラ**を演じたベラ・ルゴシがルシャンドルを演じている。

ブードゥー教に伝わるゾンビを扱った映画であるため、今のゾンビのように人間を襲って喰い殺すなどの行動はせず、そもそも死体ではなく仮死状態の生きた人間だが、目を見開き、のろのろと動く姿は結構不気味である。

ゾンビ［ぞんび］（リビングデッド・シリーズ）

映画『ナイト・オブ・ザ・リビングデッド』（一九六八年）をはじめとするリビングデッド・シリーズに登場する生ける屍《しかばね》。

なんらかの要因により人間の死体が死んだまま蘇ったもの。血の気を失った青白い皮膚をしたものが多く、ゾンビによっては体の一部を欠損している場合もある。また水分を失い、ミイラのように干からびているものもいる。

ゾンビになった段階で生前の知能や記憶は失われており、通常は生前の生活で行っていた行動をかろうじて無意味に繰り返すのみで、知的な活動は行わない。また痛覚を失っており、腕や足など体の一部を破壊されようとも気にせずに動き回る。その動きを止めるには頭部を破壊するしかない。

人間の生きた肉を食らうことを最優先の行動目的としており、生者が現れると一斉に襲いかかる。しかしその動きは緩慢で、せいぜい小走りするぐらいで基本的にはゆったりと歩き、摑みかかって来るため、数が少なければ逃げることは容易。一方、数が多いと頭を破壊しない限り動きを止めないこともあり、厄介な相手となる。また、まれに道具を使うゾンビもおり、窓を石で叩いて破壊したり、凶器を使って人間を殺害するものもいる。

また、ゾンビと生きた人間を明確に区別することができ、同族であるゾンビを襲うことはない。それに加えて群れで行動する傾向があり、集団で同じ場所に居ついていることが多い。

ゾンビに噛まれた人間はたとえその場で死ななくても短時間で衰弱死し、死んだ時点でゾンビに変異する。さらにゾンビに噛まれたこと以外の死因でも人間が死ねば頭が無事である限りゾンビ化するため、ゾンビはひたすらに増え続ける。

第一作の『ナイト・オブ・ザ・リビングデッド』では突然出現した生ける屍たちによって翻弄《ほんろう》される生者たちが描かれる。またこの作品では「ゾンビ」という名前は使われず、「グール」と呼ばれる。

第二作『ゾンビ』（ジョージ・A・ロメロ監督、一九七八年）はゾンビの発生から三週間後の世界とされており、既にゾンビが世界中に蔓延し、生者が死者に追い詰められていく様子が描かれている。

第三作『死霊のえじき』（ジョージ・A・ロメロ監督、一九八五年）はゾンビの発生から数年後、第四作『ランド・オブ・ザ・デッド』（ジョージ・A・ロメロ監督、二〇〇五年）は三年後とされ、既に死者の数が生者の数を逆転しており、人間側が追い詰められている様子が描かれている。

また第五作『ダイアリー・オブ・ザ・デッド』（ジョージ・A・ロメロ監督、二〇〇七年）、第六作『サバイバル・オブ・ザ・デッド』（ジョージ・A・ロメロ監督、二〇〇八年）

は時代を遡《さかのぼ》り、『ナイト・オブ・ザ・リビングデッド』から『ゾンビ』までと同じぐらいの時期、すなわちゾンビの発生が始まって間もない時期が舞台となっている。

　ゾンビの発生理由は明確に語られないが、ゾンビがどのような存在であるかは『死霊のえじき』にて語られている。

　それによればゾンビは脳と体さえあれば動き、内臓や血液がなくても活動可能な上、原始的な本能により胃がない状態でも人を喰らおうとするという。またゾンビとして蘇った時点で腐敗の進行が遅れ、数年、長ければ一〇年以上にわたって活動するとされる。

　そしてゾンビを動かしているのは脳の中心部にあるR複合体（爬虫類《はちゅうるい》脳）という最も原始的な部分で、これが破壊されるとゾンビは行動不可能になる。これがゾンビの頭を破壊すれば動きを止められる理由となっている。

　一方、ゾンビと化してから長時間経つと自我に目覚めるゾンビがいることも示されている。

　『死霊のえじき』ではゾンビを研究しているマシュー・ローガンという科学者により飼われていた「バブ」と名付けられた白人のゾンビが、ローガンに世話をされるうちに自我に目覚め、彼に懐《なつ》き始める様子が描かれる。バブは生きた人間を喰い殺そうとせず、終盤で軍人によりローガンが殺害された際には嘆き悲しむような様子も見せた。そして銃を手に取り、ローガンを殺した軍人たちへの復讐を遂げた。

　『ランド・オブ・ザ・デッド』では長年ゾンビとして過ごしたために自我に目覚めた通称「ビッグ・ダディ」と呼ばれる黒人のゾンビが登場する。ビッグ・ダディは他のゾンビたちに仲間意識を持ち、平和に暮らしていたが、ゾンビたちが暮らす地域に侵入し、ゾンビたちを虐殺する人間たちに怒り、ゾンビたちを率いて逆襲を行っている。

　ゾンビはもともとブードゥー教に伝わる存在で、呪術によって犯罪者の遺体を蘇らせ、生前の罪を償わせるために働かせるものと考えられていた。

　そのため『恐怖城　ホワイト・ゾンビ』（一九三二年、**ゾンビ（『恐怖城　ホワイト・ゾンビ』）**の項目参照）以降、映画で描かれるようになったゾンビは呪術者によって使役される意思のない死体であった。

　この概念を覆し、現在まで続くゾンビ像を作り上げたのがロメロの『ナイト・オブ・ザ・リビングデッド』である。人肉を喰らう生ける屍であり、噛まれた人間はゾンビになり、頭を撃たなければ殺せない、といったゾンビの描写はこの作品以降急速に広まった。なお、リビングデッド・シリーズのゾンビは死んだ人間が変異するものであり、噛まれた人間がゾンビになるのはそれが原因で衰弱死するためである。また緩慢な動きはブードゥーゾンビの特徴を受け継いでいるといえる。

　ele-king編集部編、Pヴァイン『ジョージ・A・ロメロの世界』（二〇二一年）等によれば、ロメロは小説『アイ・アム・レジェンド』（一九五四年、**吸血鬼（『アイ・アム・**

レジェンド』）の項目参照）に影響を受けているとされ、実際小屋に立て籠もった人間を死者の集団が襲うストーリーなど、影響は随所に見られる。

　また先述したようにこの映画における生ける屍の呼称は「グール」であり、「ゾンビ」ではなかった。リビングデッド・シリーズでゾンビの呼称が使われるようになるのは次作『ゾンビ』以降であり、これが大ヒットしたことで無数のフォロワーを生み出すことになる。

　またリビングデッド・シリーズのゾンビの特徴として、決して走らないということが挙げられるが、『ナイト・オブ・ザ・リビングデッド』の劇中で初めて登場するゾンビ（墓場に出現するのでセメタリーゾンビなどと呼ばれる）や、『ゾンビ』に登場する二人の子どもゾンビなどは走っていたりするため、個体差がある模様。

　また、ロメロのゾンビ映画はゾンビそのものだけでなく、ゾンビが蔓延するという極限の状況下における人間同士の物語にも焦点が当てられており、それが魅力となっている。

　死者が地獄から溢れかえった時、果たして恐ろしいのは生ける屍か、それとも生きた人間か。

ゾンビ ［ぞんび］ （『ゾンビ3』）

アンドレア・ビアンキ監督の映画『ゾンビ3』（一九八一年）に登場する生ける屍《しかばね》。ある考古学者が古代エトルリアの遺跡を調査している際、遺跡に残る石板を解読してしまったことで蘇った古代エトルリア人のゾンビ。

　紀元前の死体であるにもかかわらず未だ腐敗した肉体が残っており、茶色や灰色に変色した皮膚には蛆虫《うじむし》がこびりついている。

　ゾンビの動きは凄《すさ》まじく緩慢と思いきや、必要に応じて武器を使いこなす。窓を閉めようとしている女性の手に釘のようなものを投げつけて的確に突き刺したり、鎌で首を切り落としたり、農具や斧《おの》で人間が籠城している館の扉を破壊しようとするなどする。

　さらに終盤では協力プレイで丸太を持ち出し、門に叩きつけて破壊したり、複数人で電動ノコギリに犠牲者の体を押し付けてスライスしてみたりと抜群のチームワークを見せた。

　『ゾンビ3』という題名だが、ジョージ・A・ロメロの『ゾンビ』とはまったく関係がない。さらにいえば原題が『ZOMBIE2』の『サンゲリア』の続編でもない。ちなみに『サンゲリア2』の原題が『ZOMBIE3』だったりするのでややこしい。

　とにかく独立した作品なので、他の作品との関連を気にせずに見ることが可能だ。

ゾンビ ［ぞんび］ （『ドーン・オブ・ザ・デッド』）

ザック・スナイダー監督の映画『ドーン・オブ・ザ・デッド』（二〇〇四年）に登場する生ける屍《しかばね》。

知性や記憶、理性を失い、ひたすら生き

た人間の肉を求め、喰らう蘇った死者。生者を見つけると全速力で追いかけ、飛びかかって噛み付く。

　蘇生の原因は不明だが、これに噛まれた者はその場で死亡せずとも一定時間を経ると死亡してゾンビと化す。このためゾンビの運動能力が高いことも相まって、凄《すさ》まじい速さでその数を増やしていく。また、ゾンビになる前に妊娠していた場合、ゾンビ化すると体内の赤子もゾンビとなる。

　既に死亡しているため、痛みを感じないのか銃で体を撃たれたり、打撃で骨を折られたりするぐらいでは怯《ひる》まない。確実に行動不能にするには脳を破壊しなければならない。

　ロメロ監督の『ゾンビ』（1978年）のリメイク作品だが、ストーリーや舞台設定などがある程度似通っているのみでほとんど別物になっている（**ゾンビ（リビングデッド・シリーズ）**の項目も参照）。特に大きな違いは前述のようにゾンビの運動能力が凄まじく高いところで、『ゾンビ』のゾンビが通常の人間よりも動きが遅いぐらいであったのに対し、こちらは獲物を見つけた肉食獣のごとく全力で襲いかかってくる。

　これまでにも走るゾンビが登場するゾンビ映画自体は存在しており、現代のゾンビ映画の元祖とされるロメロ監督の『ナイト・オブ・ザ・リビングデッド』（一九六八年）にも小走りするゾンビが登場する。

　普通に走るゾンビとしては、ぺちゃくちゃ走りながら不死身のゾンビが襲ってくるダン・オバノン監督の『バタリアン』（一九八五年）が有名だろう（**バタリアン**の項目参照）。この他にも正確には生ける屍ではなく、生きた人間が襲って来る設定であるものの、ゾンビとして扱われることが多い『ナイトメア・シティ』（ウンベルト・レンツィ監督、一九八〇年）や『メシア・オブ・ザ・デッド』（ウィラード・ハイク、グロリア・カッツ監督、一九七三年）があり、『バタリアン』に先駆けている（**ミュータント（『ナイトメア・シティ』）**の項目参照）。また同じく生ける屍ではなくウイルスに感染した人間が襲ってくる作品であるが、ゾンビ映画として扱われることが多いダニー・ボイル監督の『28日後…』（二〇〇二年）においても全力疾走で非感染者を襲ってくるゾンビのような人間たちが描かれている（**レイジウイルス**の項目参照）。こちらは『ドーン・オブ・ザ・デッド』に先行しているが、この二作以降、全力疾走して襲ってくるゾンビが増えている。

た

ダイアナ［だいあな］（『ライト／オフ』）

デヴィッド・F・サンドバーグ監督の映画『ライト／オフ』（二〇一六年）に登場する怪異。光の当たらない場所にだけ現れる、長い爪を持つ真っ黒な女性のような姿をした存在で、暗闇から暗闇に移動する能力を持つが、光を当てられると皮膚が焼けるという弱点も持つ。

もともとは人間で、一三歳の頃、鍵のかかった地下室で発見された女性。光に過剰反応を示す珍しい皮膚病を患っていた。また人の頭に入り込み、性格を変貌させるという力を持ち、悪魔の子と恐れられた。

地下室での発見後、ダイアナは病院に入院させられたが、うつ病で入院してきたソフィーという少女を気に入り、彼女の頭に入り込んで「友だち」になる。しかしソフィーの調子が良くなると彼女に暴力を振るうなどして、彼女を病院から出さないようにしていた。

ある時、ダイアナに強い光を当てる治療法を試した際に炭となって消え死亡してしまった。その後は闇の中に現れる怪異と化した。死後もソフィーに執着しており、彼女の夫を殺害した後、二人の子どもをも襲うために付きまとう。

光を弱点としているため、基本的に光の中には姿を見せない。しかし例外的にブラックライトの光によって姿を確認することができ、その状態であれば光を当てて攻撃できる。

光以外ではダメージを与えることができず、打撃はもちろん、銃弾さえものともしない。またブレーカーを機能させなくするなど、暗闇を生み、自分に有利な状況を作り出す能力を持つ。

しかしソフィーに取り憑《つ》くことで存在することができているため、最後はソフィーが子どもたちを守るために自身の頭を銃で撃ち抜くことで彼女の死とともに消滅した。

もとになったのは動画投稿サイトに投稿された動画「Lights Out」で、動画では女の影が電気を消すたびに現れる。この女は終盤で姿を現すが、真っ白な目に鋭い歯の生えた巨大な口を持つ化け物として描写されている。

また、この動画を監督したのも映画版と同じデヴィッド・F・サンドバーグ監督である。

チャッキー［ちゃっきー］

トム・ホランド監督の映画『チャイルド・プレイ』（一九八八年）をはじめとする『チャイルド・プレイ』シリーズに登場する不死身の殺人鬼。

子どもに大人気とされる白人で赤毛の少年を模した人形「グッドガイ人形」に殺人鬼チャールズ・リー・レイの魂が乗り移ったもので、人形の状態で殺人を繰り返す。その目的は自分の魂を人間の体に移すことである。

チャールズが人形の体を得た過程は第一作『チャイルド・プレイ』及び第六作『チャイルド・プレイ／誕生の秘密』（ドン・マンシーニ監督、二〇一三年）で語られる。

それによれば、チャールズは友人として付き合っていたサラ・ピアスという妊婦に横恋慕し、彼女の夫を殺害した後、サラを監禁。サラとその子の父親に成り代わろうとするが、サラが密かに警察に通報していたため、逆上してその腹をナイフで刺す。

その後、逃亡する途中、おもちゃ屋に逃げ込み、銃で撃たれて倒れ込んだ際、近くにあったグッドガイ人形にブードゥー教の秘術を使い、魂を移した。直後、おもちゃ屋に雷が落ち、チャールズは死体として発見される。

しかしチャールズの魂は既にグッドガイ人形の中にあり、ホームレスに拾われたグッドガイ人形は、母子家庭の母親、カレン・バークレイに買われることになる。そしてグッドガイ人形はカレンにより息子のアンディに渡された。

しかし命を持つグッドガイ人形は自ら「チャッキー」と名乗り、次々と殺人を繰り返す。そしてアンディの体に自らの魂を移し、再び人間に戻るため暗躍する。

魂を移す相手は自分の正体を最初に告げた人間でなければならないという条件があり、長く人形の姿でいると中身が血肉となり、人間に戻れなくなる。そのため、チャッキーの体を傷つけると血が飛び散る描写も見られる。

普段はグッドガイ人形として過ごしており、笑顔に固定された表情のまま子どもの声で「やあ僕チャッキー、遊ぼうよ」とグッドガイ人形に内蔵された台詞《せりふ》を喋《しゃべ》る。しかし正体を現すと表情が変わり、声もチャールズの野太いものに変化する。

また人形でありながら生前と同じ成人男性ほどの力を有し、自在に刃物や銃器を使いこなし、人間を殺害する。一方、体重は他のグッドガイ人形と変わらず、子どもでも簡単に持ち運ぶことができる。

弱点は心臓であり、心臓を破壊しない限りは手足が吹き飛ぼうとも、黒焦げになろうとも、首が切断されようとも動き回る上、切断された体の部位はそれぞれ別々に動くこともできる。

第一作目ではこの心臓を撃ち抜かれて息絶えるが、二作目『チャイルド・プレイ2』（ジョン・ラフィア監督、一九九〇年）ではグッドガイ人形の製作会社であるプレイパルス社が、一作目の事件により苦境に立たされていたことから、欠陥がないことを証明するためにチャッキーのグッドガイ人形を復元する。これによりチャッキーが復活。再び殺人を繰り返しながらアンディを狙うも、プレイパルス社のおもちゃ工場での戦いで体を真っ二つにされた上、溶解プラスチックを浴びせかけられて体を溶かされる。それでもしつこくアンディを狙うが、高圧のエアホースを口に突っ込まれ、頭部が膨張して爆発四散した。

第三作目『チャイルド・プレイ3』（ジャック・ベンダー監督、一九九一年）は前作の八年後が舞台になる。グッドガイ人形の再販を決定したプレイパルス社が誤ってチャッキーの血液を混入させたグッドガイ人形を作ってしまい、それによってチャッキーが復活。陸軍学校に入学したアンディを追い、そこで出会ったロナルド・タイラーという少年を次の魂の移行先に決める。

しかし一六歳になったアンディらの妨害に遭い、目論見《もくろみ》は失敗。アンディによって巨大なファンの中に落とし込まれ、体をバラバラにされて死亡する。

本作ではスラッシャー映画の殺人鬼には珍しく、銃器や手榴弾《しゅりゅうだん》などの軍用武器を凶器として使うチャッキーの姿が見られる。

第四作『チャイルド・プレイ　チャッキーの花嫁』（ロニー・ユー監督、一九九八年）では生前チャールズの恋人であったティファニー・ヴァレンタインが登場し、バラバラになったグッドガイ人形の体を繋《つな》ぎ合わせたことで復活。そのため、今作でのチャッキーはつぎはぎだらけの姿をしている。

チャッキーはティファニーを殺害し、その魂を人形に移した後、二人であるカップルを利用し、チャールズの遺体が埋まっている墓場に向かう。実はチャールズの棺桶《かんおけ》には遺体とともにタンバラの心臓というお守りが入れられており、これを使えば二人とも人間の体を手に入れることができるはずだった。

しかしチャッキーとティファニーの仲違いが発生し、チャッキーはティファニーを殺害。さらに自身も人間によって殺されるが、チャッキーとティファニーの間には子どもができており、物語のラストで産声を上げる。

第五作『チャイルド・プレイ　チャッキーの種』（ドン・マンシーニ監督、二〇〇四年）では、前作ラストで誕生し、人間に拾われてシットフェイスと名付けられた子どもが、両親であるチャッキーとティファニーをブードゥー教の秘術で蘇らせる。家族の再会によりシットフェイスはグレン（グレンダ）と名前をつけられる。しかしグレン（グレンダ）は優しい男の子の人格と殺人鬼としての女の子の性格を持っていたため、教育方針の違いでやはり仲違いし、最終的にチャッキーはティファニーを殺害する。これにより怒りに駆られたグレン（グレンダ）によりチャッキーもまた殺害される。

一方、ティファニーは殺される直前に自分の魂を人間の女優、ジェニファーに移すことに成功しており、またグレンとグレンダの二人の人格もジェニファーの双子の男女に移っていた。これによりティファニーとグレン、グレンダは人間の体を手に入れることに成功する。

第六作『チャイルド・プレイ　誕生の秘密』（二〇一三年）では殺人人形はチャッキーのみが登場。生前執着していた女性サラ・ピアスの娘、ニカを狙い、彼女の家で殺戮《さつりく》を繰り広げる。そしてニカを精神病院送りにし、人間の体を手に入れたティファニーによって次の家へと送り込まれ、殺人を繰り返す。しかし半年後、チャッキーが送り込まれた家はかつての宿敵、アンディの家だった。

アンディはショットガンを使い、チャッキーの体を吹き飛ばす。

第七作目『チャイルド・プレイ　チャッキーの狂気病棟』（ドン・マンシーニ監督、二〇一七年）では精神病院に入れられたニカを狙い、チャッキーが出現。今作では自分の魂を複数の人形に移し、同時に行動する能力を得ている。さらにニカにも自身の魂を移し、体を乗っ取ってしまう。

今作でもアンディがチャッキーと戦うが、新たな能力を得たチャッキーには善戦できず、最終的にニカの体を得たチャッキーがティファニーとともに病院を去って終わる。

この続きは映画ではなくテレビドラマシリーズの『チャッキー』にて語られ、アンディや、チャッキーに体を乗っ取られながら何度か自分を取り戻すニカ、また『チャイルド・プレイ2』でアンディとともにチャッキーと戦ったカイルなどとチャッキー、ティファニーらの戦いが描かれる。またチャッキーとティファニーはここでも仲違いを繰り返しており、ティファニーがチャッキーの敵に回る場合もある。

二〇一九年にアメリカのオンラインマガジン「MENTAL FLOSS」に掲載された記事「Your Friend 'Til the End: An Oral History of Child's Play」では、第一作目の脚本を担当したドン・マンシーニに対するインタビューが行われているが、それによればチャッキーのアイディアのもとになったのは子どもの頃に見たテレビドラマ『トワイライト・ゾーン』（日本では『ミステリー・ゾーン』のタイトルで放映）で放映されたエピソード「Living doll」（一九六三年放映。日本では「殺してごめんなさい」の題名で放映されている）だと語っている。またこの他にもテレビ映画『恐怖と戦慄《せんりつ》の美女』の第三話「アメリア」に登場するブードゥー教に伝わる人形ズーニ人形の影響もあったようだ。

「Living doll」に登場する人形「トーキー・ティナ」はおしゃべり人形でありながら録音された言葉以外にも自由に言葉を発し、自分の持ち主であるクリスティや、ティナ自身をいじめるクリスティの継父エリックに対し恨み言を吐き、ついには殺害してしまう。このティナは喋り始める際に高頻度で「あたしティナっていうの」という言葉を発するため、チャッキーの「やあ僕チャッキー」というセリフに影響を与えているのかもしれない。

また「Living doll」では捨てられたティナが電話をかけてきたり、いつの間にか戻ってきたりする。これは日本の都市伝説で語られる人形の怪談「メリーさんの電話」にそっくりであり、チャッキーとメリーさんは同じ祖先を持つ可能性がある。

『恐怖と戦慄の美女』では、ズーニ人形は言葉を喋らないものの、刃物を持って襲いかかってきたり、人間の体を乗っ取るという所業を見せており、ブードゥー教の人形であるという設定も含めチャッキーの設定に影響を与えていると思われる。

チャッキーの前身となる殺人鬼チャールズ・リー・レイを演じたのは俳優のブラッド・ドゥーリフで、人形化した後のチャッキーの声も彼が演じている。また『チャイルド・プレイ　誕生の秘密』以降のメインキャラとなっているニカ・ピアスを演じるフィオナ・ドゥーリフは彼の実の娘であり、親子による共演となっている。

テケテケ［てけてけ］

（『テケテケ』シリーズ）

白石晃士の映画『テケテケ』及び続編『テケテケ2』（ともに二〇〇九年）に登場する妖怪。都市伝説で語られる下半身のない女の化け物「テケテケ」そのもの。

腰から下がない若い女の死体といった姿をしており、両掌を地面につけて高速で動く。赤いものを身に着けている人間を見つけると襲いかかり、素手で体を上半身と下半身の真っ二つに切断し、殺害する。

その正体は終戦の頃、強姦され、鉄道に飛び込んで命を絶った「鹿島玲子」という女性。その自殺の際に体が真っ二つになったため、下半身がない姿で出現する。また赤いものを着けた人間を狙うのは、強姦された際に自分の破瓜《はか》の血を見て、赤い色がトラウマになったためと説明される。

一作目では特定の歩道橋に出現していたが、二作目では様々なところに現れ、赤いものを身に着けていなくても襲ってくるなど凶暴化している。

既に死んでいるので基本的に殺す方法はなく、「カシマの『カ』は仮面の『仮』、カシマの『シ』は死人の『死』、カシマの『マ』は悪魔の『魔』」という呪文で一時的に撃退することができるが、完全に滅ぼすことはできない。

都市伝説や学校の怪談として語られる下半身のないお化け、テケテケを実写映画化したもの。怪談として語られるテケテケの場合、下半身のない人間が肘《ひじ》を使って高速で走ってくる。その際に「テケテケ」と音が鳴るため、テケテケと呼ばれる、と語られることが多い。一方、このテケテケは肘ではなく掌を地面につけてトカゲのように高速で走ってくる。その姿は一見シュールだが、追いつかれれば一撃で体を真っ二つにされるため、厄介極まりない。

テケテケと同じく下半身の欠損したお化けとして語られる「カシマさん」や「カシマレイコ」の怪談と組み合わされており、テケテケの本名や撃退の呪文にその要素が使われている。

ちなみに映画には出てこないが、テケテケを撃退する呪文として知られるものに「地獄に帰れ」というものがある。実際にテケテケに遭遇した場合には使ってみたらよいかもしれない。

手を握り締める幽霊［てをにぎりしめるゆうれい］

映画『13ゴースト』（一九六〇年）に登場

する幽霊。

超常現象を研究していたプラトー・ゾルバが捕獲し、自分の屋敷に集めた一一人の幽霊のひとり。

手を握りしめるフードを被った人間の霊だが、どうして幽霊になったのかは明らかにされていない。

ドラキュラ ［どらきゅら］

ブラム・ストーカーの小説『吸血鬼ドラキュラ』（一八九七年）に登場する怪物であり、恐らく世界で最も有名な吸血鬼であろう。現在は吸血鬼の代名詞のように使われたり、吸血鬼そのものを表す言葉として誤用される場合も見られる。

小説ではドラキュラは背が高く、黒一色の装束を身に纏《まと》っているとされる。顔つきは精悍《せいかん》な荒鷲《あらわし》のようで、肉の薄い鼻が反り橋のように高く突き出ており、左右の小鼻が異様にいかり、額は張り出し、眉《まゆ》は太く、口元には異様に尖《とが》った犬歯が突き出ている。肌は青白いが唇は赤く、耳は尖り、目は燃えるように赤いとされる。

はじめは老人の姿で現れるが、中盤からは吸血により若返った姿で現れる。

何十人力という怪力を持ち、狼《おおかみ》や蝙蝠《こうもり》に姿を変えたり、霧や塵《ちり》に変化したり、体を小さくする能力を持つ。血を吸った人間を配下の吸血鬼にすることができ、作中では三人の女吸血鬼が登場した他、登場人物を吸血鬼化させている。その他に、動物を操ることもできる。

また影がなく、鏡に姿が映らないという性質がある。

性格は傲岸《ごうがん》で獰猛《どうもう》で、プライドが非常に高い。

その一方、他者の家には招かれるまで入れず、太陽の下では魔力が使えないという制限があり、通常、昼間は墓の中や洞穴で過ごす。ニンニクや十字架など神の息がかかったものが弱点であり、聖なる杭を胸に打ち込まれると滅びてしまう。

ルーマニアのトランシルヴァニアに居城を構えつつ、イギリス各地に複数の不動産を購入し、それらを拠点としてイギリス全土に吸血鬼を増加させようと画策するが、吸血鬼の弱点を知るヴァン・ヘルシング教授らによって阻止される。

ドラキュラは彼らの裏をかいてトランシルヴァニアへと帰還するが、追ってきたヘルシングらによって胸に杭を打ち込まれ、滅ぼされた。

ストーカーのこの小説は後の吸血鬼を題材にした作品に多大な影響を与えた。またこの小説は一九二四年に舞台化され、ここでドラキュラ伯爵が黒い夜会服と袖なしマントを身に着けることになった。これは現代でも吸血鬼を表す記号としてよく使われる。

さらに一九二七年にはロンドンで再演され、凄《すさ》まじい大ヒットになって海を渡り、ブロードウェイでも上演された。この時、ドラキュラ伯爵を演じたのがハンガリー出身の俳優、ベラ・ルゴシであり、『吸血鬼ドラキュラ』を原作にした映画『魔人ドラキュラ』（トッド・ブラウニング監督、一九三一年）でもドラキュラ役を務めた。映画は世界的な大ヒットを記録し、ベラ・ルゴシも一躍大スターとなる。

以降、『魔人ドラキュラ』の制作会社であるユニバーサルはドラキュラをシリーズ化し、続編『女ドラキュラ』（ランバート・ヒルヤー監督、一九三六年）が公開される。この作品はブラム・ストーカーの小説『ドラキュラの客』（一九一七年（桂千穂訳、国書刊行会、一九七六年））を原作にしているとされるが、ストーリーはほとんど別物である。今作で吸血鬼として登場するのはドラキュラの娘である**マリア・ザレスカ**という女性で、ドラキュラ自体はほとんど登場しない。

続編の『夜の悪魔』（ロバート・シオドマク監督、一九四三年）でもドラキュラは復活せず、アルカードというドラキュラの子孫が登場する。

さらに続編の『フランケンシュタインの館』（アール・C・ケントン監督、一九四四年）ではついにドラキュラが復活。以降、**フランケンシュタインの怪物**や狼男の**ローレンス・タルボット**との共演作が続くことになる。

一九五八年にはイギリスのハマー・フィルム・プロダクションがストーカーの原作を改めて映画化した『吸血鬼ドラキュラ』（テレンス・フィッシャー監督）が公開される。ドラキュラを演じるクリストファー・リーはルゴシと並んで今もドラキュラ俳優として著名であり、映画自体も好評で九本もの続編が作られている。

一九九二年にはゲイリー・オールドマンをドラキュラ役として『ドラキュラ』（フランシス・フォード・コッポラ監督）が公開された。この映画ではドラキュラはかつての妻と瓜二つの女性、ミナを求める人物として描かれ、今までの怪物としてのドラキュラよりも人間らしさが増している。

また同年にはドラキュラがヘルシング教授に勝利したイフの歴史が描かれた小説『ドラキュラ紀元』（キム・ニューマン著、梶元靖子訳、創元推理文庫、一九九五年）が刊行された。この小説ではドラキュラだけでなく、**カーミラ**や**ルスヴン卿**、**フランシス・ヴァーニー**や**クラリモンド**、**オルロック**など文学や映画に登場する様々な吸血鬼が同じ世界観で登場する他、**ジキル博士とハイド氏**、グリフィン（**透明人間**）、シャーロック・ホームズなど、吸血鬼関連以外の作品からも様々なキャラクターが登場する。

マシュー・バンソン著、松田和也訳、『吸血鬼の事典』（青土社、一九九四年）等によれば、もともと「ドラキュラ」の名前は一五世紀に実在したワラキア公国（現在のルーマニア南部）の君主、ヴラド三世の通称であった。この名前は彼の父ヴラド二世が「ドラクル」と呼ばれたことに由来し、ドラキュラは「ドラクルの息子」を意味する。ヴラド公は対外的にこの名前を好んで使っていた記録が残っている。またよく使われる「ヴラド・ツェペシュ」の名も本名ではなく「ツェペシュ」は「串刺公《くしざしこう》」を意味するニックネームである。これは敵軍との戦いや臣民の処刑の際に串刺刑をよく使用したことに由来する。

ストーカーは小説執筆の際、ルーマニアの伝説を研究しており、そこで「ドラキュラ」の名前を見つけ、自身の創作した吸血鬼に使用したのだという。このため、ヴラド公自身に吸血鬼伝説が残っているわけではなく、小説内にヴラド公とドラキュラの関連が示されるわけでもない。しかし後世のドラキュラを扱った作品では、ドラキュラの過去がヴラド公であったと設定するなど、吸血鬼としてのドラキュラと実在するヴラド公を繋《つな》ぎ合わせた設定になっているものも多い。二〇一四年に公開された映画『ドラキュラZERO』(ゲイリー・ショア監督、二〇一四年)でもドラキュラはヴラド三世が吸血鬼となったものとして描いていた。

トルソ [とるそ]

映画『13ゴースト』(二〇〇一年)に登場する幽霊。

悪魔が設計し、死者によって動力を与えられるバシレウスの機械を稼働させるため、サイラス・クリティコスによって捕らえられた一二人の幽霊のひとり。

本名はジミー・ガンビーノ。賭元の家に生まれ、昼は競馬、夜はバーでギャンブルに囲まれて育つ。

後に自分も賭元となるが、マフィアにボクシング賭博を持ちかけられ、それに負けて体をバラバラにして殺害される。死体はセロハンに包まれ、海に捨てられた。

幽霊となった後も体はバラバラのままであり、胴体、頭、脚が分かれた状態になっている。

オリジナル版『13ゴースト』(一九六〇年)には首のないサーカスの調教師の幽霊が登場するが、そのオマージュだろうか。

こちらについては**シャドラック**と**ライオンの幽霊**の項目を参照。

な

西野悦子 [にしのえつこ]

島耕二監督の映画『怪談おとし穴』(一九六八年)に登場する幽霊。

大手貿易会社の文書部にタイピストとして勤めており、秘書課に勤める倉本治夫と交際していた。しかし社長令嬢との結婚話が持ち上がった倉本に捨てられそうになり、彼が出世のために自分に枕営業をさせたことをばらすと脅した。そのため自分の出世を第一に考えた倉本によってスカーフで首を絞められて殺害され、会社のビルのパイプシャフトに死体を捨てられる。

しかし悦子は幽霊と化しており、会社では深夜無人の文書室からタイプライターを打つ音が聞こえる、失踪《しっそう》した悦子の席に座った社員が何人も体調を崩したなどの噂《うわさ》が流れる。やがて倉本の近くで様々な怪現象が多発するようになり、ついには鬼の形相をした悦子の幽霊が出現する。

『四谷怪談』を意識し、舞台を現代とした作品で、悦子と倉本の関係もお岩と伊右衛門にどこか似ている。

姿を見せるだけでなく、声だけを響かせたり、無言電話をかけたりと様々な手段により次第に倉本を追い詰めていく悦子はなかなか怖い。

映画のタイトルにもなっているように、倉本の周囲には様々な落とし穴が仕込まれている。

まだJホラーという言葉もなかった時代に生まれた怪談映画の幽霊を堪能してほしい。

は

破壊者［はかいしゃ］

映画『13ゴースト』（二〇〇一年）に登場する幽霊。

悪魔が設計し、死者によって動力を与えられるバシレウスの機械を稼働させるため、サイラス・クリティコスによって捕らえられた一二人の幽霊のひとり。

本名はホレス・マホニー。身長二メートルを超える巨体を持つ。幼少期に母に捨てられ、父とともに廃品置き場で暮らし、廃車を解体することを仕事としていた。しかし父親の死とともに暴走を始め、手始めに二人の女性を素手で引き裂いて殺害すると、その肉を犬に食わせた。その後も道に迷ったドライバーを捕らえ、その骨を一本残らず砕いたという。

しかし、囮《おとり》捜査の婦警を捕らえたことで警察に囲まれる。その際にも三人の警察を殺害。五〇発以上の弾丸を浴びてやっと死亡した。

死後も廃品置き場で殺人を繰り返しており、物語の開始段階の生前に九人、死後に三一人の計四〇人が彼の犠牲となっている。また、映画冒頭では幽霊である彼を捕らえに来た者たちを複数人殺害している。

幽霊になった後も車を持ち上げ、放り投げる怪力を発揮し、人体を軽々と破壊する。

その姿は青白い肌に無数の銃創が残る巨体の男というもので、生きた人間を見ると積極的に襲いかかる。

バタリアン［ばたりあん］

映画『バタリアン』（一九八五年）をはじ

めとする『バタリアン』シリーズに登場するゾンビ。

　アメリカ陸軍が開発したガス状の薬品トライオキシン245を浴びた人間が変異するもので、生きた人間が浴びた場合は時間経過により死亡し、その後ゾンビとして蘇る。死体が浴びた場合は短時間でゾンビと化す。このトライオキシン245により蘇生したゾンビがバタリアンと呼ばれる。

　バタリアンの特徴はその異様な強さで、死体でありながら全力で走り回る。知能も残っており、道具を使うことも容易で、言葉も発する。また頭を撃たれようと首を切られようと動き回り、殺すことができない。さらに切断した場合はその体の一部がそれぞれ動く。

　殺すには体を完全に燃やし尽くすしかないが、その場合、バタリアンに含まれていたトライオキシン245が灰とともに舞い上がり、雨とともに落ちてきてさらなる被害を拡大させる可能性がある。

　目的は人間の脳みそを食うことで、それによって常にバタリアンを苛《さいな》む死の苦痛から少しだけ逃れることができるという。

　またゾンビにしては珍しく、相手に嚙み付いてもその人間がバタリアンになることはない。ただしトライオキシン245が蔓延している状況下だとバタリアンに殺された人間はすぐにバタリアンになってしまう。

　伊東美和編著『ゾンビ映画大事典』によれば、第一作目の『バタリアン』は『ナイト・オブ・ザ・リビングデッド』（一九六八年）の続編として製作されたという。監督を務めたオバノンはそれを逆手に取り、ロメロの構築した**ゾンビ（リビングデッド・シリーズ）**とは真逆のゾンビ像、すなわち嚙まれてもゾンビにならないが、頭を撃っても死なず、死体のくせに全力疾走し、知能があって喋《しゃべ》る、というバタリアンを作り出した。ちなみにバタリアンは邦題で付けられた名前であり、日本独自の呼称である。

　さらに配給会社であった東宝東和は劇中に登場するゾンビにも珍妙な名前をつけており、ハゲで首を切られても暴れ回ったタフなバタリアンには「ハーゲンタフ」、緑色に変色し、体が真っ二つになっても喋り続けた老女のバタリアン「オバンバ」などがいる。ちなみにコールタール漬けで全身真っ黒な液体に覆われた「タールマン」は日本独自ではなく、海外でも使われている名前である。

　一九八七年には続編の『バタリアン2』（ケン・ウィーダーホーン）が公開。バタリアンたちが相変わらずの暴れっぷりを見せるが、電気に弱いという弱点が追加され、不死身の化け物ではなくなってしまった。

　一九九三年には『バタリアン リターンズ』（ブライアン・ユズナ監督）が公開。前二作のコメディ調の映画とは違い、バタリアンとなってしまった女性と、彼女の恋人の逃避行がシリアスに描かれる。

　その後も二〇〇五年に『バタリアン4』、二〇〇六年には『バタリアン5』（いずれもエロリー・エルカイェム監督）が公開されており、人気シリーズとなっている。

バラバラ幽霊［ばらばらゆうれい］

小川欽也監督の映画『怪談バラバラ幽霊』（一九六八年）に登場する幽霊。生前の名は小泉正子で、父の死により日本に帰国し、その遺産を相続。しかし父の後妻、友子とその娘の澄江は遺産を狙って正子を殺害する。

その死体は糸鋸《いとのこ》でバラバラにされ、方々に埋められる。

しかし正子は怨念により幽霊と化し、バラバラになった体がそれぞれ出現し、自分の殺害に関わった者たちに復讐を開始する。

バラバラ殺人の被害者としてバラバラの状態で現れる珍しい幽霊。手首のみで現れて澄江の首を絞めたり、首だけで現れて声を発したり、さらには看護師の姿に化けて現れたり、最後は友子を呪い殺したりと多彩な能力を見せる。

最後は復讐を果たした後、僧侶《そうりょ》の念仏を聞き、無事に成仏した。

ハンマー［はんまー］

映画『13ゴースト』（二〇〇一年）に登場する幽霊。悪魔が設計し、死者によって動力を与えられるバシレウスの機械を稼働させるため、サイラス・クリティコスによって捕らえられた一二人の幽霊のひとり。

本名はジョージ・マークレー。一八九〇年代、アメリカの開拓地で鍛冶《かじ》職人をしていた黒人で、正直な人物であったが、盗人の冤罪《えんざい》をかけられたことで村から追放されそうになる。

無罪であったジョージは追放命令を拒否するが、妻子を虐殺され、激怒して犯人をハンマーで叩き潰《つぶ》した。村の人々はジョージを捕らえ、吊るしてその体にハンマーで釘を打った。また腕を切り落とされ、そのまま死亡した。

幽霊になった後は全身に釘を刺された姿で現れ、切り落とされた腕には愛用のハンマーが縛り付けられている。このハンマーや体に刺さった釘を使い、生者を襲う。

ピンヘッド［ぴんへっど］

クライヴ・バーカー監督の映画『ヘルレイザー』（一九八七年）をはじめとする『ヘルレイザー』シリーズに登場する魔道士。

その名の通り頭全体に釘が規則的に刺さっているという奇怪な容貌をしている。また黒いボンデージスーツを体に直接縫い付けている。

「セノバイト」と呼ばれる魔道士のひとりであり、彼らのリーダー的存在。「ルマルシャンの箱」と呼ばれるパズルボックスを解くと異界から現世に召喚され、対象の人間に究極の快楽を与えるが、セノバイトにとっての快楽は苦痛であると解釈されるため、肉体的拷問《ごうもん》を永遠に受けることになる。

ピンヘッドはフックの付いた鎖を自在に召喚し、操る能力を持ち、対象を捕獲する際や敵対する存在との戦いの際にこれを使用する。

その正体は第二作目『ヘルレイザー2』（トニー・ランデル監督、一九八八年）及び『ヘルレイザー3』（アンソニー・ヒコックス監督、一九九二年）にて明かされる。生前は普通の人間であり、エリオット・スペンサーという名のイギリス陸軍大尉であった。第一次世界大戦で戦い、PTSDを患ったエリオットはルマルシャンの箱を解き、セノバイトたちに拷問されるうちに才能が開花、セノバイトとして生まれ変わる。それがピンヘッドである。

『ヘルレイザー2』では新たにセノバイトとなったカーティスという人物との戦いに敗北し、死亡する。

続編『ヘルレイザー3』ではピンヘッドは「善のスペンサー」「悪のピンヘッド」という二つの側面に分離し、ピンヘッドは世界を地獄と化すことを目的に虐殺の限りを尽くし始める。しかしエリオットとの戦いに敗れ、地獄へ送り返される。

以降もシリーズを代表するキャラクターとして登場する。

原作となったクライヴ・バーカーの小説『ヘルバウンド・ハート』（一九八六年（宮脇孝雄訳、集英社文庫、一九八九年））でも登場するが、名前は記載されておらず、「ピンヘッド」の名前が出てくるのは『ヘルレイザー2』のスタッフクレジットが初出となる。劇中でこの名が呼ばれるのは『ヘルレイザー3』以降である。

この手の映画には珍しく紳士的な性格をしており、偶然ルマルシャンの箱を開けてしまった人物は見逃すなど、無差別に人間を殺すわけではない。

シリーズを通して俳優のダグ・ブラッドレイがピンヘッドを演じていたが、第八作目『ヘルレイザー　ヘルワールド』（リック・ボータ監督、二〇〇五年）を最後にピンヘッド役を降板。以降は作品ごとに別の俳優がピンヘッドを演じている。

フィッシャーマン［ふぃっしゃーまん］

ジム・ギレスピー監督の映画『ラストサマー』（一九九七年）シリーズに登場する不死身の殺人鬼。

漁師が使うスリッカーコートを纏《まと》い、帽子を深く被った男で、右手に持つ鉤爪《かぎづめ》を凶器として振るう。また、なぜか走ることをせず、歩いて標的を追い詰める。

フィッシャーマンは「漁師」を意味し、この殺人鬼の呼び名として使われる。本名はベンジャミン・ウィリス、通称をベン・ウィリスといい、バハマのタワーベイアイランドという島の出身で、漁師をしていた。

しかし妻が浮気したことで彼女を殺害。二人の子どもとともに逃げるが、一九九四年七月四日、独立記念日に今度は娘のスージーと交際していたデビットという男が事故を起こし、スージーは死亡。デビットのみ生き残ってしまう。

ベンは翌年の七月四日、デビットに「去年の夏を忘れない」という脅迫状を送り、デビットを殺害。事故に見せるために死体を海に捨てる。

しかしその帰り、若者四人が乗る自動車

に自身も轢《ひ》かれてしまい、事件を隠蔽《いんぺい》するために海に捨てられてしまう。ところがベンは生きており、復讐のため、翌年の一九九六年の独立記念日、自分を轢いた四人を狙って連続殺人を開始する。

その際に生き残ったジュリーとレイという若者により逆に自分の右手を切断され、海に落ちる。

それでも死ななかったベンは翌年、息子のウィリアム・ベンソンとともにジュリーを故郷であるバハマ旅行に誘い出し、やはり七月四日、ジュリーを殺すため、島の人間を殺害しながら彼女を追い詰める。ベンは去年右腕を切断されたことから、義手として鉤爪をはめ込んでいた。

しかし助けに来たレイにより邪魔され、息子であるウィリアムを誤って殺害してしまい、動揺したところをジュリーによって銃弾を撃ち込まれ、死亡する。

ここまでは『ラストサマー』及び続編『ラストサマー2』（ダニー・キャノン監督、一九九八年）で描かれる出来事であり、この時点ではフィッシャーマンは生身の人間である。

しかし続編の『ラストサマー3』（シルヴァン・ホワイト監督、二〇〇六年）ではフィッシャーマンは毎年七月四日の独立記念日になると現れ、後ろめたい秘密を持った若者を狙って殺人を行う怪人として都市伝説化して伝わっており、実際に怨霊となって現れる。

既に死者であるため生前に比べて肉体が強靭《きょうじん》になっており、包丁で刺されても動じず、ライフルで撃たれてもものともせず、自動車に轢かれても立ち上がる。

終盤で見せたその素顔はベンの死体そのもので、皮膚は灰色に染まってところどころ裂け、右目が白く濁り、唇は黒く染まっている。ただし一作目のラストで切り落とされた右手はなぜか再生しており、一作目と同様に握って使うタイプの鉤爪を凶器とする。

弱点は彼が生前使っていた鉤爪で、これで攻撃すると容易に傷つけることができ、その際は傷口から黒い血を流す。

しかし体をバラバラにされても蘇ることができ、怨霊と化しているためか神出鬼没さは生前よりも増しており、目の前で消えたり現れたりを繰り返す。

モデルになっているのは実際に都市伝説として語られる「鉤手の男」と呼ばれる殺人鬼で、劇中でもこの都市伝説について語られる場面がある。

独立記念日という特定の日に現れる、素顔を隠し、ほとんど見せない、走ることをせず、歩いて移動する、といった要素は七〇年代から八〇年代にかけてのスラッシャー映画に描かれた殺人鬼にしばしば見られる特徴で、それらに対するオマージュが窺える。脚本は九〇年代にスラッシャー映画を復活させたと評され、度々同ジャンルのお約束を風刺するシーンが登場する『スクリーム』（一九九六年）と同じケヴィン・ウィリアムソンによって書かれた。

一作目の原作はロイス・ダンカンの小説『I Know What You Did Last Summer（去年

の夏に何をしたのか知っているぞ)』(一九七三年)だが、この作品にはフィッシャーマンに当たる殺人鬼は登場せず、映画版は一部の要素を残し大幅に設定や物語が変更されている。

浮遊した頭の幽霊

[ふゆうしたあたまのゆうれい]

映画『13ゴースト』(一九六〇年)に登場する幽霊。超常現象を研究していたプラトー・ゾルバが捕獲し、自分の屋敷に集めた一一人の幽霊のうちのひとり。

禿頭《はげあたま》の男の頭が浮遊しているだけの幽霊。生前のことは明らかになっておらず、どうして生首だけの霊になったのかも不明。

プラトー・ゾルバ

[ぷらとー・ぞるば]

映画『13ゴースト』(一九六〇年)に登場する幽霊。

超常現象を研究していた科学者で、世界中を旅して幽霊を捕獲し、自分の屋敷に集めていた。また幽霊を見ることができる特殊な眼鏡を発明し、それを屋敷に残していた。

世界中から一一人の幽霊を集めたが、莫大な財産を持っていたために友人で弁護士のベン・ラッシュによって眠っている間にベッドの天蓋を落とされ、殺害される。図らずも屋敷の中で一二番目の幽霊となってしまったゾルバ博士。彼の屋敷を相続した甥《おい》のサイラス・ゾルバとその家族に対して、ベンが遺産を狙っていることを警告しようとする。

劇中では、ゾルバ博士以外の幽霊は個性的な半透明の姿で登場するが、ゾルバ博士は単に腐った死体のような姿で出現する。

終盤、ゾルバ博士はサイラスの息子、バックを殺害しようとするベンのもとに現れ、自分が殺された天蓋付きのベッドまでベンを追い詰める。そして彼を天蓋で押し潰《つぶ》し、復讐を果たすとともに甥の家族を守ったのだった。

そして屋敷には、一三人目の幽霊としてベンが選ばれ、住みつくこととなったのだ。

このように、オリジナル版ではゾルバ博士は幽霊になりながらも人間性を失わなかった人物として描かれている。一方、リメイク版『13ゴースト』(二〇〇一年)で同様の役割を果たすキャラクター、サイラス・クリティコスは甥のアーサーとその家族を犠牲にして自分の望みを叶えようとする人物として描かれており、ゾルバ博士とは真逆の人物である。そのためサイラスは自分自身で集めた一二人の幽霊に殺され、一三人目の幽霊となる。オリジナル版のゾルバ博士とベンを合わせたキャラクターがサイラスなのだろう。

フランシス・ヴァーニー

[ふらんしす・ゔぁーにー]

ジェームズ・マルコム・ライマーとトーマス・ペケット・パーストの小説『吸血鬼ヴァーニー 血の饗宴《きょうえん》』(一八四七年)に登場する吸血鬼。

物語においてはヴァーニーの過去は複数語られており、もともとはマークデューク・バネスワースという名前の人間であったが、自ら命を絶ち、吸血鬼として蘇り、フランシス・ヴァーニーと名乗るようになったという話がある。また別の話ではモーティマーという人間であったが、自分の息子を殴り殺した罪で、死後吸血鬼ヴァーニーになったという話もある。ヴァーニーに纏《まつ》わる物語は非常に長く、一定しないため、どれが本当なのかは分からない。

その姿は長身で牙を持つ死人のような若い男とされる。何よりも特徴的なのはその不死性で、胸に杭を打たれようが首を吊られようが銃で撃たれようが、月の光を浴びさえすれば復活する。怪力を持ち、人間の体ぐらいであれば簡単に投げ飛ばす。

一五世紀頃から一八世紀に至るまでイギリスに現れたとされ、若い娘の血を好み、多くの犠牲者を出した。

しかし最後は自ら命を絶つため、ヴェスヴィオ山の火口に身を投じる。

この物語は週刊で売られていた安価な小説「ペニードレッドフル」のひとつとして連載され、人気を博した結果、ヴァーニーが命を絶つ一〇九号まで刊行された。

スティーヴン・キング著、ピーター・ヘイニング編、風間賢二訳『ヴァンパイア・コレクション』（角川文庫、一九九九年）によればヴァーニーの人生の物語はしばしば描写の拙劣さを感じさせ、事件同士は連関を欠き、順序立ててさえいないが、これは読者に絶えず流血と血糊《ちのり》を提供しなければならないという、作者のライマーに課された要求のためだろうと推測している。

また同書やマシュー・バンソン編、松田和也訳『吸血鬼の事典』（青土社、一九九四年）によれば、ヴァーニーは文学史上大きな影響を与えた吸血鬼であり、夜な夜な墓場から蘇る不死者のイメージは彼が作り上げたものだという。

また、ヴァーニーは鋭い牙を持つと言及された初めての吸血鬼であり、人間の首に牙を突き立て、二つの穴の噛み跡を残すという吸血鬼の描写もヴァーニーから始まっている。

現在、ヴァーニーの物語の日本語訳は先の『ヴァンパイア・コレクション』に一章分が掲載されているなど、一部の翻訳はあるが、全体の翻訳はまだない。いつか日本語でヴァーニーの活躍を余すところなく読んでみたいものだ。

フレディ・クルーガー ［ふれでぃ・くるーがー］

ウェス・クレイヴン監督の映画『エルム街の悪夢』（一九八四年）をはじめとする『エルム街の悪夢』シリーズに登場する不死身の殺人鬼。

全身が焼け爛《ただ》れた男の幽霊で、赤と緑の横縞のセーターを身に纏《まと》い、茶色の中折れ帽を被っている。またその右手には親指以外に鋭いナイフが付いたグローブを装着しており、通称「ナイフ爪」と呼ばれる。

第一作『エルム街の悪夢』、第三作『エルム街の悪夢3 惨劇の館』（チャック・ラッセル監督、一九八七年)、第六作『エルム街の悪夢 ザ・ファイナルナイトメア』(レイチェル・タラレイ監督、一九九一年)では彼の過去は以下のように語られる。

本名はフレッド・クルーガーで、生前はアメリカのオハイオ州スプリングウッドにあるエルム街という町でボイラー室の管理を職業としていた男だった。表向きは妻と子もいる社交的な人間だったが、子どもをボイラー室に連れ込んでは自作のナイフ爪を使って殺害するという連続殺人事件を起こしていた。また自分の妻も自身の手で殺害している。

この犯行のためフレディは逮捕されるが、逮捕令状が発行されていなかったことから釈放される。しかし子どもを殺された親たちの怒りは収まらず、フレディがボイラー室に帰ったところをエルム街の住人が襲撃。ガソリンをまかれ、火炎瓶を投げ込まれたことで全身に大やけどを負って死亡。しかしその際に三匹の夢魔と契約し、夢の中に現れ人々に恐怖を与え続ける殺人鬼となる。

その出生も悲惨なもので、シスターであった母親、アマンダ・クルーガーが手違いにより精神病院の隔離病棟に閉じ込められ、複数の患者により強姦され、身ごもった子どもだとされる。

フレッドは養子に出されるが、そこで養父に虐待を受け、またその出生から子どもたちにもいじめを受けたため、精神的に大きく歪《ゆが》んでしまう。そして養父を殺害後、子どもたちを狙うようになり、密かに連続殺人を続けていた。これが先述の彼の死に繋《つな》がる。

夢の中に出現する悪霊と化した後は主に一〇代の若者を狙い、殺人を繰り返す。夢の中におけるフレディは基本的に不死身であり、どんな攻撃も意味をなさない。その上夢を自由に操ることができ、ナイフ爪による殺人の他、相手の恐れるものを具現化して見せたり、自身の姿を変化させたりしてじわじわとなぶり殺しにすることを好む。

一方、夢の中で体を掴まれたままその夢を見ている人間が目を覚ますと、フレディも現実に引きずり出されるという性質がある。現実世界では悪夢の世界ほど力を発揮できないが、普通の人間よりは遥かに強い。

その他、第四作目『エルム街の悪夢 ザ・ドリームマスター4 最後の反撃』(レニー・ハーリン監督、一九八八年)では鏡を見ることが弱点とされている。また『13日の金曜日シリーズ』とのクロスオーバー作品『フレディvsジェイソン』(二〇〇三年)では炎で殺されたことから炎が弱点ではないかと登場人物の口から語られる場面があるが、本作では爆発に巻き込まれたフレディがその後も普通に行動している。

また意図的に現実世界に出現する場合もあり、第二作『エルム街の悪夢 フレディの復讐』(ジャック・ショルダー監督、一九八五年)ではジェシーという少年の体を乗っ取って現実世界に現れ、虐殺を行っている。

また幾度倒されても復活し、エルム街の住人を襲い続ける不死性を持ち、人々が彼に対する恐怖を抱く限りは消えることがない。一方、その性質のため、人々から忘れ去られることを最大の弱点としており、彼のことを覚えている人間が減れば減るほど満足に力を使うことができなくなる。このため、『フレディvsジェイソン』ではもうひとりの連続殺人鬼**ジェイソン・ボーヒーズ**をエルム街に送り込むことで自分の存在を思い出させようとした。

シリーズの番外編に当たる第七作『エルム街の悪夢 ザ・リアルナイトメア』（ウェス・クレイヴン監督、一九九四年）では実際に映画『エルム街の悪夢』の悪夢が公開された現実世界が舞台となっており、一作目の出演者やスタッフが本人役で登場する。そして現実世界に浸食してきたフレディとの戦いが描かれる。この作品のフレディは今までとデザインが変わっており、体表は皮膚が剝《は》がれて肉や骨が剝《む》き出しになったようになっており、ナイフ爪はグローブではなくなり、右手の五本の指から直接爪のように生えている。

次作の『フレディvsジェイソン』は『エルム街の悪夢 ザ・リアルナイトメア』の続きではなく、第六作の『エルム街の悪夢 ザ・ファイナルナイトメア』の続編となっており、先述のようにジェイソンを利用するために彼の夢に入り込み、母親であるパメラ・ボーヒーズに化けて復活させる。しかし制御が効かないジェイソンに獲物を横取りされるようになり、ジェイソンを始末するためにジェイソンに鎮静剤を打ち込み、その夢の中に入り込み、彼と戦うことになる。

不死身の殺人鬼同士の戦いであるため、夢の中でも死ぬ兆《きざ》しを見せないジェイソンであったが、フレディはジェイソンの過去を見抜き、彼が子どもであった頃に溺死《できし》しかけた経験を利用してその悪夢を見せる。それによって夢の中で子ども時代に戻ったジェイソンを殺害しようとするが、人間たちによって妨害された上、現実世界に引きずり出される。そして『13日の金曜日』シリーズの舞台であるクリスタルレイクでジェイソンと戦うことになる。この戦いでは現実世界にいながらフレディもジェイソンに負けず劣らずの不死性を発揮している。

シリーズでは『フレディvsジェイソン』から『エルム街の悪夢』に至るまで八作品でロバート・イングランドがフレディを演じている。当初はシリアスでほとんど遊び心のない冷徹な殺人鬼であったフレディは、作品を追うごとにコミカルなキャラクターに変わっていったが、どのフレディもロバートの演技が冴えわたる。またシリーズが進むごとに悪夢の世界で見せるフレディの能力も派手になっていき、それを表現する特撮も見どころとなった。

二〇一〇年には第一作目のリメイク版として『エルム街の悪夢』（サミュエル・ベイヤー監督）が公開。本作ではジャッキー・アール・ヘイリーがフレディを演じた。またフレディの設定も、生前幼稚園の住み込み用務員をしていたなど、一部変わっている。

ママ［まま］（『MAMA』）

アンディ・ムスキエティ監督の映画『MAMA』（二〇一三年）に登場する幽霊。

アメリカのバージニア州の山深くにある山小屋に女性の幽霊が棲みついていた。そこに、妻を殺害し、逃亡中であったジェフリーという男が迷い込んでくる。男は、ヴィクトリアとリリーという二人の娘を連れており、そこで彼女たちをも殺害しようとする。その様子を見ていた女性の幽霊が逆にジェフリーを殺害し、残った二人の姉妹を育てるというストーリー。

女性の幽霊は姉妹から親しみを込めて「ママ」と呼ばれており、彼女たちにサクランボを与えたり、山犬から守るなどして親代わりになっていた。しかし五年後、この姉妹が発見され、ジェフリーの弟のルーカスの家に引き取られたことで彼女らを追ってルーカスの家に出現するようになる。

その正体はかつてバージニア州のクリストン・ゴージにあった精神病院に入院していたイーディス・ブレナンという女性であった。赤子を生んだものの、取り上げられたために赤子の世話をしていたシスターを殺害し、逃亡。しかし追ってきた人々から逃げるうちに崖に追い詰められ、子を抱いたまま湖に身を投げた。

この際、赤子は途中に突き出ていた木に引っかかり、死亡した。しかしイーディスはそのまま湖に落ちて死亡したことで赤子を見失い、怨霊と化して赤子を探して森をさまよっていた。

その経歴ゆえか、自分の子どもとして育てていたヴィクトリアとリリーに対する執着は凄《すさ》まじく、姉妹に近付く人間には容赦なく攻撃を加え、時には殺害する。一方、姉妹のお願いは聞くようで、彼女たちと殺さないと約束した人間は最後まで殺害しなかった。

また、山小屋と二人の住むルーカスの家を繋《つな》げることができるようで、姉妹の部屋のクローゼットの内側と山小屋を行き来していた。また、出現する際には壁に黒い染みのようなものが広がり、そこから蛾《が》が現れる描写が見られる。

多彩な能力を持ち、夢を通して自分の過去を見せる、生きている人間に乗り移る、空中を浮遊して移動する、髪の毛の状態になって地面を滑るように動く、異様な高速で走るといった様子が見られた。

その容貌は痩《や》せ細り、ミイラのように干からびており、湖の中で死んだためか、髪の毛は常に水中にいるように空中を漂っている。また関節を奇妙な方向に曲げて異様な動きをし、壁や天井を這《は》う様子も見せる。

ママを演じたのはその長身と痩躯《そうく》を生か

し、様々な作品で怪物役を演じているハビエル・ボテットという男性の俳優である。彼の演じる奇怪なママの姿だけでも一見の価値がある作品となっている。

また、この映画のもとになったのは映画の監督でもあるアンディ・ムスキエティ監督が作った三分に満たないショートフィルムで、これがギレルモ・デル・トロの目に留まり、彼を製作総指揮として長編映画化されたという経緯がある。

このショートフィルムでは姉妹がママに追われる場面が描かれており、ほぼ同様のシーンが映画の終盤にも登場する。

マリア・ザレスカ ［まりあ・ざれすか］

映画『女ドラキュラ』（一九三六年）に登場する吸血鬼。**ドラキュラ**の娘であり、吸血衝動に悩む女性として描かれる。

前作で倒された父親の遺体を焼いたマリアは、ヘルシング教授の弟子であるジェフリー・ガースと恋に落ち、彼に自分の体質を治療してもらうことを望む。しかし吸血衝動に勝てず若い娘を犠牲にしてしまったことで、吸血鬼である自分を治すことはできないと諦め、ガースを自身の生家であるトランシルヴァニアの城へ誘い込むため、彼の婚約者を連れ去る。そして吸血鬼となって自分の永遠の伴侶《はんりょ》になることをガースに望み、ガースも婚約者の命と引き換えにそれを受け入れる。

しかしマリアがガースを吸血鬼にしようとしたその時、彼女に仕えていたサンドールという男が「自分に永遠の命を与える」という約束をマリアが破ったことに怒り、その心臓を矢で貫く。

これにより、マリアはトランシルヴァニアの城で永遠の命を失うことになった。

水沼美々子 ［みずぬまみみこ］

秋元康の小説『着信アリ』（二〇〇三年）及び三池崇史監督の映画『着信アリ』（二〇〇四年）を始めとした一連のシリーズに登場する怨霊。

見た目は小学校高学年ほどの少女の姿であり、携帯電話を通じて人間を殺害する。

美々子は被害者となる人間の携帯電話に、被害者が死ぬ直前に発する音声を「死の予告電話」として留守電メッセージに残す。その際、着信履歴にはその被害者が死ぬことになる未来の日時が表示され、その日時が訪れると被害者は留守番電話に記録された通りに行動し、死ぬことになる。死の予告はメールでされる場合もあり、その際には死ぬ際の写真や動画が添付されて送られてくる。

一度狙った人間に執着する傾向があり、例え携帯を捨てたり、別の携帯電話を使ってもその携帯電話に着信が入る。また、被害者が苦しむことを好むのか、被害者は殺害される際、普通なら即死するような怪我を負ってもしばらくの間生き続け、苦痛を長く味わってから死ぬことが多い。

さらに死の予告電話やメールは被害者の携帯電話に登録されている人間に伝染し、

次々と犠牲者を増やしていく。この着信があった際にはどんな携帯電話であっても同じ不気味な着信メロディが流れる。また被害者の死体の口からは同じ赤い飴玉《あめだま》が発見される。

美々子の正体は一〇歳の頃に小児喘息《ぜんそく》の発作で死んだ少女で、他者を熱心に看病することで周囲から得られる同情や称賛を快感に感じる「代理ミュンヒハウゼン症候群」という精神疾患を患っていた。この疾患のために妹である菜々子を包丁で傷つけ、看病するという行動を繰り返しており、その際に「病院に連れて行ってあげる……」という言葉を発し、早くよくなるように、と赤い飴を与えていた。これらの行動は死後、美々子が怨霊と化した後の行動に繋《つな》がっている。

美々子が怨霊と化したのはある時、菜々子を包丁で傷つけていたところを母親のマリエに目撃され、マリエが菜々子を病院に連れて行こうと抱き上げた際に喘息の発作を起こすも、マリエに見捨てられてそのまま死亡したことによる。

美々子は怨霊となって様々な能力を会得した。特によく使われるのは念力で、人間を吹き飛ばす、体を捻《ね》じ曲げたり、へし折る、物体を動かし、犠牲者に危害を加えるなどの使用方法が見られる。

他者に変身することもでき、犠牲者の身近な人物の姿を装って近づき、油断したところを殺害する。その際には包丁を凶器として使うことが多い。また、変身した場合は鏡やカメラなどに映ると正体がばれることもある。

姿を現して物理的に被害者を襲う場合もあり、その際も生前と同じように好んで包丁を使用する。また生前使用していた喘息薬を使う時の呼吸器の音が彼女の出現の前兆となることも多い。

生身の体を持たないためか、瞬間的に別の場所に移動するなどして相手を追い詰める。他にも腕や髪など体の一部を出現させる場合もあり、その場合も念力などの能力を駆使して相手を殺害する。

死体や死者の魂を操る能力も有し、自分で殺害した母親の死体を操ったり、魂を使役して犠牲者のもとに送り込み、殺害するなどしていた。また、他にも殺した人間の死体を操り、その死者に近しい人間のもとに送り込むことで次の犠牲者となるその人間を精神的に追い詰めるなどしている。

虐待やいじめを受けていた人間は美々子と同調する場合があり、『着信アリ』の主人公、中村由美や『着信アリＦｉｎａｌ』の主人公、松田明日香は美々子に利用されて殺人を犯している。

『着信アリ2』では、その出生として母親の水沼マリエが家に押し入ってきた男に強姦された末に生まれたと語られている。

また、この作品ではリー・リィという台湾人の少女が怨霊として登場するが、美々子もまた彼女によって殺害された被害者であることが示唆されている。しかしリー・リィとの関係はあまり詳しく示されないため、よく分からない状態になっている。

美々子に狙われた者の携帯電話から着信

メロディとして流れる音楽は「死の着信メロディ」と呼ばれ、彼女を象徴する楽曲ともなっている。なお、この音楽のもとになったのは美々子が生前好きだった子供番組に流れていた音楽で、もともとの曲名は『I LOVE MOM』であり、歌詞も存在する。

母親に見捨てられ、命を絶たれた美々子がこの曲を死の象徴として使うのはかなりの皮肉である。

最終作『着信アリ Final』（麻生学監督、二〇〇六年）においては、いじめを苦にして自殺未遂をした明日香という少女のパソコンに侵入し、彼女の恨みを利用して明日香のクラスメイトたちを次々と殺害していた。この際は電話ではなくメールを主に使用し、転送すれば死を回避できるが、転送された側は再びメールを転送できないという底意地の悪いルールを設定し、修学旅行中のクラスメイトたちを阿鼻叫喚《あびきょうかん》の地獄に突き落とす。

しかし明日香が昏睡状態から目覚めたことで美々子の支配を脱し、友人であるえみりとともに人々に呼びかけ、使用していた明日香のメールに無数のメールを一斉送信することでパソコンがフリーズ、美々子が入っていた影響か爆発し、美々子の呪いは終わったかに思われた。だが実際には呪いは終わらず、えみりの身代わりとなって彼女に来たメールを自分に転送した恋人を殺害し、物語は終了している。

美々子の悪質さはJホラーの幽霊たちの中でも突出している。人から人へ呪いが伝染するという、『リング』シリーズの**山村貞子**にも取り入れられた要素は、古くは不幸の手紙と呼ばれるものに見いだされる。

同じ文面の手紙を一定人数以上の人間に送らなければ不幸が訪れる、という手紙だが、これは後に同じ話を一定人数にしなければ悪霊が訪れ、体の一部を奪われるなどと語られた「カシマさん」、「テケテケ」、「サッちゃん」といった怪談に派生した。これらの怪談の場合、先述したように同じ話を一定人数にすることが回避方法のひとつになっており、貞子の場合もビデオのダビングや他の記録媒体に情報を移すことで呪いを回避できるようになっている。

しかし美々子の場合、携帯電話の電話帳の情報を使って勝手に呪いを連鎖させるため、前述のような方法によっては呪いの連鎖を回避することができない、よりたちの悪いものとなっている。

また『着信アリ Final』では転送による死の回避が追加されたものの、二度目の転送ができないというルールにより人間関係を崩壊させるという別の意味でたちの悪いことをしている。

無念の王子 ［むねんのおうじ］

映画『13ゴースト』（二〇〇一年）に登場する幽霊。

悪魔が設計し、死者によって動力を与えられるバシレウスの機械を稼働させるため、サイラス・クリティコスによって捕らえられた一二人の幽霊のひとり。

本名はロイス・クレイトン。一九四〇年

に生まれ、一七歳の頃には野球界の期待の星になるほど野球の才能を持っていた。

　しかしドラッグレースに参加して操縦を誤り、事故で車が燃え上がったため、焼死。

　死後は顔の右側が焼け爛《ただ》れたスタジアムジャンパーを着た若者の幽霊として現れ、バットを武器に生者を襲う。

燃える骸骨の幽霊 ［もえるがいこつのゆうれい］

　映画『13ゴースト』（一九六〇年）に登場する幽霊。

　超常現象を研究していたプラトー・ゾルバが捕獲し、自分の屋敷に集めた一一人の幽霊のうちのひとり。

　骸骨がそのまま燃えているような姿をしており、ゾルバ博士の屋敷の地下に出現した。

　特に人間に危害を加えることもなく、なんらかの形で焼け死んだことが想像されるのみであり、生前のことは明らかにされていない。

山村貞子 ［やまむらさだこ］

　鈴木光司の小説『リング』をはじめとするシリーズや、その映画化である『リング』（中田秀夫監督、一九九八年）以降の『リング』シリーズに登場する幽霊。

　小説版と映画版ではかなり設定が異なるため、まず小説版の貞子について記述する。

　『リング』（角川ホラー文庫、一九九一年）とその続編『らせん』（同、一九九五年）、貞子の過去を描いた番外編『バースデイ』（同、一九九九年）によれば、貞子は一九四七年、伊豆大島に生まれたとされる。母親の山村志津子は超能力を持っていたが、マスコミに超能力実験はインチキであると批判され、三原山の火口に身を投げて自殺。しかしその能力は貞子にも受け継がれており、一八歳の頃に東京の四谷に所在する劇団に入団して女優となるも、様々な怪現象を起こした末に退団。その後、結核を患った父親が入院した箱根の療養所で、父の主治医である長尾城太郎に強姦された末、井戸に落とされて殺害される。

　生前の貞子は大変な美人であったが、あまり人と関わろうとしなかったという。長い黒髪を伸ばしていたとも語られている。また半陰陽者であったとされる。

　彼女を殺した長尾が天然痘《てんねんとう》に感染していたことで、貞子もまた強姦の際に天然痘に感染している。このため、貞子の怨念が人類に根絶させられ、人類を恨む天然痘の怨念と混ざり合い、リングウイルスという新たなウイルスが誕生する。このウイルスは天然痘ウイルスに似ているが、通常のウイルスとはまったく異なった性質を持つ。

具体的には貞子の怨念が念写されたビデオテープを見た人間に感染し、一週間後の同時刻にその人間の心臓周辺の冠状動脈に肉腫を発生させ心筋梗塞《しんきんこうそく》を誘発する。これによりビデオを見た人間は即死してしまう。

呪いを解く方法もあり、ビデオをダビングして他の人間に見せる、つまりウイルスの増殖に手を貸すことが条件となる。ビデオの内容は貞子の故郷である伊豆大島の三原山の様子、超能力についての映像、伊豆大島の古い方言で語られるメッセージ、超能力実験を非難する人々の様子、生まれたばかりの赤子、貞子が殺害される間際に見た光景などが映されており、最後に、映像を見た者は一週間後に死ぬ。死にたくなければビデオをダビングし、まだ見ていない他者に見せろ、という旨のメッセージが入っていたという。

しかし作中ではこのビデオにいたずらで上書きした者が現れ、最後の警告が消えたビデオが生まれることになる。これによりリングウイルスは突然変異を起こし、呪いから逃れる方法は「ビデオのダビング」ではなく、ビデオの情報を別の媒体に転換することとなった。

このためビデオの情報を雑誌記事や小説に記した人間は貞子の呪いから逃れることができた代償に、出版という形式により多くの人間が貞子の呪いに罹患《りかん》することになる。

『らせん』ではこのリングウイルスに感染した場合、増殖に手を貸せば死は免《まぬが》れるものの、リング状の形をしたリングウイルスが精子のような姿に変形し、男性であれば脳に侵入して増殖したリングウイルスが貞子についての文章を書かせ、女性であればウイルスが子宮に侵入し、受精して胎内で貞子を再生させる。出産までにかかる期間はわずか一週間であるとされる。

生まれた貞子は生前の記憶を持っており、やはり一週間で成人まで成長する。さらに半陰陽者として自己増殖能力を持っているため、自分自身で妊娠、出産して増殖する。これにより貞子は全世界の人類を殲《せん》滅《めつ》し、貞子のみの世界にしてしまう。

そして『ループ』（同、一九九八年）ではこの貞子が増殖した世界が実は環境シミュレーター上で作り上げられた仮想世界「ループ」であったことが明かされるが、貞子は現実世界にも浸食し始める。現実世界へと持ち込まれたリングウイルスは転移性ヒトガンウイルスへと変異し、現実世界でも人間に感染し、殺害するようになる。しかしループから現実世界に移行した高山竜司がこれを撲滅《ぼくめつ》すべく行動する。彼は現実世界に移行する際、リングウイルスのキャリアだったためにウイルスを現実に持ち込んでしまった張本人であったが、そのためにウイルスに対する抗体も持っていた。

現実世界では二見馨という人物として生活していた彼は、ウイルスが蔓延する前の時間軸のループの中に戻り、ワクチンを作成してリングウイルスを無効化した。これにより貞子の怨念に終止符が打たれることになる。

このように小説版では単なる怨霊ではな

く、仮想現実の中に出現したウイルスでもあった貞子だが、映画版では『ループ』の設定には触れられず、恐るべき怨霊として描かれている。

　映画においては第一作『リング』（一九九八年）は基本的に原作の設定をなぞるが、ビデオに「呪いのビデオ」という呼称が与えられており、その内容も非常に不気味なものになっている。

　続編『リング2』（中田秀夫監督、一九九九年）や貞子の過去を描いた『リング0　バースデイ』（鶴田法男監督、二〇〇〇年）では貞子は井戸に落とされてから三〇年にわたり生き続けていたという人間離れした設定が追加され、その出生も母親の志津子が海から来た魔物に犯されたことで生まれたものと示唆されている。

　『リング0　バースデイ』によれば、この貞子は生前、普通の人間としての貞子と化け物としての貞子の二人に分離したとされる。人間の貞子は母親、つまり志津子に似ているが、化け物の貞子は父親、つまり海から来た魔物に似ていると語られている。

　化け物の貞子は生家の二階に監禁されていた。人間の貞子は一八歳になった頃、入団した劇団の劇団員にリンチされて死亡。その後、劇団員はもう一人の貞子を殺すために貞子の実家がある伊豆に向かうが、ここで蘇生した人間の貞子と化け物の貞子が融合する。そしてひとつになった貞子は怪物と化して劇団員を殺害した後、父親として彼女を育てていた伊熊平八郎によって井戸に落とされる。そして三〇年後、呪いのビデオを介して人々を呪う怨霊と化した。

　映画版で特筆すべきなのは原作では登場しなかった怨霊としての貞子が登場する点で、『リング』のラストでテレビから這《は》い出して来て、犠牲者を睨《にら》みつける貞子の描写は映画オリジナルである。現在ではこの描写は貞子を象徴するものとして扱われている。

　『リング2』の続編としては最新作である『貞子』（中田秀夫監督、二〇一九年）があり、ここでは貞子が少女の体を乗っ取って現世に帰還しようとする姿が描かれている。

　また『リング』と同時公開となった『らせん』（飯田譲治監督、一九九八年）では原作と同様貞子が高野舞という女性の子宮を利用して復活するが、貞子本人ではなく舞の姿を借りて現世に蘇る姿が描かれている。

　こちらの続編は『貞子3D』（英勉監督、二〇一二年）で描かれており、続編の『貞子3D2』（同監督、二〇一三年）も作られた。

　本作では、連続殺人鬼の柏田清司を利用し、インターネットに流れる呪いの動画を作らせ、この動画を通して出現したり、柏田に殺させた女たちをクモのような化け物に変貌させ、使役するなど今までとは異なる能力が描かれている。

　また『呪怨』シリーズとのクロスオーバー作品『貞子vs伽椰子《かやこ》』（二〇一六年）では今までとは別の世界観の貞子として登場。この作品における貞子は都市伝説の「呪いのビデオ」が具現化した存在のように描かれており、呪いのビデオを見た人間のもとに二日後に現れて殺害する霊として登場する。またビデオを見てから二日以内に自殺しようとした場合にも出現し、直接その人間を殺害する。

本作での伽椰子との戦いでは、まずテレビの中から髪の毛を伸ばして伽椰子の息子、俊雄をテレビの中に引きずり込み、その後画面を通して現実世界に出現した。そこで伽椰子と遭遇し、家の奥へと引きずり込まれるが、逆に伽椰子の体に頭髪を巻きつけ、睨みつけることでその体を四散させる。

しかしすぐに復活した伽椰子に呪いのビデオを砕かれるなど、怨霊同士の終わりのない戦いが展開される。最後は伽椰子とぶつかり合って融合し、新たな怪物サダカヤと化した。

ら

ライオンの幽霊 ［らいおんのゆうれい］

映画『13ゴースト』（一九六〇年）に登場する幽霊。

超常現象を研究していたプラトー・ゾルバが捕獲し、自分の屋敷に集めた一一人の幽霊のうちの一匹。

アメリカのニューヨークのサーカスで飼われていたライオン。サーカスでは調教師の**シャドラック**がこのライオンの口の中に頭を入れる、という芸を見せていた。しかしある時、ライオンはシャドラックの頭を噛んでしまい、それが原因でシャドラックは死亡する。

その後、殺されたのか寿命になったのかは分からないが、死亡して幽霊となり、シャドラックの霊とともにゾルバ博士の屋敷に捕らえられた。

劇中では屋敷に越してきた少年バックの目の前に出現。吠えかけるなどしたものの、攻撃することはなかった。またシャドラックの霊とともに芸を見せる場面もあった。

一二人登場する幽霊のうち、ほとんどが顔見せ程度で終わるこの映画において、かなりの時間を割いて登場する幽霊。本物のライオンの映像を加工し、半透明にした映像によって描写されている。

ライラ ［らいら］

スティーヴ・セクリー監督の映画『死体に殺された男』（一九四三年）に登場するゾンビ。

マックス・ハインリッヒ・フォン・アッルターマンという科学者の妻であったが、

ナチス勝利のためにゾンビ兵士を作ろうとする夫によって実験台にされ、ゾンビと化してしまった女性。

　命令に従順に従うはずだったライラであったが、やがて自分の意思を持ち始め、自分をゾンビに変えた夫に復讐すべく、他のゾンビたちを扇動する。

　そして最後は自らマックスに摑みかかり、ともに流砂に沈んだことで復讐を遂げるのだった。

『死体に殺された男』はジーン・ヤーブロー監督の映画『死霊が漂う孤島』（一九四一年）の続編にあたる作品だが、ストーリーは繋《つな》がっていない。

　この映画ではライラというゾンビが確固たるキャラクターを持って登場するのが面白い。有象無象の動く死体の一部ではなく、自ら復讐の意思を持って夫であるマックスを狙うのだ。

ルスヴン卿 ［るすゔんきょう］

　ジョン・ポリドリの小説『吸血鬼』（一八一九年、国書刊行会『書物の王国12 吸血鬼』他収録）に登場する吸血鬼。イギリスのロンドンの社交界に現れる整った顔立ちをした男として描かれる。

　その容貌は灰色の目に、頬は鈍色をしており重く淀《よど》んでいる。作中では人間オーブレーとともに欧州を旅をする中でその吸血鬼としての正体を現す。

　人間を超える怪力を持ち、物語中では銃弾を受けて倒れるも月光を浴びることで蘇生している。またナイフを始めとした武器一式を所持していたと描写されていることから、武器の扱いにも精通していたのかもしれない。

　巧みな話術や誓わせた事柄を決して破らせない催眠術のような力を使い、善人を破滅に追い込むことを厭《いと》わない冷酷な性格。またオーブレーに対しては、恋人や妹をその手に掛け殺すなど執着しているような様子も窺える。

　このルスヴンの貴族的な装いは後の吸血鬼像に大きな影響を与えた。

　もともと『吸血鬼』は一八一六年、ポリドリが専属医として仕えていた詩人のジョージ・ゴートン・バイロンとともに、バイロンが借りていたスイスのレマン湖畔の別荘に赴いた際、そこに集まった他の三人の男女とともにそれぞれが創作した怪奇譚《かいきたん》を披露した「ディオダティ荘の怪奇談義」において生まれたという。

　この怪奇談義にはメアリー・ゴドウィン（後のメアリー・シェリー）も参加していた。

　この集まりでバイロンは吸血鬼の小説を記したが、未完のまま終わり、後に『断章』（もしくは『断片』）という題名で発表された（**オーガスタス・ダーヴェル**の項目参照）。

　ポリドリはこのバイロンが書いた小説を膨らませ、『吸血鬼』を書いたという。またバイロンその人がルスヴンのモデルになっているという説もある。

そして先述したメアリー・ゴドウィンもまたこの怪奇談義にて一遍の小説を途中まで書いており、後にこれを長編として完成させたのが『フランケンシュタイン あるいは現代のプロメテウス』（芹澤恵訳、新潮文庫『フランケンシュタイン』他、**フランケンシュタインの怪物**の項目参照）であった。

この一夜のうちに後に多くの文学、そして映画に多大な影響を与えることとなる傑作がふたつ生まれたのだ。

column 04

怪物が生まれるとき2

超常的な存在として怪物たちが登場する場合もあります。ブラム・ストーカーの小説『吸血鬼ドラキュラ』をはじめとして数多《あまた》の作品に登場する吸血鬼たちは、元となった民間伝承と同じく死者が蘇ったものとして設定される場合が多くあります。

死者が蘇ったといえば、生ける屍《しかばね》の代表的存在、ゾンビに関してはジョージ・A・ロメロ監督の映画『ナイト・オブ・ザ・リビングデッド』以降、人肉を貪《むさぼ》る怪物としての性質が定着しました。

幽霊なども古くから世界中に伝わっていますが、小説や映画では様々な属性を得て死者でありながら元気に活躍しています。

この他、悪魔や魔物、妖怪など昔から伝わるものたちが現在の創作に登場することも珍しくありません。

さらに、人間は宇宙にも想像を膨らませました。H・G・ウェルズの小説『宇宙戦争』では地球を侵略する火星人の姿が描かれ、以降のSF作品に多大な影響を与えました。またリドリー・スコット監督の映画『エイリアン』など、宇宙を舞台に地球外の怪物に襲われる物語もたくさんあります。

そして、人は機械などの人工物にも空想を託します。

「ロボット」という言葉が生まれたカレル・チャペックの戯曲『R.U.R.』では人に作られ、人に反乱するロボットたちの姿が描かれましたが、イアンド・バインダーの小説『ロボット市民』などでは人とともに生きようとするロボットの姿が描かれました。

このように、人間が空想する怪物たちには様々なものがあり、今後も増えていくことでしょう。これからの時代、今度はどのような生まれ方をする怪物が見られるのか、楽しみです。

五十音順索引

この索引は、本書収録の全怪異・怪物を五十音順に配列したものである。

あ

い

う

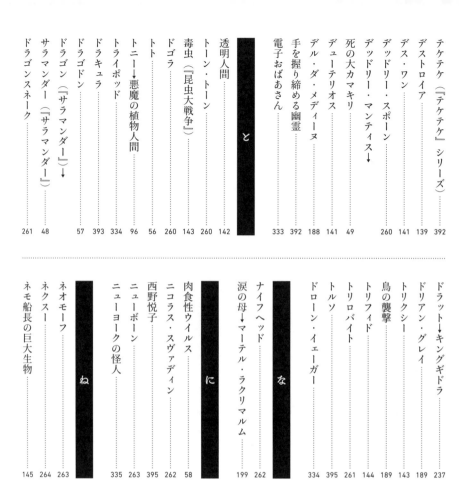

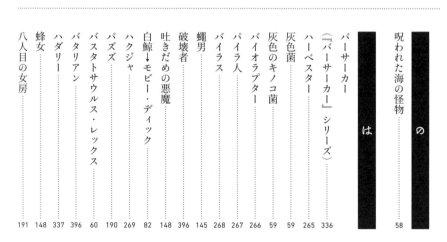

五十音順
分類別
国別

る

れ

ろ

わ

分類別索引

この索引は、本書収録の全項目を分類別に配列したものである。
見出しは五十音順に配列した。
複数該当するものは重複して掲載している。

悪魔

▼作中の設定で悪魔とされるもの。

悪霊

▼霊的な存在のうち、人間に対してなんらかの悪事を働き、かつ人間の死者の霊以外の要素を持つもの。

アリ

アンドロイド・ガイノイド

▼機械や生体部品によって作られたもののうち、人間に限りなく近づけて作られたもの。出典で「ロボット」と表記される場合でも、この特徴に当てはまる場合はここに分類。

イカ

イグアナ

生ける屍

▼死者であるにもかかわらず死体が動き出すもの。吸血鬼、ゾンビ、ミイラについては個別に分類。

異次元生物

▼三次元ではない別の次元出身の生物。

怪物

▼特殊な能力、形質を持つもののうち、他に分類させることが難しいもの。

怪物（その他）

▼既存の生物の何にも当てはめられない性質や形状を持った存在。

カエル

科学的実験による変異

▼人間や地球外生命体が意図的に生物を変異させたもの。偶発的な変異は「突然変異」に分類。

架空キャラクターの具現化

▼作中で架空のキャラクターとされているものが、なんらかの理由により実体化するもの。

風

▼自然現象であるはずの風が意思を持つなどしたもの。

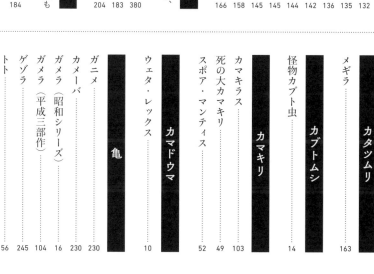

カタツムリ

カブトムシ

カマキリ

カマドウマ

亀

寄生生物

▼人間やその他の生物に寄生する生態を持つ生物を分類。

吸血鬼

▼吸血鬼と呼ばれる存在、もしくはそれ以外の吸血を行う怪物を分類。

恐竜

▼作中の設定で恐竜とされているもの。現実で発見されていない架空の生物であっても、恐竜とされている場合はここに含む。

巨人

▼人間と類似した姿をしていながら、明らかに人間よりも巨大な存在。

魚類（その他）

▼魚類の一種とされているが、実在する魚類のどれにも当てはまらない、もしくは作中でどの魚類か明かされないもの。

金属生命体

▼体が金属でできている生命体。

菌類

▼キノコ・カビなど、劇中・設定で菌類の一種とされているもの。架空の生物を含む。

鯨

熊

クモ

クラゲ

ゴキブリ

古代生物

▼古代に棲息していた、もしくは古代から現代まで生き残っていた生物。「恐竜」「翼竜」については別個分類。

細菌・ウイルス

▼劇中・設定で細菌やウイルスとされているもの。またそれらを発生させたり、保持している存在。

サイボーグ

▼生物に機械のパーツが付いたもの。

サソリ

殺人マシン

▼人工的に造られた機械類のうち、人間を殺害することを目的として行動するもの。

サメ

思考具現化

▼なんらかの理由により、人間の思考が物理的な形になって出現したり、再現されたりするもの。

自動車

▼なんらかの理由により自動車が怪物化したもの。

邪神・悪神

▼人類に危害を加える存在であり、神として伝わっていたと設定されているもの。

シャチ

植物

▼植物としての性質を持つ存在。

人工知能

▼作中の設定で人工知能（AI）を搭載されたとされる機械類。

神獣

▼作中の設定で神獣とされているもの。

人造生物

▼なんらかの理由により人間や地球外生命体が意図的に生物を創造したもの。兵器として造られた場合は「生物兵器」に分類。

人造人間

▼人工的に造られた人間。人間の一部を使う、生前の姿を再現しているなど元となる人間がいる場合は「アンドロイド・ガイノイド」ではなくこちらに分類する。

人狼

▼狼男、狼女全般。

生物兵器

▼人工的に造られた生物のうち、兵器としての運用を目的としたもの。

蠕虫（ワーム）

ゾンビ

▼人間の肉体が死後蘇るもの。また死体でなくても作品のジャンルとしてゾンビに分類されるものもここに分類。

タコ

祟り・呪い

▼なんらかの怨恨を理由として、超自然的な力により個人を対象として行われる攻撃。

卵

▼生物の幼体が入っているもののうち、それ自体が独立した生物として機能しているもの。

地球外生命体のマシン・ロボ

▼機械によって造られた存在のうち、地球の人間ではなく、地球外の知的生命体によって製造されたもの。

地球外の怪物

▼地球外生命体のうち、高い知能を持たない存在。

地底生物

▼なんらかの形で地底に棲息する生物。

トカゲ

突然変異

▼放射線や薬品などにより、偶発的に科学的変異が起きた生物。意図的に変異させる場合は「科学的実験による変異」に分類。

五十音順
分類別
国別

妖怪

▼超自然的な存在のうち、日本・中国など東アジアで語られる存在。

翼竜

▼作中の設定で翼竜とされているもの。現実で発見されていない架空の生物であっても、翼竜とされている場合はここに含む。

類人猿

▼猿、ゴリラ、チンパンジーなど、類人猿が変異した存在であったり、容貌が類人猿に似ているもの。

ロボット

▼独立して動く機械であり、人間に似せることを意図されていないもの。人間に酷似させている場合は「アンドロイド・ガイノイド」に分類。

ワニ

国別索引

この索引は、本書収録の全項目を製作・発行国別に配列したものである。見出しは五十音順に配列した。複数国合同で製作された映画などは重複して掲載している。

アイルランド

アメリカ

イギリス

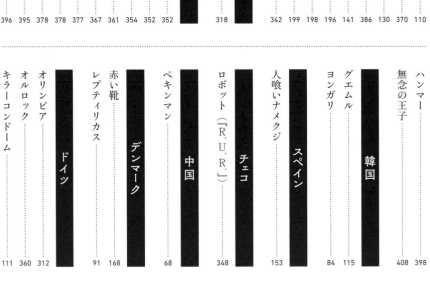

日本

フランス

ポーランド

メキシコ

ロシア（ソ連）

おわりに

afterword

まずは本書を手に取っていただきありがとうございました。

多種多様な怪異・怪物たちの饗宴《きょうえん》、いかがだったでしょうか。私の好きなものを集めた本のようになってしまいましたが、楽しんでいただけたのであれば、筆者としてはとても光栄です。

この本を読まれた方の多くは、ここに収録したような異形のものたちに興味がある方だと思いますが、もちろん私もそのひとりです。

遡《さかのぼ》ればまだ記憶も曖昧《あいまい》な頃から、私は妖怪や怪獣、怪物といった、不思議で異形なものたちが好きでした。

三歳ぐらいの頃には平成ＶＳシリーズのゴジラを観て怪獣に憧れ、テレビやビデオではウルトラシリーズや仮面ライダーシリーズを観て多くの怪獣・怪人に親しみ、その名前や姿を必死に覚えました。

同時期には『エイリアン３』を観て、エイリアンのデザインの素晴らしさに感動したものです。これはテレビで放映していたものを録画して繰り返し観ました。

また、恐竜が好きだったこともあり、『ジュラシック・パーク』は何度も観返した思い出があります。

多くの場合、こういった趣味は成長するにつれて卒業するものと思われますが、私はそんなことはありませんでした。

むしろ成長して世界が広がるにつれ、自分の知らないたくさんの怪物たちがいることを知り、より夢中になっていきました。彼らは現実にはいないとしても、そこには空想とロマンが確かにあったのです。

怪物たちは様々な場所で描かれていました。

自分が生まれるよりもずっと前の文学や映画作品に登場するものもいれば、ゲームやテレビ、漫画などに登場するものもいました。

そして次々と作られる新たな作品にも、怪物たちは描かれていました。

この世界は怪物たちに満ちている、そんな幸せを享受しながら、私は今も日々新たな作品との出会いを求めています。彼らは幼い頃から私とともに時を過ごしてくれた、ある意味で友人のような存在です。

この本は、そんな人生を過ごしてきた私が今まで出会ってきた友人たちを紹介する本となりました。

もちろん全てを紹介できたわけではありませんし、私が知らない怪物もこの世界にはたくさんいることでしょう。

それでも、本書を読んでくださった皆様にとって、新たな怪物たちとの出会い、もしくは過去に出会った怪物たちのことを思い出したり、懐《なつ》かしんだりするきっかけとなってくれたのであれば、筆者としてとても嬉しく思います。

二〇二二年五月　朝里 樹

参考資料

- 朝日ソノラマ編『日本特撮・幻想映画全集』朝日ソノラマ、二〇〇五年
- アナ・マトロニック著、片山 美佳子訳『ロボットの歴史を作ったロボット100』
  日経ナショナルジオグラフィック社 、二〇一七年
- 石田一著『図説 モンスター—映画の空想生物たち』河出書房新社、二〇〇一年
- 石堂藍・東雅夫著、「幻想文学」編集部編『幻想文学 1500 ブックガイド』国書刊行会、一九九七年
- 泉速之著『銀幕の百怪—本朝怪奇映画大概』青土社、二〇〇〇年
- 伊藤美和著『ゾンビ映画大事典』洋泉社、二〇〇三年
- 映画秘宝編集部・STUDIO28 編『あなたの知らない怪獣㊙大百科』洋泉社、二〇〇三年
- 川北紘一監修『平成ゴジラ クロニクル』キネマ旬報社、二〇〇九年
- 講談社編『ゴジラ 全怪獣大図鑑』講談社、二〇二一年
- ジェフ・ロヴィン著、鶴田文訳『怪物の事典』青土社、一九九九年
- ジョン・クルート著、高橋良平監修『SF 大百科事典』グラフィック社、一九九八年
- ジョン・ランディス著、アンフィニジャパン・プロジェクト訳『モンスター大図鑑』
  ネコ・パブリッシング、二〇一三年
- 新映画宝庫編集部編『スプラッターカーニバル 悪夢映画流血編』大洋図書、二〇〇一年
- 新映画宝庫編集部編『モンスターパニック 超空想生物大百科』大洋図書、二〇〇〇年
- 新映画宝庫編集部編『モンスターパニック Returns! 怪獣無法地帯』大洋図書、二〇〇三年
- STUDIO28 編・著『モンスターメイカーズ ハリウッド怪獣特撮史』洋泉社、二〇〇〇年
- スティーブン・J・サンスイート著、武田英明総監修、青木桃子他訳『スター・ウォーズ・エンサイクロペディア』
  イーストプレス、一九九九年
- 宝島社編『STAR WARS GEEKTIONARY THE GALAXY FROM A to Z』宝島社、二〇一九年
- 野田昌宏著『図説 ロボット 野田 SF コレクション』河出書房新社、二〇〇〇年
- 由良君美著『世界のオカルト文学 幻想文学・総解説 決定版』自由国民社、一九八五年

朝里 樹（あさざと・いつき）

怪異妖怪愛好家・作家。1990年、北海道に生まれる。2014年、法政大学文学部卒業。日本文学専攻。現在公務員として働く傍ら、在野で怪異・妖怪の収集・研究を行う。著書に『日本現代怪異事典』（笠間書院）、『日本のおかしな現代妖怪図鑑』（幻冬舎）、『日本現代怪異事典 副読本』（笠間書院）、『歴史人物怪異談事典』（幻冬舎）、『世界現代怪異事典』（笠間書院）、『つい、見たくなる怪異な世界』（三笠書房）、『山の怪異大事典』（宝島社）、『日本怪異妖怪事典 北海道』（笠間書院）、『21世紀日本怪異ガイド100』（星海社）、『玉藻前アンソロジー　殺之巻』（文学通信）、『都市伝説最恐バトル大図鑑』（宝島社）、「放課後ゆ～れい部の事件ファイル」シリーズ（集英社）ほか。

創作怪異怪物事典

2022年7月5日　初版第1刷発行

著者　朝里 樹
イラスト　牛木匡憲
発行者　池田圭子

アートディレクション　細山田光宣
装幀・デザイン　鈴木沙季（細山田デザイン事務所）
本文組版　キャップス
印刷／製本　大日本印刷

発行所　笠間書院
〒101-0064　東京都千代田区神田猿楽町2-2-3
電話:03-3295-1331　FAX:03-3294-0996
https://kasamashoin.jp/　mail:info@kasamashoin.co.jp

ISBN 978-4-305-70963-9